罗 常 培
1945年8月9日摄于北美加州朴茂纳

反切的方法及其應用

—— 恬广說音之四 ——

羅莘田

小的時候剛學着查康熙字典，就碰到兩層難關：第一，哪個字應該屬哪一部，往往弄不清楚。如果翻檢字也找不到，就許半天查不着一個字。比如「反」字屬又部，「丹」字屬丶部，「之」字屬丿部，「予」字屬亅部，「冉」字屬冂部，「甲」字屬田部……在當年都讓我很「傷腦筋」的！這個問題牽涉到康熙字典分部的合理不合理，是文字形體上一個糾紛問題，這裏且不去談它。第二查着一個字不知道念什麼音，看了下面註的某某切還是茫然。比如說，「冂」字下面註着「渭熒切」，

罗常培语言学论文集

罗常培 著

商务印书馆
2004年·北京

图书在版编目(CIP)数据

罗常培语言学论文集/罗常培著. —北京:商务印书馆,2004
ISBN 7-100-03840-5

I. 罗… II. 罗… III. 语言学—文集 IV. H0-53

中国版本图书馆 CIP 数据核字(2003)第 055153 号

所有权利保留。
未经许可,不得以任何方式使用。

LUÓ CHÁNGPÉI YǓYÁNXUÉ LÙNWÉNJÍ
罗常培语言学论文集
罗常培 著

商 务 印 书 馆 出 版
(北京王府井大街36号 邮政编码100710)
商 务 印 书 馆 发 行
北 京 民 族 印 刷 厂 印 刷
ISBN 7-100-03840-5/H·971

2004 年 12 月第 1 版　　　　开本 850×1168　1/32
2004 年 12 月北京第 1 次印刷　印张 18　插页 5
印数 4 000 册

定价:33.00 元

序

罗常培先生字莘田,号恬庵,1899年(清光绪二十五年)8月9日生于北京一个满族平民家庭。1916年,考入北京大学中国文学门(系)。因父亲刚去世,不得不负起全家生活重担,一边读书,一边在众议院做速记,半工半读直至毕业,又转入哲学系读了两年。1921年离北大后,在京津两地教中学,并代理过校长。1926年,到西安任西北大学国学专修科主任兼教授,讲授音韵学。次年回京。1926年至1928年先后在厦门大学、广州中山大学任教授。1929年到刚成立于广州的中央研究院历史语言研究所任研究员,专力研究中国音韵学和汉语方言。1934年,任北京大学中国文学系教授,1936年兼系主任。1937年抗日战争爆发,辗转到长沙临时大学(北大、清华、南开组成)任教。次年学校迁云南,改称西南联合大学,他随校入滇。1940年任联大文学院中文系主任兼师范学院国文系主任。1944年赴美国讲学,1948年回国,继续在北大教书,并兼任北大文科研究所所长。新中国成立后,1950年他受命筹建中国科学院语言研究所。被任命为所长。他还被任命为第一届中国人民政治协商会议代表(1949年),民族事务委员会委员(1951年),中国文字改革研究委员会(1952年,1954年改称中国文字改革委员会)委员,中国科学院哲学社会科学部委员(1955年)。1954年和1958年当选为全国人民代表大会代表。从1951年起患高血压症,仍长期带病辛勤工作,终于不治,1958年12月13日逝世,刚满59岁。

罗先生在学术界工作约 30 年,主要是在研究所专力研究和在大学任教;任教也从来没有停止研究工作,而是将研究所得充实教材或开设新课。例如《汉语音韵学导论》一书,就是在许多所大学教音韵学的讲义,随着教学经验的积累和研究的逐步深入,历时 20 余年,前后修订 8 次,才正式出版的。研究、教书互相促进。他多方面开创了中国语言学的新局面,教出许多方面语言研究专门人才,不愧为继往开来、承前启后的一代宗师。他的业绩主要有以下几方面:

一、音韵学研究。音韵学发展到 20 世纪初,上古音的声部和中古音的声类、韵类的分合研究,都取得了重要成果,积累了经过研究整理的大量资料。如果要更进一步,就必须有新方法、新工具、新材料。罗先生适逢其时。他充分研究了前人各家音韵学著作,包括国外汉学家这方面的著作,全面掌握历代音韵资料。在这基础上利用历史比较语言学和现代语音学方法,引用方言和梵汉、汉藏等对音材料,对音韵史上的重要问题进行深入研究,提出关于古代某些声韵母读音和音类分合的独到见解。这方面的论文,如《〈切韵〉鱼虞的音值及其所据方音考》(1930 年)、《知彻澄娘音值考》(1930 年),等等,都是力作名篇。常被引用。另一方面,对音韵学中的某些术语,主要是等韵中的术语,做了使人容易理解的音理解释,如《释内外转》(1933 年)、《释重轻》(1932 年)等。罗先生的工作使传统音韵学从"考古功多,审音功浅"的状态上升为我国现代语言学的一门基础学科。他还对前人某些较为生僻的音韵著作,用序跋的形式加以评介,给以音韵史中的适当位置。为了填补传统音韵学从上古音到切韵音中间的一大段空白,他对汉魏南北朝的韵部进行了全面研究,另外,沿切韵音往下延伸,研究近代音,写了《〈中原音韵〉声类考》等论文。这就跟现代音相贯通了。

二、方言研究。罗先生研究汉语方言是跟研究汉语语音史密切相关的。早在1930年就发表了专著《厦门音系》和论文《〈切韵〉鱼虞的音值及其所据方音考》。前者用历史的语言系统驾驭现代复杂的方音,后者用六朝韵文中所反映的方言特点帮助考证并构拟历史语音。1940年出版《临川音系》一书,把临川语音同切韵音和现代北京语音作了比较,对某些"特殊词汇"作了语源学的探索。1933年出版了《唐五代西北方言》,利用了梵汉、汉藏对音,在方法上是创新,是用现代语音学方法去考证汉语古代方音的典范之作。他还调查了在方言分类上很有价值的徽州方言,写过几篇介绍这个方言特点的文章,个别材料用作他某些著作的例证。广大官话(大北方话)内部差异的调查,那时还没引起方言研究者的兴趣。罗先生独具只眼,抗战期间在昆明写了《昆明话和国语的异同》发表。十余年后许多性质和名称都类似的书接连出现,为推广普通话起了重要作用。罗先生这篇文章实开其先河。他还对西汉杨雄《方言》以下,直至清末各家的方言著述,作出总结式述评。罗先生方言研究的特色是贯穿古今,多作比较,不只是平面描写。

三、民族语言研究。他从汉语方言研究转入民族语言研究是在抗战时期的云南。这里民族语言众多,语言学者有"取之不尽用之不竭的材料"(引自他《语言学在云南》)。他以身作则,鼓励并带领学生进行调查,曾三次为此去大理,平日在昆明也找发音人记录。他调查了民家(白)语、纳西语、俅(独龙)语、怒语、景颇语、傈僳语、摆夷(傣)语。发表了《莲山摆夷语初探》(与邢庆兰合著)、《贡山俅语初探》(中文、英文)、《贡山怒语初探叙论》等。有些材料用作他别的著作的例子,如《普通语音学纲要》(与王均合著)就引用不少;《语言与文化》中也不难发现。更重要的是,一些青年学者在他的带动下逐渐成为民族语研究专家。新中国成立后开展大规模民族语言调查,他们起了骨干和种子作用。

四、借鉴域外。罗先生研究音韵史,早在20年代末就注意到明清之际西方传教士为学习汉语用罗马字母拼汉字的材料,写了《耶稣会士在音韵学上的贡献》长篇论文(1930年,十余年后又写了补篇)。后来这工作扩大到传教士之外的许多国外与汉语研究有关的著作,逐一单篇介绍。又在大学开设《域外中国声韵学论著述评》课程,并编成讲义印发。域外中国声韵学重要著作中当首推瑞典高本汉的巨著《中国音韵学研究》(作于1915—1926年)。当年中央研究院打破不译书成例,特委托赵元任、罗常培、李方桂三位,经多年努力把此书由法文译成中文,并改正其中错案,补充某些材料。这个译本1940年出版以来,对我国语言学界的影响至今未衰。罗先生除了在《中国音韵学的外来影响》(1935年)着重介绍高氏此书,还发表了专篇介绍。罗先生顺着研究耶稣会士的汉语拼音往下走,从另一方向扩大到对我国拼音字母源流的研究。这既是学术专题,也为配合当时的推行国语运动。他研究了注音字母(后改称注音符号)制定前各家各派为标注字音或拼写口语的字母,陆续发表,后总成《国音字母演进史》一书(1934年)。50年代中期,在汉语拼音方案的制订过程中,这书应需要改名为《汉语拼音字母演进史》重印。

五、铺起一条中国语言学新的路基。语言学所以列为一门社会科学,因为和产生语言的社会环境是分不开的。早在《临川音系》的叙论里,罗先生就论述了临川话和客赣话的历史关系。后来这叙论抽出加以修订,单独发表,题为《从客家迁徙的踪迹论客赣方言的关系》,进一步阐明民族迁徙和语言演变的关系。40年代他在云南,结合语言调查,注意搜集有"父子连名制"这一民族文化特征的材料,连大理荒郊野外的墓碑也未放过。他数次发表有关"父子连名制"的文章。后来总成一篇分为三纲六项十三目的长文《论藏缅族的父子连名制》。这篇文章解决了两个问题:一是云南西部人数多、分布广的民家(白族)应属藏缅族;二是以大理为中心的古南诏国(约8世纪至10世纪)的建国者是有父子连名制文化特征的藏缅族中的彝族和仍有这特征遗迹的白族的祖先,而不是没有这特征的非藏缅族称为"白夷"或"摆夷"的傣族。罗先生另一拓展语言学的力作是《语言与文化》一书。这书写定于北京解放的炮声中,而框架构建和资料积累由来已久。他用大量语言事实,论证语言与人类社会文化多方面的关系,并"自信这本小书对中国语言学新路把路基初步铺起来了"。这书40年后重印,被推许为"我国第一部文化语言学开创性著作"。

六、音韵学的普及工作。在这方面,罗先生主要从两项工作使深奥难懂的音韵学去影响社会:一是把音韵学延伸到文艺领域,解决其中某些问题,显示音韵学并非一门孤立的"绝学",而是与文艺相通,对文艺有用的学问。他初到北大任教的时候,就写了《音韵学与戏剧》(1935年)、《旧剧中的几个音韵问题》(1936年)等从课堂通向剧场的文章。最能体现他这方面业绩的,是《北平俗曲百种摘韵》一书。他用"丝贯绳牵"法归纳100种北平俗曲押韵而成。1942年在重庆出版后,当地《新华日报》写专篇书评介绍,称它"就内容说,称得起是一本通俗的科学著作,而所附的字汇,又可以实际帮助诗人们用来合辙押韵。"这本书解放后曾两次重印(改名为《北京俗曲百种摘韵》),可见受到社会重视。罗先生普及音韵学知识另一方法是直接写些浅近易懂的有关音韵学的文章。30年代,就有《音韵学研究法》一文(1934年)。十年以后,又写了《音韵学不是绝学》(1944年)。这两篇文章的十年中间,他写了一系列音韵学通俗性专题文章,如《从"四声"说到"九声"》(1939年)、《四声五声六声八声皆为周氏所发现》(1941年)、《什么叫双声叠韵》(1942年)、《汉语的声音是古今一样的吗?》(1942年)、《反切的方法及其应用》(1944年)等等。他本来打算把这些文章集结为《恬庵说音》一书,跟《中国音韵学导论》相辅而行。因出国讲学,无暇整理作罢。

  罗先生的一生业绩联系着我国语言学发展的许多方面。诚如魏建功先生所说:"他称得起是中国语言学的奠基人,他是继往开来出力最多的人。"罗先生自己也说过:"我们的工作应为后人铺路","前修未密,后出转精"。他逝世 40 多年来,主要是近 20 多年来,我国语言学取得了可喜的进展。这正是他生前的愿望。

周定一

2000 年 8 月

目　录

《切韵》鱼虞的音值及其所据方音考 …………………………（1）
知彻澄娘音值考 ……………………………………………（29）
梵文腭音五母的藏汉对音研究 ……………………………（70）
《中原音韵》声类考 …………………………………………（85）
释重轻 ………………………………………………………（105）
释内外转 ……………………………………………………（115）
释清浊 ………………………………………………………（136）
《通志·七音略》研究 ………………………………………（139）
《经典释文》和原本《玉篇》反切中的匣于两纽 ……………（156）
汉语方音研究小史 …………………………………………（163）
杨雄《方言》在中国语言学史上的地位 ……………………（185）
论藏缅族的父子连名制 ……………………………………（190）
从借字看文化的接触 ………………………………………（222）

耶稣会士在音韵学上的贡献 ………………………………（251）
汉语音韵学的外来影响 ……………………………………（359）
王兰生与《音韵阐微》 ………………………………………（375）
汉语拼音方案的历史渊源 …………………………………（405）
论龙果夫的《八思巴字和古官话》 …………………………（411）

京剧中的几个音韵问题 ……………………………………（424）
台词和语音学的关系 ………………………………………（451）

从"四声"说到"九声"	(461)
误读字的分析	(475)
四声五声六声八声皆为周氏所发现	(485)
音韵学不是绝学	(487)
校印莫友芝《韵学源流》跋	(496)
《声韵同然集》残稿跋	(498)
敦煌写本守温韵学残卷跋	(504)
《唐五代西北方音》自序	(518)
泰兴何石闾《韵史》稿本跋	(523)
读牟应震《毛诗古韵考》	(531)
《榕村韵书》正名	(535)
《十韵汇编》叙例	(540)
校补本《十韵汇编》序	(558)
《北京俗曲百种摘韵》再版自序	(561)
编后记	(565)

附表一　六朝诗文鱼虞合用韵字表
附表二　六朝诗文鱼虞分用韵字表
附表三　四十九根本字诸经译文异同表
附表四　圆明字轮四十二字储经译文异同表
附表五　梵藏汉字母对照表
附表六　守温字母源流表

《切韵》鱼虞的音值及其所据方音考
——高本汉《切韵》音读商榷之一

陆法言《切韵》把鱼、虞、模分作三个不同的韵部,从《切韵》论定"南北是非、古今通塞"的原则,以及法言"非余小子敢行专辄,乃述先贤遗意"的态度来看,这三韵的音值,在当时的方音,或隋以前的古音,一定有分别,绝不是法言凭臆杜撰的。但是自从唐初许敬宗议以鱼独用,虞、模同用,于是虞、模的分界混淆;自从《切韵指掌图》、《四声等子》和《切韵指南》把三韵并成一摄,使"鱼、虞相助"①,共为一列,于是鱼、虞的分界又混淆。经过这两次演变,所以周德清的《中原音韵》索性把三韵并成一部了。并且现代大多数的方言,模韵在所有的声母后边,差不多都读作[u]音,鱼、虞两韵在"牙音""喉音""齿头音"和娘、来等纽的后边,都读作[y]音,在"舌上音""正齿音""唇音"和日纽的后边,都读作[u]音。所以模和鱼、虞虽然"洪""细"有别,而鱼、虞两韵已然彼此难辨了。

这种鱼、虞不辨的现象,尚不只唐朝以后为然。陆法言评论诸家取舍不同,已经有"鱼、虞共为一韵"的说法②,而同陆爽讨论音韵的颜之推也曾说,"以庶(御韵)为戍(遇韵),以如(鱼韵)为儒(虞韵)",是北人轻微的谬失。③ 可见隋时方音对于鱼、虞的混淆,正跟唐朝以后的现象相同。那末,陆法言究竟为什么把鱼、虞分成两

---

① 《四声等子》遇摄图末附注。
② 《切韵》序。
③ 《颜氏家训·音辞篇》。

韵？并且在他修集《切韵》的时候能不能分辨鱼、虞两韵有不同的音值呢？咱们要解答这个问题，应当先从六朝时候的方音分布情形去寻绎它的线索。

案《颜氏家训·音辞篇》说：

> 孙叔然创《尔雅音义》，是汉末人独知反语。至于魏世，此事大行。……自兹厥后，音韵蜂出；各有土风，递相非笑。指马之喻，未知孰是。共以帝王都邑，参校方俗，考核古今，为之折衷。权而量之，独金陵与洛下耳。

陆法言《切韵·序》说：

> 江东取韵与河北复殊。

陆德明《经典释文·序》说：

> 楚夏声异，南北语殊。

又《条例》说：

> 方音差别，固自不同；河北江南，最为巨异。

可见从晋到隋的方音显然有"南""北"两个大界限。专就鱼、虞两韵而论，颜之推既然说："北人'以庶（御韵）为戍（遇韵），以如（鱼韵）为儒（虞韵）'"；又说："北人之音，多以举莒（语韵）为矩（麌韵）"[①]；那末，鱼、虞两韵在南音有分别，在北音没有分别，可以算是无疑义的事实了。咱们再拿晋以后的诗文韵读来证明它。

诗文韵读虽然不是考证方音的唯一可靠的材料，但是当时的韵书既然散佚，谐声字的系统又已混乱，咱们舍去它们以外也找不出什么更可靠的来。况且南北朝时候的文人对于方音既然抱着"各有土风，递相非笑"的态度，那末，他们所作的诗歌赋颂之类，当然不会不按着自己的方音押韵，转去效法别处的方音。尤其是当时流行的民间文艺像《子夜歌》、《华山畿》之类，恐怕更可代表真实的天籁，不会强押违背乡音的韵脚。据我遍考六朝诗文所归纳的结果，大概吴郡、丹阳秣陵、吴兴故鄣、吴兴长城、吴兴武康、会稽山

[①] 《颜氏家训·音辞篇》。

阴、会稽余姚、广陵、彭城等地方,对于鱼、虞两韵很少混用的。例如:

陆机(吴郡吴人)①

《上留田行》:除,纾,如。(《全晋诗》卷三,页 6)②

《于承明作与弟士龙》:予,楚,绪,渚。(《全晋诗》卷三,页 11)

《赠尚书郎顾彦先》:庐,舒,疏,除,渠,徐,鱼。(《全晋诗》卷三,页 12)

《白云赋》:序,处,举,伫。(《全晋文》卷九十六,页 2)③

《述先赋》:举,所。(《全晋文》卷九十六,页 3)

《怀土赋》:墟,居。(《全晋文》卷九十六,页 6)

《思归赋》:楚,予。(《全晋文》卷九十六,页 7)

《幽人赋》:渚,伫。(《全晋文》卷九十六,页 9)

《应嘉赋》:语,予。(《全晋文》卷九十六,页 9)

《汉高祖功臣颂》:举,海海,旅,与,楚。(《全晋文》卷九十八,页 5)

陆云(吴郡吴人)

《赠顾彦先》之二:暑,处,语,举,楚。(《全晋诗》卷三,页 22)

《岁暮赋》:楚,骇骇,所,举。(《全晋文》卷一百,页 2)

《晋故豫章内史夏府君诔》:序,绪,楚。(《全晋文》卷一百零四,页 7)

张绣(吴郡吴人)

《河南国献舞马赋应诏》:摅,车,舆,墟。(《全晋文》卷五十四,页 4)

陆厥(吴郡吴人)

《中山王孺子妾歌》:车,馀,蕖,鱼,如。(《全齐诗》卷四,页 6)

张融(吴郡吴人)

《海赋》:书,鱼。(《全齐文》卷十五,页 2)

吴声歌曲:

---

① 吴郡东汉改会稽郡置,属扬州,治吴(今江苏吴县)。晋南宋南齐俱因之。案《晋书》陆机临终云"华亭鹤唳岂可复闻乎",陆云与荀隐对语自称"云间陆士龙"。华亭、云间皆今江苏松江县之古称。
② 据丁福保辑《全两汉三国六朝诗》。
③ 据严可均辑《全上古三代秦汉三国六朝文》。

《子夜歌》之十二：渚，汝。(《全晋诗》卷八，页 1)

《子夜歌》之三十九：如，疎。(同上)

《子夜春歌》：舒，裾。(《全晋诗》卷八，页 3)

《黄鹄曲》：渚，侣。(《全晋诗》卷八，页 8)

《长乐佳》：渚，许。(同上)

《懊侬歌》：许，汝。(《全晋诗》卷八，页 9)

《白石郎曲》：居，鱼。(《全晋诗》卷八，页 10)

《青阳度》：杵，汝。(《全晋诗》卷八，页 12)

《白附鸠》：渚，许。(《全晋诗》卷八，页 14)

《华山畿》之四：渚，汝。(《全宋诗》卷五，页 15)

《华山畿》之五：许，汝。(同上)

《华山畿》之七：曙，去。(同上)

《华山畿》之十：许，绪。(同上)

《华山畿》之十九：渚，许。(同上)

《华山畿》之二十：许，汝。(同上)

《读曲歌》之二十九：许，语。(《全宋诗》卷五，页 17)

《读曲歌》之三十五：举，汝。(同上)

《读曲歌》之三十九：去，虑。(同上)

《读曲歌》之四十七：语，绪。(同上)

《读曲歌》之五十三：於，疏。(《全宋诗》卷五，页 18)

《读曲歌》之五十九：虑，处。(同上)

《读曲歌》之七十四：虑，去。(同上)

《读曲歌》之七十五：虑，处。(同上)

《读曲歌》之八十二：馀，疎。(《全宋诗》卷五，页 19)

西曲歌

《石城乐》：馀，居。(《全梁诗》卷五，页 19)

《乌夜啼》之三：居，书。(同上)

《乌夜啼》之四：曙，去。(同上)

《乌夜啼》之五：去，曙。(同上)

《襄阳乐》之四：处，去。(《全宋诗》卷五，页 20)

《襄阳乐》之九：语，去。(同上)

《西乌夜飞》之五：虑，去。(《全宋诗》卷五，页 21)

陶弘景(丹阳秣陵人)①
  《华阳颂挺契》:居,胥。(《全晋文》卷四十七,页 6)
  《许长史旧馆坛碑》:舒,虚,庐,居。(《全晋文》卷四十七,页 10)

吴均(吴兴故鄣人)②
  《行路难》之三:处,曙,去,豫。(《全梁诗》卷八,页 1)
  《诣周承不值》:疎,书,徐。(《全梁诗》卷八,页 11)
  《山中杂诗》:馀,书。(《全梁诗》卷八,页 15)
  《食移》:馀,鱼,菹。(《全梁文》卷六,页 4)

陈后主叔宝(吴兴长城人)③
  《入隋侍宴应诏》:居,书。(《全陈诗》卷一,页 10)
  《戏赠沈后》:去,处。(同上)

沈约(吴兴武康人)④
  《四时白纻歌夜白纻》:女,许,予,纻。(《全梁诗》卷四,页 7)
  《赠沈录事江水曹二大使》:阻,处,叙,语。(《全梁诗》卷四,页 7)
  《为临川王九日侍太子宴》:举,楚,侣,伫。(《全梁诗》卷四,页 8)
  《丽人赋》:渠,裾。(《全梁文》卷二十五,页 2)
  《伤美人赋》:遽,处。(同上)
  《憨涂赋》:渚,屿,楚,绪,拒,阻。(同上)
  《郊居赋》:初,储,书,虚,馀,庐,渠,蔬,余,墟;(《全梁文》卷二十五,页 4)
     所,渚,语,楚;(《全梁文》卷二十五,页 5)
     距,醑,渚,楚,糈,伫;(《全梁文》卷二十五,页 6)
     舒,鱼。(同上)
  《天渊水鸟应诏赋》:屿,渚,簴。(《全梁文》卷二十五,页 7)
  《尚书右仆射范云墓志铭》:举,序。(《全梁文》卷三十,页 13)

---

① 秣陵汉置县,属丹阳郡,东汉属扬州丹阳郡,晋因之。在今江苏江宁县东南。
② 故鄣汉置县,属丹阳郡,东汉属扬州丹阳郡,晋属吴兴郡,南宋、南齐因之。在今浙江安吉县西北十五里。
③ 长城县晋析乌程置,属扬州吴兴郡,南宋、南齐因之。今浙江长兴县东。
④ 东汉析乌程、余杭二县地置永安县,晋初改永康,后改武康,属扬州吴兴郡,南宋、南齐因之。今浙江武康县。

孔宁子(会稽山阴人)①

　　《牦牛赋》:阻,渚,羜,鼠,楚,旅,序,所。(《全宋文》卷二十八,页2)

孔稚珪(会稽山阴人)

　　《北山移文》:举,侣,伫。(《全齐文》卷十九,页8)

虞羲(会稽人)

　　《敬赠萧谘议》其七:间,舆,书,车。(《全梁诗》卷十二,页8)

　　《敬赠萧谘议》其九:所,语,举,处。(同上)

宋孝武帝(案刘氏为彭城县绥里人)②

　　《丁都护歌》之三:墟,渠。(《全宋诗》卷一,页1)

　　《丁都护歌》之五:许,旅。(同上)

宋江夏王义恭(彭城人)

　　《彭城戏马台集》:楚,侣,暑,伫。(《全宋诗》卷一,页4)

宋南平王铄(彭城人)

　　《拟孟冬寒气至》:初,除,疏,书,居,余,虚。(《全宋诗》卷一,页5)

刘孝绰(彭城人)

　　《三日侍华光殿曲水宴》:初,渠,居,舒,疏,馀,鱼。(《全梁诗》卷十,页15)

　　《归沐呈任中丞昉》:庐,居,渠,裾,疏,虚,书,如,嘘,庐,玙,鱼。(《全梁诗》卷十,页19)

刘孝仪(彭城人)

　　《和咏舞》:馀,裾。(《全梁诗》卷十,页24)

刘孝胜(彭城人)

　　《冬日家园别阳羡始兴》:处,举,遽,御,誉。(《全梁诗》卷十,页25)

刘孝威(彭城人)

　　《半渡溪》:渠,书,车,纾,馀。(《全梁诗》卷十一,页3)

---

　　① 山阴汉置县,属会稽郡,东汉为扬州会稽郡治。晋南宋、南齐因之。今浙江绍兴县即改并会稽及山阴两县而成。

　　② 彭城汉置县,为楚国治,东汉为徐州彭城国治,晋因之。南宋为徐州彭城郡治。在今江苏铜山县治。又南齐侨置,为南徐州南彭城郡治。今阙当在江苏境。

上举这七十七首诗文,完全以鱼、语、御韵的字相押,没有一首羼入虞、麌、遇韵的字。又如:

张率(吴郡吴人)
  《沧海雀》:区,株,虞,拘,珠。(《全梁诗》卷七,页2)
  《河南国献舞马赋应诏》:躯,凫,趋,桴。(《全梁文》卷五十四,页4)

陆倕(吴郡吴人)
  《释奠应令》之一:矩,斧,雨,武。(《全梁诗》卷十二,页3)
  《石阙铭》:宇,柱,矩,雨。(《全梁文》卷五十三,页7)

顾野王(吴郡吴人)
  《有所思》:戍,树,雾,赋。(《全陈诗》卷四,页1)

吴声歌曲
  《采桑度》:俱,襦。(《全晋诗》卷八,页11)
  《子尚歌》:蹰,臾。(《全齐诗》卷四,页7)

吴均(吴兴故鄣人)
  《赠周兴嗣》:雾,数,襦,屦。(《全梁诗》卷七,页10)

沈约(吴兴武康人)
  《庭雨应诏》:赋,雾,注,趣。(《全梁诗》卷四,页17)
  《麦李》:区,衢,逾,朱,蹰。(《全梁诗》卷四,页17)
  《郊居赋》:区,株,娱,朱,隅,衢,跗;(《全梁文》卷二十五,页4)
     虞,凫,躯,珠;(同上)
     武,主,宇,缕,膴,竖。(《全梁文》卷二十五,页5)
  《高士赞》:无,躯,夫,愉,迂,拘,衢。(《全梁文》卷三十,页8)
  《齐明帝哀策文》:主,武。(《全梁文》卷三十,页12)

高爽(广陵人)①
  《寓居公廨怀何秀才逊》:聚,宇,舞,愈。(《全梁诗》卷十二,页12)

宋孝武帝(彭城人)

---

 ① 广陵汉置县,为广陵国治,东汉为徐州广陵郡治,今江苏江都县东北。晋移郡治淮阴,属徐州广陵郡。南宋复为南兖州广陵郡治。南齐复属南兖州广陵郡。今江苏江都县治。

《济曲阿后湖》：郛，芜，崓，榆。(《全宋诗》卷一，页 2)

刘孝绰（彭城人）

《元广州景仲座见故姬》：夫，嫮，芜。(《全梁诗》卷十，页 23)

刘孝威（彭城人）

《骢马驱》：驱，趋，雾，树，住。(《全梁诗》卷十一，页 3)

上举这十七首诗文，完全以虞、麌、遇韵的字相押，没有一首羼入鱼、语、御韵的字。如果咱们拿金陵作中心，彭城作北极，余姚作南极，而画一圆周，恰好把这些鱼、虞分用的地方都包括在内（参阅次页附图）。在这个圆周范围里，已经考见的地方即使鱼、虞两韵有时偶尔相通，那些虞韵的字大多数也都以"牙音""唇音"及"喉音"喻纽（影纽只有一"纡"字）"半舌音"来纽为限。例如：

陆机（吴郡吴人）

《九愍修身》：旅，予，处语，侮麌，伫语。(《全晋文》卷一百零一，页 2)

《白云赋》：舒，居，初鱼，污虞。(《全晋文》卷九十六，页 2)

陆云（吴郡吴人）

《吴故丞相陆公诔》：序，旅，举语，浒姥，予，处语，海海，辅麌，右有，土姥。(《全晋文》卷一百零四，页 3)

《晋故散骑常侍陆府君诔》：祖姥，宇麌，序语。(《全晋文》卷一百零四，页 7)

陆倕（吴郡吴人）

《以诗代书别后寄赠》：隅，衢虞，疏，车，书，胯，车，虚，袪，鱼鱼。(《全梁诗》卷十二，页 4)

沈约（吴兴武康人）

《钓竿》：与鱼，纡，凫，娱虞。(《全梁诗》卷四，页 5)

虞世南（会稽余姚人）①

《奉和幸江都应诏》：歔虞，樗鱼。(《全隋诗》卷三，页 5)

---

① 余姚汉置县，属会稽郡，东汉属扬州会稽郡，晋、南宋、南齐俱因之。今浙江余姚县。

宋孝武帝（彭城人）

《华林清暑殿赋》：篆，暑语，宇虞。（《全宋文》卷五，页1）

江夏王义恭（彭城人）

《嘉禾甘露颂》：储，虚鱼，敷虞，居鱼。（《全宋文》卷十二，页4）

这种现象恰好跟日译"吴音"相合，并不能算是鱼、虞分用的反证（详后）。如果这样是对的，那末，咱们纵然不管江北的广陵、彭城两个地方究竟是怎样，至少也可以断定六朝时候沿着太湖周围的吴语区域能够分辨鱼、虞两韵的不同；不过在"牙音""唇音"跟喻、来两纽的后头有时候通用罢了。若像下面所列的五首：

吴声歌曲

《十二月折杨柳歌》：去语，主虞。（《全晋诗》卷八，页15）

沈约（吴兴武康人）

《听鸣蝉》：篆语，树，遇，住遇。（《全梁诗》卷四，页19）

孔欣（会稽山阴人）

《相逢狭路间》：蹰，衢，驱，渝虞，虚鱼，枢虞，胥，庐，书鱼，娱虞。（《全宋诗》卷五，页10）

孔德昭（会稽人）

《登白马山护明寺》：纡虞，模，乌，都，铺模，虚鱼，隅虞，栌模，珠虞，涂模。（《全隋诗》卷三，页14）

到洽（彭城武原人）[①]

《赠任昉》：取，矩虞，处，语语。（《全梁诗》卷十二，页18）

虞韵字的声母不以前项的系统为限，那是很少见的例外（参阅附表一）。至于北方则不然了。据我归纳六朝诗歌韵读的结果，大概洛阳、东郡白马、荥阳中牟、陈留襄邑、济阳考城、颍川、襄城邓陵、陈郡阳夏、西平、汝南南顿、南阳新野、谯国谯县、齐国临淄、东海郯

---

① 武原汉置县，属楚国，东汉属徐州彭城国，晋因之。在今江苏邳县西北80里。其地位已不在鱼、虞分用圈内。

县、琅琊临沂、东郡东阿、清河东武城、渤海蓨县、范阳方城、范阳涿县、中山、安平、太原中都、河东解县、弘农华阴、京兆长安、北地泥阳等处方言,对于鱼、虞全都不能分辨。例如:

六朝诗文用韵中所考见的鱼虞两韵方音分合趋势略图

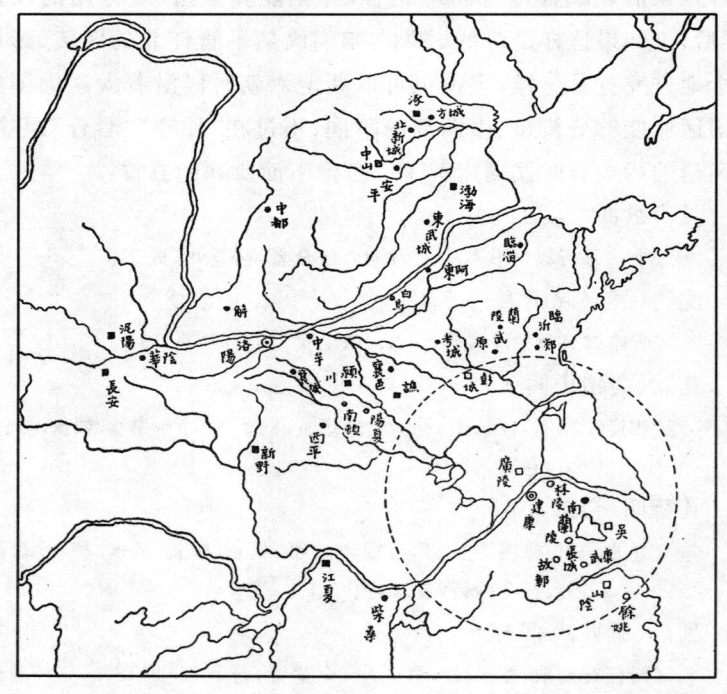

图例　◎南音中心(金陵)　□鱼虞分用的郡治　■鱼虞合用的郡治
　　　◉北音中心(洛下)　○鱼虞分用的县治　●鱼虞合用的县治
　　　------ 界内表示鱼虞分用的地带

洛中童谣[①]

初鱼,珠虞。(《全北魏诗》,页 11)

---

① 汉置雒阳,三国魏改曰洛阳,西晋因之,为司州河南郡治,北魏为洛州洛阳郡治。故城在今河南洛阳县治东北 20 里。

成公绥(东郡白马人)①
  《中宫》:女,处,序语,辅虞。(《全晋诗》卷二,页6)

潘岳(荥阳中牟人)②
  《悼亡诗》:去语,躅,隅,无虞,车,馀鱼。(《全晋诗》卷四,页5)

江伟(陈留襄邑人)③
  《答贺腊》:处语,父虞,伫语。(《全晋诗》卷七,页6)

枯树歌④
  树虞,去语。(《全隋诗》卷四,页13)

王伟(洛阳人居颍川)⑤
  《狱中赠人诗》:赋遇,书,鱼鱼。(《全梁诗》卷十二,页22)

应贞(汝南南顿人)⑥
  《晋武帝华林园集诗》:初鱼,敷,符,虞虞;……数,喻遇,御,饫御。(《全晋诗》卷二,页21)

曹毗(谯国谯人)⑦
  《正朝》:舒,初鱼,区虞。(《全晋诗》卷五,页23)

左思(齐国临淄人)⑧
  《咏史》四:居鱼,衢虞,庐鱼,竽虞,舆,虚,如鱼,区虞。(《全晋诗》卷四,页10)

---

① 白马汉置县,属东郡,东汉属兖州东郡,晋属兖州濮阳国。在今河南滑县东20里。
② 中牟汉置县,属河南郡,东汉属司隶河南尹,晋属司州荥阳郡。故城在今河南中牟县治东60里。
③ 襄邑汉置县,属陈留郡,东汉属兖州陈留郡,晋属兖州陈留国。在今河南睢县西一里。
④ 《北史》曰:"王劭隋文帝时为著作郎,上表言符命曰:陈留老子祠有枯柏。世传曰:老子将度世云待枯柏生东南枝回指,当有圣人出,吾道复行。至齐枯柏从下生枝东南上指,夜有三童子相与歌云云。"故此歌当为陈留人所作。
⑤ 晋置豫州颍川郡,治许昌,南齐豫州颍川郡,治临颍。
⑥ 南顿汉置县,属汝南郡,东汉属豫州汝南郡,晋因之。在今河南项城县北50里。
⑦ 谯县汉置县,属沛郡,东汉属豫州沛国,晋为豫州谯郡治。今安徽亳县治。
⑧ 临淄汉置县,为齐郡治,东汉为青州齐国治,晋因之。今山东临淄县。

鲍照（东海人）①

《代白纻舞歌词》之二：居，疏，渠，舒鱼，竽虞，除鱼，须虞。（《全宋诗》卷四，页8）

《代白纻曲》：举，女，纻语，舞虞。（同上）

王揖（琅琊人）②

《在齐答弟寂》：敷，愉虞，疎鱼，俱虞。（《全梁诗》卷十一，页13）

程晓（东郡东阿人）③

《赠傅休弈诗》：处，俎语，父，脯虞。（《全晋诗》卷二，页18）

张正见（清河东武城人）④

《赋得梅花轻雨应教》：雨虞，去语，聚，柱，舞虞。（《全陈诗》卷二，页22）

高允（渤海蓨人）⑤

《罗敷行》：敷，肤，珠虞，梳，裾鱼，躅虞。（《全北魏诗》，页3）

张华（范阳方城人）⑥

《励志诗》：羽虞，举，绪语，矩虞。（《全晋诗》卷二，页3）

《答何劭》：拘，逾虞，俆鱼，娱，敷虞，庐，舆，渠，鱼鱼，榆虞。（《全晋诗》卷二，页4）

《情诗》：伫，渚，与语，雨虞，侣语。（《全晋诗》卷二，页5）

《游仙诗》：裾，庐鱼，竽，墟鱼。（《全晋诗》卷二，页6）

张协（安平人）⑦

《咏史》：娱虞，疎鱼，衢，无，隅，夫虞，储鱼，愚，俱虞，书鱼。（《全晋诗》

---

① 东海郡汉置，治郯，东汉徐州东海郡治郯，晋因之。
② 琅琊古徐州地，秦置，汉因之，治东武。东汉为徐州琅琊郡，治开阳，晋因之。南宋徙置徐州琅琊郡，治费（故城在今山东费县西北20里）。
③ 东阿汉置县，属东郡，东汉属兖州东郡，晋属兖州济北国。今山东谷阳县东北五十里阿城镇是。
④ 东武城汉置，东汉属冀州清河国，晋因之，后改武城。今山东武城县西10里。
⑤ 蓨县南宋置，属冀州渤海郡，今阙当在山东旧济南道境。
⑥ 方城汉置县，属广阳国，东汉属幽州涿郡，晋属幽州范阳国。今河北固安县南十五里。
⑦ 安平汉置县，属涿郡，东汉属冀州安平国，晋为冀州博陵郡治。今河北安平县。

卷四,页 15)

柳恽(河东解人)①

《七夕穿针》:绪语,缕,聚,柱,取虞。(《全梁诗》卷七,页 5)

隋文帝(弘农华阴人)②

《宴秦孝王于并州作》:臾虞,除鱼,无虞。(《全隋诗》卷一,页 8)

傅玄(北地泥阳人)③

《董逃行》:虚鱼,姝,无虞,疎鱼,躯虞。(《全晋诗》卷二,页 12)

傅咸(北地泥阳人)

《秋霖诗》:车鱼,珠虞。(《全晋诗》卷二,页 21)

上举二十四首都是以鱼、虞通押。又如:

潘岳(荥阳中牟人)

《关中诗》之六:斧虞,举语,土,苦姥。(《全晋诗》卷四,页 1)

潘尼(荥阳中牟人)

《赠司空掾安仁》:宇虞,楚语,堵姥,黍语。(同上)

支遁(陈留人)

《咏怀诗》:劬虞,书,初鱼,愉虞,徂模,虚鱼,无虞,塗模,珠虞,渠鱼,符虞,疎,居鱼。(《全晋诗》卷七,页 10)

《述怀诗》:虚鱼,嵎虞,蔬鱼,梧模,躯,符,劬虞。(《全晋诗》卷七,页 11)

江淹(济阳考城人)④

《郊外望秋答殷博士》:芜,躅,瑜虞,都模,濡虞,初,居,书鱼。(《全梁诗》卷五,页 5)

《刘太尉琨伤乱》:雾遇,据御,鹜,遇遇,举语,故,度,路暮,树遇,虑御,

---

① 解县汉置属河东郡,东汉属司隶河东郡,晋属司州河东郡,北魏改北解。今山西临晋县西南 30 里俗称古城屯。
② 华阴汉置县,属京兆尹,东汉属司隶弘农郡,晋属司州弘农郡。故城在今陕西华阴县治东南。
③ 泥阳三国魏侨置。晋为雍州北地郡治。今陕西耀县东南 15 里。
④ 晋惠帝分陈留为济阳国领考城鄄城二县,属兖州,南宋属南徐州,治考城(今河南考城县北)。

素暮,数遇。(《全梁诗》卷五,页 10)

《殷东阳仲文兴瞩》:趣,遇,树遇,素暮,务遇,慕暮,虑御。(《全梁诗》卷五,页 11)

《悼室人》之十:无虞,都模,舆鱼,隅虞,居鱼。(《全梁诗》卷五,页 11)

杜育(襄城邓陵人)①

《赠挚仲治》:驹虞,徂,壶模,鱼鱼。(《全晋诗》卷二,页 24)

何劭(陈郡阳夏人)②

《赠张华》:舒鱼,俱,敷虞,圃姥,庐鱼,无虞,挐模,墟,书,躇,鱼鱼。(《全晋诗》卷二,页 27)

《杂诗》:树遇,素,顾,露,步暮,遇遇,慕暮,虑御。(同上)

谢灵运(陈郡阳夏人)

《拟邺中集诗应玚》:羽麌,渚,许,旅,所,阻语,宇麌,酢,语语,沮鱼,叙语。(《全宋诗》卷二,页 16)

梅陶(西平人)③

《赠温峤》之三:徂模,土姥,斧,武麌,汝语。(《全晋诗》卷五,页 10)

庾信(南阳新野人)④

《预麟趾殿校书和刘仪同》:谟,图,都模,夫虞,疏鱼,狐,乌,蒲,湖模。(《全北周诗》卷二,页 12)

曹摅(谯国谯人)

《赠韩道真》之二:除鱼,榆,驹虞,塗模,衢,殊,蹰虞,鱼鱼。(《全晋诗》卷四,页 22)

《答赵景猷》:初,除,居鱼,塗模,殊,蹰,隅,衢,凫,纡虞,处,语,汝,伫语。(《全晋诗》卷四,页 24)

---

① 襄城郡晋颍川郡置,属豫州,治襄城(今河南襄城县)。邓陵未详。
② 阳夏汉置县,属淮阳国,东汉属豫州陈国,晋属豫州梁国,南宋属南豫州东郡,南齐为豫州北陈郡治又属豫州陈郡,今河南太康县北 3 里。
③ 西平汉置县,属汝南郡,东汉属豫州汝南郡,晋因之。在今河南西平县治西 45 里。
④ 新野汉置县,属南阳郡,东汉属荆州南阳郡,晋为荆州义阳郡治,南宋为雍州新野郡治,南齐因之,北魏属荆州新野郡。故城在今河南新野县治南。

《思友人诗》:除鱼,枯模,疎鱼,驹,俱虞。(《全晋诗》卷四,页25)

左思(齐国临淄人)

《悼离赠妹》:虑,誉御,赋遇,布,路,慕暮。(《全晋诗》卷四,页9)

鲍照(东海人)

《从过旧宫》:塗模,榆虞,图,湖模,初鱼,衢虞,渔鱼,荼模,腴虞,居鱼,敷,渝虞,徒模,乌虞。(《全宋诗》卷四,页17)

《拟古八首》之五:都模,儒虞,书鱼,壶模,隅虞,庐,初,疎鱼。(《全宋诗》卷四,页19)

《绍古辞》之六:塗模,书,疏,舒鱼,隅虞。(《全宋诗》卷四,页20)

徐陵(东海郯人)①

《骢马驱》:渠鱼,敷虞,屠模,书鱼,踽虞。(《全陈诗》卷二,页1)

王齐之(琅琊人)

《念佛三昧诗》:无虞,粗模,虚,馀鱼。(《全晋诗》卷七,页6)

颜延之(琅琊临沂人)②

《秋胡诗》:徂模,除鱼,枯模,隅,芜虞。(《全宋诗》卷二,页8)

王融(琅琊临沂人)

《歌出国》:树遇,慕,路暮,去御。(《全齐诗》卷二,页5)

《赠族叔卫军》之七:务遇,誉御,素暮,树遇。(《全齐诗》卷二,页7)

王思远(琅琊临沂人)

《皇太子释奠诗》:古姥,矩麌,序语,寓遇。(《全齐诗》卷二,页13)

王秀之(琅琊临沂人)

《卧疾叙意》:豫,虑,曙御,暮暮,雾遇,去御故暮树遇,路暮,赋遇。(《全齐诗》卷四,页1)

高允(渤海蓨人)

《答宗钦》之三:著御,务遇,素,布暮。(《全北魏诗》卷一,页3)

---

① 郯县汉置,为东海郡治,东汉为徐州东海郡治,晋因之。故城在今山东郯城县西南30里。

② 临沂汉置县,属东海郡,东汉属徐州琅琊国,晋因之。故城在今山东临沂县北50里。又东晋侨置,南宋为南徐州南琅琊郡治,南齐因之。今江苏江宁县东北30里。

卢谌(范阳涿人)①

《赠刘琨》之六：疎，初鱼，孤模，敷虞。(《全晋诗》卷五,页 3)

《赠崔温》：隅虞，豫御，路暮，树，雾遇，慕，诉暮，务遇，固暮惧虞虑御遇遇，御，庶，誉御，赋遇，去御，素，故暮。(《全晋诗》卷五,页 4)

刘琨(中山人)②

《答卢谌》之二：塗模，虚鱼，都模，敷虞，诸鱼乎模。(《全晋诗》卷五,页 1)

孙绰(太原中都人)③

《表哀诗》：序，暑语，怙姥，宇麌。(《全晋诗》卷五,页 12)

《与庾冰》之二：夫，衢虞，墟鱼，荼模。(《全晋诗》卷五,页 13)

挚虞(京兆长安人)④

《答杜育诗》：刍虞，壶模，居，如鱼。(《全晋诗》卷二,页 24)

凡三十五首，都是以鱼、虞、模通押。并且除去白马、临淄、东阿、新野、邓陵、西平、中山几个地方以外，虞韵字的声母都不以"牙音""唇音"跟喻、来两纽为限。可见南北方音对于鱼、虞两韵的音读显然是两个系统(参阅附表一及附表二)。或者以为，自从晋朝东渡以后，北人之"寓居江左者，皆侨置本土，冠以南名"。那末，在上面所举的北方地名，难免没有侨置的郡县在内。这层顾虑的确是值得注意的。不过，我所引据的地方都是以未"冠南名"的为限。并且就是在"冠以南名"的郡县居住的侨民，他们本土的方音是否被侨居地的方音同化，也还有研究的余地。例如萧齐和萧梁的祖先本来是东海郡兰陵县中都乡中都里的人，自从萧整随晋渡江，侨居

---

① 涿县汉置，为涿郡治，东汉为幽州涿郡治，晋为幽州范阳国治。今河北涿县。

② 中山郡汉初置，寻改国，东汉为冀州中山国，晋因之，俱治卢奴(今河北定县治)。

③ 中都汉置县，属太原郡，东汉属并州太原郡，晋属并州太原国。今山西平遥县西北 12 里。

④ 长安汉置县，为京兆尹治，东汉为司隶京兆尹治，晋为雍州京兆尹治。故城在今陕西长安县治西北 13 里。

晋陵武进县之东城里,遂改为南兰陵兰陵人。① 假若咱们拿他们侨居地的方音为准,那末,太湖附近的南兰陵②恰好在我所考订的鱼、虞分用圈内,应当跟吴音是一个系统。但是事实上却不如此。咱们且看看萧家的诗文用韵:

齐高帝(南兰陵人)

《塞客吟》:序,楚语,武虞,渚语。

梁简文帝(南兰陵人)

《怨歌行》:馀,初,虚鱼,躯虞,除,舒,鱼,疏,袪,舆鱼。(《全梁诗》卷一,页21)

《有所思》:舆,疏,虚鱼,芜虞。(《全梁诗》卷一,页22)

《三日侍皇太子曲水宴》:裕,树,赋遇,驭御。(《全梁诗》卷二,页2)

《望同泰寺浮屠》:图模,珠虞,吾模,殊,雏,凫,趋,铢,躯,踰虞,居鱼。(《全梁诗》卷二,页4)

《七励》:疏鱼,衢,珠虞,居鱼,处语。(《全梁文》卷十一,页9)

《丞相长沙宣武王碑》:图模,虞虞,初鱼,徒模。(《全梁文》卷十四,页2)

《慈觉寺碑》:书鱼,铢,驱,驱,劬虞,袪鱼,吴模。(《全梁文》卷十四,页6)

梁元帝(南兰陵人)

《戏作艳诗》:夫,蹰,珠虞,馀鱼。(《全梁诗》卷三,页9)

《玄览赋》:愚,衢虞,墟,书,予鱼,处语。(《全梁文》卷十五,页1)

渚,与语,鼓姥,武虞,虎姥,纡虞,图模,驱,符虞。(《全梁文》卷十五,页3)

鬓,躯,珠虞,书鱼;(《全梁文》卷十五,页6)

娱,渝虞,书鱼,珠虞。(同上)

梁昭明太子(南兰陵人)

《示徐州弟》之三:躯,襦,俱虞,庐鱼。(《全梁诗》卷一,页13)

《示云麾弟》:阻,举,渚语,雨虞,所,予,伫语。(《全梁诗》卷一,页17)

《七契》:隅,衢虞,虑御。(《全梁文》卷二十,页6)

---

① 《南齐书》卷一,《高帝本纪》。
② 南兰陵郡东晋置,南宋为南徐州南兰陵郡,治兰陵。今江苏武进县西北90里。

萧子范（南兰陵人）

《七诱》：府虞，书鱼，乎模，娱，衢虞。（《全梁文》卷二十三，页 4）

在这十四首诗文里头，跟鱼韵通押的"珠""树""殊""雏""趋""铢""须""襦"等虞韵字，都超出吴音通用的范围，并且这一个地方所见的例外，比吴郡等九个地方所见的还要多着一倍，已然不能算是偶然的疏忽；那末，这个地方的方音显而易见地不能跟吴音并作一系了。据此推论，咱们可以假定六朝时候侨民的方音并没有完全被侨居地的方音所同化。所以上面所举的地名即使有侨置郡县在内，也是跟我所考订的结果没有妨碍的。

至于长江上游的江夏跟浔阳、柴桑等处方音，关于鱼、虞通用的情形，也跟吴郡一系不同，反倒跟北方相近。例如：

李颙（江夏人）[①]

《经涡路作》：都模，衢虞，墟鱼，濡虞，舒，车，鱼鱼，榆虞。（《全晋诗》卷五，页 21）

《涉湖》：渚语，浦，睹姥，缕麌，屿语，岨鱼，浒姥，舞麌，旅语。（《全晋诗》卷五，页 21）

陶渊明（浔阳柴桑人）[②]

《停云》：雨麌，阻语，抚麌，伫语。（《全晋诗》卷六，页 1）

《答庞参军》：书鱼，娱虞，居，庐鱼。（《全晋诗》卷六，页 2）

《归园田居》：娱虞，墟，居鱼株虞，如，馀，虚鱼，无虞。（《全晋诗》卷六，页 5）

《和刘柴桑》：蹰，居，庐，墟，畲鱼，劬，无虞，疎鱼，须虞，如鱼。（《全晋诗》卷六，页 7）

《始作镇军参军经曲阿》：书，如鱼，衢虞，疎鱼，纡虞，馀，居，鱼鱼，拘虞，庐鱼。（《全晋诗》卷六，页 10）

---

① 江夏郡汉析南郡置，治西陵，东汉荆州江夏郡，治西陵，三国吴徙治安陆，晋荆州江夏郡治安陆（今湖北安陆县）。

② 柴桑汉置县，属豫章郡，东汉属扬州豫章郡，晋属荆州武昌郡，后为寻阳郡治。今江西九江县西南 6 里。

《拟古》：隅虞，舒，庐，居鱼，芜虞，如鱼。（《全晋诗》卷六，页 16）
《杂诗》：豫，霭，去，虑御，如鱼，住遇，处御，惧虞。（《全晋诗》卷六，页 17）
《形影神释》：著御，故暮，附遇，语语，处语，住，数，具遇，誉，去御，
　　惧虞，虑御。（《全晋诗》卷六，页 4）
《赠羊长史》：虞虞，书鱼，都模，踰虞，舆鱼，俱虞，躇，如鱼，芜，娱虞，疎，
　　舒鱼。（《全晋诗》卷六，页 9）
《庚子岁五月中从都还阻风于规林》：居鱼，于，隅虞，涂，湖模，疎，馀，
　　如鱼。（《全晋诗》卷六，页 9）
《饮酒》之十：隅虞，塗模，驱虞，馀，居鱼。（《全晋诗》卷六，页 13）
《咏二疏》：去御，趣遇，举语，傅语，路，顾暮，誉御，务遇，素，悟暮，虑，
　　著御。（《全晋诗》卷六，页 19）
《读山海经》：疎，庐，书，车，蔬鱼，俱虞，图模，如鱼。（《全晋诗》卷六，
　　页 19）

从这两个地方鱼、虞通用的事实，证以陆法言所谓"江东取韵与河北复殊"，咱们可以知道六朝时候长江下游的方音自成一个系统，而长江上游的方音有时候反跟北方相近。

鱼、虞两韵既然除了太湖附近的几个地方以外都混用不辨，陆法言何以还要把它们分成两个独立的韵部呢？从这里头咱们很可以窥探出《切韵》分部的微旨来。《切韵》的分韵是采取所谓"最小公倍数的分类法"的。就是说，无论哪一种声韵，只要是在当时的某一个地方有分别，或是在从前的某一个时代有分别，纵然所能分别的范围很狭，它也因其或异而分，不因其或同而合。且以东、冬两韵作为旁证。案《颜氏家训·音辞篇》说：

　　河北切"攻"字为"古琮"，与"工""公""功"三字不同，殊为僻也。

《经典释文·条例》说：

　　又以"登""升"共为一韵，"攻""公"分作两音，如此之俦，恐非为得。

颜之推是跟陆爽讨论音韵的同志，《经典释文》撰于陈后主至德元

年癸卯(583),下距《切韵》成书(601)相去 19 年,[①]他们既然异口同声地说"公""攻"分作两音的不当,可见东、冬两韵的分立,不过根据河北的"僻"音罢了。那末,以彼例此,法言根据吴郡等处方言把鱼、虞分作两韵,又何足怪呢?

我们明白了鱼、虞两韵"为什么"分,才能进一步讨论到它们"怎样"分。

关于鱼、虞两韵音值的审辨,在中国学者方面,蕲春黄季刚先生(侃)曾经说过:

> 鱼、虞今音难别。然鱼韵多模韵字,此必音近模也。虞韵多侯韵字,此必音近侯也。
>
> 试于"鱼"字时先读"吾"字,读"虞"字时先读"齵"字,则二音判矣。(简言之,无异以"吾于"切"鱼","齵纡"切"虞",但须重读上字耳。)[②]

黄先生的话,固然比章太炎所说的"鱼部古皆阖口如'乌''姑''枯''吾',其撮口如'于''居''袪''鱼'者,后世之变也"[③]已然进步了许多,但是他对于咱们的贡献,实在并没有超出孔广森所谓"知侯虞之不可分,而后知虞与鱼模之辨"[④]的见解以外,对于鱼、虞两韵的音值,仍然没有明晰精确的断定。并且,如他所说,鱼、虞的分别,无异以"吾于"切"鱼",以"齵纡"切"虞",很容易引起人们误认这两韵是声的不同而不是韵的不同。所以咱们对于这种解答是不能满意的。

又从 1923 年汪荣宝的《歌戈鱼虞模古读考》[⑤]发表后,引起了当时的古音学者们很剧烈的论争。[⑥] 这个问题的最后结论,关于歌戈的古读,大约汪氏所谓"唐宋以上皆读 a 音"已可成为定谳。

---

① 据吴承仕《经典释文撰述时代考》,载《北平图书馆月刊》第二卷第二期。
② 《与友人论小学书》,载《唯是》第三册。
③ 《国故论衡》上,页 35。
④ 《诗声类》卷一,页 2。
⑤ 北京大学《国学季刊》,第一卷第二号,页 241—261。
⑥ 参阅魏建功《古音学上的大辩论》,《北京大学研究所国学门月刊》第一卷第一号,页 49—108。

关于鱼、虞、模的古读,钱玄同先生假定周代读ㄛ[ɔ],汉代读ㄚ[a],六朝唐宋读ㄛ[ɔ];①林语堂假定"普通读开 o 音[ɔ],有的时候因为前音的影响,或因方音的不同变为合 o 音[o]";②唐擘黄先生(钺)假定"自汉末至唐末普通读入开 o[ɔ],有时读 u";③他们三位的主张虽然比汪氏所谓"鱼、虞、模魏晋以上亦读 a 音",已然逐渐逼近真实,但是鱼、虞、模三韵相互间有无分别,始终还没有明确的结论。因为汪、钱二氏根本就没有注意到鱼、虞、模的不同。④ 林、唐二氏虽然注意到它们的不同,却因为证据的缺乏,也都没敢下肯定的断案。⑤ 假如他们几位所说是对的,那末将何以解于江永以下以虞从侯的主张呢?所以这个问题也还有研究的余地。

外国学者方面关于这两韵音值的审辨,还要算高本汉(B. Karlgren)比较着清晰。我们在对于他的结论有所商榷以前,应当先把他考订这两韵音值的理论,移译在下面:

《切韵》跟反切很小心地分辨鱼、虞两韵的不同,并且在有些方言里

---

① 钱氏有《歌戈鱼虞模古读考》附记一篇,载在汪考之末。
② 林氏有《读歌戈鱼虞模古读考书后》一篇,载在北京大学《国学季刊》,第一卷第三期,页 465—474。又有《再论歌戈鱼虞模古读》一篇,载在《晨报副镌》1924 年第五十六号。
③ 唐氏有《歌戈鱼虞模古读的管见》一篇,载在《东方杂志》第二十二卷第一号,及《国故新探》卷二,页 1—34。
④ 汪考及钱记皆未论及鱼虞模之不同。后汪氏续作《论阿字长短音答太炎》一文(《学衡》第四十三期),复谓:"降及六代鱼部之音变者什七八,不变者才二三耳。变者为鱼模,又杂侯部之字以为虞,其音皆如 o,至唐遂转为 u。"是盖汪氏承认六朝鱼、虞、模不分之明文也。
⑤ 林氏谓"鱼、虞、模在梵译上所代表有三种音,就是 a,o 及 u……。汪君所举表 u,o 的字中没有鱼部的字,而汪君所举代表梵语 a 音的字中倒有鱼部三字(涂、屠、诸)。此等处正可以见出鱼、虞的差别。若这个是对,就正与孔广森虞、侯不分之说相合,也与珂罗倔伦所假定的隋音相合。但是我们所见译的例极少,还不够使我们能下这个总断。"(北京大学《国学季刊》第一卷第三号,页 476)唐氏谓"表中 a,o,u 的译字多数均属模韵,a 下只有鱼韵一字,无虞韵字,o,u 下各有虞韵一字无鱼韵字。或者当时模韵除普通读 o 外,还有 a 和 u 的方音。若我们可以根据一两个字作假设,或许当时鱼韵普通读 o,虞韵普通读合 o,模韵普通读开 o,所以一方面可以转为 a,而他方面可以转为合 o,而再转入 u o"(《国故新探》卷二,页 24)。

头也可以看出这种区别的痕迹来。所谓有些方言,就是指着高丽译音、安南译音跟日译的"汉音"说。它们在无论什么声母的后头都分辨鱼、虞两韵的。至于汕头方言只在见系声母后头分辨两韵,日译"吴音",只在知系声母的后头跟汉音相合,在其余的声母后头,它的音值刚刚跟汉音相反。那末,既然吴音比《切韵》更古,它所根据的方言大概跟《切韵》所根据的不同。咱们且看下面的表:

	鱼韵	虞韵
日译汉音	i—yo	i—yu
高丽译音	ə, iə	u, iu
安南译音	ï, zï(z-＜i-)	u, zu(z-＜i-)
日译吴音	知系声母|o	知系声母|u
	(见系声母|u)	(见系声母|o)
汕头方音	见系声母|y, i	见系声母|u, zu(z-＜i-)
	(知系声母|u)	(知系声母|u)

以上所举的事实,可以绝对无疑地证明虞韵有一个韵母 -jiu,当中的元音是 u,这个 u 音的性质以后再讨论。那末鱼韵的元音是什么呢?

这就看见有很利害的困难了。鱼、虞两韵在汉音、高丽译音、安南译音跟汕头方音都有分别,这种分别似乎是根据古《切韵》的分别来的。在一方面,咱们从汕头的分辨法(鱼韵:ky, ki; 虞韵:ku),忍不住要假定一个颚化元音 y 算是鱼韵的元音,那就可以解释高丽的 ə,安南的 ï,算是外国人不会读 y 出来的。不过汉音的 o 是怎么来的呢?在另一方面,假如咱们赞成用汉音的 o,那末,又怎么解释高丽的 ə 跟安南的 ï? 究竟 y 跟 o 哪个答案对呢?

这题目的答案还要从二等字找出来。在遇摄附属有一些二等字,就是反切下字跟三等的一样,只是声母不同(就是 tʂ 跟 tɕ 两组不同的声母);在这些附属的二等字里头,韵母的 i 音受前头舌尖声母的影响,大概老早就很弱了。因为 i 音变弱,所以主要元音就比在三四等字里头受过 i 音很强的影响的容易听出来一点儿。在这些附属的二等字里头,咱们可以找到很多的例子:——

	高丽	汕头	厦门	安南	汉音	吴音
鱼韵:	o	o	o	国语"o,"[ɤ]	i-yo	o
虞韵:	(i)u	u	u	Q(关)	i-yu	u

咱们要注意上面所讲的高丽译音,安南译音跟汕头音等,在鱼韵的三等

里头有ə,ï,y,i特别音的几种方言,现在在二等里头所有的音,就可以作赞成汉音的根据了。那末在《切韵》的古音里头二三四等既然有同样的韵母,并且其余的方言凡是能够分辨鱼、虞两韵的,在二等里头又既然都用o,所以咱们可以作合理的结论说:古音在鱼韵的二三四等里头有o音。那末底下就是这样:

鱼韵:-ji^wo 虞韵:-jiu①

高氏对于这两韵音值的考订,从方音上得到客观的佐证,自然比专从汉字分类上推测而得的结果可信得多了。我对于高氏的结论,虽然在大体上承认,但是却有不能不商榷的两点:

第一,从高氏所引据的几种方音里头,并没有发现鱼韵可以读合口的证据,他何以在 io 中间加上一个小 w,而断定鱼韵的音值为-ji^wo 呢?

第二,高氏因为鱼、虞两韵"日译吴音只在知系声母的后头跟汉音相合,在其余的声母后头刚刚跟汉音相反",所以说"它所根据的方言大概跟《切韵》所根据的不同"。但是日译吴音实际上是否跟高氏所说的完全相合;并且它所根据的方言是否跟《切韵》所根据的绝对不同呢?

现在先让我讨论第一个问题。

高氏所以读鱼韵为-ji^wo 的理由,只是因为他把鱼韵当作合口。高氏对于合口各韵的决定,照他自己说,是拿《切韵指南》作根据的。② 但是咱们细一看《中国音韵学研究》第 76 页所列的韵表里头的"开""合",立刻就可以发现高氏所根据的是清初《康熙字典》卷首的《等韵切音指南》而不是元朝刘鉴所作的《经史正音

---

① *Études sur la Phonologie chinoise* p. 679—680. (编者按:此段引文在后来的中译本《中国音韵学研究》〔页 518—519〕中文字上略有不同,为保存本文原貌,未予改动。音标则照译本系统。但高原本标鱼韵为 ji^wo,虞韵为 -jiu,殊为疏忽,译本各改为 -i^wo,-iu,合乎高氏本人系统。惟因涉及下文叙述,故此处姑存高氏原来标音。)

② *Études sur la Phonologie chinoise* p. 613.

切韵指南》。这两种韵表虽然出于一个蓝本,但是从下面所举几点显著的差异,咱们可以断定它们所代表的是两个时代的声音系统:

(1) 韵摄次第不同:《切韵指南》以通、江、止、遇、蟹、臻、山、效、果(假)、宕、曾、梗、流、深、咸为序;《切音指南》以果(假)、梗、曾、通、止、蟹、遇、山、咸、深、臻、江、宕、效、流为序;从发音的系统看,后者比较前者略有条理。但是《切音指南》前头的《明摄内相同法》歌诀说:"梗曾二摄与通随,止摄无时蟹摄推,流遇略参江同宕,山咸深臻两相窥。"并且曾摄合口三等见纽下复列通摄的"恭"字;宕摄二等开口复列江摄牙音唇音喉音字,合口复列江摄舌音齿音半舌音字;还有江摄见纽下所列的☐☐两字,止摄合口见纽下的☐☐两字,咸摄第二图见纽下的"干"字,精纽下的"尖"字,深摄见纽下的"根"字,都是《切韵指南》所没有的。这种改变,跟《字母切韵要法》并梗曾通为庚摄,江宕为冈摄,山咸为干摄,深臻为根摄的旨趣完全相同。

(2) 各摄开合口的断定不同:《切韵指南》以止、蟹、臻、山、果(假)、宕、曾、梗八摄各有开口、合口二呼,以通、江、遇、效、流、深、咸七摄为"独韵"。《切音指南》于刘鉴所定的独韵七摄,改江摄为开合呼,效、流、深、咸为开口呼,通、遇为合口呼。

(3) 唇音开合口的配列不同:《切韵指南》梗摄合口三等"丙皿"二字,曾摄合口三等"逼堛愎䚈"四字,山摄合口二等"班、版、扮、攀、襻、蛮、䜌"七字,四等"编、缅"二字,宕摄合口一等"帮、䧽、膀、傍"四字,《切音指南》均改列开口;只有宕摄开口三等的"方、昉、放、䩍"等十六字改列合口。这种改变也跟《字母切韵要法》相合。

(4) 正齿音二三等的分画不同:《切韵指南》通摄正齿音二等有"崇、䂳"二字,宕摄正齿音二等有"庄、牀、壮、䢃"等十三字,《切音指南》均降列三等,并且自开转合。这种改变也跟《字母切韵要法》以"崇"等为庚摄合口副韵,以"庄"等为冈摄合口副韵恰合。

(5)止摄齿头音跟唇音的等第不同:止摄齿头音"资、雌、慈、思、词"等十九字,《切韵指南》原在四等,《切音指南》改列一等。又《切韵指南》于唇音下复列三等的"陂、麽、彼、破、被、美"六字于二等,《切音指南》索性升二等字于一等,而删去三等内重复的字。

(6)入声的系统不同:《切韵指南》蟹摄合口三等屋韵的"竹、畜、逐、衄",《切音指南》换作术韵的"怵、黜、术、貀",足征-k尾跟-t尾已然不分。又《切韵指南》通摄三等烛韵的"瘃、梀、躅、傉",《切音指南》换作屋韵的"竹、畜、逐、衄",又把《切音指南》原列三等烛韵的"禄、辱"两字改列一等,足征屋、烛两韵已然混淆。此外像《切音指南》以药铎承流摄,以德韵承止摄的一等,也是受了《字母切韵要法》的影响。

(7)字母的用字不同:《切韵指南》的群、床、娘三纽,《切音指南》改作郡、状、娘,跟《字母切韵要法》相同。这不仅是文字的异同,恐怕也因为元明以后全浊变成次清,所以才把平声的"群""床"变成仄声的"郡""状",以免误会。

从上述几点,我们可以看出《切音指南》受《字母切韵要法》的影响很大。《字母切韵要法》大约作于明万历四十年(1612)至清康熙五十年(1711)之间,①那末《切音指南》一定经过明末清初人的改窜无疑,所以它形式上虽然保存十六摄的空型,实际上已经不是刘士明的故物了。高氏根据《切音指南》的开合来断定《切韵》的开合,无论如何是不能认为可靠的。再进一步说,我们当真要考订隋音,不单《切音指南》不可靠,就是《切韵指南》也一样地不可靠。现在单以鱼、虞、模三韵的开合问题论。案《韵镜》鱼韵在第十一转属

---

① 参阅罗常培《耶稣会士在音韵学之贡献》,见《集刊》第一本第三分,页295。

开口,《通志·七音略》作"重中重"。虞、模两韵在第十二转属开合,《七音略》作"轻中轻",是鱼、虞的呼法在《韵镜》里本来显然有别。后来《切韵指南》《切韵指掌图》和《四声等子》虽然把鱼、虞、模并为遇摄,可是对于它们的呼法或者标为"独韵",或者标为"重少轻多韵"——所谓"独韵"就是说"所用之字不出本图之内";①所谓"重少轻多韵"就是说开口的字不如合口的字多。②——都不能当作完全合口的证据。不过刘鉴一方面既然认鱼、虞为"不当分而分",③把它们并为一摄,一方面对于开合的断定又标作性质不明的"独韵",难怪后人根据近代的音变而一律认为合口了。所以我们对于《切韵》鱼、虞两韵的开合应当以《韵镜》和《七音略》为准,而不应以《切韵指南》等书为准。《韵镜》成书的年代虽无明文可考,然张麟之的初刊本成于宋高宗绍兴三十一年辛巳(1161),适与郑樵《通志》的完成同时,那末,无论如何它也是南宋以前的产物,至少要比《切韵指南》的成书(元顺帝至元二年丙子,1336)早着175年。后去古之远近说,自然《韵镜》也比《切韵指南》较为可靠。高本汉对于鱼、虞两韵音值的考订,既然从汉音吴音里得到很充分的证据,却无端为清初的《等韵切音指南》所误,读鱼韵为合口,反倒说《韵镜》所定的开口合口有些混乱的地方,④岂不是很可惜的事么?所以我对于高氏所考虽然大体承认,可是主张照《韵镜》定鱼韵为开,而删去-ji^wo中间的小w,结果便是:

     鱼韵: -jio   虞韵: -jiu

关于这一点,马伯乐(H. Maspero)的意见,恰好跟我不谋而

---

 ① 明弘治九年金台释子思宜重刊本《切韵指南》通摄图末附注。
 ② 参阅《释重轻》,见《集刊》第四本第二分。
 ③ 《切韵指南》卷末列举"不当分而分"之韵上声有语、麌,去声有御、遇,谓麌、遇两韵当并入语、御两韵中。
 ④ *Études sur la Phonologie chinoise*, p. 35.

合。①

至于我所要商榷的第二点,我很抱歉不能给高氏掩饰他的偶然错误。因为遍查日译吴音,鱼韵的见系字绝对没有读成-u音的事实。并且拿高氏自己所作的《方音字典》为证:虞韵里头除去"牙音"的"拘""驱""惧""愚","唇音"的"夫""敷""扶"跟来纽的"缕"字读作-o韵,喻纽三等的"于"字读作-uo韵,四等的"逾"字读作-iu韵以外,其余的字一律读作-u韵。② 尤其是鱼韵里头的字在所有的声母后头完全读成-o韵,从他所举的例字里头绝对找不出半个例外。③ 他关于遇摄音值的考订是1919年发表的,比《方音字典》的刊行早着五年,如果拿他近年的意见作根据,那末,他所说的鱼、虞两韵"日译吴音只在知系的声母的后头跟汉音相合,在其余的声母后头刚刚跟汉音相反"云云,在《中国音韵学研究》有再版的机会的时候,我想一定不会保留的。

上面对于高氏的校订如果不错,那末日译吴音也未尝不可作为分辨鱼、虞的根据了。咱们且翻开前头所引吴郡一系的诗文用韵看。在这一系方音里头,鱼、虞两韵大多数分用不混。即或有时候不能分辨,也不外乎虞韵"牙音"的"隅""衢""娱","唇音"的"侮""辅""敷""凫"和喻纽三等"污""宇""歟"等几个字,跟日译吴音混入鱼韵的系统完全相同。我觉得这几系字所以不能保持u音的缘故,恐怕是受了声母异化作用(dissimilation)的影响。它们在其他大多数声母跟二等字里头,既是显然有别,所以我说关于鱼、虞两韵音值的考订,吴音跟汉音一样可以用作根据的。

我们既然断定《切韵》鱼韵读io,虞韵读iu,那末所谓鱼、虞、模的"古读"究竟应当怎么样呢? 照我的意见,除去方音的差别不计,

---

① *Le Dialecte de Tch'ang-ngan sous les T'ang*, BEFEO, 1920, p. 83.
② *Études sur la Phonologie chinoise*, p. 844—847.
③ 同上,p. 840—843.

大概鱼、虞两韵的音值跟《切韵》所差并不甚远。因为照这个假定对于鱼[io]跟模[ɔ]①通，虞[iu]跟侯[u]②通的现象，完全可以用支[ia]跟歌[ɑ]通的例去解释它，无须乎把细音一律读成洪音然后才认为满意。关于这一点，高本汉在他的《中国上古音中几个问题》里头所主张的，除去仍旧读鱼韵为ji^wo外，很跟我的意见接近。③

总括以上所说，咱们可以下这样一个结论：

《切韵》鱼、虞两韵在六朝时候沿着太湖周围的吴音有分别，在大多数的北音都没有分别。④ 鱼韵属开口呼，所以应当读作 io 音，虞韵属合口呼，所以应当读作 iu 音。后代[y]音的演变是经过 io→iu→y 这样一个历程的。

(1930年11月29日写竟于北京)
(原载《中央研究院历史语言研究所集刊》
第二本第三分，1931年)

---

① 模韵音值高本汉读为 uo，我认为普通应读开 o 音，魏晋以下方音也有读为 u 音的，到唐以后，多数方言变为 uo，这一点我当别为专篇论列。
② 东晋法显译《大般泥洹经文字品》，昙无忏译《大般涅槃经如来性品》，梁僧伽婆罗译文殊师利《问经字母品》都以尤韵之"忧"字对译 u 音，唐智广《悉昙字记》以侯韵"瓯"字对译 u 音，足征尤、侯古读与 u 音为近。
③ *Problems in Archaic Chinese* p. 779—788.
④ 黄淬伯《慧琳一切经音义反切考》仍分鱼、虞、模为据、拘、觚三部，慧琳究据唐代秦音而分，抑沿用韵书之旧部，尚待考证。

知彻澄娘音值考

（一）认定问题　　　　　（五）从藏译梵音证明
（二）提出假设　　　　　（六）从现代方音证明
（三）从梵文字母的译音证明　（七）从韵图的排列证明
（四）从佛典译名的华梵对音证明　（八）对于前人审辨知等音值的批评

（一）认定问题

巴黎国家图书馆所藏敦煌写本《守温韵学残卷》(2011)[①]第一截上面有

　　舌音　端透定泥是舌头音
　　　　　知彻澄日是舌上音

两条；又伦敦博物馆所藏敦煌写本《归三十字母例》[②]也有

端　丁当颠掇　　知　张衷贞珍
透　汀汤天添　　彻　伥忡怪縝
定　亭唐田甜　　澄　长虫呈陈
泥　宁囊年拈　　来　良隆冷邻

八母；它们虽然或以日母当作舌上音的次浊，或以来母当作舌上音的次浊，都没有单立娘母，可是知、彻、澄三母的分化已然成了显著的事实。这两种写本既经专家断定为唐末的东西，那

[①] 刘复《守温三十六字母排列法之研究》附录（北京大学《国学季刊》第一卷第三号），及《敦煌掇琐》下辑稿本。
[②] 滨田耕作：《スタイン氏(Stein)发掘品过眼录》(《东亚考古学研究》页 315)。原文"故"作"故"，"衷"作"象"，"贞"作"负"，"天"作"光"，"縝"作"缜"，"呈"作"皇"，均误。今据全文以双声为经以叠韵为纬之例，校勘如上。

末舌上音的分化最晚也应当是晚唐时候的事情了。但是知、彻、澄、娘一方面在上古音中和端、透、定、泥不分,钱大昕、邹汉勋、章炳麟等已然相继考明,①并且在现代的闽语里我们还可以找到许多活的证据。另外一方面,从南宋以后它们就和照、穿、床、泥不分,所以陈晋翁的三十二母有知、彻、澄、泥而无照、穿、床、娘;吴澄的三十六母有照、穿、澄、泥而无知、彻、床、娘。② 并且邵雍《皇极经世声音图》把知、彻、澄、娘次于齿音之后,有人怀疑从那时候起它们已经由舌音变成齿音了。③ 至于现代北部方音里知、彻、澄和照、穿、床一样变成[tʂ][tʂʻ]音,娘和泥一样变成[n]音的,那更是所在皆有。故《清通志·七音略》说:"知、彻、澄古音与端、透、定相近,今音与照、穿、床相近,泥、娘古音异读,今音同读。"如此说来,知、彻、澄三母不混于[t][tʻ][dʻ],便混于[tʂ][tʂʻ][dzʻ],那末,它们本身究竟有没有独立的音值?如果没有独立的音值,守温定字母时为什么把它们分立?娘母虽较晚出,究竟和泥母有没有分别?这都是很值得我们考虑的。

(二) 提出假设

我对于这个问题的解答,认为知、彻、澄三母和梵文的"舌音"(linguals 或称 cerebrals) ट (t) ठ (th) ड (d) ढ (dh) 相当;换言之,

---

① 钱大昕:《舌音类隔之说不可信》,见《十驾斋养新录》卷五,页 25—32;章炳麟:《古音娘日二纽归泥说》,见《国故论衡》上,页 31—33。又邹汉勋:《五均论》《二十声四十论》第二十八为"论泥娘日一声",今本目存说佚。章说当即由此启发。
② 见吴澄:《文正集·切韵指掌图节要序》。
③ 清康熙《性理精义》卷三案云:"知、彻、澄、娘等韵本为舌音,不知何时变入齿音。等韵次于舌音之后,《经世》次于齿音之后,则疑邵子之时此音已变也。"案《性理精义》为李光地承修,此案语或即出于榕村也。

就是应当读作舌尖后音（supradentals）的塞声（plosives）[t][tʻ][ḍ]（或[ḍʻ]），它们的三等字后来或者因为 j 化（Yodisé）而有接近颚音的倾向。至于娘母本来也应当和 न(n) 相当，不过因为它在《切韵》的反切里既然和泥母不能划分，在华梵对音中也往往和 ञ(ñ) न(n) 相混，所以在唐末的三十字母里还没有独立，直到宋人增改作三十六字母的时候，它才和非、敷、奉、微、禅五母同时产生。这并不是凭空悬想的，我从梵文字母的译音，佛典译名的华梵对音，藏译梵音，现代方言及韵图的排列等项，都有方法可以证明我的假设。

（三）从梵文字母的译音证明

用华梵对音推测中国古音的方法，有人不大以为然。但是这也要分别情形不可一概而论。守温字母的产生从种种方面看都不免受了"悉昙"（Siddhaṁ or Siddhamārtṛka）的影响，那末，我们如果用梵文字母的译音去推证守温字母的音值，比较用别的方法似乎还更靠得住一点。关于华梵字母的关系自来说者也颇不同。自从沈括《梦溪笔谈》论《切韵之学》一条载有《华严经》的四十二字母，后人遂说三十六字母本于《华严》。林本裕《声位》改定的二十四字母甚至于羼入"瑟吒""诃婆""曷罗多"三母。直到钱大昕、陈澧诸人，才知道"唐人所撰三十六字母，实采《大般涅槃经文字品》之四十七字，参以中华音韵而去取之，谓出于《华严》则妄矣"。[①]不过《涅槃》无字母名目，其谓之字母，则沿袭于《华严》"[②]罢了。其实《华严》字母出自"圆明字轮"，《涅槃》字母出自"四十九根

---

① 《十驾斋养新录》，卷五，页 12，"论西域四十七字"条。
② 《切韵考·外篇》，卷三，页 2。

本字",①本来是两个系统,不可混为一谈。属于"圆明字轮"一系的经论有:

西晋竺法护译《光赞般若波罗蜜经观品》第十七(太康七年,286)

西晋无罗叉译《放光般若经摩诃般若波罗蜜陀邻尼品》第二十(元康元年,291)

姚秦鸠摩罗什译《摩诃般若波罗蜜经广乘品》第十九(弘治五年,402)

姚秦鸠摩罗什译《大智度论释四念处品》第十九(弘治六年,403)

东晋佛驮跋陀罗译《大方广佛华严经》卷五十七《入法界品》第三十四之十四(东晋义熙十四年至刘宋永初二年,418—421)

唐玄奘译《大般若波罗蜜多经》卷五十三《初分辩大乘品》(显应四年,659)

唐地婆诃罗译《大方广佛华严经入法界品》(垂拱元年,685)

唐实叉难陀译《大方广佛华严经》卷七十六《入法界品》第三十九之十七(武周证圣元年,695)

唐不空译《大方广佛华严经入法界品四十二字观门》(大历六年,771)

唐不空译《大方广佛华严经入法界品顿证毗卢遮那法身字轮瑜伽仪轨》(大历六年,771)

唐般若译《大方广佛华严经入不思议解脱境界普贤行愿品》卷三十一(贞元十四年,798)

---

① 根本字数目诸经不一,最少为《佛本行集经》之三十八,最多为《悉昙字记》之五十一,今以法显译《大般泥洹经》为准,不数"叉""滥"两母。

唐慧琳《一切经音义华严四十二字观门经》(贞元四年至元和五年,788—810)

属于四十九根本字的经论有:

东晋法显译《佛说大般泥洹经文字品》第十四(义熙十三年,417)

北凉昙无忏译《大般涅槃经如来性品》第四之五(玄始三年至十年,414—421)

刘宋慧严修《大般涅槃经文字品》第十三(元嘉元年至九年间,424—432?)

梁僧伽婆罗译《文殊师利问经字母品》(天监十七年,518)

隋阇那崛多译《佛本行集经》卷十一(开皇七年至十二年,588—592)

唐玄应《一切经音义大般涅槃经文字品》(贞观末,649?)

唐地婆诃罗译《方广大庄严经示书品》(垂拱元年,685)

唐义净《南海寄归内法传》(高楠顺次郎英译本引《悉昙章》。武周天授元年至如意元年,690—692)

唐善无畏译《大毗卢遮那成佛神变加持经百字成就持诵品》第二十二(开元十二年,724)

唐不空译《瑜伽金刚顶经释字母品》(大历六年,771)

唐不空译《文殊问经字母品》(大历六年,771)

唐智广《悉昙字记》(唐德宗间,780—804?)

唐慧琳《一切经音义释大般涅槃经》卷八《辨文字功德及出生次第篇》(贞元四年至元和五年,788—810)

宋惟净《景祐天竺字源》卷三(景祐二年,1035)

清《同文韵统》卷五《天竺字母谱》(乾隆十四年,1749)

前一系是一种密宗持诵的"旋陀罗尼",故《字轮瑜伽仪轨》云:"应于月轮内右旋布列四十二梵字,复应悟入般若波罗蜜四十二字门,了一切法,皆无所得,能观正智所观法界,悉皆平等,无异无别。修瑜伽者,若能与是旋陀罗尼观行相应,即能现证毗卢遮那如来智身,于诸法中得无障碍。"因为它并不是讲梵文声母韵母的,所以音系凌杂,漫无统纪。不像后一系把四十九字分成"字音""比声"、"超声"三大类,而比声又各按五音判别,轻重清浊不失其伦。并且《圆明字轮》的四十二字只有三十一字和后一系相同,其余十一字都是二合音,尤其跟华音迥不相谋。《同文韵统》糅合两系列为《大藏经字母同异谱》,实在是很大的错误。所以推迹守温字母的渊源,应当以钱、陈二氏之说为宗,"但知《华严》不知《涅槃》是逐末而遗本也"。①

"舌音"五母,四十九根本字列在第二十七至三十一,按照戛透捺的顺序排比,秩然不紊。《圆明字轮》虽然也有这五母,可是分散在第九、第三十五、第三十六、第四十一、第四十二等处,音序毫无条理。现在为比较研究上的便利,都照着根本字的顺序把它们列成同样的两个表:

表一 《圆明字轮》中舌音五母译音表

舌音五母在《圆明字轮》中之次序	41	35	9	42	36
天城体梵书	त	थ	द	ध	न
罗马字注音	ta．	tha．	da．	dha．	na．
竺法护译《光赞般若波罗蜜经观品》	陀	咃徐	咤	吒	那
无罗叉译《放光般若经摩诃般若波罗蜜陀邻尼品》	吒	咃	茶	嗏	那
鸠摩罗什译《摩诃般若波罗蜜经广乘品》	咤	咃一作本他	茶	荼	拏

---

① 《潜研堂答问》第十二。参阅罗常培《中国音韵沿革》讲义"论守温字母之源流"及缪篆《字平等性语平等性集解》。

（续表）

鸠摩罗什译《大智度论释四念处品》	吒	咃 一作 他	茶	茶	拏
佛驮跋陀罗译《大方广佛华严经入法界品》	佗 耻加反	吒	茶	陀	拏
玄奘译《大般若波罗蜜多经初分辩大乘品》	吒	搋	茶	择	拏
地婆诃罗译《大方广佛华严经入法界品》	佗 耻加反	吒	茶	陀	拏
实叉难陀译《大方广佛华严经入法界品》	佗 耻加切	吒	茶 徒酢切	陀	拏 奶可切
不空译《大方广佛华严经入法界品四十二字观门》	吒 上	姹 上	拏 上	茶 去	停 上
不空译《大方广佛华严经入法界品顿证毗卢遮那法身字轮瑜伽仪轨》	吒 上	姹 上	拏 上	茶 去	停 上
般若译《大方广佛华严经入不思议解脱境界普贤行愿品》	佗 上	姹 上	拏 上	茶 去	停 上
慧琳《一切经音义华严四十二字观门经》	吒 滴贾反	姹 拆贾反	拏 拏贾反	佗 拆借音反	停 女耕反 鼻中声也

表二　四十九根本字中舌音五母译音表

舌音五母在四十九根本字中之次序	27	28	29	30	31
天城体梵书		ट	ठ	ड	ढ	ण
罗马字注音	ta.	tha.	da.	dha.	na.
法显译《大般泥洹经文字品》	吒	侘 土反家	茶	茶 重音	拏
昙无忏译《大般涅槃经如来性品》	吒	咃	茶	祖	拏

(续表)

慧严修《大般涅槃经文字品》	吒	佗 土家反	茶	茶 重音	拏
僧伽婆罗译《文殊师利问经字母品》	多	他	陀	檀	那
阇那崛多译《佛本行集经》	吒	咤	茶	喋	拏
玄应《一切经音义大般涅槃经文字品》	吒 重	咃 丑加反	茶	咤 伫贾反	拏
地婆诃罗译《方广大庄严经示书品》	吒 上声	吒	茶 上声	茶	拏 上声
义净《南海寄归内法传》	吒	诧	茶	㨑	拏
善无畏译《大毗卢遮那成佛神变加持经百字成就持诵品》	吒	咤	拏	茶 重声	拏
不空译《瑜伽金刚顶经释字母品》	吒 上	咤 上	拏 上	茶 去	拏 尼爽反 鼻声呼
不空译《文殊问经字母品》	吒 上	姹 上	拏 上	茶 去	拏
智广《悉昙字记》	吒 卓下反 音近卓我反	佗 拆下反 音近拆我反	茶 宅下反 音近茶徐国	茶 重音近幢我反	拏 徐国有音拏讲 搦下反 音近搦我反
慧琳《一切经音义释大般涅槃经》卷八《辨文字功德及出生次第篇》	綷 陟贾反	姹 坼贾反	紧 纽雅反	樣 茶夏反 去声引	拏 儜雅反 兼鼻音
惟净《景祐天竺字源》	哲 陟辖切	诧 丑辖切	疵 尼辖切	茶	拏
《同文韵统·天竺字母谱》	查 之阿切 正齿紧	义 蚩阿切 正齿	楂 支阿切 正齿缓	楂 哈半齿 呐哈半齿半喉	那 呐卷舌 阿切

36

在这两个表里,以 t 母(根本字第二十七,字轮第四十一)对"吒"的凡十六次,对"咤"的凡二次,对"縒"或"哲"的各一次;"吒"陟驾切,"咤"陟加切,"縒"竹下切,"哲"陟列切,均属知母。以 th 母(根本字第二十八,字轮第三十五)对"姹"的凡六次,对"咃"的凡五次,对"侘"的凡三次,对"诧"的亦三次,对"咤"的二次,对"搋"的一次;"姹"丑下切,"咃"丑加切,①"侘"敕加切,②"诧"丑亚切,"搋"丑皆切,均属彻母;又《书·顾命》:"三祭三咤",《释文》引马融云,"咤亦作诧",是"咤"字亦可读为彻母。以 d 母(根本字第二十九,字轮第四十二)对"茶"的凡九次,对"荼"的凡六次,对"咤"的一次;"茶""荼"宅加切,属澄母,又《书·顾命》:"三祭三咤",徐邈读或省作"宅",是"咤"字亦可读为澄母。以 dh 母(根本字第三十,字轮第四十二)对"茶"的凡九次,对"荼"的凡四次,对"槎""椗""择"的各一次;"槎"宅加切,"椗"直苋切,"择"场伯切,与"茶""荼"同属澄母。以 n 母(根本字第三十一,字轮第三十六)对"拏"的凡十九次,对"儜"的凡四次;"拏"女加切,"儜"女耕切,均属娘母。其中除去一个"哲"字都是二等字。如果按照百分比例计算,在我所收的二十七种译音里,以 t,th,d,dh,n 对译知、彻、澄、娘二等字的最少数也在百分之六十以上。只有僧伽婆罗以舌头"多、他、陀、檀、那"对 t,th,d,dh,n,而以"轻多、轻他、轻陀、轻檀、轻那"对 t,th,d,dh,n;法显慧严两家音"侘"为土家反;鸠摩罗什以"咃"对 th,而一本作"他",跟《玉篇》"咃,吐多切"的音相合;还有竺法护、无罗叉两家以"那"对 n,也跟 n 母混而不分;但是这种对音现象,从隋阇那崛多所译的《佛本行集经》(589—592)以后,直到宋惟净《景祐天竺字源》(1035)以前,绝对没有发见过。所以我们可以推

---

① "咃"字不见于《广韵》。《玉篇》:"咃,吐多切,出《陀罗尼》",今从玄应音义。
② "侘"字法显慧严均注"土家反"。今从《切韵》。

断——知彻澄三母在六朝的时候或者还有些地方保存上古的舌头音,没有完全分化;然而从六世纪之末(592),到十一世纪之初(1035),它们确曾有过读作 t, th, d(或 dh) 音的事实,至少在梵文字母译音里找不到反证。至于《同文韵统》(1749)受了藏译梵音的影响,用"正齿音"的二等字对译 t, th, d, dh,那是很晚近的事情了。不过娘母有百分之八十以上对译 n 音为什么反倒晚出呢?照我看来,第一因为在《切韵》的反切里,娘、泥之混比较其他三母更为显著,所以陈澧虽然承认知、彻、澄、娘在《切韵》里应当和端、透、定、泥分开,可是他对于娘母也不得不说:"泥、娘二母今音难分,《养新录》考古音谓舌音类隔之说不可信,亦不考泥、娘二母字。澧谓此二母之分本可疑,如尼字不入泥母而入娘母,农字入泥母而醲字入娘母,更无古音今音之可言矣。故今置之不论也。"①第二因为梵文 ñ 母的对音固然多数属于日母,可是不空、般若、慧琳等译作"娘",惟净译作"倪",皆入娘母,可见在梵文译音里 ṅ ñ 两母的分界也不清晰,所以唐人的《归三十字母例》才以知、彻、澄、日相配。其实就隋以后的译音看,知、彻、澄既然能够和端、透、定分别,娘和泥在原理上也应当有分别,不过鼻声(nasal consonant)的混化,比较口声(oral consonant)更为容易,所以唐末的沙门还不敢公然把它们独立罢了。

此外,在表内所举的译音中,还有几种例外得要解释:

(一) d 母的对音善无畏、不空、般若等作"拏",慧琳作"拏"或"絮",惟净译作"疷";"拏"女加切,"絮"女下切②,"疷"女黠切,均属娘母。他们何以用鼻声对译浊塞声?我觉得这是方音的歧异。案智广《悉昙字记·序》引南天竺沙门般若菩提云:"南天祖承摩醯首罗

---

① 《切韵考·外篇》卷三,页 10 下小注。
② "絮"《广韵》奴下切,类隔,今从《集韵》。无锡丁氏影印本《慧琳音义》作绀雅反,日本元文二年刊本作"絮雅反",并误。今以音形互校定为"纽雅反"。

之文,此其是也。而中天兼以龙宫之文,有与南天少异,而纲骨必同。健驮罗国熹多伽文独将尤异;而字之所由皆悉昙也。"因此"五天之文,或若楚夏",不可一概而论。《悉昙字记》初章d母的对音"荼"字下注云:"宅下反,轻音,馀国有音搌下反。"此书本于南天竺音已有明文可考,那末他所谓"馀国"当然是中天竺或北天竺的方音了。我们再来看看以d对"拏"的几家究竟是什么地方人? 善无畏"本中天竺人,其先自中天竺分王乌荼"①;不空"本北天竺婆罗门族"②;般若"北天竺迦毕试国人"③;"慧琳疏勒国人,始事不空三藏为室洒"④;他们既然有四分之三和北天竺有关系,那末在没有找到旁的反证以前,我们很可以推断北天竺的n音是有一部分变近d音的。这种音变在别处方音里也可以找到佐证,例如:

	日译"汉音"	文水兴县平阳方音
泥 一等	d	nd
泥 二等	d	nd
泥 三等(娘)	d,或 dʑ	nd⑤
泥 四等	d,或 dʑ	nd⑤

并且由鼻声[m][ŋ]变成浊塞[b][g]的在厦门音里也有很好的旁证。所以这种例外是不成问题的。

(二) 佛驮跋陀罗、地婆诃罗、实叉难陀等以"吒"对 th 而以"侘"对 t,且注明"耻加反",戛透二类华梵恰好颠倒;般若以"侘"对 t,也同样译戛为透。这种现象的演成,我以为有两种可能:一

---

① 《宋高僧传》二。
② 《宋高僧传》一。
③ 《宋高僧传》卷一,《唐洛京智慧传》;卷三,《唐醴泉寺般若传》。又《贞元释教录》十七。罗振玉《悉昙字记跋》以南天竺之"般若菩提"与此北天竺之"般若"为一人,以方音考之,未必然也。
④ 《宋高僧传》五。
⑤ B. Karlgren. *Études sur la Phonologie chinoise*, p. 470. 中译本,页346。

方面佛馱跋陀罗三人所据的"圆明字轮"或者和别本的次序不同，所以不单第三十五字和第四十一字的对音前后颠倒，并且第五字 na 和第十二字 ta 的对音"多""那"两字也恰好有同样的情形。另外一方面，t，th 两母的读音或者在方音容易混淆，所以它们的对音往往参差不冶，这在下一段讨论佛典译名的华梵对音时，我们还可以有好多的实例。我们且看，地婆诃罗译《华严经入法界品》以"侘"对 t，以"咤"对 th，而译《大庄严经》又以"咤上声"对 t，以"咤"对 th；以及竺法护用二合音"咤徐"对译 th 音；这便可想见当时译者表现送气音的费力和笔受者分别送气不送气的困难了。

（三）送气的浊音 dh 母本来是华音所没有的，所以普通也拿澄母字对译它，而别注"重音""重声""去声引"等文；此文或者加口旁于"荼"或"茶"的左边以示区别①，或者用清声彻母的"佗"字对译而注明是"借音"；这都是不得已的办法。只有佛馱跋陀罗、地婆诃罗、实叉难陀三家译作"陀"，昙无忏译作"袒"，均属定母字。我想这也不过为表示发音重浊，并不见得真正读作舌头音。如果这个推测不错，那末，竺法护以"陀"对 ta，以"咤"对 dha，我们很可说他是第四十一、四十二两母的颠倒。

因此我觉得虽然有这三项例外，我的假设依旧可以成立的。

（四）从佛典译名的华梵对音证明

根据前项例证，我们已经可以推断从六世纪到十一世纪（592—1035）的期间，知、彻、澄、娘是曾经读过 t，th，d，n 的。还有一种和前项相辅而行的材料，就是佛典译名的华梵对音。对于

---

① "嗏""搽"二字均不见于《广韵》。《集韵》"嗏都加切"属端母，《字汇》"搽初加切"，属穿母，此皆后起之音，不足为据。余谓此并译者新造之字以示"嗏""搽"与"荼""茶"音近而不同，亦犹粤人所造"咇""嘅""哓""咽"之类也。

佛典译名的华梵对音的研究，西洋学者很早就注意到了。像雷暮沙（Abel Rémusat）[①]，卜尔诺夫（Eugène Burnouf）[②]，儒莲（Stanislas Julien）[③]，艾德尔（Ernest J. Eitel）[④]，高本汉（B. Karlgren）[⑤]等，前后都有所探讨。但是他们所注意的只是华译梵音的拼法，还没有直接应用华梵对音来考订中国古音的；就是高本汉也不过拿他考订《切韵》音的结果把前人对于华译梵音的拼法加以改订罢了。马伯乐（H. Maspero）的《唐代长安方音》里算是引用了一部分不空学派的密咒对音（les transcriptions de Dhāraṇī de l'École d'Amoghavajra）[⑥]，直到 1923 年钢和泰（von Staël-Holstein）发表了《音译梵书和中国古音》[⑦]之后，在汉语音韵学的研究上才起了一种新的变化。国内学者第一个应用华梵对音来考订汉语古音的要算是汪荣宝的《歌戈鱼虞模古读考》[⑧]，由此而引起了古音学上很大的辩论。至于应用这种方法在声母考订上的，我这篇短文还算是一种发端的尝试。我对于应用华梵对音考证汉语古音的方法，虽然认为要有相当的限度，可是对于在推求守温字母的音值上，却觉得是颇可信据的。

为解决这个问题，我一共选择了一百五十五个含有"舌音"（linguals or cerebrals）的梵名。在含有 t 音的五十一个梵名里，凡有四十五个对译知母：

[①] *L'Étude des Langues étrangères chez les Chinois*, Le magasin encyclopédique, Octobre, 1811.

[②] *Le Lotus de la bonne Loi*, 1852.

[③] *Méthode pour Déchiffrer et Transcrire les Nom Sanscrits qui se rencontrent dans les Livres chinois*, 1861.

[④] *Handbook of Chinese Buddhism*, 1904.

[⑤] *Prononciation ancienne de Caractères chinois figurant dans les Transcriptions bouddhiques*, T'oung Pao, XIX, 1920.

[⑥] *Le Dialecte de Tch'ang-ngan sous les T'ang*, BEFEO, XX, 1920, p. 20.

[⑦] 北京大学《国学季刊》第一卷，页 47—56。

[⑧] 北京大学《国学季刊》第一卷，页 241—261。

梵　音	华　音	译名出处
Anus*tu*bhchandas	阿菟吒阐提①	百论疏一
Aris*ta*ka	阿犁吒,阿梨瑟吒	翻梵语九
A*ta*li	阿吒厘	西域记十一
A*ta*ta	颏哳吒,阿吒吒,歇哳吒	瑜伽师地论四,俱舍论宝疏十一
Ā*ta*vika	阿吒嚩迦,阿吒薄俱,遏吒薄	慧琳音义十二
A*tt*ana	阿吒那剑	十诵律二十四
Bhrgiri*ti*	苾㗚吃㗚知	大日经疏五
Bhrku*ti*	毗俱胝,毗俱知,苾唎俱胝	不空绢索心咒王经下,大日经疏五,苏婆呼经下
Ca*ta*ka	遮吒迦	正法念经十六
Devakū*tā*	提婆俱吒	善见律七,翻梵语
Dhrtarās*tra*	提多罗吒,提头赖吒	四天王经,金光明经二
Dhruvapa*tu*	杜鲁婆跋吒	西域记十一
Ekaja*tā*	翳迦惹吒	一髻尊陀罗尼经
Ghandhaku*ti*	健陀俱知,健陀俱胝	毗奈耶杂事二十六,名义集七
Hā*ta*ka	阿吒迦	探玄记二十
Kani*ta*	罽腻吒王,罽尼吒王	付法藏传五,行事抄上一
Ka*ta*bhūtana or Ka*ta*pūtana	迦吒富单那,迦吒布单那羯吒布怛那,竭吒富咀那	首楞严经,梵语杂名,玄应音义二十一,慧琳音义十八
Khe*ta*	契吒	西域记十一
Ko*ti*	俱致,俱胝,拘致	玄应音义五,慧琳音义一,华严疏抄十三上
Kukku*ta*padagiri	屈屈吒播陀	西域记九

---

① 凡梵音中斜体拉丁字母都跟华音中下加点的汉字相对,下同。

梵音	华音	译名出处
Kukku*ta*-ārāma	屈屈吒阿滥摩	释迦方志下,西域记八
Kukku*ta*-iśvara	矩矩吒翳说罗	寄归传一,慧琳音义八十一
Kuran*ta*n*ta*	鸠兰单吒	千手陀罗尼经
Ku*ta*śalmalī	拘吒赊摩利,居吒奢摩离,究罗瞋摩罗	起世经五,起世因本经一长阿含经十九
Mālāku*ta*	秣罗矩吒	西域记十
Marka*ta*	摩伽吒	玄应音义一,翻译名义集二
Mā*t*rce*ta*	摩咥哩制吒	寄归传四
Na*ta*	那吒	毗沙门仪轨
Pāpacā*ta*	波婆遮吒	大威德陀罗尼经十
Pa*ta*la	波吒罗	慧琳音义廿五,慧苑音义下,梵语杂名
Pa*ta*liputtra	波吒厘,波吒梨那,波吒厘子,波吒利弗,钵吒补怛罗	玄应音义二十五,西域记八,善见律一,宗轮论述记,华严疏抄四十五
Pa*tta*	钵吒	有部毗奈耶二十三,大日经三,梵语杂名
Pūrnagha*ta*	本囊伽吒,本那伽吒	慧苑音义上
Rā*st*rapāla or Rā*st*ravara	赖吒啝罗,罗吒婆罗	付法藏传五,中阿含经三十一
Saṁghā*ti*	僧伽胝,僧伽致,僧伽知,僧伽鵄,僧伽梨	西域记二,玄应音义十四,寄归传二
Saṁghā*ta*sūtra	僧伽吒经	元魏月婆首那译经名
Sañjayavairat*ti*-Putra	删阇夜毗罗胝子	维摩经注三
Sphā*ti*ka	萨颇胝迦,破置迦	大智度论十,玄应音义二十
Śā*ta*ka	舍吒迦	梵语杂名
Tra*ta*	怛啰吒	大日经疏九

梵　音	华　音	译名出处
Utku*ta*	优俱吒坐，嗢俱吒坐	金刚顶经一，慧琳音义三十六
Utku*tu*ka	嗢屈竹迦	寄归传三
Vajra-at*ta*hāsa	跋折罗吒诃沙	陀罗尼集经八
Vajra-mus*ti*	跋折罗母瑟知	陀罗尼集经四
Yas*ti*-vana	泄瑟知林，泄悉知林	西域记九

而对译澄母的只有四个：

Ghan*ti*	犍稚，犍迟，犍槌，犍椎，犍地	玄应音义十四，元照释行事抄上之一，羯磨疏，五分律
Ghan*ti*-sūtra	犍稚梵赞	宋法天译经名
Ghan*tin*	犍坻	智度论八
Nīlapi*ta*	尼罗蔽茶	西域记二

对译定母或穿母的各有一个：

Mahārās*tra*	摩诃刺陀	西域记十一
Ku*tum*ba	屈蠢婆	大毗婆沙论

在含有 th 音的十一个梵名里，凡有七个对译彻母：

Akanis*tha*	阿迦抳瑟搋，阿迦抳瑟掮，阿迦尼瑟吒，阿迦贰吒，阿迦尼吒，阿迦尼沙托	玄应音义六，玄赞二，慧苑音义上，法华经序品
Ari*ttha*	阿栗抽	善见律毗婆沙一
Dantakās*tha*	弹多扼瑟搋，惮哆家瑟诧，娜哆家瑟哆	玄应音义十五，寄归传一，梵语杂名
Ka*thi*na	迦缔那，羯耻那	玄应音义二十三，行事抄上之四，饰宗记八
Kaus*thi*la	拘缔罗，俱缔罗，抱瑟耻罗俱瑟祉罗，拘瑟祉罗	玄应音义二十三，慧琳音义五十六，百缘经十，阿弥陀经通赞上，名义集一

梵 音	华 音	译名出处
Mahākaus*th*ila	摩诃俱缔罗,摩诃拘绨罗	同上
Vasis*tha*	婆私瑟搋,婆私吒	俱舍光记十五,杂阿含经三十四

对译知母的只有三个:

Daśabhūmi Pratis*th*ite	答摄蒲密卜罗牒瑟吒谛	Eitel's *Handbook of Chinese Buddhism*
Gyais*th*a	逝瑟吒,际史吒	西域记二,梵语杂名
Kharos*th*a or Kharos*thi*	佉卢虱吒,佉路瑟吒 佉卢虱底	大集月藏经七 大庄严经四

对译透母的只有一个:

Nirkan*tha*ka	尼建他迦,尼延他柯	大孔雀经上

在含有 d 音的三十六个梵名里,凡有三十一个对译澄母:

Anathapin*da*da	阿那他宾荼陀	玄应音义二
Anatha Pin*da*dagrhapati	阿那他宾荼揭利呵跋底	饰宗记八
Anathapin*da*dasyaārāma	阿那他宾荼驮写耶阿蓝磨	玄应音义三
Avan*da*	阿叇荼	西域记十一
Ārā*da*kālama	阿逻荼迦逻摩	过去现在因果经三
Can*dā*la	旃荼罗,旃陀罗	玄赞九,玄应音义三,法显传
Chaman*da*	遮文荼	演密抄五
Cū*da*panthaka	注荼半托迦,周稚般他迦周知槃陀迦	善见律毗婆沙十六,有部毗奈耶三十一
*Dā*kinī	荼枳尼天	大日经疏十
Dan*da*ka	弹宅迦	二十唯识述记下
Drā*vi*da	达罗毗荼,达罗弭荼陀毗荼,陀毗罗	西域记十,瑜伽论九,同伦记九,佛本集经十一,大部补注十一

梵音	华音	译名出处
Garu*da*	揭路荼 迦楼罗,迦留罗	俱舍光记八,探玄记二,慧苑音义上,慧琳音义,法华文句二
Irsyāpan*da*ka	伊利沙般荼迦	名义集二
Kan*da*	塞荼	大日经二
Kāun*di*nya	侨陈如,侨陈那	佛本行集经,玄应音义二十四
Kun*da*	军荼,君荼	慧琳音义三十六
Kun*di*ka	军持,君持,军迟,君迟捃稚迦,君稚迦	大悲心陀罗尼,陀罗尼集三,玄应音义十四,西域记十,玄应音义九,慧琳音义八十二
Kumbhān*da*	鸠槃荼,究槃荼,恭畔荼,弓槃荼,鸠满拿	探玄记二,慧苑音义上,玄应音义二十一,梵语杂名
Man*da*ka	漫荼迦,门择迦	大日经疏七
Man*da*la	曼荼罗,漫荼罗,曼陀罗,漫怛罗	师子庄严王菩萨请问经,探玄记二十,慧琳音义十,演密抄四,大日经疏三
Mun*da*	文荼	寄归传四
Pañcālacan*da*	般遮罗犍荼,般遮罗旃陀	大孔雀经,大孔雀王咒经上
Pān*da*ka	般荼迦,半择迦	玄应音义十七驮饰宗记七
Paksapan*da*kas	博叉般荼迦	名义集二
Pātrapin*da*patika	波怛啰宾荼波辰迦	饰宗记五
Pin*da*pāta	傧荼波多	大乘义章十一,玄应音义五,名义集七
Pun*da*rika	奔荼利迦,分陀利迦分陀利,芬陀利	慧琳音义三,大日经疏十五,玄应音义三,慧苑音义上,华严疏抄八
Runapan*da*kas	留拿般荼迦	名义集二
Saddharmapun*da*rika	萨达磨奔荼利迦,萨达磨芬陀利,萨达磨奔拿里迦	法华玄赞一 慧琳音义二十八

梵 音	华 音	译名出处
U*dakh*ān*da*	乌铎迦汉茶	三藏法师传五
Vai*dūry*a	鞞稠利夜,吠瑠璃耶	慧苑音义上
	吠努离耶	梵语杂名

而对译定母的只有五个：

Kara*nd*a or	迦兰陀,柯兰陀,迦兰驮迦	玄应音义十九
Kara*nd*aka	羯兰铎迦	
Pi*nd*avana	贫陀婆那	阿育王经七
Pi*nd*olabharadvāja	宾头卢颇罗堕	大乘论上,元照弥陀经疏
Sa*nd*agirīkāh	山拖伽梨柯;沙那利迦	部执异论；舍利弗问经
Sa*nd*ala	阐提罗	拾遗古德传四

含有 dh 音的梵名比较其他各音都少,在我所选的当中,一共才有四个,可是除去一个对译彻母的：

San*dh*a	扇撅	名义集二

其余的三个,仍旧和澄母相对：

Ā*sadh*a	颁沙荼,阿沙荼	西域记二
Uttarāsā*dh*a	嗢怛罗颁沙荼	西域记六
Virū*dh*aka	毗卢宅迦,毗卢择迦	玄应音义二十三

所以我们根据这些材料所得的结果,恰好跟前项的推论若合符节；那末知、彻、澄应读作 t，th，d（或 dh），就格外可以添一层保障了。但是 n 和娘的对音,就比较这三母略有纠纷。在我所选的含有 n 音的五十三个梵名里,凡有四十个对译娘母的：

A*n*u	阿拿,阿菟,阿耨	法苑义林章五,大日经疏一
Aśvakar*n*a	颁湿缚羯拿	玄应音义二十四
Atharva*n*a	阿闼婆拿	四吠陀第四
Aviddha Kar*n*a Saṁgha-ārāma	阿避陀羯剌拿僧加蓝	西域记七
Bhā*n*i	嫛尼,婆尼	西域记五

梵音	华音	译名出处
Bhiksunī	比丘尼,苾刍尼	俱舍光记十四,慧琳音义二
Daksinā	达梣拿,驮器尼,达嚫	西域记十,玄应音义一
Dhāraṇi	陀罗尼,陀邻尼	大乘义章十一,佛地论五,智度论五,可洪音义一下
Guṇa prabha	瞿拿钵剌婆,瞿拿钵赖婆	西域记四
Guṇa mati	瞿拿末底	唯识述记一
Hiraṇya Parvata	伊兰拿钵伐多	西域记十
Hiraṇya vati	尸赖拿伐底,尸离刺拿伐底	西域记六
Kācamaṇi	迦遮末尼,迦柘末尼	玄应音义廿一,慧琳音义三
Kapphiṇa	劫比拿,劫宾那,劫譬那	名义集一,法华义疏一
Karṇa suvarṇa	羯罗拿苏伐剌那	西域记十
Kārṣāpaṇa	羯利沙钵拿,迦利沙波拿迦履沙弥拿,羯利沙钵那	玄应音义二十一,慧琳音义十三,俱舍宝疏二十二,可洪音义
Kuṇāla	拘拿罗,鸠那罗	玄应音义五
Kuraṇa	拘浪拿,屈浪拿,屈浪那	西域记十二
Lavaṇi	腊伐尼林	西域记六
Maṇi	摩尼,末尼	玄应音义一及二十三,慧苑音义上,仁王经良贲疏下
Maṇi bhadra	摩尼跋陀罗	慧琳音义二十六
Manusyāṇaṁ	摩㝹舍喃	名义集一
Nārāyaṇa	那罗野拿,那罗延	嘉祥法华义疏十二,玄应音义二十四,慧琳音义六
Pāṇīni	波尼你	寄归传四
Parinirvaṇa	波利昵缚喃	名义集十二
Pūraṇa Kāśyapa	布剌拿迦叶波,晡剌拿迦摄波子,培剌拿,富兰那迦叶	饰宗记七,毗奈耶杂事三十八,玄应音义二十三
Pūrṇa maitrāyaṇi-putra	补剌拿梅咀丽衍尼弗咀罗富楼那弥多罗尼子	西域记四,维摩经注三,法华光宅疏一
Pūrṇa varman	补剌拿伐摩	西域记八

梵音	华音	译名出处
Śramaṇa	室罗磨拿,沙迦懣囊,室啰末拿	法华玄赞二,玄应音义六,慧苑音义上,慧琳音义十八
Śrāmaṇeraka	室罗末磨尼罗,室罗拿洛迦	寄归传三,饰宗记四
Śrāvaṇa	室罗缚拿,室罗筏拿,室啰嚩那	西域记二,俱舍光记十一
Suvarṇa-gotra	苏伐剌拿瞿怛罗	西域记四
Uṇādi	邬拿地	寄归传四
Uṣṇīṣa	乌瑟腻沙,嗢瑟尼沙,郁瑟腻沙	玄应音义二十一,慧琳音义四
Vaiśravaṇa, or Vaiśramaṇa	吠室罗摩拿,鞞舍罗婆拿,鞞室罗懣囊,毗沙门	毗沙门天王经
Vajrapāṇi	跋阇罗波腻	名义集四
Vaṇa	呗匿	玄应音义七
Vāraṇasi	波罗痆斯,波罗奈,波罗捺	西域记六,玄应音义二十一,法华义疏四
Visṇu	韦纽,毗纽,毗瑟纽,微瑟纽,毗搜纽,毗瑟筊,毗瑟怒	智度论二,大日经疏五,玄应音义廿二,不空绢索经二
Vyākaraṇa	毗耶羯剌諵,毗伽罗	慈恩三藏法师传三

有十个对译泥母：

梵音	华音	译名出处
Drōṇādana-Rādja	途卢诺檀那	起世经十,彰所知论上
Guṇa	求那	百论疏上,楞伽经二
Guṇabhadra	求那跋陀罗	梁高僧传三
Guṇavarman	求那跋摩	梁高僧传三
Guṇavrddhi	求那毗地	梁高僧传三,历代三宝纪十一
Kṣaṇa	刹那	探玄记十八,俱舍论十二,西域记二
Koṅkaṇa pura	恭建那补罗	西域记十
Puṇya yaśas	富那奢,富那夜奢	付法藏传五
Purṇa-bhadra	布鲁那跋陀罗	毗沙门天王经

梵　音	华　音	译名出处
Sa*na*vāsa	舍那婆斯,商诺迦缚娑	付法藏传二,阿育王传五,佛祖统纪七

这种例外的数目已经比较知、彻、澄三母增加了好多；并且在 y[j] 音的前面,还有三个转到日母的:

Pu*nya*śālā	奔攘舍罗	西域记四
Pu*nya*tara	弗若多罗	梁高僧传二
Pu*nyo*pāya	布如乌伐耶	Eitel's *Handbook of Chinese Buddhism*

再从反面看,含有"齿音"(dentals) n 母(न)的梵名也有十四个混入ṇ母的:

Godha*nya*	瞿陀尼,瞿耶尼,俱耶尼	玄应音义十二,慧苑音义上,起世经一
Ka*ni*ka	羯尼迦,迦尼迦	慈恩传三,慧琳音义二十五
Ka*ni*ṣka	迦尼色迦	西域记
Kanakamu*ni*	迦诺迦牟尼,俱那含牟尼	长阿含经一
Lumbi*ni* or Limbi*ni*	蓝毗尼,蓝犇尼,流毗尼,林微尼	玄应音义十九
Mu*ni*	牟尼,文尼	毗奈耶杂事二十,玄应音义十八
*N*emimdhara	尼民陀罗,尼民达罗,尼民陀	玄应音义二十四,慧苑音义下
*N*ēpāla	尼波罗	西域记七
*N*idāna	尼陀那	智度论三十二,慧苑音义上,开宗记一
*N*irarbuda	尼剌部陀	俱舍论十一,顺正理论三十一
*N*irgranthajñāti	尼干陀若提子,尼犍陀弗咀罗	唯识述记一
*N*irmānarati	尼摩罗天	玄应音义三
*Nya*grodha	尼拘卢陀,尼拘类陀,尼拘屡陀,尼拘陀	玄应音义二十四,慧琳音义十五
Phālgu*na*	颇勒婆拿	西域记二

那末，从这种现象的启示，我们更可以明白守温所以不敢别立娘母的缘故了。

现在为便于阅览起见，我再把本项所收的材料总括为下面的四个表。

知与 t 华梵对音统计表

梵音\译文\华音统计	知		澄		定		来		穿
	二等	三等	二等	三等	一等	四等	一等	三等	三等
ta	吒 听 陟驾 陟辖 48 2		茶 宅加 1				罗 鲁何 1		
ti		知 胝 致 置 陟离 张尼 陟利 陟吏 7 7 3 1		稚 迟 棰 椎 直利 直利 直追 直追 2 1 1 1		地 徒四 1		梨 力脂 1	鸱 处脂 1
tin				坻 直尼 1					
tra	吒 陟驾 4		陀 徒何 1						
tu	吒 陟驾 2								
tuk		竹 张六 1							
tuṁ									蠢 尺尹 1

彻与 th 华梵对音统计表

梵音\译文\华音统计	彻				知	透		端
	二等		三等		二等	一等		四等
tha	摛 诧 哆 丑皆 丑亚 敕加 3 1 1		搋 抽 丑例 丑鸠 1 1		吒 陟驾 8	他 托 托何 他各 2 1		
thi			绨 耻 袟 丑饥 敕里 敕里 5 2 2		吒 陟驾 3			底 都礼 1

51

澄与 d, dh 华梵对音统计表

梵音\华音译文统计	澄		彻	定		端	透	娘	泥	来
	二等	三等	二等	一等	四等	一等	二等	一等	一等	三等
da	茶 茶 择 宅 宅加 宅加 场伯 场伯 25　9　2　1	稚 直利 1		陀 驮 徒何 徒何 10　1	提 杜奚 1	怛 当割 1	拖 吐罗 1	拿 女加 2	那 诺何 1	罗 利 鲁何 力至 3　1
dak				铎 徒落 2						
di		持 迟 稚 直之 直尼 直利 2　2　2								
din		陈 直珍 2								
do				头 度侯 1						
du		稠 直由 1						努 奴古 1		瑠 力求 1
dha	茶 择 宅 宅加 场伯 场伯 3　1　1		搋 丑皆 1							

娘与 n 华梵对音统计表

梵音\华音译文统计	娘		泥	日	定
	二等	三等		三等	一等
na	拏 疱 喃 諵 女加 女黠 女咸 女咸 29　1　1　1	尼 匿 女夷 女力 1　1	那 诺 囊 奈 捺 诺何 奴各 奴当 奴带 奴曷 17　2　2　1　1		
nam	喃 女咸 1				

(续表)

译文统计梵音\华音	娘 二等	娘 三等	泥	日 三等	定 一等
ne	拏 女加 1	尼 女夷 1			
ni		尼 膩 女夷 女利 16　3			
nu	拏 女加 1	纽 女久 5	耨 笯 怒 奴豆 乃都 乃故 1　1　1		莵 同都 1
nya	拏 女加 3		那 诺何 2	攘 若 汝阳 人者 1　1	
nyo				如 人诸 1	
na	拏 女加 1				
ne		尼 女夷 4			
ni		尼 女夷 15			
nya		尼 女夷 7			

从这四个表里,我们对于第二段所得的结果还可以补充两点:(一)第二段所举的梵文字母译音只限于 a 韵,所以除去一个"哲"字都属于二等;由这个表看来,我们可以知道 t, th, d, dh, n 的对音并不专限知、彻、澄、娘的二等字。(二)透类的辅音不单浊声的 dh 母例子太少,而且和 d 母同对澄母,就是清声 th 母转入戛类的也不算少;可见当时译者或笔受者对于送气和不送气的分别,或者感觉相当的困难。至于那些转到其他各母的例外,我想恐怕是译者方音的不同,或者是所据原本的歧异,跟我所假设的原则并不发生妨碍。

(五) 从藏译梵音证明

通密伞布喇（Thon-mi Sam-bhota）所创造的藏文三十字母（632）[①]，并没有梵文所谓"舌音"（linguals）。所以西藏翻译的佛经或陀罗尼遇到这几母的时候便用反写的 ཊ་(ta) ཋ་(tha) ཌ་(da) ཌྷ་(dha) ཎ་(na) 表示。照西藏人的读音习惯，念作：

ཊ་　　ཏ་ལོག་　ཊ་　　（ta lo tra）

ཋ་　　ཐ་ལོག་　ཋ་　　（tha lo thra）

ཌ་　　ད་ལོག་　ཌ་　　（da lo dra）

ཌྷ་　　དྷ་ལོག་　ཌྷ་　　（dha lo dhra）

ཎ་　　ན་ལོག་　ཎ་　　（na lo na）

ལོག་（lo）即反转之意。在于道泉所译的《梵语灯》（legs·sbyar·smra·bahi·sgron·me）里，有几句关于这几母音值的话：

"30·第三部头四字之读音，

31·如ཏ་字部之下系一ར་字，

32·但舌尖须略向上弯。

第三部之头四字ཏ་ཐ་ད་དྷ་之读音，如ཏ་字等下系一ར་字即ཏྲ་ཐྲ་དྲ་དྷྲ་其分别为舌尖须略向上弯曲。第五ཎ་字之读音如ན་字上加一ར་字而舌尖略向上弯曲者"。

照这里所说，这几母似乎应当读作国际音标的 [ʈ] [ʈʻ] [ɖ] [ɖʻ]

---

① 《蒙古源流》卷二；L. A. Waddell：*Lamaism*, pp. 21, 22.

[ɳ]才对,但是据拉萨罗桑桑结(blo·bzang·sangs·rgyas)的读音,它们却变成舌尖后音的塞擦声,并且第三第四两母变成第一第二两母的低调,第五母和ན没有分别:

ཙ་[tṣa] ཚ་[tṣ'a] ཛ་[tṣ] ཚྷ་[tṣha] ན་[na]

这种转变的现象跟现代北京、开封、南京等处方言对于知、彻、澄、娘的转读恰好相同。梵文的[t][t'][ḍ][ḍ'][ɳ]等既然可以变成现代拉萨音的[tṣ][tṣ'][n],那末,我们很自然地就可以推断现代北京、开封、南京等处方言里从知彻澄娘变来的[tṣ][tṣ'][n]也是从中古音的[t][t'][ḍ][ḍ'][ɳ]演化而成的了。

(六)从现代方音上证明

知、彻、澄三母在现代方音里的转变颇为复杂:从部位上说,有的读作舌尖音(dental),有的读作舌尖后音(supradental),有的读作舌面前音(palatal),还有一小部分转作唇音;从状态上说,有的读作塞声(plosive),有的读作塞擦声(affricative),还有一小部分转作擦声(fricative)。因此高本汉觉得这几母的音值单靠现代方言是不能完全释解的。[①] 他的意见固然不错,但是我们如果用旁的证据已然可以考见知、彻、澄的部位和状态,那末也未尝不可以从现代方言里寻出它们读音的正变来。由上两段所得到的例证,我们既然可以考见知、彻、澄是舌尖后塞声,那末凡是转到其他部位或其他状态的,都可认为变读;凡有可以证明前项假设的,便不能因为变读的太多而忽略仅存的硕果。这三母在现代方言中的转变,高本汉曾经列过三个表,现在把它们迻录如下:

---

① *Études sur la Phonologie chinoise*, p. 415. 中译本,页305。

知母方音演变表[①]

知	二等		三等	
	开	合	开	合
西安	ts	pf	tṣ,tt	pf
兰州	ts	t	tṣ,t	t
平凉	ts	t	tṣ,t	tṣ,t
三水,桑家镇,泾州	ts	ts	tṣ,t	ts
归化,文水,兴县	ts	ts	tṣ	ts
怀庆,大同	ts	ts	tṣ	tṣ
北京,南京,四川	ts,tṣ	ts,tṣ	tṣ	tṣ
温州	ts	č	ts	č,ts
宁波	ts	ts	č,ts	č,ts
汉口,扬州	ts	ts	č,ts	č,ts
客家	ts	ts	č	č
高丽	t',č,č	t',č,č	č',č	č',č
日本	t	t	t,tɕ	t,tɕ,ts
汕头	t	t	t,č,ts	t,č,ts
福州,厦门	t	t	t	t
安南东京	ţ	ţ	ţ	ţ
开封,交趾	tṣ	tṣ	tṣ	tṣ
广州	č	č	č	č
太原,太谷,凤台,平阳,固始,上海	ts	ts	ts	ts

[①] *Études sur la Phonologie chinoise*, p. 391. 中译本,页281。

彻母方音转变表[①]

彻	二 等	三 等	
		开	合
西安	ts'	tʂ', t'	pf'
兰州	ts'	tʂ', t'	t'
平凉	ts'	tʂ', t'	tʂ', t'
三水,桑家镇,泾州	ts'	tʂ', t'	ts'
归化,文水,兴县	ts'	tʂ'	ts'
温州	ts'	ts'	č'
宁波	ts'	č', ts'	č'
汉口,扬州	ts'	č', ts'	
怀庆,大同	ts'	tʂ'	
客家	ts'	č'	
日本	t	t, tɕ	
高丽	t'	č'	
汕头	t'	č', ts' t'	
厦门	t'	č', t'	
福州	t'	tɕ', t'	
北京,开封,南京,四川	tʂ'		
广州	č'		
太原,太谷,凤台,平阳,固始,上海	ts'		
交趾	s（安南国语 x）,ʂ（安南国语 s）		
安南东京	s（安南国语 x 和 s）		

---

① *Études sur la Phonologie chinoise*, p. 393. 中译本,页 284。

澄母方音转变表①

澄	平			仄			
	二等	三等		二等		三等	
	开	开	合	开	合	开	合
西安	ts'	tʂ',t'	pf'	ts	pf	tʂ,t	pf
兰州	ts'	tʂ',t'	t'	ts	t	tʂ,t	t
平凉	ts'	tʂ',t'	tʂ',t'	ts	t	tʂ,t	tʂ,t
三水,桑家镇,泾州	ts'	tʂ',t'	ts'	ts		tʂ,t	ts
归化,文水,兴县	ts'	tʂ',t'	ts'	ts		tʂ	ts
汉口,扬州	ts'	č',ts'		ts		č,ts	
怀庆,大同	ts'	tʂ'		ts		tʂ	
北京,南京,四川		tʂ'		ts,tʂ		tʂ	
开封		tʂ'				tʂ	
广州		č'				č	
太原,太谷,凤台,固始		ts'				ts	
平阳		ts'				ts',ts	
客家	ts'	č'		ts'		č	
高丽	t	č',č		t,t'		č',č	
日本	t	t,tɕ	t,tɕ,ts	t		t,tɕ	t,tɕ,ts
汕头		t,t',ts',č'				t,t',ts,č	
福州,厦门				t',t			
安南东京				ŧ			
交趾				tʂ			
上海				dz 和 z			
温州,宁波				ǰ,dz			

---

① *Études sur la Phonologie chinoise*, p. 396. 中译本,页 286。

在上面这三个表里,除去转成塞擦声或擦声的以外,可以证实我的假设的有西安、兰州、平凉、三水、桑家镇、泾州等六处方音。① 方法相同而部位稍变的:福州、厦门和汕头、日本、高丽的一部分读作的[t];安南东京读作[ȶ]。在我看来,读[t]的可以作上古音的佐证,读[ȶ]的可以证明[t]音软化以后的三等字。高本汉根据安南音认为知、彻、澄的二三等都应读作[ȶ][ȶ·][ȡ·],我觉得颇有讨论的余地(详后)。

娘母在现代方音里的转变,高本汉把它和泥母合起来列了一个表:

泥娘两母方音转变表②

泥　娘	一二等	三四等
北京,凤台,固始,扬州,福州,广州,高丽,日译吴音	n	
安南	ȵ	
汉口,南京	l	
汕头,厦门	l, n	
客家	l, n	l, n, ŋ, ȵ
甘肃	l, n	ȵ
三水,桑家镇	l	ȵ
四川	l	n, ȵ
归化,大同,太原,太谷,西安,开封,怀庆,上海	n	ȵ
宁波	n	n, ȵ, ŋ
温州	n	ŋ
文水,兴县,平阳	nd	ȵḑ
日译吴音	d	d, dz

---

① 这几处方言的"正齿音"虽然也和"舌上音"有相同的变化,然而从旁方面的证据我却以为"舌上音"是本读,"正齿音"是变读。并且安南译音的"正齿音"也有一部分同"舌上音"一律变成[ȶ]音的。

② *Études sur la Phonologie chinoise*, p. 470. 中译本,页346。

在这个表里，只有安南音和我所假设的相合，但泥、娘一致读成[ŋ]音，也很难看出它们的分别，从音理上讲，舌尖塞声和舌尖后塞声的不同还比较容易分辨，至于舌尖鼻声和舌尖后鼻声的微细区别，除非用假上颚来试验，恐怕很难听得出来。泥、娘两母所以在《切韵》反切和华梵对音里混乱的较多，以及娘母所以后起，大半都由于这个缘故。至于宋朝的韵表所以把娘母独立，一方面固然为求韵表相称，一方面娘母的音值恐怕已经衍变成为 ŋ>nj>ɲ 了。

（七）从韵图的排列上证明

知、彻、澄、娘和照、穿、床、审、禅两组声母，在《韵镜》、《七音略》、《四声等子》和《切韵指南》里，都是照着下面这种方式排列的：

	舌　音	齿　音
一等	端透定泥	精清从心邪
二等	知彻澄娘	照穿床审〇
三等	知彻澄娘	照穿床审禅
四等	端透定泥	精清从心邪

高本汉为考订知等照等的音值，曾经根据这种排列的方法列成一个方程式：

$$t（端）：知 = ts（精）：照 \cdots\cdots\cdots\cdots（1）$$

或者写作：

$$知：照 = t：ts \cdots\cdots\cdots\cdots\cdots\cdots\cdots\cdots（2）$$

他解析这个方程式因而决定了知是塞声，照是塞擦声[①]；这的确是一种很巧妙的推断。然而他对于知等发声部位（place of articulation）的判定，却没有他推断知等发声方法（manner of articulation）这样精确不移。因为上列的方程式如果变换一种样子，也可

---

① *Études sur la Phonologie chinoise*, pp. 50, 51. 中译本，页 32。

以写作：

$$知：照 = X 塞声：X 塞擦声 \cdots\cdots(3)$$

从反切上字看,照组的二三等应当分作两类,已经成了确定的事实;高氏读照组二等作舌尖后音的塞擦声,三等作舌面前音的塞擦声,大体上也可以得到我们的承认;那末,如果把这两种已知的音值代入(3)式的 X,便可以得出下面两个结果：

$$知二：照二 = 舌尖后塞声：舌尖后塞擦声 = \text{t}：\text{tʂ}\cdots\cdots(4)$$

$$知三：照三 = 舌面前塞声：舌面前塞擦声 = \text{ȶ}：\text{tɕ}\cdots\cdots(5)$$

但是高氏因为知组二三等在反切上字和安南语音里都不像照组二三等那样分用不混,所以主张二三等一律读作[ȶ]①,这不单代入上列的(4)式立刻发生不均衡的现象,而且从别的方面看也有好多讲不通的地方。高氏主张知组二三等一律读作舌面前音的理由,一共有两层："第一层,知、彻、澄只用在第一个字是 i 的韵母前面。假若声母是舌尖后音,是硬音,它既然和 i 音反对,而偏偏在这些韵母里出现,那就有点儿古怪了。并且在方言里知母读作舌尖后音的(如北京的 tʂ)就会把古音的 i 失掉。所以'张'就读成'tʂaŋ',而不是'知'＋iang 了。因为这个缘故,我觉得北京的舌尖后音的读法,是在比较近一点儿的时代才发现的。第二层,在韵图里不见于三等的声母只有舌尖音 t, ts 两种,这是很可以叫人起劲的。因为在别的语言（Scandinaves 和 Slaves）的例里,很可以告诉我们舌尖音假如在 i 音的前头很容易软化的。软化的舌尖音就很容易变成舌面前音(北京音就有 tsi＞tsji＞tɕi 的例)。"②他所主张的第二层理由应用在三等字上还没有什么大问题。但是我对于第一层理由所见恰好和他相反。因为他所以不主张知组读作舌

---

① *Éibid.* pp. 51—54; 428, 437. 中译本,页 34;页 396,398。
② *Études sur la Phonologie chinoise*, pp. 51, 52. 中译本,页 34。

尖后音的根据只在硬音和 i 类韵母不能相容的一点，这在他的《中国音韵学》里假定二等韵母也有 i 介音的时代自然还可以言之成理；及至后来他作《中国古音考》既然接受马伯乐的意见取消了二等的 i 介音①，而对于知组的音值却仍保持旧说，没有修改，以致我们遇到二等江、庚、皆、山等韵的知组字便感到有拗不成音的困难。如果照我从佛典译名的华梵对音里所找到的证据，不单知组的二等字可以读作舌尖后音，就是三等字也没有什么例外；这岂不是恰好可以推翻高氏的旧案么？不过，这样假设在二等字固然可以讲得通，遇到三等字仍旧免不了高氏第一层理由所顾忌到的困难；并且代入上列第(5)式中一样发生不均衡的现象。照我的看法，舌尖后音遇到 i 类的三等韵母的时候，往往互相异化而朝着两个方向转变：(一)把 i 音吞掉保持它的本音而变韵母为二等，例如兰州、平凉等处方音和等韵家所谓"内转"各摄的"正齿音"二等字②；(二)被 i 音软化使本音有变近舌面前音的倾向，例如安南方音。所以我虽然从各方面都可以考见知、彻、澄应当读作舌尖后的塞声，可是在照组三等已经颚化以后，我也不否认它们有软化的倾向。然而若是谈起先后正变来，我总觉得舌尖后音在先，颚化音在后；舌尖后音是正读，颚化音是变读。即以北京的"张"字而论，我想它在中古音本来应当读作 [ṭiaŋ]，后来循着上面所举的第一变轨把 i 音吞掉，所以由 ṭiaŋ＞ṭaŋ＞tʂaŋ。它在别处方音里也有循着第二变轨而使声母颚化的，所以就由 ṭiaŋ＞ťiaŋ＞tɕiaŋ。如果照高氏的说法，固然也可以有 ṭiaŋ＞tɕiaŋ＞tʂiaŋ＞tʂaŋ 的可能，然而从上两段的佐证看，我总觉得北京"张"字的演变，根本就许不是按着这个方式来的，所以我不能完全接受他的理论。

---

① *The Reconstruction of Ancient Chinese*，T'oung Pao，XXI，p. 24.
② 别详《释内外转》，见本书页 87。

高本汉关于娘母的考订和其他三母稍有不同。他一方面因为泥母一等的反切上字"奴"也常常用在二等,所以相信古音的 n 有时像 k,h 那样在一二四等是纯粹的,三等是 j 化的;一方面又因为娘母三等的反切上字"女",也往往在二等发见,所以又疑心它和知、彻、澄一样,或者在二三等已经完全变成舌面前音。在这两种不同的情境之下,他虽然也承认后者的演变是可能的,不过觉得这个演变不会很早就有,必须到知等塞声由 j 化变成颚化音这个演变才会发生。所以仍旧倾向前说,把一二四等标作 n,三等标作 nj。① 照我看来,在知、彻、澄和端、透、定有分别的时候,娘和泥一定也是有分别的;不过因为鼻声比较塞声容易混淆,所以在各方面都往往和泥母分划不清。藏译梵音于 ᠵ᠂ᠪ᠂ᠵ᠂ᠵ 四母都跟 ᠨ᠂ᠮ᠂ᠨ᠂ᠨ 有分别,惟独 ᠨ᠂ᠨ 两母混成一音,这便是我们一个很好的佐证。所以我觉得娘母本来也应当读作 [ɳ],因为它容易跟泥日等相混,所以唐末的三十字母还没有划分;宋人所以添立这一母,我想它的三等必定由 nj>ɲ 了。按照知、彻、澄三母的例,我觉得它的演进应当是这样:

二等　ɳ>n　　三等　ɳ>nj>ɲ

照我这样说法,何以解于知、彻、澄、娘的反切上字二三等混而不分呢?我们要解答它们所以不分,先得要知道其余的声母为什么分。从《切韵》的声母系统看,我觉得当初定反切的人好像很了解所谓"音位"(phoneme)的观念似的。照琼斯(Daniel Jones)的说法,凡是在一种音系里,两个相近的声音,如果永远不会在同一地位或同一条件之下发现的,都可以归纳作一个音位。② 知、

---

① *Études sur la Phonologie chinoise*, pp. 54—56; 476. 中译本,页 35—36,352。
② D. Jones: *The Pronunciation of Russian*, and *Definition of a Phoneme*, Le Maître Phonétique, troisième séries, No. 28.

彻、澄、娘以外的声母凡是分成两类的,几乎都是同时见于同韵的。单以照组而论,它们在所谓"内转"的东、阳、蒸、仙、侵、支、脂、之、鱼、虞、尤诸韵里碰了十一次头,所以不得不分出两类来。至于知组则不然。它们的二等韵专见于江、庚、耕、山、删、咸、皆、佳、夬、肴、麻十一韵,三等字专见于东、钟、阳、蒸、真、仙、侵、盐、凡、支、脂、之、鱼、虞、宵、尤十六韵,从来没有同时见于同韵的。它们既然可以属于同一音位,所以反切上字并不加以区别。如果因为反切上字相同,便忽略旁方面的理由而认为它们的二三等应当读作同样的声音,那何异于几百年后根据国语罗马字来考证北京音的人,见了 j, ch, sh 三母便认为ㄓㄔㄕ和ㄐㄑㄒ本来没有区别呢?

至于知、彻、澄、娘的二三等在反切上字虽然看不出什么分别,可是从别的方面还可找出一点遗迹。据我比较《切韵》《广韵》和《集韵》反切所得的结果,发见了一个很有趣的现象,就是凡以舌头切舌上的"类隔"大多数都是属于二等的。例如:

例字	韵目	等列	切韵反切	广韵反切
戆	绛	二	丁降(端)	陟降(知)
黏	陷	二	都陷(端)	陟陷(知)
斵	觉	二	丁角(端)	竹角(知)
赧	潸	二	怒版(泥)	女版(娘)
女	语	三	乃据(泥)	尼据(娘)

这是《切韵》本作舌头《广韵》改为舌上的例。这四个字除去一个"女"字都属于二等。又如:

例字	韵目	等列	广韵反切	集韵反切
桩	江	二	都江(端)	株江(知)
舸	马	二	都贾(端)	展贾(知)
罩	效	二	都教(端)	陟教(知)
窡	黠	二	丁滑(端)	张滑(知)
鶭	辖	二	丁刮(端)	张鸹(知)

貯	语	三	丁吕(端)	展吕(知)
胝	脂	三	丁尼(端)	张尼(知)
牚	映	二	他孟(透)	耻孟(彻)
膗	皆	二	杜怀(定)	幢乖(澄)
场	梗	二	徒杏(定)	丈梗(澄)
湛	豏	二	徒减(定)	丈减(澄)
奺	佳	二	奶佳(泥)	尼佳(娘)
奶	蟹	二	奴解(泥)	女蟹(娘)
搱	皆	二	诺皆(泥)	尼皆(娘)
絮	马	二	奴下(泥)	女下(娘)
橈	效	二	奴教(泥)	女教(娘)
賃	沁	三	乃禁(泥)	女禁(娘)

这是《广韵》本作舌头《集韵》改作舌上的例。在这十七个字中,除去"贮""胝""赁"三个字以外也都属于二等。何以舌上音的二等字这样容易跟舌头音相混,而三等字殊为仅见呢?我想这就是 j 化和不 j 化的痕迹。所以我们对于舌上音二三等的反切上字混而不分,是无足顾虑的。

(八) 对于前人审辨知等音值的批评

前人对于知、彻、澄、娘的审音,在国内方面可以分作三派:第一派措词含混,使人无从确定它们的含义。例如,吕维祺《同文铎》云:

> 正齿照、穿、床三音与舌上知、彻、澄三音相类,而实不同。

李光地《等韵辨疑》云:

> 知、彻、澄、娘四字,今音惟娘字入舌音泥字内,知、彻、澄三字俱混在照、穿、床齿音内。据等韵诸书俱当作舌音,但端、透、定、泥吐在舌尖,而知、彻、澄、娘收在舌上耳。今闽广人知、彻、澄犹作舌音也。

江永《音学辨微·辨七音》云:

　　　　舌上音　舌上抵腭

又《辨疑似》云：

　　知与照，彻与穿，澄与床，易混者也。知、彻、澄必令出舌上，照、穿、床必令舌不抵腭，而音出正齿则不相混。

　　泥舌头微击腭，娘舌黏腭，二母尤难辨。

江有诰《等韵丛说》辨七音十类粗细云：

　　舌头端、透、定、泥　粗音舌尖击腭，细音舌头击腭。

　　　　四母惟泥母细音与娘混，其余俱不误。

　　舌上知、彻、澄、娘　粗音舌抵前腭，细音舌抵中腭。

他们所说的话，除去江永对於泥、娘二母的分析还有一部分差强人意以外，实在并没有确定出这四母的发音部位和状态来，所以我们并不能从这一派得出什么清楚明了的观念。

　　第二派的说法似乎是主张知等读作舌尖后音的。例如，钱大昕《潜研堂答问》十二：

　　知、彻、澄、娘即《涅槃》之吒、咃、荼、咤、拏而去其一

陈澧《切韵考·外篇》卷三云：

　　吒、咃、荼、咤、拏即知、彻、澄、娘。

黄季刚先生《音略·论今声发音法》云：

　　《音学辨微·辨七音法》云："舌上音　舌上抵腭。"此当云舌头弯曲如弓形向里，非舌头抵腭也。知是也。彻、澄稍加送气而分清浊。娘即此部位，而收以鼻之力。

胡以鲁《国语学草创·说国语缘起》云：

　　以舌头伸突于齿之背即口盖之前部则为舌头音。虽然曰齿之背后，曰口盖之前部，亦有种种之点焉。突其最里部曰知、彻、澄、娘，称为"里音"(cerebral)。突于齿腭之上而稍屈者曰端、透、定、泥，称为"前舌端音"(aleveolar)。突于齿腭而发者谓之"后舌端音"(post dental)。突于齿背而发者，谓之"背齿音"(intro-dental) 精、清、从、心、邪及照、穿、床、审、禅是也。

因此他在《音素分析表》里使用 t，t'，d，n 对注知、彻、澄、娘。

吴稚辉的方毅《国音沿革序》里也有论到知、彻、澄、娘的话：

> 《广韵》后附《辨十四声例法》（十四）："牙齿齐呼开口送声，吒沙拿茶，能所俱轻。"今注，此即第九音t, th, d, dh, n。知、彻等音，想在六朝开始流行，不能定其发音状态，故繁重其词，名曰牙齿齐呼开口而送，亦可笑矣。

钱玄同先生也是赞成这种说法的一人，所以他在《国语沿革六讲》第一五五节也用 t, t', d, d', n 标注知、彻、澄、娘的音值。

这便是我这篇论文最初播下的几粒种子。

第三派的说法似乎是主张知等读作舌面前音的，例如，袁子让《字学元元·分三十六字母本切》云：

> 舌上四母未闻有讹，但泥于娘，微有相肖，须于舌头舌上辨之。

又《三十六字母分音》云：

> 端、透、定、泥出于舌头杪末，知、彻、澄、娘用于舌上中央处，大较判然。不析自明。

劳乃宣《等韵一得·外篇》云：

> 知、彻、澄古为舌上音与端、透、定舌头音相近而不同，即《释名》所谓以舌腹言之也。今闽广人呼此三母犹出于舌腹，其音介在舌与齿之间，此变入齿音之所由来也，而实则自为一音，与舌头正齿俱异。泥与娘亦一为舌头，一为舌上，今音有两母皆读作舌头者；有开口合口两呼皆近舌头，齐齿撮口两呼皆近舌上者。虽两母往往相混，而两音之分别犹存，今皆分别列之。

黄廷鉴《三十六字母辨》云：

> 知、彻、澄三母音必令舌端放空不着龈腭，而以舌之中面黏上腭用力呼之，其声即得。与照、穿、床三母音之空舌齐齿于齿缝中出声者迥别。又知、彻、澄三母音出口时张唇而声扁大；照、穿、床三母音出口时撮唇而声扁细。……至泥、娘二母尤难辨。江慎修云："泥母舌头微击腭，娘母舌腹黏腭。"赵凡夫云："唱泥母舌动而声在舌端；唱娘母舌静而声在喉鼻。"辨泥、娘二母最精确入细。愚申之曰：唱知、彻四母皆用舌腹偏起着腭（原注，舌腹即舌之中面）用力呼之，而娘母尤重，忍收其声自喉鼻间出之。

这一派的说法，跟高本汉颇为相近，不过究竟读作塞声或塞擦声，从他们的说法里是看不出来的。

至于国外方面,除去高本汉主张知、彻、澄、娘读作[ṭ][ṭʻ][ḍʻ][nj]的说法在上文已经略加讨论以外,对于这四母还有如下几家不同的注音法。

艾约瑟(Joseph Edkins)的《官话文法》第 74 页:

    知 ch 彻 cʻh 澄 dj 娘 ni
 (照 ch 穿 cʻh 状 dj 泥 n)

武尔披齐利(Z. Volpicelli)的《中国音韵学》第 16 页:

    知 t(r) 彻 t(r)ʻ 澄 d(r) 娘 n(r)

商克(S. H. Schaank)的《中国古音学》第二章(《通报》第一集第八卷 466 页):

    知 ty 彻 tʻy 澄 dy 娘 ny

马伯乐(H. Maspero)的《安南语音学》第 15 页和《唐代长安方音》第 4 页:

    知 č 彻 čʻ 澄 ǰ 娘 nʸ
 (照 tś 穿 tśʻ 状 dž 泥 n)

在这四家里,艾约瑟根本不辨知、照,我们姑且存而不论。商克和马伯乐都跟高本汉相近而实不同。因为商克对于这四母只认是软化的舌音("mouillé" dentals),还没有承认它们已经变成舌面前音(palatals)。马伯乐对于知、照两组的注音,在符号上虽然有了分别;但是在印欧语言学里,向来是用 č 当作塞擦声的,所以实际上仍然是混而不分的。其中跟上面所谓第二派主张相同的,只有一个武尔披齐利。他认为这四母跟梵文的舌音(cerebrals)相当,它们的读法应当用发 r 音的舌头部位去读 t, tʻ, d, n,所以他用 t, tʻ, d, n 后边加括弧 r 去表示它们的音值。自然这个 r 是不打滚的,不过形容它们的部位罢了。①

---

① Cf. *Chinese Phonology*, p. 16.

总括中外各家的说法,除去含义不明的,大致不外乎两派:(一)知、彻、澄、娘应当读作舌尖后音;(二)知、彻、澄、娘应当读作舌面前音;在这种两可的情形之下,我们究竟何去何从?从音理上说,t<ṭ>tṣ 和 t<ṭ>tɕ 两个公式自然都有可能;但是如果采用第二个公式,何以解于 ṭ 的后代音又转变成 tṣ 呢?因此我最初就倾向第一说,不过觉得它们的三等字应当有软化的倾向,跟前人的说法也不尽同。现在为解除积疑起见,所以采用了上面的五项证据,以确定我的信念。这桩音韵学史上的小公案,能够从此就定谳了么?

(原载《中央研究院历史语言研究所集刊》第三本第一分,1931 年)

梵文腭音五母的藏汉对音研究

一 梵文腭音五母藏文对音的可疑
二 梵文腭音五母汉文对音的分歧
三 汉文对音现象的三种可能解释
四 藏文字母源出和阗说的新佐证
五《同文韵统》的华梵对音订误

梵文腭音 च छ ज झ ञ 五母,现在印欧语言学者普通都用罗马字 ca, cha, ja, jha, ña 或 ča, čha, ǰa, ǰha, ña 作它们的对音,若是改作国际音标,似乎应当是舌面前的破裂摩擦音 [tɕa] [tɕʻa] [dʑa] [dʑʻa] 和鼻音 [ɲa]。但是西藏所译的佛经遇到陀罗尼或诸佛名号中含有梵文腭音的时候,都用 ཙ ཚ ཛ ཛྷ ཉ 对译,照现在的拉萨音,除去 ཉ 母读作舌面前的鼻音和印欧语言学者相同外,其余四母应当读作舌尖前的破裂摩擦音 [tsa] [tsʻa] [dza] [dzʻa]。从字形上看,藏文的 ཙ ཚ ཛ 三母应当比附加辨音符号～的 ཙ ཚ ཛ 更接近一点儿;从音理上讲,ཙ ཚ ཛ 三母现在拉萨音读作 [tɕa] [tɕʻa] [dʑa],既然和梵文的 च छ ज 读音相同,而且和 ཉ 母本来就应当是一组,不像拿它配舌尖前音 ཙ ཚ ཛ 那样不伦不类。然而藏译的梵音偏偏不这样办,这是什么道理?究竟是印欧语言学者的读音错了,还是西藏的译音错了呢?

为比较参证起见,我们应当再看看汉译的梵音是怎样。

梵文腭音五母的汉字译音也是不一致的。在《大般涅槃经》一系的四十九"根本字"中,法显译《大般泥洹经文字品》(东晋义熙十三年,A.

D.417)、昙无忏译《大般涅槃经如来性品》(北凉玄始三年至十年,A.D. 414—421)、慧严修《大般涅槃经文字品》(刘宋元嘉元年至九年间,A. D.424—432)、僧伽婆罗译《文殊师利问经字母品》(梁天监十七年,A. D.518)、阇那崛多译《佛本行集经》卷十一(隋开皇七年至十二年,A.D. 589—592)、玄应《一切经音义大般涅槃经文字品》(唐贞观末,A.D. 649)、地婆诃罗译《方广大庄严经示书品》(唐垂拱元年,A.D.685)、高楠顺次郎英译《南海寄归内法传》叙论引义净说(武周天授元年至如意元年,A.D.690—692)、善无畏译《大毗卢遮那成佛神变加持经百字成就持诵品》(唐开元十二年,A.D.724)、智广《悉昙字记》(唐德宗间,A.D. 780—804)等,属于一派。他们的译文虽然彼此之间略有出入,可是总不外乎"正齿音"照、穿、禅和"半齿音"日母字。例如表一:

表　一

腭音五母在四十九根本字中的次序	22	23	24	25	26
天城体梵书	च	छ	ज	झ	ञ
罗马字注音	ca	cha	ja	jha	ña
法显译《大般泥洹经文字品》	遮	车	阇	阇重	若
昙无忏译《大般涅槃经如来性品》	遮	车	阇	膳	若
慧严修《大般涅槃经文字品》	遮	车	阇	阇重	若
僧伽婆罗译《文殊师利问经字母品》	遮	车	阇	禅	若
阇那崛多译《佛本行集经卷十一》	遮	车	阇	社	若
玄应《一切经音义大般涅槃经文字品》	遮重	车	阇	膳 时反柯	若 耳反贺
地婆诃罗译《方广大庄严经示书品》	者	车	社	阇	壤
义净《南海寄归内法传》英译本叙论	者	捶	社	縒	喏
善无畏译《大毗卢遮那成佛神变加持经百字成就持诵品》	遮	车	若	社 上呼声	壤
智　广《悉昙字记》	者 止下反音近作可反	车 昌下反音近仓可反	社 勺下反轻音近作可反	社 重音音近昨我反	若 徐而下反有音近壤若我反

至于不空译《瑜伽金刚顶经释字母品》及《文殊问经字母品》（唐大历六年，A. D. 771）、慧琳《一切经音义释大般涅槃经》卷八《辨文字功德及出生次第篇》（唐贞元四年至元和五年，A. D. 788—810）、空海《悉昙字母释义》（日本大同元年至承和二年间，A. D. 806—835）、惟净景祐《天竺字源》卷三（宋景祐二年，A. D. 1035）、《同文韵统·天竺字母谱》（清乾隆十四年，A. D. 1749）等，另外自成一派。他们的译文虽然也不免有一两个字的参差，可是总不外乎"齿头音"的精、清、从和"舌上音"的娘母字。例如表二：

表 二

腭音五母在四十九根本字中之次序	22	23	24	25	26
天 城 体 梵 书	च	छ	ज	झ	ञ
罗 马 字 注 音	ca	cha	ja	jha	ña
不空译《瑜伽金刚顶经释字母品》	左	磋上	惹	鄧上	娘上
不空译《文殊问经字母品》	左	磋上	惹	鄧才反牁	娘上
慧琳《一切经音义释大般涅槃经辨文字功德及出生次第篇》	左藏上可声反	瑳仓上可声反	嵯慈我反	醛嵯引贺声反重	娘女兼两鼻反上
空海《悉昙字母释义》	遮上声	磋上声	惹	鄧上声	娘上声
惟净景祐《天竺字源》卷三	拶左末切	攃七曷切	惹仁左切	嵯昨何切	倪倪也切
《同文韵统·天竺字母谱》	匝咨齿阿头切紧	攃雌齿阿头切	杂资齿阿头切缓	杂哈杂半齿哈切半喉	尼鸦尼舌鸦头切

在《华严经》一系的"圆明字轮"中，竺法护译《光赞般若波罗蜜经观品》（西晋太康七年，A. D. 286）、无罗叉译《放光般若经摩诃般若波罗蜜陀邻尼品》（西晋元康元年，A. D. 291）、鸠摩罗什译

《摩诃般若波罗蜜经广乘品》及《大智度论释四念处品》(姚秦弘始五年至六年,A. D. 402—403)、佛驮跋陀罗译《大方广佛华严经入法界品》(东晋义熙十四年至刘宋永初二年,A. D. 418—421)、玄奘译《大般若波罗蜜多经初分辩大乘品》(唐显庆四年,A. D. 659)、地婆诃罗译《大方广佛华严经入法界品》(唐垂拱元年,A. D. 685)、实叉难陀译《大方广佛华严经入法界品》(武周证圣元年,A. D. 695)、般若译《大方广佛华严经入不思议解脱境界普贤行愿品》(唐贞元十四年,A. D. 798)等,和上面的第一派相同。例如表三:

表 三

腭音四母在圆明字轮中之次序	4	30	20	27
天 城 体 梵 书	च	छ	ज	ञ
罗 马 字 注 音	ca	cha	ja	ña
竺法护译《光赞般若波罗蜜经观品》	遮	车	阇	惹
无罗叉译《放光般若经摩诃般若波罗蜜陀邻尼品》	遮	车	阇	若
鸠摩罗什译《摩诃般若波罗蜜经广乘品》	遮	车	阇	若
鸠摩罗什译《大智度论释四念处品》	遮	车	阇音社	若
佛驮跋陀罗译《大方广佛华严经入法界品》	者	车	社	壤
玄奘译《大般若波罗蜜多经初分辩大乘品》	者	绰	阇	若
地婆诃罗译《大方广佛华严经入法界品》	者	车	社	壤
实叉难陀译《大方广佛华严经入法界品》	者	车上呼声	社	壤
般若译《大方广佛华严经入不思议解脱境界普贤行愿品》	者	车车反者上	惹上	娘上

而不空译《大方广佛华严经入法界品四十二字观门》及《大方广佛华严经入法界品顿证毗卢遮那法身字轮瑜伽仪轨》(唐大历六年,A. D. 771)、慧琳《一切经音义华严四十二字观门经》(唐贞元四年至元和五年,A. D. 788—810)等,和上面的第二派相同,例如表四:

表　四

腭音四母在圆明字轮中之次序	4	30	20	27
天　城　体　梵　书	च	छ	ज	ञ
罗　马　字　注　音	ca	cha	ja	ña
不空译《大方广佛华严经入法界品四十二字观门》	左轻呼	縒上	惹苏反我	娘轻上呼
不空译《大方广佛华严经入法界品顿证毗卢遮那法身字轮瑜伽仪轨》	左轻呼	蹉上	惹苏反我	娘轻上呼
慧琳《一切经音义华严四十二字观门经》	左上声	磋仓反可	惹慈反拗	娘取声上

在表一和表三里，以च（根本字第二十二，字轮第四）对"遮"的凡十次，对"者"的凡八次。遮，正奢切；者，章也切；均属照母。以छ（根本字第二十三，字轮第三十）对"车"的凡十七次，对"绰"和"挴"的各一次。车，尺遮切；绰，昌约切；均属穿母。挴，《篇海》音裔，本属喻母，这里或者是义净的误读。以ज（根本字第二十四，字轮第二十）对"阇"的凡十一次，对"社"的六次，对"若""惹"的各一次。阇，视遮切；社，常也切；均属禅母。若，而灼切；惹，人者切；均属日母。以ज（根本字第二十五，字轮无）对"阇"和"社"的各三次，对"膳"的二次，对"禅"和"縒"的各一次。膳，时战切；禅，市连切；与阇、社二字同属禅母；縒，苏可切，应在心母；这里或者是义净的误读。以ञ（根本字第二十六，字轮第二十七）对"若"的凡十一次，对"壤"的凡五次，对"喏""偌""娘"的各一次。壤，如两切；喏，日也切；偌，人者切；与若字同属日母；娘，女良切，属娘母。除去义净误读的"挴"、"縒"两字和ज下的"若""惹"两字，ज下的"娘"字稍有问题外，其余的完全属于正齿音或半齿音。但是再一看表二和表四就不然了。在这两个表里，以च（根本字第二十二字轮第四）对

"左"的凡六次，对"拶""匝""遮"的各一次。左，藏可切，拶，子末切；匝，子答切；故除遮字外，均属精母。以ᅕ（根本字第二十三，字轮第三十）对"磋"的凡四次，对"攃"的二次，对"瑳""蹉""縒"的各一次。磋，千个切；攃，七曷切；瑳，千可切；蹉，七何切；縒，此我切[1]。均属清母。以ᅕ（根本字第二十四，字轮第二十）对"惹"的凡七次，对"嵯"和"杂"的各一次。惹，人者切，属日母；嵯，昨何切，杂，徂何切，均属从母。以ᅕ（根本字第二十五，字轮无）对"酂"的凡三次，对"醝""嵯"和"杂"的各一次。酂，在丸切，醝，昨何切，与嵯杂二字同属从母。以ᅕ（根本字第二十六，字轮第二十七）对"娘"的凡七次，对"倪"和"尼鸦"的各一次。尼，女夷切，与娘同属娘母；倪，五稽切，属疑母。除去ᅕ下的"惹"字，ᅕ下的"倪"字以外，完全属于齿头音或舌上音的鼻声。这种分歧的情形，除去ᅕ音以外，恰好前一派和读作舌面前音的印欧语言学者相同；后一派和读作舌尖前音的西藏译音相同。这虽然使我所认定的问题格外增加了明晰性，然而毕竟还不能得到什么具体的解决。

这种对音分歧的现象，在我看来有三种可能的解释：

第一，方音的不同。

据智广《悉昙字记·序》说："悉昙天竺文字也。《西域记》云：梵王所制，原始垂则四十七言。寓物合成，随事转用。流演支派，其源浸广，因地随人，微有改变。而中天竺特为详正。边裔殊俗，兼习讹文。语其大较，本源莫异；斯梗概也。顷尝诵陀罗尼，访求音旨，多所乖舛。会南天竺沙门般若菩提赍陀罗尼梵挟自南海而谒五台，寓于山房，因从受焉。与唐书旧翻兼详中天音韵，不无差反。考核源滥，所归悉昙。梵僧自云：少字学于先师般若瞿沙，声明文辙，将尽微致。南天祖承摩醯罗首之文，此其是也。中天兼以

---

[1] "縒"，《广韵》有苏可、仓各二切，《集韵》此我切。

龙宫之文,有与南天少异,而纲骨必同。健驮罗国熹多迦文独将尤异,而字之所由皆悉昙也。"可见当时"五天之音或若楚夏",本来是很复杂的。照智广所引般若菩提的话来看,似乎南北中三天竺的方音各自成一系统,而它们彼此间,中天竺和南天竺还算是不大远,只有北天竺(健驮罗等)"独将尤异"。我们若拿翻经沙门的地望,或他们传习悉昙的所在,去推究译音的所以不同,便觉得般若菩提所分大致是不差的。因为在上面把梵文腭音译作照、穿、禅、日的一派里,昙无忏善无畏地婆诃罗皆中天竺人[1];僧伽婆罗扶南国人,而师事正观寺中天竺沙门求那跋陀(一作求那毗地)研精方等,乃解数国书语[2];阇那崛多北天竺犍达国人,而师事中天竺摩伽陀国三藏禅师阇那邪舍[3];法显平阳武阳人,而留中天竺三年,学梵语梵书[4];玄奘留中天竺那烂陀寺从戒贤受学,兼学婆罗门书印度梵书,凡经五载[5];义净齐州人,达印度后,所至之境,皆洞言音,憩那烂陀寺,礼菩提树,遍师明匠,学大小乘[6];智广江阴人,而从南天竺般若菩提受悉昙[7];竺法护月氏人[8],无罗叉、实叉难陀皆于阗人[9],鸠摩罗什天竺人而生于龟兹[10];除去佛驮跋陀罗是迦维罗卫人而居于北天竺[11],般若的本贯有迦毕试和罽宾两说[12],还有玄应的悉昙学统无从考证外,大部分不是和中天竺或南天竺有关系的人,就是葱岭以东诸国的人。所以这一派大概就许是中天竺

---

[1] 《高僧传》二,《宋高僧传》二。
[2] 《高僧传》三,《续高僧传》一。
[3] 《续高僧传》二,《历代三宝纪》十二。
[4] 《高僧传三》。
[5] 《续高僧传》四。
[6] 《续古今译经图记》,《宋高僧传》一。
[7] 《悉昙字记·序》。
[8] 《历代三宝纪》六。
[9] 《高僧传》四《朱士行传》,《宋高僧传》二。
[10][11] 《高僧传》二。
[12] 《宋高僧传》二、三,《贞元释教录》十七。

的方音。只有智广《悉昙字记》一方面用照、穿、禅、日几母的字对译梵文腭音，一方面在注里文说："者，止下反，音近作可反；车，昌下反，音近仓可反；社，勺下反，音近作可反；社，重音，音近昨我反。"对于正齿和齿头两派的译音并存不废，这或者就是"中天有与南天少异"的地方？至于把梵文腭音译作精、清、从、娘的一派，只有不空慧琳空海惟净和《同文韵统》。《同文韵统》是由藏文转译过来的，这里且不管它。其余的四个人里，不空是北天竺婆罗门族[①]；慧琳是疏勒国人，始事不空三藏为室洒[②]；空海入唐后就青龙寺不空三藏之高弟慧果阿阇梨传受密法，又从不空三藏弟子昙贞受悉昙[③]；惟净是南唐李从谦子和中天竺摩伽陀国沙门法护同撰《天竺字源》[④]；除去惟净以外，直接间接都和不空有关系。所以这一派也可以推想是不空所属的北天竺方音。可惜在我所得到的材料里，关于北天竺一方面的并不甚多，所以还不能下十分肯定的断案。

第二，古今的演变。

从上面四个表里所收的材料看，我们也可以说，拿齿头音对译梵文腭音是由不空以后才有的；换言之，就是从第八世纪以后才发生的。因为照《西域记》说，"中天竺音特为详正"，所以唐书旧译大部分以中天竺音为宗。那末在不空以前，像佛驮跋陀罗等虽然和北天竺有关系，而仍旧把梵文腭音译作正齿音；在不空以后，像惟净法护等虽然和中天竺有关系，而也把梵文腭音译作齿头音；这恐怕在方音不同以外，还许有古今流变的原因罢？

---

① 《宋高僧传》一。
② 《宋高僧传》六。
③ 《弘法大师传》。
④ 法护所译《佛说出生一切如来法眼遍照大力明王经》前署"西天中印度摩伽陀国那烂陀寺三藏赐紫沙门臣法护奉诏译"。

第三,宗派的关系。

另外还有一种可能的解释,就是宗派的关系。因为把梵文腭音译作齿头音的四家,大半都是密宗的大师,并且简直可以说是不空学派,所以在我们没有找到别的材料以前,也可以假设这种对音现象是不空学派传授下来的。

这三种解释虽然都是可能的,但都不是必然的,若想折衷一说,必须还待新材料的补充。不过,我个人觉得,第一种的可能程度比较深一点罢了。

假使上面所提的第一种解释可以作为推论的根据,那末,我们对于郝恩烈(A. F. Rudolf Hoernle)的"西藏字母得自和阗说"可以得到一种新的佐证。

关于西藏字母的来源,据我所知道的共有三说:

(一)《蒙古源流》卷二云:

> 特勒德苏隆赞岁次己丑即汗位。岁次壬辰遣通密阿努之子大臣通密伞布喇并其友十六人至额讷特珂克国中参究。于是随彼处之班迪德名德斡必特雅星哈者传音韵之学。以所学之音韵互证土伯特之三十字母,合入四声,于原三十四字内删去十一字,以其余二十三字与土伯特始创之六字,并原阿字定为三十字母,各分音韵。

(二)华德尔的《西藏喇嘛教》云[①]:

> 吐蕃王弄赞赞普(Sroṅ btsan Sgam po),徇他夫人们的请求,派到印度取佛经的使者,叫作通密伞布喇(Thon mi Sam-bhota)。他往返的年月已然不可确考(原注——或者说他是西历纪元632年去的,650年回来的;但是这回来的年月照中国的纪载弄赞赞普已死,可是照矛盾的西藏记载,他还得多活好些年呢)。并且他的游历印度虽然好像在玄奘《西域记》所包括的时代之内,可是在《西域记》里连吐蕃国也没有提到。通密伞布喇在印度(原注——"南印度",见 Bodhimur,327 页)住了几年,这个期间他从婆罗门李维嘎喇(Brahman Livikara or Lipidatta)(原

---

① L. A. Waddell: *Buddhism of Tibet or Lamaism*, pp. 21, 22.

注——即 Libyin ＝ Li ＋ "to give")及班迪德德斡必特星哈（Pandit Devavid Siṅha or Siṅha Ghosha）等学，后来回到吐蕃，带来几种佛经和所谓"土伯特"字母；用这种字母，他才使吐蕃语言可以写出来，并且为这个缘故他作了一部文法。

这种所谓"土伯特"字，不过是伞布喇游历印度时，抄袭正在流行于彼邦的北印度字母而加点儿任意的改变。它过分采用后来在印度很时兴的"Kutila"花体钩弯，并且为表示吐蕃语音的特点采取了几个稍加改变的字母〔原注——舌尖后音（cerebrals）和送气音，起初因为西藏音不需要而被舍弃，到了后来因为用藏文充分表现梵名而需要到这些个字母的时候，于是又拿反写的舌尖音（dentals）当作五个舌尖后音（cerebrals），附加 h 以表示那些吐气音，并且在腭音 ch，chh，j 的顶上加一个符号，当作腭擦音（plato-sibilants）的 ts，tsh，ds〕。通密把几种小部的佛经翻译成这种新文字，但是他好像并没有做和尚，也没有打算作任何宗教的宣传。

（三）郝恩烈的《新疆所获佛典文学写本残叶》[①]叙论说：

关于字母传入西藏一层，照西藏传说，普通认为第七世纪中叶弄赞赞普在位的时候，是通密伞布喇从东印度摩伽陀（magadha）输入的。傅兰克（A. H. Francke）博士在 *Epigraphia Indica* 里发表过一篇很有价值的论文，表示这种对于字母所从来的国的认定是错误的；他以为伞布喇实在是从迦湿弥罗（Kashimir）把字母的知识带入西藏，并且他在那里遇到一个从和阗来的波罗门教徒，这个人西藏传说叫作骊宾或"和阗之福"（Blessing of Khotan）。这个波罗门教徒把他本国的字母教给了他。结果就是说，传入西藏的字母是和阗的字母，而不是印度的字母。因为"骊"是大家已经知道的和阗的藏语名称。要照西藏传说讲，当第七世纪弄赞赞普在位的时候，和阗是在吐蕃统治之下。那时在西藏的拉萨（Lhassa）与和阗之间不能有横逾喜马拉雅山的直接交通，惟一的交通只有经过迦湿弥罗和从迦湿弥罗到新疆的山路才成。通密从和阗取字母的使命，必须遵循那条迂曲的道路；并且

---

① A. F. Rudolf Hoernle：*Manuscript Remains of Buddhist Literature found in Eastern Turkestan*, General Introduction, 17—21. 按，原文所谓 Eastern Turkestan（东土耳其斯坦）是对我国新疆一带极不正确的称呼，今改为"新疆"，下同。

从西藏传说判断,他正走到迦湿弥罗邂逅着一个从和阗来的有学问的波罗门教徒,这人供给了他所追求的知识,因此他就省却走他的全路了。

字母从和阗传入,可以有一个很使人满意的证据。据说,伞布喇曾从迦湿弥罗带回一种包括三十个基本符号的字母,内中有二十四个说是受自他的和阗教师骊宾,同时他自己为表见几个西藏特有的语音起见,又增加了六个新符号。从和阗字母传入的二十四个符号(看图二)是表示这些辅音的:k,kh,g,ṅ;c,ch,j,ñ;t,th,d,n;p,ph·,b,m;w,y,r,l;ś,s;h,a。伞布喇所增表示辅音 ts,tsh,dz;ẑ,z;ḥ 的六个新符号,是由几个和阗符号修改而成的。

对于西藏字母的分类有两点必须注意。第一点,w 的符号普通算它是从和阗带来的辅音符号,可是在西藏字母表的实际次序上,它却恰好放在几个表示特殊西藏音的新制符号的中央,这么一来,在那个表里的特殊西藏符号就变成七个了。这是一种显然的矛盾,但是它可以很简单地解释明白。w 音的西藏符号ཝ实在就是和阗文(即梵文)的舌后擦音 s(ཥ),不过在竖的上面加上一个向左的钩儿罢了。同样,ẑ 音的西藏新符号(ཞ)也是把和阗文(即梵文)的齿音 n(ཎ)的顶上加上一个向左弯的钩儿。于是有人因为代表 w 和 ẑ 音两个符号都是表示西藏特殊音的,就以为它们对于和阗字母的关系应当一律看待。事实上它们固然是紧挨着的一样放在字母表的新符号里面,但是它们的分类不大相同,就是 w 属于从和阗带来的辅音符号里面,ẑ 属于伞布喇所创造的那些辅音符号里面;并且它们所以如此分类,只是因为后一个符号(ẑ)的和阗文原形在西藏字母里也有时拿它当作齿音的 n,但是前一个符号(w)的和阗文原形(即舌音 s)在西藏字母里,却没有发现过。恰好按同样的分类原则,代表西藏特殊音 ts,tsh,dz,z 的四个符号,也应当分到新制的一类,因为它们的和阗文(即梵文)原形在西藏字母里也拿来当作代表 c,ch,j 的符号。其实,真正的新符号,就是不仅修改和阗原有辅音符号而成的,只有一个 ḥ 音;所以把这个符号分作新制的一类是最合适的。ḥ 音的字母实在是从和阗文里表示元音长度的钩儿修改成的,想要表示一个音节的元音是长的,就附加这样一个符号,从这一点就可以很明白看出它的真正来源了。

KHOTANESE SYLLABARY.

	ka	kā	ki	kī	ku	kū	ke	kai	ko	kau
1.										
vocalic radicals { 2.											Khotanese
3.											Sanskrit
	a	ā	i	ī	u	ū	e	ai	o	au

TIBETAN SYLLABARY.

ka	kā	ki	kī	ku	kū	ke	kai	ko	kau

a	ā	i	ī	u	ū	e	ai	o	au

〔图一〕

KHOTANESE AND TIBETAN ALPHABET.

k	kh	g	ṅ	c	ch	j	ñ	ṭ	th	d	n	p	ph	b	m

ts	tsh	dz	w	ź	z	h	y	r	l	ś	s	h	a	

〔图二〕

第二点要注意的，就是在西藏字母表里，对于 a 的记号不像梵文字母表那样分开，并且放在辅音符号的前面，却把它放在采自梵文（即和阗文）的二十四个辅音符号的紧末了儿，作为这一套符号的结束。况且从它被人和其他辅音符号一律看待的事实，就显见作西藏字母的人已经知道 a 是属于辅音符号的性质了。因为元音 a 是含在辅音符号里面的，而元音 i, u, e, o 得要附加辨音记号来表示。如果我把 a 的符号改写作 x，那末，西藏字母表，或音节表，表现 xa, xi, xu, xe, xo 等音节的符号，恰好和表示 ka, ki, ku, ke, ko 等音节的符号一样（看图一）。总之，西藏的元音符号 a 实在很显然地当辅音符号用，并且关于这一点，就和赛米的（Semitic）字母的辅音符号，'alaf 和 'ayin 的作用很相似，这种款式完全是任何印度字母所没有的。这是一件值得注意的事实，由它自己可以引到这样的结论：就是说，西藏字母不是从印度输入而是从另外一个国输入，这一国的字母已经受了赛米的书法款式的若许影响。前边已然说过，照西藏传说明明地指出西藏字母所从来的国就是 Li-yul"骊的土地"，也就是和阗；并且近代考古学的发见，已然充分地显示，在那相传的字母输入年代以前，赛米的影响已经衍变到新疆有些时候了。

在上面这三种说法里，第二种比第一种稍微详细一点，而大体是一致的；只有第三种和它们完全不同。郝恩烈根据斯坦因（A. Stein）等在新疆所窃获的和阗文写本和西藏字母比较研究，他觉得西藏字母，除去保留一个辅音化的梵文声势 a 以外，i, u, e, o 四个声势只用辨音记号 ⌢, ⌣, ～, ∼ 表示，这种办法同和阗草体字母的演进趋势相应；因此他就提出下面这样一个结论：

当第七八世纪的时候，如果还不太早，在新疆的和阗区域发生了一种习尚，特别当着用日常交际的草书的时候，除去 u 和 ū，所有的元音都用ᢖ符号来写；并且这种习尚或者因地因人而任意地变异，甚至于推衍到元音 u 上去。大概相传西藏学者通密从之学习字母的那位和阗婆罗门教徒骊宾，就许是那些惯于用符号ᢖ来写元音 u 的书法家之一；我们还可以设想通密在应用他先生的字母到他自己的计画的时候，很合逻辑地把符号ᢖ的用法推衍到长元音 ū 上去，于是就得到完全用符号ᢖ构成的一整套元音；并且他废弃了记在和阗字底下而为西藏字所没有的楔形符号，使他的目的容易达到。根据所有这些理由，那末西藏字母无疑地是骊宾传给通密的和阗草体字了。

对于这个结论的评判，自然超越本篇所讨论的范围。然而从我归纳汉文对音所得到的启示，我们至少可以说：西藏字母是否来自摩伽陀，虽然还不能确定，可是专从藏文以 ᢖ ᢖ ᢖ 对译梵文 ᢖ ᢖ ᢖ 一点看，已经可以假定它不是由北印度字母来的。所以华德尔的结论，照我看不如郝恩烈的可信；不过照汉文对音的分配现象，和阗及其它的西域几国，在音系上都同中南天竺相近罢了。如果再允许我们作进一步的推想，那末，梵文腭音几母在西藏字母和藏译梵音间所以不同，很可以说，前者由和阗和中天竺一系的方音来的，而后者或许由北天竺一系的尼泊尔等处来的，——因为照西藏传说，通密伞布喇译成藏文的第一部佛经，就是尼泊尔盛行的《阿弥陀经》(karanda Vyuha Sūtra)。①自然这还需要专家和更多的材料来证明，但是我自己认为这种启示颇值得专家注意的。

  最后，我对于《同文韵统》里的华梵对音还要附带着加以订正。《同文韵统》里的华梵对音完全是由藏文转译过来的，因此它用齿头音的"匝、擦、杂"对译梵文腭音"ᄀᄁᄂ"，用正齿音"查、叉、楂"对译梵文舌音"ᄃᄄᄅ"，用舌上音"娘"对译梵文的"ᄆ"，而以"咤、侘、茶"是梵文所没有的音。至于它起初用藏文"靶"(ᄇ)，"纱"(ᄈ)对译邪禅两母，本来是不错的；但是它又恐怕"靶字与萨字，纱字与沙字，西番本属同音"，所以"萨沙各重用一字，注明作浊音读，以免疑似"；这未免自乱其例了。因为近代的西藏音由浊声变成清声低调的本不止于ᄇ、ᄈ两母，如果单对于这两母恐怕有疑似之弊，那末，何以解于"噶"、"达"、"拔"、"杂"等译音呢？此外它用藏文的"幹"ᄉ对译微母，而不用"鸦"(ᄊ)"婀"(ᄋ)对译喻、匣两母，也是审音不精的地方。我根据梵文字母的中天竺一系译音，参证近代的梵藏音读法，对于知、彻、澄和照、穿、床所对的梵音，以及藏文ᄇᄈᄆᄌᄎ相当的华母，均分别加以考证，其结果已经发表在《守温韵学残卷跋》的附表一。至于这几母以外，梵文的新旧译音都没有什么问题。泰县缪子才先生(篆)在他的《字平等性语平等性集

---

① L. A. Waddell: *Buddhism of Tibet*, p. 22, Note 4.

解》后面列过一个《悉昙字母表》,我就他所收的材料加以增订,改成四十九根本字及圆明字轮诸经译文异同两表,附录在本篇之末,以供研究华梵对音的人们参考。

(原载《中央研究院历史语言研究所集刊》
第三本第二分,1932年)

《中原音韵》声类考

　　自周德清据北音而作《中原音韵》,分部十九,平析阴阳,入衍三声,韵书系统为之丕变。然其所分声类若干?与三十六字母异同奚似?自来治韵学者犹未勘究及之。良以周书体例,但撮聚同音,分配各部,字多习见,不复别着切语。故不能适用陈澧系联《广韵》反切上字之法以求其声类。至于《中州音韵》虽有切语可稽,而平声不分阴阳,上去清浊异纽,显与周书不出一源。① 若据《中州音韵》之反切以考《中原音韵》之声纽,则当与蔡清、王文璧等混同二书者,其失惟均。② 舍此二途,惟有归纳周书韵字,参证等韵三十六母,以究其分合同异而已。

　　案德清之言曰:"音韵内每空是一音,以易识字为头。止依头一字呼吸,更不别立切脚。"③是每音所属之字当与建首者声韵悉同,凡一音之中而括有等韵三十六母二纽以上者,即可据以证其合并,偶有单见,不害其同;此一例也。④ 德清又曰:"阴阳字平声有

---

　　① 例如,《中原音韵》"洞动栋冻蝀"等同在一组,而《中州音韵》分立"徒弄""多弄"二切;《中原音韵》"倚椅锜庋俵蚁矣已以茋顗拟䮀"等同在一组,而《中州音韵》分立"因已""银几"二切。

　　② 自虞集《中原音韵序》误"中原"为"中州",致后人对于周德清及卓从之二人之书多混淆不清。今所传王文璧《增注中州音韵》平声不分阴阳,又增加音切注释,与《啸余谱》中之《中州音韵》相同,盖卓书为蓝本者。乃蔡清及张某作序竟认为周德清书,故叶以震《重订中原音韵》遂以《中原》之结构体例,《中州》之音切注释,合而为一,殆即《也是园书目》所谓《合并卓周韵》也。

　　③ 《中原音韵·正语作词起例》第十一条。

　　④ 例如东钟部"锺钟中忠衷终"六字同属一音,而"锺钟终"在照母,"中忠衷"在知母,足征知、照不分。

之,上去俱无;上去各止一声。"① 盖元以后之北音,全浊声母平声变同次清,而声调之高低微殊;去声变同全清,而声调之高低亦混。于是声母之清浊乃一变为声调之阴阳。其迁变之由固与清浊有关,而声母音值实已清浊不辨。故凡全浊声母去声混入全清者,则平声虽与阴调分纽,声值实与次清无别;此二例也。②

准此二例,遍考全书,则《中原音韵》声类之异于等韵三十六母者,轻唇非、敷不分,与北宋邵雍《皇极经世声音图》同。

　　[东钟](阴)○风枫封葑非丰峰锋烽丰蜂敷③

　　[江阳](阴)○方枋坊肪非芳妨敷　　(上)○舫仿放昉非访敷

　　　　(去)○放非访敷

　　[齐微](阴)○非扉绯騑腓飞非霏妃菲敷

　　[鱼模](上)○甫斧黼脯府俯腑父否非抚敷

舌上知、彻与正齿照、穿不分:

　　[东钟](阴)○锺钟终照中忠衷知　　(上)○肿踵种照冢知

　　[江阳](阴)○章漳獐樟璋彰麞照张知　　(上)○掌照长知○敞氅穿昶彻　　(去)○唱倡穿畅怅韔彻

　　[支思](阴)○支枝肢卮氏栀榰之芝脂照胝知

　　　　(上)○纸砥底旨指止沚芷趾祉阯址咫照徵知

　　[齐微](阴)○追知骓锥照○笞痴缔郗螭彻蚩媸鸱穿

　　　　(上)○耻彻侈穿　　(入作上)○尺叱赤敕鶒彻

　　[鱼模](阴)○诸朱珠侏照猪潴株诛邾蛛知○枢穿攄㰅彻

---

① 《中原音韵·自序》。

② 例如东钟部去声"洞、动、栋、冻、蜥"五字混端、定二母为一音,而阳平"同、筒、铜、桐、峒、童、僮、瞳、瞳、膧、潼、㽔"十二字俱属定母,不与阴平端母之"东冬"二字合并。若读以今之北音则"同"等十二字除与阴平透母之"通蓪"二字声调不同外,声母实无差别。故凡属此例概皆并入次清,不复别立一类。

③ 凡在同一"○"号之后者,《中原音韵》皆认为同音。即德清所谓"音韵内每空是一音"也。

（上）○主麈煮渚煮照拄知　（入作上）○筑竹知烛粥照○出穿黜畜彻

[真文]（阴）○谆照迍知○真振甄照珍知○春穿椿彻

[先天]（阴）○毡鹯馆旃栴照邅鳣知

[萧豪]（阴）○昭招照朝知

[车遮]（入作上）○拙照辍知○哲知褶摺折浙照

[庚青]（阴）○征正蒸丞照贞祯征知○称秤穿赪柽蛏彻

[尤侯]（阴）○周赒周洲州舟照啁辀知　（上）○丑彻丑穿　（入作上）○竹知烛粥照

[侵寻]（阴）○针斟箴鍼碪照砧椹知

[廉纤]（阴）○瞻詹占照沾霑知

且照组二等庄、初、生三类与三等章、昌、书三类《广韵》分用划然，《中原音韵》则照组二三等混用，或与知组合并者，凡十一纽二十八字：

[江阳]（阴）○庄妆装照庄桩知

[支思]（阴）○眵彻瞝穿昌差穿初○施尸屍鸤蓍诗审书师狮螄审生　（上）○史驶使审生弛豕矢始屎菌审书

[皆来]（入作上）○责簀帻窄迮侧仄昃照庄摘谪知

[萧豪]（入作上）○捉照庄琢卓知○棹穿初戳彻

[家麻]（阴）○挝知髽抓照庄　（入作上）○劄知札照庄

[庚青]（阴）○铛铮狰净穿初撑瞠彻

[廉纤]（阴）○襜韂穿初觇彻

而与齿头精、清、心合用者只有七纽十三字：

[支思]（阴）○觜訾觜兹孳孜滋资咨谘姿籽精淄照庄

[齐微]（阴）○崔催清衰榱穿初　（上）○洗玺徙枲心屣审生

[鱼模]（阴）○粗清刍穿初　（入作上）○蔌速心缩谡审生

[寒山]（去）○渲心濯审生

87

[尤侯]（阴）○邹陬缁驺照庄鲰诹精○溲锼心馊审生

其分化现象与现代北音相近,盖以二三等不分为原则而以转入齿头为例外也。清康熙纂修《性理精义》案曰:"知、彻、澄、娘等韵本为舌音,不知何时转入齿音。等韵次于舌音之后。《经世》次于齿音之后,则疑邵子之时此音已变也。"[1]此说果信,则舌上正齿之混当与非、敷同时。即令不然,而吴澄之三十六母有照、穿、澄、泥而无知、彻、床、娘,陈晋翁之三十二母有知、彻、澄、泥而无照、穿、床、娘,[2]均足证明德清前有所据。惟全浊声母之消变,则固《中原音韵》之创举也。

《中原音韵》中旧属全浊去声及自全浊上声变入去声之字,多数并入全清。故並混于帮:

[江阳]（去）○谤帮傍蚌棒並

[齐微]（去）○背辈贝狈臂倍诐帮焙婢备被髲避币弊並○闭壁蔽畀庇比祕贲笓帮毙陛並

[鱼模]（去）○布怖布帮部薄哺捕步並

[皆来]（去）○拜帮败惫稗並

[真文]（去）○鬓殡帮膑並

[寒山]（去）○办瓣並扮绊帮

[桓欢]（去）○半绊帮伴畔並

[先天]（去）○便卞汴弁辨辩並变遍徧帮

[萧豪]（去）○豹爆帮瀑並○抱暴鲍鞄诐並报帮○俵帮鳔並

[家麻]（去）○罢並霸欛坝靶钯弝帮

[庚青]（去）○病並凭並柄帮

定混于端:

---

[1] 《性理精义》卷三,页6。案《性理精义》为李光地承修,则此案语或即出自榕村也。

[2] 并见吴澄《文正集·切韵指掌图节要序》。

［东钟］（去）〇洞动定栋冻蝀端

［江阳］（去）〇荡宕砀定当挡端

［齐微］（去）〇帝谛蒂端缔弟娣第悌地递棣定〇对碓端队兑定

［鱼模］（去）〇妒敎蠹端杜肚渡镀度定

［皆来］（去）〇带戴端怠迨待代袋岱黛大定

［真文］（去）〇顿端囤沌钝盾遁定

［寒山］（去）〇旦端诞弹惮但定

［萧豪］（去）〇钓吊窎端掉调定〇道翿纛焘盗导悼蹈稻定到倒端

［歌戈］（去）〇舵堕髢惰垜大驮定刴癉端

［庚青］（去）〇邓定磴凳嶝蹬隥端〇定锭定碇钉订钉端

［尤侯］（去）〇豆脰逗窦定餖端

［监咸］（去）〇淡咹惔定担端

［廉纤］（去）〇玷店垫端蔕定

群混于见：

［东钟］（去）〇贡供见共群

［江阳］（去）〇绛降洚虹见强糨群

［齐微］（去）〇贵愧桂桧脍鲙狯见柜馈悸跪群〇计记寄系继髻蓟冀骥季既鱖见妓忮技偈忌骑群

［鱼模］（去）〇锯据踞屦句绚见惧具诟巨拒柜距炬苣群

［先天］（去）〇见建绢见健件群〇眷倦绢狷罥见圈群

［萧豪］（去）〇叫见轿峤群

［庚青］（去）〇敬径俓经镜獍竟劲更见竞群

［尤侯］（去）〇臼舅咎旧柩群救暨究见

［侵寻］（去）〇禁见噤澿妗群

［廉纤］（去）〇剑见俭群

从混于精：

[东钟]（去）○纵粽_精从从
[江阳]（去）○匠从将酱_精○葬_精藏从
[支思]（去）○字牸渍胾恣自从恣_精
[齐微]（去）○霁济祭际_精剂从
[鱼模]（去）○做_精祚胙从诅_照庄
[皆来]（去）○在从再载_精
[真文]（去）○尽从晋进班_精
[寒山]（去）○赞谮潧㜺_精趱从
[先天]（去）○箭煎溅荐垟_精贱饯践从
[萧豪]（去）○灶躁_精皂漕从
[歌戈]（去）○佐左_精坐座从
[车遮]（去）○借_精藉从
[庚青]（去）○净静阱靖从甑_精
[监咸]（去）○暂錾从揸_精

床、澄同混于照、知：

[东钟]（去）○众种_照中仲_知重澄
[江阳]（去）○状床壮_照庄撞澄○帐胀涨_知丈仗杖澄障嶂瘴_照
[齐微]（去）○坠怼縋澄缀_知赘_照○製制质_照置致智_知滞雉稚彘治澄
[鱼模]（去）○注炷异澍铸_照著注驻_知住柱纻苧贮仁澄
[皆来]（去）○寨眦豸床瘵债_照庄
[真文]（去）○震振赈_照镇_知阵澄
[寒山]（去）○栈床绽绰澄
[先天]（去）○传啭转_知篆澄○战颤_照缠澄
[萧豪]（去）○赵兆召肇旐_澄诏_照○罩_知笊_照庄棹澄
[家麻]（去）○诈榨_照庄乍楂床
[庚青]（去）○正政证_照郑澄

［尤侯］（去）○昼胄宙籀纣澄咒照咮知○皱照庄骤床

　　［侵寻］（去）○朕沈鸩澄枕照

　　［监咸］（去）○蘸照庄站知湛赚澄

而全浊上声之残余未变及以入作上者，则并于次清为多。故並混于滂者六字，混于帮者三字，与帮滂合用者一字：

　　［齐微］（上）○痞否圮並鼙秕滂

　　　　（入作上）○匹僻劈滂辟並○必毕跸笔碧壁璧帮甓並

　　［鱼模］（上）○补圃帮鹁並浦滂　　（入作上）○暴並扑滂

　　［真文］（上）○牝並品滂

　　［先天］（上）○贬扁匾缏帮楄並

　　［歌戈］（入作上）○钵拨帮跋並

定混于透者八字，混于端者四字：

　　［齐微］（入作上）○涤定剔踢透

　　［寒山］（上）○坦透袒定

　　［先天］（上）○腆透殄沴定

　　［庚青］（上）○艇挺诞町定打端

　　［监咸］（上）○毯透禫倓萏窞定

群混于溪者一字，混于见者二字，与见、溪合用者一字：

　　［鱼模］（入作上）○菊跼见局群

　　［皆来］（上）○蒯溪拐群夬见

　　［侵寻］（上）○锦见噤群

从混于精者一字：

　　［监咸］（上）○昝精歜从

床、澄混于穿、彻者四字，混于知、照者一字：

　　［鱼模］（上）○杵处穿楮褚彻杼澄

　　［车遮］（入作上）○辙撤澈澄掣穿

　　［尤侯］（上）○肘知帚照酎澄

91

较诸已变去声者,颇相参差。至于平声则以阴阳分调,清浊独用者多,故其转读若何:不如仄声之显而易见。然周书中间有浊母变入阴平,或清母变入阳平者:

[东钟]（阴）〇冲种种澄忡彻充冲䕩穜穿　（阳）〇重虫澄鱅禅膧彻崇床

[齐微]（阴）〇醅披伾怌胚纰滂邳並

[皆来]（阴）〇台胎邰透骀定

[桓欢]（阴）〇盘槃瘢磐鬈殷鏧嫈磻蟠幋弁並胖滂

[先天]（阴）〇篇扁偏翩滂翩並

[萧豪]（阴）〇飘並漂滂〇绦饕叨饕韬慆透掏定〇趒群橇溪

[歌戈]（阴）〇他拖佗透诧定

[家麻]（入作阳）〇达沓定挞踏透

[庚青]（阴）〇平评萍枰凴冯凭屏瓶並偋娉滂

[尤候]（阳）〇绸稠绸筹俦踌畴澄犨穿惆彻

[侵寻]（阳）〇岑涔霠鵵床碪彻

其并合之迹不无可寻。若更参证兰茂《韵略易通》、毕拱宸《韵略汇通》、金尼阁《西儒耳目资》、方以智《切韵声原》、马自援《等音》、林本裕《声位》及樊腾凤《五方元音》等书,则可断定《中原音韵》以降之全浊声母平声读如次清,实与现代国音无异。惟以入作阳者,除家麻部定母"达沓"二字与透母"挞踏"合用外,审以今音皆读全清,惜合用之证全书只二见而已。

[鱼模]（入作阳）〇族从鏃精

[车遮]（入作阳）〇捷截从睫精

奉、匣、邪、禅四母与其他全浊不同。非、敷全清次清之界已混,故平仄皆与奉母无别。

[东钟]（去）〇凤奉缝奉讽非

[齐微]（去）〇吠奉沸费芾废非肺敷

[鱼模]（阴）○肤夫铁玞趺非 敷麸孚郛枎廊敷 桴奉
（入作上）○复奉福幅蝠腹非 覆拂敷
（去）○赴仆讣敷父釜辅拊附鲋赙妇阜负奉付赋傅富非
[真文]（阴）○分纷芬非 氛汾奉　　（去）○忿敷分奉 粪奋非
[寒山]（阴）○番蕃幡藩奉 翻幡反敷　（去）○饭範范犯奉 贩畈非 泛敷

晓、心皆属次清，别无全清相对。故匣、晓之混，

[东钟]（上）○汞匣 哄晓
[齐微]（入作上）○吸翕晓 檄觋匣
（去）○会溃阓惠蕙慧晦海讳匣 ○戏晓 系匣
[寒山]（去）○旱铒悍翰瀚汗骭匣 汉晓
[桓欢]（去）○唤焕涣奂晓 换逭缓匣
[先天]（去）○献宪晓 现县匣 ○鞙绚晓 眩匣
[萧豪]（去）○号昊皞浩颢灏皓匣 耗好晓　（去）○孝晓 效傚校匣
[歌戈]（上）○荷匣 欱晓
[家麻]（阳）○哗晓 划华骅匣
（去）○下芐夏厦暇匣 吓罅晓 ○化晓 画华桦蠖话匣
[庚青]（去）○迥匣 诇夐晓 ○杏幸倖胫行匣 兴晓
[监咸]（阴）○憨晓 酣匣　（上）○喊晓 豏匣

邪、心之混，

[东钟]（阴）○松邪 嵩心
[江阳]（去）○象像邪 相心
[支思]（去）○似兕姒巳氾耜祀寺嗣饲食邪 赐笥思四肆泗驷心
[齐微]（去）○岁邃粹祟碎心 遂燧隧继穗彗邪
[鱼模]（去）○絮心 序叙绪邪
[真文]（去）○信讯迅心 烬赆邪 ○峻浚噀心 殉邪
[先天]（去）○线霰心 羡邪 ○镟旋漩邪 选心

[车遮]（去）〇谢榭邪卸泻心

[尤侯]（去）〇秀绣琇宿心袖岫邪

平仄亦皆一致。其尤异者，禅之仄声或以入作阳者，本与床三等相合，同并于审，

[江阳]（去）〇上尚禅饷审

[支思]（去）〇是氏市柿侍莳恃嗜视豉箷噬禅使审生施试弑审书示谥床船

[齐微]（去）〇睡瑞禅税说审〇世势审逝誓禅　（入作阳）〇实食蚀射床船十什拾石禅

[鱼模]（去）〇恕庶戍审树竖署曙禅　（入作阳）〇赎术述秫术床船属禅

[真文]（上）〇哂审矧禅　　　　　　　（去）〇舜审顺禅

[先天]（去）〇扇煽审善鳝膳单禅埋擅禅

[萧豪]（去）〇少烧审绍邵禅

[车遮]（去）〇舍赦审社禅射麝贳床船　（入作阳）〇涉禅舌床船

[庚青]（去）〇圣胜审盛禅賸乘剩床船

[尤侯]（去）〇受授绶寿售禅兽首狩审

[廉纤]（去）〇赡禅苫审

而其平声则与床二等及澄为伍，同并于穿、彻。

[东钟]（阳）〇重虫澄鯆禅膭彻崇床崇

[江阳]（阳）〇长苌肠场澄常裳偿尝禅

[鱼模]（阳）〇除滁躇储厨幮蹰澄殊禅

[真文]（阳）〇陈尘澄臣辰晨宸禅娠审

[先天]（阳）〇廛躔缠澄禅蝉禅

[萧豪]（阳）〇潮朝晁澄韶禅

[庚青]（阳）〇澄呈程酲惩澄成城宬诚盛承丞禅

[尤侯]（阳）〇绸稠绸筹俦踌畴澄雠酬禅犨穿惆彻

通塞异读,转变颇巨。至于床二等之仄声间有读与审、心同者,

　　[支思](去)○是氏市柿侍莳恃嗜视豉箷噬禅使审生施试弑审书
　　　　示谥床船士仕事床崇
　　　　○似兕姒巳汜耜祀寺嗣饲食邪赐笥思四肆泗驷心涘
　　　　俟床崇

亦犹床三等平仄皆变通声,而平声间有四字仍读塞声耳。

　　[先天](阳)○船床船传椽澄
　　[真文](阳)○唇床船莼纯淳鹑禅
　　[庚青](阳)○澄呈程醒惩澄成城宬诚盛承丞禅乘塍床船

详审上例,可知全浊声值《中原音韵》已不复存在。明李登《书文音义便考私编》虽知"仄声纯用清母似为直截",而以昧于阴阳与清浊之异,仍谓"平则三十一母仄则二十一母";①固未免有所囿蔽也!

　　次浊来、日、明、微②四母,《中原音韵》读与旧谱相同。惟泥、娘不辨:

　　[齐微](阳)○泥鲵泥尼娘　　　　(去)○泥泥腻娘
　　[萧豪](阳)○猱狋泥铙呶怓诨挠娘
　　[车遮](入作去)○捏泥聂蹑镊娘
　　[庚青](阳)○能泥狞娘
　　[监咸](阳)○南楠男泥諵喃娘
　　[廉纤](阳)○鮎拈泥黏娘

喻、疑与影无别:

　　[东钟](上)○勇涌踊恿俑永喻拥影　　(去)○用咏喻莹影

---

① 谢启昆:《小学考》卷三十六,页11。
② 《中原音韵》微母字惟齐微部"微薇"纽下混入喻母"惟维"二字。案利玛窦标音亦注"惟"为üui,与其他喻母字不同。且今安南译音、客家、山西及闽语、吴语亦皆读为微母。故此二字乃喻母转微之例外,不足妨碍微母独立也。

[江阳]（上）〇养痒喻鞅影〇枉影往喻（去）〇漾恙炀养样漾恙喻
快饮影

[齐微]（阳）〇围闱韦帏违为喻嵬巍危桅疑〇移庱蛇姨夷痍
彝贻怡眙饴颐圮遗喻鹥影儿鲵霓倪猊輗疑嶷沂宜仪
蟻疑

（上）〇倚椅庡俿影矣已以苢喻锜蚁顗拟舣疑〇委猥影唯
苇伟喻隗疑

（去）〇胃猬渭谓㥜纬卫位喻尉慰畏䘳倭饫影魏疑〇异裔
瘗枻曳易勩喻懿饐翳瞖意影义议谊毅艺诣刈乂劓疑

（入作去）〇逸佾溢镒洗易埸译驿液腋掖疫役翊翼射喻
益一乙邑忆揖影逆鹢疑

[鱼模]（阳）〇鱼渔虞愚隅禺疑余畬馀予㚥异与舆玙欤誉俞歈
榆愉觎瑜嵛渝逾臾萸谀于盂竽雩喻

（上）〇语圄圉齬敔御疑雨羽宇禹与愈庾喻〇五伍午仵
仵疑坞邬影

（入作上）〇屋沃影兀疑

（去）〇御驭遇疑妪影裕谕誉预豫芋喻〇误悞悟寤疑恶
污影

（入作去）〇玉狱疑欲浴鹆郁育喻

[皆来]（去）〇艾疑爱嗳嗳影〇挨疑隘阨搤影　（入作去）〇额𡫏
鞭疑厄影

[真文]（阳）〇银圁垠嚚鄞龈疑寅夤喻　（上）〇隐影尹引螾喻
（去）〇酳愠蕴影运㩣晕韵喻〇印影孕〇揾影焞疑

[寒山]（去）〇案按影岸犴䛫疑〇雁鹰疑晏鷃影

[桓欢]（去）〇盌玩疑腕惋影

[先天]（阳）〇延筵铤蜒蜓缘沿喻焉影妍言研疑〇元鼋原嫄源疑
圆员捐园湲铅鸢园袁猨辕垣援喻

（上）○远喻阮疑苑畹影○兖演衍喻偃堰黡影

（去）○院远援喻怨影願愿疑○砚彦谚唵疑燕咽谳嬿宴堰影缘掾喻

[萧豪]（阴）○邀喓腰要葽喻夭讹妖幺影　（阳）○遥摇谣瑶飘喻窑陶姚喻尧峣疑

（上）○杳夭殀影舀喻　（去）○曜耀燿鹞喻要影○拗勒凹影乐疑

（入作去）○岳乐疑药跃钥瀹喻约影○萼鹗鳄愕疑恶影

[歌戈]（去）○卧涴影

（入作去）○岳乐疑药跃钥喻约影○萼鹗鳄鄂疑恶垩影

[家麻]（阴）○鸦丫影呀疑　（阳）○牙芽衙衙涯疑亞影

（上）○雅疑瘂影　（去）○亚娅影迓讶砑疑

[车遮]（阳）○爷耶琊铘喻呆疑

（入作去）○拽叶烨喻噎谒影○月轧刖疑悦说阅越钺樾喻

[庚青]（阳）○盈嬴赢檾瀛茔营蝇喻迎凝疑　（上）○影瘿影郢颖喻

（去）○映应膺影凝硬疑○咏喻莹影

[尤侯]（阳）○尤疣邮蚰游游蝣由油莤猷繇輶犹繇莸栖悠攸喻牛疑

（上）○有友酉牖羑诱莠喻黝影○藕耦偶疑呕殴影

（去）○又右佑祐宥囿侑狖柚喻幼影

[侵寻]（阳）○吟崟疑淫淫霪蟫疑

[廉纤]（阳）○盐阎檐炎严疑　（上）○掩奄晻魇厣埯唵影琰剡喻

（去）○艳焰滟喻厌餍笾影验酽疑

而喻三等之转晓、匣：

[东钟]（阳）○熊雄喻云

[萧豪]（阴）○鸮喻云

疑三等之转泥、娘者,殊为仅见:

[先天](上)○捻泥讌疑

[车遮](入作去)○捏泥聂蹑镊娘啮臬孽疑

若乃戛或入透:

[齐微](去)○配沛霈滂佩珮悖詩并辔帮　○替剃涕透嚏端

[桓欢](去)○判滂拚并

[先天](阴)○痊诠筌荃铨俊清朘精

[萧豪](入作上)○鹊碏清雀精　(去)○炮泡并○窼眺透跳定

　　○俏峭清诮精

[庚青](去)○倩清请从

[尤侯](阳)○求赇俅毬逑球俅仇裘虬群樛见

[侵寻](阴)○骎浸綅清祲精

[监咸](阴)○堪龛戡溪弇见

[廉纤](去)○欠歉溪苶群

透或入戛:

[齐微](去)○背辈贝狈臂倍诐帮焙婢备被髲避币弊并帔滂

　　○製制质照置致智知滞雉稚彘治澄帜炽穿

[鱼模](阴)○诸朱珠侏照猪潴株诛邾蛛知姝穿

[皆来](去)○拜帮败粺稗并湃滂○寨眦豸床崇瘵债照庄虿彻

[寒山](去)○旦端诞弹惮但定啴透

[桓欢](去)○半绊帮泮沜滂伴畔并

[先天](去)○眷倦绢狷罥见缱溪圈群

[萧豪](上)○昊藁缟鄗见槁溪　(去)○俵帮鳔并瞟滂○灶躁精

　　皂漕从造懆清　　　(阴)○蕉焦椒爝精憔从

[庚青](去)○净静阱靖从甑精清罾清

[尤侯](去)○搆遘媾购姤句彀见诟溪

喉牙相变:

[江阳]（阴）○冈刚钢纲亢扛玒见缸匣
[齐微]（上）○迤喻旖溪　（入作上）○吸禽晓檄觋匣隙溪
　　（去）○贵愧桂桧脍鲙狯见柜馈悸跪群绘匣○计记寄系继
　　髻蓟冀骥季既鳜见妓伎伎偈忌骑渠缢影○戏晓系匣系见
[鱼模]（阴）○虚嘘歔吁晓墟嘘溪
[皆来]（去）○懈见械薤解獬匣
[寒山]（去）○旱焊悍翰瀚汗骭匣汉晓骭见○案按影岸犴喭疑
　　闲匣旰见
[桓欢]（阳）○丸绾纨完璊匣刓蚖岏疑
[萧豪]（阴）○枭骁见鸮喻嚣枵歊晓○哮虓嗃烋晓恔见
　　（上）○杲藁缟鄗见槁溪镐匣
[家麻]（阴）○蛙洼窪哇影娲蜗见
[庚青]（阳）○盈嬴赢攍瀛荣营蝇喻迎凝疑萤匣

口鼻互转：
　　[真文]（上）○肯恳垦溪啃疑
　　[先天]（上）○捻泥谦疑辗碾知
　　[萧豪]（上）○袅鸟端褭衺泥
　　[廉纤]（阴）○瞻詹占照沾霑知粘娘

以及审变为穿：
　　[寒山]（上）○产审生铲划穿初

禅变为照：
　　[鱼模]（上）○主麈麈渚煮照拄知墅禅

心变为穿：
　　[皆来]（入作上）○策册栅测穿初跚心

穿变为心：
　　[支思]（阴）○斯撕厮澌鸶思司私丝偲罳心飔穿初知、心变精：
　　[江阳]（去）○葬精藏从戆知

［监咸］（去）○暂鏨从揝精蓡心

审、晓、日变影、喻：

［鱼模］（阳）○鱼渔虞愚隅禺疑余畬馀予好异与舆玙欤誉于盂竽雩俞歈榆愉䚦瑜䛅渝逾臾䕅谀喻郳审生䈵晓

［侵寻］（去）○荫癊窨饮影憖日

见、溪变穿、彻之类：

［先天］（去）○钏穿穿串见

［齐微］（入作上）○尺赤叱穿敕鶒彻吃溪

并皆单字之出入，不足为原则病也。

综观上举诸证，则等韵敷、知、彻、并、定、群、从、床、澄、奉、匣、邪、禅、娘、疑、喻十六母均为《中原音韵》所无，其所余者，惟帮、滂、明、非、微、端、透、泥、来、见、溪、晓、影、照、穿、审、日、精、清、心二十母，若标以《中原音韵》中每类初见之字则为崩、烹、蒙、风、亡、东、通、脓、龙、工、空、烘、邕、钟、充、双、戎、宗、㤚、嵩二十类，[①]与附表（见77页）所列自兰茂以迄国音之十八种声母系统大体皆同。则此二十类者，固为元明以降北音共有之声系六百年来无大差异者也。

日人石山福治对于《中原音韵》声类之考证，尝谓："观于时音变化以韵为主之事实，可以推定通行音中声母尚未改变《中原音韵》之面目。特如中国写音法之惯例，其反切必常遵守可信为古来正音之文献。故应先以当时之标准韵书如《唐韵》、《广韵》、《集韵》、《韵会》及《洪武正韵》之类为依据，并参考朝鲜《三韵声汇》中所传《四声通解》之谚文译音以决定其音切。"其所定之十九声母及对照之谚文如附表（见下页及附注）。

---

① 此二十类标目中，"充"前有"冲"字，"嵩"前有"松"字，"㤚"前有"松"字，"冲""松"皆为浊声，"松"有清心两读，恐滋误会，故各改以第二次发现之字为类目。

中原音韵声类源流表

等韵三十六字母	帮並(去)	滂並(平)	明	非敷奉	微	端定(去)	透定(平)	来	泥娘	见群(去)	溪群(平)	晓匣	影喻疑	照知床澄	穿彻床澄	禅(平)禅(去)	审	日	精从(去)	清从(平)	心邪
中原音韵二十声类	崩 p	烹 p'	蒙 m	风 f	亡 v	东 t	通 t'	龙 l	脓 n	工 k	空 k'	烘 x	邕①○	钟 tʃ	充 tʃ'		双 ʃ	戎 ʒ	宗 ts	憁 ts'	嵩 s
兰茂二十字母	冰	破	梅	风	无	东	天	来	暖	见	开	向	一	枝	春	上	人	早	从	雪
桑绍良二十字母	苞	盘	民	弗	忘	德	天	赉	乃	国	开	向	王	桢	昌	寿	仁	增	千	岁
李如真二十二字母	邦	滂	明	非敷	微	端	透	来	泥	见	溪	晓	影疑	照	穿		审	日	精	清	心
乔中和十九字母	帮	滂	门	(非)	(微)	端	退	雷	农	光	孔	怀	翁外	中	揣	谁	戎	钻	存	损
利玛窦二十六字父	p	p'	m	f	v	t	t'	l	n nh	c₂ k b	c'₂ k' p	h	g₂ ng	ch	ch'		x	j g₁	c₁ ç	c'₁ ç'	s
金尼阁二十字父	百 p	魄 'p	麦 m	弗 f	物 v	德 't	忒 'l	勒 l	搦 n	格 k	克 'k	黑 h	额 g	者 ch	扯 'ch	石 x	日 j	则 ç	测 ç'	色 s
方以智二十字母	帮	滂	明	夫	微	端	透	来	泥	见	溪	晓	疑	知	穿	审	日	精	从	心
马自援二十一字母	邦	滂	明	非	微	端	透	来	泥	见	溪	晓	影疑	知	穿	审	日	精	青	心
林本裕二十四字母	邦	滂	明	非	微	端	透	来	泥	见	溪	晓	影疑	知	穿	审	日	精	青	心
樊腾凤二十字母	梆	匏	木	风	斗	土	雷	鸟	金	桥	火	蛙云	竹	虫	石	人	剪	鹊	系
李汝珍三十三字母	便博	飘盘	满眠	粉	蝶对	天陶	涟恋	鸟嫩	惊红	溪空	翻起	尧鸥	中	春	水	然	酒醉	清翠	仙松
许桂林十九音	帮	旁	忙	非	当	汤	郎	冈	康羌	昂央	杭香	张	昌	商	攘(臧)	(仓)	(桑)
邹汉勋二十声	邦	滂	明	非夫	微	端	透	来	见	谿	匣	影疑	照	穿	审	精	清	心
周赟十九经声	逋	铺	模	敷	都	菟	擄	笯	枯	刳	呼	乌	朱	初	疏	濡	租	粗	苏
李邺二十一母	帮	滂	明	非敷	微	端	透	来	泥	见	溪	晓	疑	照	穿	审	日	精	清	心
胡垣二十二字母	奔	喷	扪	闻文	登	吞	能	仍	根	铿	享	恩颖	真	称	申	人	增	层	僧
华长忠五十衍	伯必	迫僻	莫觅	弗	德狄	特惕	勒力	诺匿	各国角节	客廓阙妾	赫或雪挈	额渥月叶	浙卓	彻绰	涉说	日弱额(儿)	责作	测错	瑟索
国音二十四声母	ㄅ	ㄆ	ㄇ	ㄈ	ㄪ	ㄉ	ㄊ	ㄌ	ㄋ	ㄍ	ㄎ	ㄏ	ㄫ	ㄓ	ㄔ	ㄕ	ㄖ	ㄗ	ㄘ	ㄙ

---

① 影疑母开口或亦如现代咸阳等处方音读作 [ŋ], 但由声类并合上不能定也。

十九声母及对照之谚文表

音首罗马字		谚文初声	等韵字母	例　　　字
一	ch	ㅈ	照(知)	之争庄锥征真止遮朱张竹知
二	chʻ	ㅊ	穿(彻)	昌初疮蛊枢叉楚充齿称抽
		ㅉ	床(澄)	床锄状长迟池痴持陈虫直重
三	f	ᄫ	非(敷)	夫方敷
		ᅗ	奉	房浮扶防符
四	h	ㅎ	晓	华荒希虚稀呼呵花亨烘火兴香休
		ㆅ	匣	胡何杭红河户携弦黄霞奚
五	j	ㅿ	日	如人仁禳而儿
六	k	ㄱ	见	瓜光歌哥冈孤姑沽公居鸡江饥更笋经姜巾击俱踞柯
七	kʻ	ㅋ	溪	康匡枯轲空可夸苦口丘区欺溪轻孔
		ㄲ	群	其渠强狂求擎
八	l	ㄹ	来	郎良离芦罗凌龙狼梨另驴间
九	m	ㅁ	明	忙眉谟蒙迷麻摸母暮明
十	n	ㄴ	泥(娘)	囊那泥乃猱奴农拿浓宁尼女
十一	p	ㅂ	帮	邦巴逋边兵补包博
十二	pʻ	ㅍ	滂	滂铺葩偏批
		ㅃ	并	旁蒲毗平傍婢
十三	s(sz)	ㅅ	心	思桑丧苏稣僧梭虽西须斯澌相先星
		ㅆ	邪	辞词徐祥详
十四	Sh	ㅅ	审	商尸师双伤升声疏申诗生书赊施所舒霜杀
		ㅆ	禅	殊时成徜城蝇蛇神
十五	t	ㄷ	端	多当低都丁东
十六	tʻ	ㅌ	透	汤他拖梯天
		ㄸ	定	徒唐堂陀田停题提台
十七	ts(tz)	ㅈ	精	兹臧租滋增资赍精将疽蛆曾
十八	tsʻ	ㅊ	清	仓粗聪囱苍此趁妻青清七
		ㅉ	从	藏慈徂从雌才齐前
十九	① (ʼ)	ㆆ	影	阿衣于依因幺伊应乌蛙汪
	(。)	ㅇ	喻	移羊于余馀姚为俞怡盈王
	② (ʻ)	ㆁ	疑	吴鱼昂讹鹅熬俄五银宜
	③ (u)	ㅸ	微	无亡忘

附注：参阅石山福治《考定中原音韵》第十四节，页113—120。表中加括弧之拉丁字母乃石山氏于本节中并未列入而于《发音顺序总表》中用之拼音者；加括弧之等韵字母，乃石山氏据《洪武正韵》而删并旧谱者。

案石山氏所得结果，除第十九类外，与余所考尚不相远。惟其论据，疑义滋多，颇待商榷焉。考《中原音韵·起例》既有"止依头一字呼吸，并不别立切脚"之明文，则石山氏所据之《中州音韵》反切已不足推证《中原音韵》声纽；若于其与通行音不合者，更反求《广韵》《集韵》诸书，即使偶符，亦实昧于《切韵》音系与《中原音韵》音系之根本区别；此一失也。又其所参证之《四声通解》为朝鲜中宗十二年（明武宗正德十二年，1517）崔世珍撰，其书与崔恒《东国正韵》、申叔舟《四声通考》（二书作于朝鲜世宗三十一年即明英宗正统十四年，1449）并以《洪武正韵》为宗，所定三十一初声即以迁就等韵字母之《正韵》声类为准，而非依据《中原音韵》系之北音。故于全浊初声虽未别制谚文，而犹双写全清以存其读。然证之申叔舟《东国正韵·序》所谓"全浊之字平声近于次清，上去入近于全清，世之所用如此，而亦不知其所以至此"，①则《四声通解》实系遵用明代官韵而并非记写当时通行语音，固已彰彰明甚。今石山氏根据以《洪武正韵》声类为准之三十一初声而考证《中原音韵》之北音声类，已于中国语音演变真相隔阂甚深；至于误认《四声通解》之谚解为直接记写当时之通行音，②于逻辑上尤为进退失据。假使其言果信，则 ch', f, h, k', p', s, t' 七母各有二谚文相对，何以合之？ch, ch', sh 与 ts, ts', s 两类谚译无别，何以分之？如谓现代朝鲜语音除"双"(쌍)"吃"(끼)二字以外都无全浊之声，则不如参证朴性源所著废弃双形初声之《华东正音通释》（朝鲜英宗二十三年即清高宗乾隆十二年，1747 撰），犹可言之成理，何必援引遵用《正韵》之《四声通解》以滋疑惑耶？论证相违，前后矛盾；此二失也。且全浊之字平声近于次清，上去入近于全清，申叔舟犹能言之。石山所

---

① 本节中凡讨论谚文源流者，均本朝鲜李能和《朝鲜佛教通史》下编，页 573—640，《谚文字法源出梵天》一章。

② 《考定中原音韵》，页 114。

举例字限于平声,故双形初声皆与次清为伍,而全浊仄声之转变若何,无从推知。举例不全,易滋误会;此三失也。夫考证方法贵乎"顺材以求合而不为合以验材"。石山氏为中国现代北音系统所囿,成见在胸,不惜牵强附会以证实之,宜其陷于误谬而不自觉也。余今反求原书,创通二例,并参证元明以降诸家韵书之声母系统,考定《中原音韵》二十声类如上,六百年来之北音声母,庶几得论定欤?

(原载《中央研究院历史语言研究所集刊》
第二本第四分,1932 年)

释 重 轻
——《等韵发疑》二,《释词》之三

郑樵《通志·七音略》四十三转图末,分标"重中重""轻中轻""重中轻""轻中重"诸目。中有数转,更旁注"内重""内轻"。其意云何?自来治韵学者鲜得的解。戴震著《声类表》以"轻""重"与"开""合"、"内""外"并列,参互而得八等。绎其表例,盖以一三等为"重",二四等为"轻"。①邹汉勋云:"轻重亦只在八等之中。内外言皆一三为重,二四为轻,正隅之辨也。重有大细,轻亦有大细,故八也。"②其论虽适与东原相合,然不免附会旧词,强人就我,已与宋元等韵家言本旨乖违。持较渔仲所标,转滋迷惘!故陈澧谓:"《七音略》又分重中重、轻中轻、重中轻、轻中重,又有小注内重、内轻。戴东原《声类表》亦分内转重声,内转轻声,外转重声,外转轻声。然而何谓重,何谓轻,绝无解说,茫无凭据。皆可置之不论也。"③快刀斩麻,纠纷立解,未始非廓清旧说之一道。然竟诋为

---

① 《声类表》表首分为开口内转重声,开口内转轻声,开口外转重声,开口外转轻声,合口内转重声,合口内转轻声,合口外转重声,合口外转轻声八目;所谓"内转"皆一二等,"外转"皆三四等。"重声"在内转为一等,外转为三等,"轻声"在内转为二等,外转为四等。惟照组二等附入一等,知组三等附入四等,非微之三等附入四等,敷奉之三等附入一等,与等韵旧说不同。又卷一页 1"磋"开一入开四,卷二页 3"伱"开一入开三,"茝""佁"开二入开三,"腜"开一入开四;卷七页 8"坚""牵""贤""烟""袄"等开四同入合四:亦与通例微有出入。

② 见《五均论》下《八呼廿论》之三《论轻重》。但邹氏以"开口为内言,为外转,为侈,合口为外言,为内转,为敛"(《八呼廿论》之一),与戴氏所谓内转外转复殊。

③ 《切韵考·外编·后论》,页 17。

"欺人之说","谁能解之"①,非特于渔仲标目原意不加体察,且于东原改订微旨亦未一掸究,则未免以我见自蔽,武断失真矣!间尝参校宋元等韵诸谱,以窥其义蕴,窃意所谓"重""轻"者,固与"开""合"异名而同实也。试觇缕佐证,以申吾说。

韵谱之传于今者,以《七音略》及《韵镜》为最古。二书同出一源,审音堪资互证。②且张麟之称郑樵为"莆阳夫子"③,则于渔仲定名本意,必不至茫无所知。今考《七音略》四十三转,凡称"重中重"者十九,"轻中轻"者十四,"重中轻"者三,"轻中重"者二,"重中重(内重)","重中重(内轻)","重中轻(内重)","轻中重(内轻)"及"轻中轻(内轻)"者各一。《韵镜》则悉削"轻""重"之称,别标"开""合"之目。于《七音略》所谓"重中重","重中重(内重)",重中重(内轻)","重中轻(内重)"及"重中轻"者,均标为"开"。于所谓"轻中轻","轻中轻(内轻)","轻中重"及"轻中重(内轻)"者,均标为合。其因抄刊屡易,开合互淆者,且可据例校勘,有所是正。④故《七音略》之"重""轻"适与《韵镜》之"开""合"相当,殆无疑义;此一事也。

《四声等子》并四十三转为十六摄二十图,于"轻""重""开""合"之称,兼存不废。顾归并数转,合成一摄,"轻""重"多寡,厥量

---

① 《切韵考·外编·后论》,页17,自注。
② 《七音略·序》:"臣初得《七音韵鉴》,一唱而三叹,胡僧有此妙义,而儒者未之闻。及乎研究制字,考证谐声,然后知皇颉史籀之书,已具七音之作,先儒不得其传耳。今作《谐声图》,所以明古人制字通七音之妙;又述内外转图,所以明胡僧立韵得经纬之全。"可见《七音略》之四十三转图与张麟之所得之《指微韵镜》同出一源。
③ 案《韵镜·序例》有"莆阳夫子郑公"及"莆阳郑先生"诸称谓。
④ 《韵镜》第二十六转宵韵,第二十七转歌韵,第三十八转侵韵及第四十转谈、衔、严、盐韵,《古逸丛书》本均作"合"。日本盛典《韵镜易解》、文雄《磨光韵镜》、大岛正健《改订韵镜》悉改为"开",与《七音略》"重中重"之例合。又《韵镜》第二转冬、钟韵,第三转江韵,第四转支韵,第十二转模、虞韵,《古逸丛书》本均作"开口"。案第二及第十二两转《七音略》作"轻中轻",《韵镜易解》、《磨光韵镜》及《改订韵镜》均改为"合",与七音略相等。第三转《七音略》作"重中重",第四转《七音略》作"重中轻内重",《改订韵镜》均改为"开",《磨光韵镜》第三转与《古逸丛书》本同,惟第四转改为"开"耳。

弗均。于是以通、止、遇三摄及果摄（附假摄）合口为"重少轻多韵"，以宕、曾、梗三摄及果摄（附假摄）开口为"重多轻少韵"，以蟹、臻、山三摄为"轻重俱等韵"，以咸摄为"重轻俱等韵"，以效、流、深三摄为"全重无轻韵"。其所谓"重多轻少"，"重少轻多"诸韵，虽未必权衡适均，锱铢不爽①，而所谓"轻重俱等"者，"开""合"对称，多寡相当。所谓"全重无轻"者，有开无合，奇而不偶。且《四声等子·序》谓："审四声开阖以权其轻重，辨七音清浊以明其虚实。"则以"重""轻"为"开""合"，尤为确凿有据。此二事也。

综兹二事，则渔仲所标，虽不尽可解，然非全无可解，盖已甚明。且以《七音略》之"重""轻"与《韵镜》之"开""合"对较，确定东鱼两转是开非合，而后高本汉（B. Karlgren）据《等韵切音指南》读东为[uŋ]，读鱼为[iwo]之误，亦可得而正之。② 至于"中重"，"内重"，"中轻"，"内轻"之别，已涉玄微，苦难质言。故于麟之所不深辨者，亦未敢强为之辞。近人或谓"重中重""轻中轻"诸目，"上一字似指韵部之声势，下一字似指表内各字之等音。"③推验各转，

---

① 《四声等子》所定重少轻多韵惟止摄开多于合，重多轻少韵惟宕、梗两摄开合相称，微与原则不合。但宕、梗两摄开口字数较合口为多，或亦被认为重多轻少之原因耳。至于重轻俱等之咸摄，《韵镜》原分三转，覃、咸、监（三等）、添列第三十九，谈、衔、严、监（四等）列第四十；凡列第四十一。此三转中，凡为合口已无问题。而日本释文雄之《磨光韵镜》于第三十九转注云："诸本皆作合"，第四十转注云："一本作合"，则此两转是否本如寒、桓两转之开合对列，因 u-与-m 之异化，驯致开合不分，殊有研究之价值。自《韵镜》以后，其辨也晦，故《切韵指南》并第三十九四十两转为咸摄之开，而尚另分第四十一转为咸摄之合。至《切韵指掌图》及《等子》竟并三转为一，则三转开合之分益混淆矣。然《等子》所以标为"重轻俱等"者，岂将唇音-m 尾误认为合？或覃、谈开合之辨当时犹有疑问耶？

② 东、鱼两转，《七音略》皆为"重中重"，《韵镜》皆为"开"。及《切韵指南》并东、冬、钟为通摄，并模、鱼、虞为遇摄，而改称"独韵"（《切韵指掌图》与《切韵指南》同，但未立摄名），于是《四声等子》遂俱改为"重少轻多韵"，而东、鱼之应为开口乃不可考。高本汉沿《等韵切音指南》之误，定东、鱼为合口，因而读东为[uŋ]，读鱼为[iwo]，按诸旧谱，殊为未当。关于此点，余别有论文商榷之。兹不多赘。

③ 曾广源《转语释补》卷三，页 4。

动多疑滞。仁智见殊,不敢苟同。于其所不知,盖阙如也。

"轻""重"二词,为言音韵所习用,而异义纷歧,览者滋惑焉。《山海经》:"景山其上多草薯萸。"郭璞注:"根似羊蹄,可食。曙豫二音。今江南单呼为藷,音储。语有轻重耳。"此以"缓读之为二字"者为轻,而以"急读之成一音"者为重也。①《颜氏家训·音辞篇》云:"古语与今殊别,其间轻重清浊,犹未可晓。"《切韵·序》云:"吴楚则时伤轻浅,燕赵则多涉重浊。……欲广文路,自可清浊皆通;若赏知音,即须轻重有异。"之推、法言皆以重轻清浊并举。据贾昌朝《群经音辨·序》:"夫轻清为阳,阳主生物,形用未着,字音常轻。重浊为阴,阴主成物,形用既着,字音常重。……如衣施诸身曰衣(施既切),冠加诸首曰冠(古乱切);此因形而着用也。物所藏曰藏(才浪切),人所处曰处(尺据切),此因用而着形也。"是以平上为轻清,而以去声为重浊也。日本《口游》引《反音颂》云:"轻重清浊依上,平上去入依下。"②又《七音略·序》云:"七音之韵,起自西域,流入诸夏。……华僧从而定之,以三十六字为之母,重轻清浊,不失其伦。"其所谓重轻,复与《七音略》各转标目殊旨。案江永《音学辨微》云:"其有最清,最浊,又次清,又次浊者,呼之有轻重也。"③劳乃宣《等韵一得》云:"戛稍重,透最重,轹稍清,捺最轻。"④而金尼阁《西儒耳目资》亦谓:"重音者,自喉内强吹而出,气至口之外也。惟同鸣之父有之。自鸣之母则无。然同鸣之中亦有能轻而不能重者,有能重而不能

---

① 邹汉勋《五均论》下《八呼廿论》四《论轻重》引《郭璞注》而释之曰:"《广韵》诸常恕切,与曙同纽,于字母为禅。又诸鱼切,即其平声也。又诸章鱼切,一训薯藇别名,一训似薯藇而大。当即藷之别体也。而直鱼切不收藷字,失之。《玉篇》:'藷,直居、上余二切,根似茅,可食。''茅'当为'芋'之讹。《玉篇》之二音,与郭氏合。殆顾希冯之旧也。盖三四合等之均,禅为重,澄为轻也。"与鄙见不合。

② 此书成于日本圆融天皇天禄元年,即宋太祖开宝三年(公元970年)。

③ 《音学辨微》五《辨清浊》。

④ 《等韵一得·外编》,页7。

轻者。重而不轻者,重德之纯也。重而又轻者,重德之杂也。重而不轻曰黑 h,在同鸣之末,而其半声惟一,故纯重而不轻。同鸣之一至五曰则 ç,者 ch,格 k,百 p,德 t,其变重,半声有二,故杂。试观纯重有内吹及出气之强。杂重如克ˋk 先有本半格 k 声,后又有黑 h 纯重之强。测ˋç,扯ˋch,魄ˋp,忒ˋt 无不皆然。西法重音有号,惟纯杂不同。纯号曰黑 h。杂号于本号之上,左有小钩如ˋ是也。"① 综兹三家之论,虽亦微有异同,然与《口游》引《反音颂》及《七音略·序》所云,固皆辨析声母音势,而与韵、调无涉。以今语释之,盖以塞声及塞通声之送气为重;而以其不送气及鼻声分声通声为轻。至于《等韵一得》以喉牙舌头、正齿重唇为"重音",而以舌上、齿头轻唇为"轻音"②,则以声母之发音部位为别,与其所谓"戛"、"透"、"轹"、"捺"之"重"、"轻",复不相谋。一家之言,歧出若此,异代之作,参差可知。韵学不明,此亦一主因也。

其尤不可解者:《广韵》末《辨四声轻清重浊法》以"班、珍、陈、椿、弘、龟、员、湮、孚、邻、从、峰、江、降、妃、伊、微、家、施、民、同"等为轻清;以"之、真、辰、春、洪、谆、朱、殷、伦、风、松、飞、夫、分、其、杭、衣、眉、无、文、傍"等为重浊(举平声上以概其余)。求诸前述之义,均不可通。盖以开合言,则"珍""真"皆开,而"孚""夫"皆合也;以等列言,则"同""傍"皆一,而"陈""辰"皆三也;以音势言,则"班""真"皆戛,而"椿""春"皆透也。至于轻清重浊,四声分列,已足征其异乎贾(昌朝)说;而轻清兼收"邻""陈""民""微",重浊兼收"真""春""飞""衣",尤可证其清浊不辨。邹汉勋谓:"《广韵》末有《辨四声轻清重浊法》,主于明轻重,而清浊其所兼及耳。"③ 又谓:"《广

---

① 《西儒耳目资·列音韵谱问答》。
② 《等韵一得·内编》,页 3,《字母简谱》。
③ 《五均论》下《八呼廿论》之三《论轻重》。

韵》所谓轻,殆内二外二内四外四之四等,重则内一外一内三外三之四等也。而清浊又非轻重,殆内为清而外为浊耳。"[1]强纳旧说于设想之定型中,于原表内容实未尝深绎。今考《玉篇》卷首所载《辨四声轻清重浊总例》,以"班、珍、真、椿、之、龟、春、煙、孚、邻、朱、峰、飞、风、妃、伊、微、家、施"等为轻清;以"弘、陈、辰、员、洪、谆、从、殷、伦、降、松、江、夫、分、其、杭、衣、眉、无"为重浊(举平声上以概其余)。例字与《广韵》全同,而分类与《广韵》大异。其间除误以"邻""微"二浊声为轻清,以"江"、"谆"、"夫"、"分"、"衣"、"殷"六清声为重浊外,清浊之界,秩然不紊,则《广韵》所载,必经无识者所窜乱,盖可断言。邹氏所论,殆未能深思明辨耳!

夫名实日淆则学理日晦,凡百皆然,而以资乎口耳之韵学为尤甚。倘能综汇众说,从事正名,于异名同实及同名异实者,逐一勘究疏证之,使后之学者,顾名识义,无复眩惑之苦,盖亦董理韵学者之急务也。

(1930年6月20日)
(原载《中央研究院历史语言研究所集刊》
第二本第四分,1932年)

---

[1]　《五均论》下《八呼廿论》之三《论轻重》,《八呼廿论》之十六《广韵辨四声轻清重浊法表》。

附：《七音略》《韵镜》《四声等子》重轻开合对照表

《广韵》韵部	高本汉读音	《七音略》之重轻	《韵镜》之开合	《四声等子》之重轻开合并列
歌	ɑ	重中重	合(?)	果摄,重多轻少,开口呼
加 麻 耶	a ia	重中重	开	果摄,重多轻少,开口呼
鱼	iwo(?)	重中重	开	遇摄,重少轻多
哈 皆谐 祭例 齐鸡	ɑi ai iæi iei	重中重	开	蟹摄,轻重俱等,开口呼
脂夷	i	重中重	开	止摄,重少轻多,开口呼
豪 肴 宵 萧	ɑu au iæu ieu	重中重	开	效摄,全重无轻
宵(四等)	iæu	重中重	合(?)	效摄,全重无轻
侯 尤 幽	ŭu iə̆u iə̆u	重中重	开	流摄,全重无轻
覃 咸 盐(三等) 添	ɑm(-p) am(-p) iæm(-p) iem(-p)	重中重	开	咸摄,重轻俱等
谈 衔 严 盐(四等)	ɑːm(-p) aːm(-p) iə̆m(-p) iæm(-p)	重中重	合(?)	咸摄,重轻俱等
侵	iəm(-p)	重中重	合(?)	深摄,全重无轻

(续表)

《广韵》韵部	高本汉读音	《七音略》之重轻	《韵镜》之开合	《四声等子》之重轻开合并列
寒 删颜 仙延 先前	ɑn(-t) aːn(-t) iæn(-t) ien(-t)	重中重	开	山摄,轻重俱等,开口呼
痕 臻 真	ən(-t) ĕn(-t) ien(-t)	重中重	开	臻摄,轻重俱等,开口呼
红 东 融	uŋ(-k) (?) iuŋ(-k)	重中重	开	通摄,重少轻多
江	ɔŋ(-k)	重中重	开合	宕摄,全重
唐冈 阳良	ɑŋ(-k) iɑŋ(-k)	重中重	开	宕摄,重多轻少,开口呼
庚 庚京 清征	ɐŋ(-k) iɐŋ(-k) iæŋ(-k)	重中重	开	梗摄,重多轻少,开口呼
耕争 清征 青经	ɐŋ(-k) iæŋ(-k) ieŋ(-k)	重中重	开	梗摄,重多轻少,开口呼
登灯 蒸丞	əŋ(-k) iəŋ(-k)	重中重	开	曾摄,重多轻少,启口呼
之	iː	重中重(内重)	开	止摄,重少轻多,开口呼(?)
支移	iĕ	重中轻(内重)	开合	止摄,重少轻多,开口呼(?)
微衣	ei	重中重(内轻)	开	止摄,重少轻多,开口呼(?)
泰盖 佳街 祭例	ɑːi aːi iæi	重中轻	开	蟹摄,轻重俱等,开口呼

(续表)

《广韵》韵部	高本汉读音	《七音略》之重轻	《韵镜》之开合	《四声等子》之重轻开合并列
山艰 元言 仙延	an(-t) iɐn(-t) iæn(-t)	重中轻	开	山摄,轻重俱等,开口呼
欣	iən(-t)	重中轻	开	臻摄,轻重俱等,开口呼
模 虞	uo iu	轻中轻	开合	遇摄,重少轻多
锅 戈 靴	uɑ ĭuɑ	轻中轻	合	果摄,重少轻多,合口呼
麻瓜	ua	轻中轻(一作重)	合	果摄,重少轻多,合口呼
泰外 佳蛙 祭岁	uɑːi waːi ĭwæi	轻中轻	合	蟹摄,轻重俱等,合口呼
支为	wiě	轻中轻	合	止摄,重少轻多,合口呼(?)
凡	iwɐm(-p)	轻中轻	合	咸摄,重轻俱等
山鳏 元原 仙缘	wan(-t) iwɐn(-t) iwæn(-t)	轻中轻	合	山摄,轻重俱等,合口呼
魂 谆	uən(-t) ĭuen(-t)	轻中轻	合	臻摄,轻重俱等,合口呼
文	ĭuən(-t)	轻中轻	合	臻摄,轻重俱等,合口呼
冬 锺	uoŋ(-k) ĭwoŋ(-k)	轻中轻	开合	通摄,重少轻多
唐光 阳方	wɑŋ(-k) ĭwɑŋ(-k)	轻中轻	合	宕摄,重多轻少,合口呼
庚横 清倾	wɐŋ(-k) ĭwæŋ(-k)	轻中轻	合	梗摄,重多轻少,合口呼

(续表)

《广韵》韵部	高本汉读音	《七音略》之重轻	《韵镜》之开合	《四声等子》之重轻开合并列
耕宏 青萤	wəŋ(-k) iwəŋ(-k)	轻中轻	合	梗摄，重多轻少，合口呼
登肱 蒸域	wəŋ(-k) (ĭwəŋ)(-k)	轻中轻	合	曾摄，重多轻少，合口呼
微归 废秽	wěi iwɐi	轻中轻(内轻)	合	止摄，重少轻多，合口呼
灰 皆怀 祭岁 齐圭	uɑi wai ĭwæi iwei	轻中重	合	蟹摄，轻重俱等，合口呼
桓 删关 仙缘 先玄	uɑn(-t) wa:n(-t) ĭwæn(-t) iwen(-t)	轻中重	合	山摄，轻重俱等，合口呼
脂追	wi	轻中重(内轻)	合	止摄，重少轻多，合口呼

释内外转
——《等韵发疑》二,《释词》之三

(一)《四声等子》及《切韵指掌图》中之《辨内外转例》

郑樵《通志·艺文略》载无名氏《切韵内外转铃》及《内外转归字》各一卷,其书久佚,内容无从探究。《通志·七音略》及《韵镜》所列四十三图,各标以内转、外转,而亦绝无解说。至《四声等子》、《切韵指掌图》及《切韵指南》虽已并转为摄,然犹兼存内外之称;《等子》及《指掌图》且释其义曰:

> 内转者,唇、舌、牙、喉四音更无第二等字,唯齿音方具足;外转者,五音四等都具足。今以深、曾、止、宕、果、遇、流、通括内转六十七韵;江、山、梗、假、效、蟹、咸、臻括外转一百三十九韵。①

> 内转者,取唇、舌、牙、喉四音更无第二等字,唯齿音方具足;外转者,五音四等都具足。旧图以通、止、遇、果、宕、流、深、曾八字括内转六十七韵;江、蟹、臻、山、效、假、咸、梗八字括外转一百三十九韵。②

两书所释,除摄次不同,文字微异外,固皆以二等字五音具足与否为区分外转内转之准则。然齿音独具二等者何以谓之"内"? 五音皆具二等者何以谓之"外"? 仍未有明确之解释。若即其所释而推绎之,则凡正齿音独具二等者,其反切下字并与同韵之三等通,所异者惟在反切上字(例如:《韵镜》第十一转鱼韵正齿音二等,"菹",

---

① 《四声等子·辨内外转例》,《咫进斋丛书》本。
② 《切韵指掌图·辨内外转例》,《十万卷楼丛书》本。

侧鱼切,同韵三等,"诸",章鱼切;第十二转虞韵正齿音二等,"刍",庄俱切,同韵三等,"朱",章俱切);以视五音具足之二等与三等声韵俱异者,迥不相同(例如:《韵镜》第二十五转,二等肴韵正齿音"㨘",侧交切,三等宵韵正齿音"昭",止遥切;第二十四转,二等删韵正齿音"跧",阻顽切,三等仙韵正齿音"专",职缘切)。盖一在三等韵"内",因声母之硬化而转等[1];一出三等韵"外",因元音之不同而转等也。此但就两书之《辨例》望文引申,至其是否得内外转之真义,是否按诸《韵镜》及《七音略》而皆合,后当详论。惟自元以降,即对于《等子》、《指掌图》所释,亦往往发生误解。《切韵指南》后附《门法玉钥匙》第十三云:[2]

  内外者,谓唇、牙、喉、舌、来、日下为切,韵逢照一[3],内转切三,外转切二,故曰内外。如:"古双"切"江"字,"矣殊"切"熊"字之类,是也。

是又专指反切下字之属于正齿二等者如何取字而言,与《辨内外转例》之本旨复异。明清治等韵者,或引申《辨例》之说而犹豫两可。

  袁子让《字学元元》曰:

  《等子》有内八转,外八转,共十六转。其内外之取义,从二等之盈缩分也。(《凡例》十六)

  《等子》内外各八转。……其谓之内外者,皆以第二等分:二等牙、舌、唇、喉下无字,惟照一[4]有字者,谓之内转;二等牙、舌、唇、喉下皆有字,不独照一有字者,谓之外转。以二等字限于照一内,故谓之内;字浮于照一外,故谓之外;此其义也。或谓:二等发声,发者为外,故照一切二谓之外;三等收声,收者为内,故照一切三谓之内。其说亦通。(卷一,页18,《十六转内外》)

---

  [1] 正齿音二等为"齿上音"(supradentals)。齿上音声母每与 i 介音不相容,故在此类声母后,三等韵母之 i 介音往往为其硬化而消失,因而在听感上遂与二等元音之音彩相近。
  [2] 据明弘治九年仲冬金台释子思宜重刊本。
  [3] 此所谓照一即指照母二等。
  [4] 同上。

吕维祺《音韵日月灯》曰：

> 案内外之分，以第二等字论也。二等别母无字，惟照二[①]有字，谓之内，以字少拘于照之内也；二等各母俱有字谓之外，以字多出于照之外也。

又曰：

> 二等属发，故谓之外；三等属收，故谓之内。

或沿袭《门法》之说，而不掸其究竟：

袁子让《字学元元》于前所引之内外转解释外，更于《门法玉钥匙》之内外门下附注云：

> 此明十六摄。其八名内转，又其八名外转者，谓各摄唇、牙、喉、舌、来、日之切，若韵逢齿中照一等，在内转摄中便切第三等字，在外转摄中便切第二等字。盖内转之摄，牙、舌、唇、喉下四音皆无二等字，惟齿音二等照一有字，故虽逢二等之韵而他音下无二等字可切，故只切第三，以二等字域于照一内也，故谓之内；外转之摄，不独齿中有照一，而牙、舌、唇、喉四音俱有二等字，故通可切二等，以二等广于照一外也，故谓之外。此门皆专以二等字之多寡而分也。如："矣殊"切"熊"，"矣"喉切，而内转喉下无二等，故切三之"熊"；"古双"切"江"，"古"牙切，而外转牙下有二等，故切二之"江"；是其例也。自是内外切法，如："香楚"切"许"，"王所"切"雨"，"呼士"切"喜"，"古崇"切"弓"，"九数"切"句"，"公士"切"几"，"元初"切"鱼"，"妇阻"切"父"，皆从内转切三；如"江卓"切"珏"，"牛要"切"瓦"，"亡爪"切"卯"，"古梢"切"交"，"户生"切"行"，"渔沙"切"牙"，"古生""切""更"，皆从外转切二；学者详之。至于果、假同摄，古谓之"内外混等"，谓果内而假外，二门互相切也。然此门法，予有疑于果，并有疑于臻焉。夫内转韵逢照一切三，而果止辖一等，照一三等皆非所辖，何以谓之内？外转逢照一切二，而臻摄唇、牙、喉下并无二等字，何以谓之外？此则袁生所未识也。内外不定，其此之谓乎？（卷三，页 11，12）

《续通志·七音略·门法解》云：

[①] 《音韵日月灯》所谓照二，实即《门法玉钥匙》与《字学元元》之照一，亦指照母二等而言。

内三者,谓见、溪、郡、疑,端、透、定、泥,知、彻、澄、娘,帮、滂、并、明,非、敷、奉、微,晓、匣、影、喻,来、日,此二十六母一二三四为切,韵逢内八转照、穿、状、审、禅第一者,并切第三:

姜居霜切　　金居林切　　玉牛数切　　仿甫爽切

外二者,谓见、溪、郡、疑,端、透、定、泥,知、彻、澄、娘,帮、滂、并、明,非、敷、奉、微,晓、匣、影、喻,来、日,此二十六母一二三四为切,韵逢外八转照、穿、状、审、禅第一者,并切第二:

江古双切　　麻末沙切　　班布山切　　皆官斋切

谨案,内三外二门亦因古人切脚不合今韵而立,故以内转外转而分切法,犹之通广、局狭二门以通广六摄局狭八摄而分切法也。或云:牙、舌、唇、喉四音无第二等字,惟齿音方具足,为内八转;五音四等字皆具足,为外八转。以其说考之:臻摄开合二呼牙、舌、唇、喉四音皆无第二等字,亦名外转,则二等字多少之说为不可通矣。

周春《小学余论》云:

案内八转通、止、遇、果、宕、曾、流、深八摄是也;外八转江、蟹、臻、山、效、假、梗、咸八摄是也。何以谓之内外转?谓见、溪、群、疑、端、透、定、泥,知、彻、澄、娘,非、敷、奉、微,晓、匣、影、喻,来、日,此二十二母为切,韵逢照、穿、床、审、禅第一,内切切三,外切切二。如:"居霜"切"姜"字,"矣殊"切"熊"字,是内三门;"古双"切"江"字,"德山"切"䡺"字,是外二门之类是也。此亦十三门法之一,乃检查反切板法,但可因此悟入,若既悟之后,则亦无用矣。(卷下,页8)

要皆望文生训,未能彻底了解。间有心知其意者,又以《辨例》本身已自相矛盾,主张"但云二等止有正齿,则切三等,……无庸立内外名目"。

梁僧宝《切韵求蒙》云:

通、止、遇、果、宕、流、深、曾八摄为内转。凡内转者,牙、舌、唇、喉无二等字,独齿音具足四等也。江、蟹、臻、山、效、假、咸、梗八摄为外转。凡外转者,牙、舌、唇、齿、喉具足四等也。《切韵指掌检例》说本如此,而按之诸家韵谱不尽符,且必数韵合为一叶,其说始明,盖所谓具足四等者,非专在一韵也;若每韵各分叶,则此说可姑置弗论。又内转惟正齿有二等,则用三等引韵,如"侧吟"切"簪","仕兢"切"磳","簪""磳"皆二等,

"吟","兢"皆三等,所谓内转切三也。若外转牙、舌、唇、齿、喉俱有二等,则仍用二等引韵,所谓外转切二也。然臻摄亦惟正齿有二等,如"测人"切"柣","所巾"切"䎡","柣""䎡"皆二等,"人""巾"皆三等,原同内转切三之例,何以又属之外转?矛盾若此,不如但云二等止有正齿则切三等,说较合矣,无庸立内外名目。(页6下小注)

盖臻摄二等只有正齿,而列之外转;果摄全无二等,而列之内转,皆与《辨例》显然抵牾。无怪陈澧、劳乃宣辈参互推求,每多龃龉,无从窥其条理①,认为"内转外转但分四等字之全与不全,与审音无涉……宜置之不论"②也。

果内臻外之与《辨例》抵牾,袁子让、梁僧宝及《续通志·门法解》均论及之。即明释真空《创安玉钥匙捷径门法歌诀》之《内外门例》亦谓:

通、曾、止、遇、宕、流、深,故号名为内转门,效、假、江、山、咸、梗、蟹,内三外二自名分。③

独于果臻两摄存而不论。又日人大矢透④《韵镜考》引古写本《切韵指掌》云:

内转者,取唇、舌、牙、喉四音更无第二等字,只齿音方具足;外转者,五音四等都具足。旧图以东(?)⑤、通、止、遇、宕、流、深、臻八字括内转六十七韵,江、蟹、山、效、果、假、咸、梗八字括外转一百三十九韵。(《韵镜考》页83引)

汤浅重庆《韵镜问答钞》所引亦同:

《切韵指掌》云:内转者,取唇、舌、牙、喉四音更无第二等字,唯齿音方具足;外转者,五音四等都具足。旧图以曾、通、止、遇、宕、流、深、臻八字括内转六十七韵,以江、蟹、山、效、果、假、咸、梗括外转一百三十九韵。

---

① 劳乃宣《等韵一得·外编》页49,50。
② 陈澧《切韵考·外编》卷三,页12下。
③ 《篇韵贯珠集》卷八。
④ 大矢透云:"河井仙郎所藏冈本保孝手泽本。《十六摄考》于《切韵指掌图》注云'又,古抄本藏于予家者',盖谓此也。"
⑤ 大矢透云:"东为曾之讹,由下引《韵镜问答钞》所举《切韵指掌》作'曾'可知。"

(《韵镜考》页 85 引)

径以臻属内转,果属外转,与刊本《等子》及《指掌图》均异。惟其所谓"古"者,究在何时,既无从确定;且内转六十七韵及外转一百三十九韵仍沿刊本之旧,亦与臻、果互易后之韵数不符;故尚难资信据。窃谓臻、果两摄所以致乖互者,则以臻摄虽只有正齿二等,而臻韵独立一韵,与其他附入三等者不同;果摄全无二等,必与假摄同列,其转别始显;专据《辨例》之说,殊难判其内外。然二等具足与否,实系并转为摄后之偶然现象,聚韵成摄,乃可知其所指。今《韵镜》及《七音略》中之第九(微开)、第十(微合)、第十九(欣)、第二十(文)、第四十一(凡,《七音略》第三十三)五转,全无二等而各成一图,当其未并入止、臻、咸三摄以前,将何从判其内外?傥知内外转之分,别有所在,而二等具足与否之说不尽足据,则非特果应属外,臻应属内,即宕摄亦当自内移外也。(详下文)

(二)关于内外转之异解

明清以来,不慊于《四声等子》及《切韵指掌图》之《辨内外转》而别抒新解者,实不乏人。举其著者,则或以收音为内,发音为外:

袁子让《字学元元》云:

> 或谓二等发声,发者为外,故照一切二谓之外;三等收声,收者为内,故照一切三谓之内。(卷一,页 18《十六转内外》)

吕维祺《音韵日月灯》云:

> 二等属发,故谓之外;三等属收,故谓之内。(卷一,页 18《十六转内外》)

或以合口为内,开口为外:

戴震《声韵考》云:

各等又分开口呼合口呼,即外声内声。(页 5 下)

邹汉勋《五均论》云:

> 郑樵《七音略》有内转外转之目,刘鉴《切韵指南》每摄有内外之辨,江慎修谓之侈敛,即开口合口之说也。大氏开口为内言,为外转,为侈;合口为外言,为内转,为敛:其名殊,其实一也。(《八呼廿论》一《论内言外言即开口合口》)

或以开口为内,合口为外:

西人商克(S. H. Schaank)疑内转或即开口,外转或即合口 (*T'oung Pao*, Ser. 1. Vol. IX, p. 36 note)

或以翕音为内,辟音为外:

方以智《切韵声原》引《邵子衍》:①

> 多良千刀妻宫心　　开丁安牛牙鱼男(外转)
> 禾光元毛衰龙寻　　回君湾侯瓜乌罨(内转)
> (《通雅》卷五十,页 21)

或以辟音为内,翕音为外:

释宗常《切韵正音经纬图》云:

> 辟音开括:唇齿齐张而动,内转成音;
> 辟音发括:唇齿略张而微动,内转成音;
> 翕音收括:唇吻略聚而动,外转成音;
> 翕音闭括:唇吻相聚而微动,外转成音。

或以吸音为内,呼音为外:

日人毛利贞斋《韵镜秘诀袖中钞》云:

> 一说内转之字唱之必吸气,外转之字调和如呼息。(卷七,页 15 上)

日释盛典《韵镜易解》云:

> 或云内转所属字吟称之有吸气,外转所属字调和似呼息。(卷一,页 22 上)

---

① 案邵雍《皇极经世声音图》但以"多开"等为"辟音","禾回"等为"翕音",其外转内转则为方氏所注。

或以舌缩为内,舌舒为外:

汤浅重庆《韵镜问答钞》云:

> 内转者,呼其字舌缩如没内。通、止、遇、宕、流、深、臻、曾八摄谓之内转。假令呼"东字",舌声转于内。舌者,声音之总会也。故舌声转于内,余声亦转于内,是名之为内转。外转者,呼其字舌舒如出外。江、蟹、山、效、假、果、咸、梗八摄谓之外转。假令呼江韵之字,舌舒出外。舌声转于外,余声亦转于外,名之为外转。(《韵镜考》页 85 引)

毛利贞斋《韵镜秘诀袖中钞》云:

> 逐韵四十三转中有内转外转之别。内者,呼字音舌缩如入内者也;外者,唱字音舌舒似出外者也。舌者,音声之总会也。故依舌之舒缩,如唇、牙、齿、喉之余声亦有内外之异也。(卷一,页 3 上)

日人河野通清《韵鉴古义标注》云:

> 内外转者,声音因舌展缩而内外互转也。转者,圆啭流利为义。(卷下,甲)

或以旋于口内者为内,旋于口外者为外:

日释文雄《磨光韵镜索隐》云:

> 雄案,转,《广韵》云:"陟兖切,旋也。"音旋于口内,是曰内转,通、止等八字所属之韵是也;音旋于口外,是曰外转,江、蟹等八字所属之韵是也。《指掌》及《日月灯》之说未稳,盖为图以后之论也已。(页 17 下)

异说纷纭,莫衷一是。然稽之宋元等韵诸图,内转不皆收声(三等),外转不皆发声(二等),则袁子让、吕维祺之说不可通;内外转各有开合或辟翕,则戴震、邹汉勋、商克、方以智、释宗常之说不可通。至于吸音呼音,舌缩舌舒,内旋外旋之类,尤嫌玄而不实,难以质言。要皆未能豁然贯通,怡然理顺也。

(三) 内外转与主要元音之关系

闲尝遍考宋元韵谱,证以《切韵》音读,窃谓内转外转当以主要元音之弇侈而分。此说清儒江永已能言之。《古韵标准》云：

> 二十一侵至二十九凡，词家谓之闭口音，顾氏合为一部。愚谓：此九韵与真至仙十四韵相似，当以音之侈弇分为两部。神珙等韵分深摄为内转，咸摄为外转，是也。（第十二部总论）

惟始发其绪，语焉不详；且但举咸、深两摄示例，未能通考诸摄。日本之《韵镜》家亦有知内外转与元音之关系者：

津高益奥《韵镜谚解大成》云：

> 一说，内转者，字之始有 ウ 假名；外转者，字之始有 アイエヲ 四假名。（卷一，页5下）

其说至疏，按之各转，多不相合。至大岛正健及大矢透乃推阐加详，后出转精：

大岛正健《韵镜音韵考》云：

> 内转者，指在一等为 o（オ）元音，或一等缺位，在二等以下为 o（オ），u（ウ），i（イ）等元音者而言；外转者，指一二等为 a（ア）元音，三四等为 e（エ）元音者而言。开合两转对列时，内外之别同一，合转以开转为定则。（页13；《韵镜新解》同）

> 对照内外两转所属诸韵之性质，内转其响轻而弱，外转其响重而强。内转外转之别，当与吸音呼音之别同；内转之韵即吸音，外转之韵多呼音。（页18；《韵镜新解》同）

大矢透《韵镜考》亦以内外转之差别，由"体韵"之"撮口""张口"而定，并以假名示各摄等位之韵形如下表：

且谓：

> 读者试连呼上下二段之各四等观之：上段撮口呼，岂非自一等至四等口形次第狭小，同时发声气息亦恰觉有引入内方之势？下段张口呼，岂非次第觉有向外方强呼之势？若以此分类为正当，而试释撮口呼为内转，张口呼为外转，则应何如？自宋以来对此区区内外转之意义问题迄无定论，岂非至此始得明快说明之耶？（《韵镜考》页99）

惟于《切韵》音值既未考证尽当，而"呼音、吸音"，"张口、撮口"之称，尤易滋人误会：是皆有待于修订者也。至于果、臻、宕三摄之属

内属外,两人意见亦不一致。大岛正健认果、宕两摄之元音为 o,故仍列于内转①;而于臻摄《韵镜新解》则谓:

《韵镜考》中之内外转图

深	臻		曾	通	流	止	遇	果	目	摄	
○	○		オ	オ	オ	○	ウ	オ	一等	体韵	撮口体韵类
○	○		○	○	○	○	○	○	二等		
イ	イ		イヨ	イユ	イユ	イ	イウエ	イヨ	三等		
ረ	ረ		ረヨ	○	ረユ	○	○	○	四等		
⌒	マ		⌒		ウ		○		音尾		

咸	山	梗	江	宕	效	蟹	假	目	摄	
ア	ア	○	ア	ア	ア	ア	○	一等	体韵	张口体韵类
アエ	アエ	アエ	○	アエ	アエ	アエ	エヤイヤ	二等		
エ	エ	エ	○	イヤレヤ	エ	エ	エ	三等		
ረ	ረ	ረ	○	ረ	ረ	エヤイヤ	ረ	四等		
⌒	マ	⌒		ウ	イ	○		音尾		

编者注:本表"音尾"一栏中的 ⌒ = ng, マ = n, ∠ = m。

《韵镜》之古本中,有以第十七、第十八、第十九、第二十之四转为外转者,其理由不可窥测。第六、第七两转对第十七、第十八两转,及第九、第十两转对第十九、第二十两转,均系无尾韵对有尾韵之关系,应为同性质之转,故无尾韵方面与有尾韵方面当同属内转,自不待言。其作为外转者,殆误记也。(《韵镜新解》页18)

故亦改列为内转。大矢透以为:"第二等有字无字,为制图上偶然之现象,其理由不可解,而学术上之分类自当以体韵之开合为当

---

① 参阅《韵镜音韵考》及《韵镜新解》,页16。

然。"于是既移臻摄属内,复据《切韵指掌》宕江同图例(第十三、第十四)及唐译《陀罗尼集梵语杂名》之对音,改列宕摄为外转。惟于果摄独据明觉《悉昙要诀》之译音仍列于内转,"以使体韵之张撮与音尾之相同者两两对立",则犹囿于内外各八之遗型,未敢使其偏畸。① 而不知果、假两摄《切韵指掌》亦合为一图(第十一、第十二),果、假之不能同图异转,正犹宕、江之不能同图异转也。逮其晚年,始自觉未安,故于《隋唐音图》中决定以通、曾、流、止、臻、深、遇七为内摄,以宕、江、梗、效、蟹、山、咸、果、假九摄为外转。如附图(见下两页)所示②:

《韵镜》诸本中,关于果、臻、宕三摄内外之判定,所补殊鲜。其可稍资启发者,则日本醍醐三宝院所藏嘉吉元年(即明英宗正统六年,1441)写本以第二十七转(歌)为外③;宽永五年(明思宗崇祯元年,1628)刊本以第十七转至第二十转(真、谆、欣、文等)为内;又清乾隆十三年(1748)刊本《通志·七音略》以第三十四转(即《韵镜》第三十一转唐阳开口)为外,于参差错落中正可窥见古本《韵镜》之消息。若更就各摄所含之元音求得通则,以为判定内外之标准,则愈可增加校勘上之佐证也。

今若假定内七外九之说为可信,而就近人拟测之《切韵》音值④以归纳其通则,则:(甲)内转七摄:

1. 止摄四韵⑤,其主要元音为[i]:

   脂[i] 之[i:] 支[iĕ] 微[ĕi]

2. 遇摄三韵,其主要元音为 [u]及[o]:

---

① 参阅《韵镜考》,页 93—99。
② 《隋唐音图》于昭和七年(1932)出版,系震灾后补修者。
③ 据《韵镜考》页 211 所引。
④ 本文所用《切韵》音值,除模、鱼、东三韵外,皆依高本汉之拟测。
⑤ 此处所谓韵,皆举平以赅上去入。

《隋唐音图》中之内外转图(上)

																转 内				别 转	
								呼 口 撮											形 口		
遇		深		臻				止						流		曾		通		摄目	十六
合	开	合	开	合	开	合	开	开	合	开	合	开	合	开	合	开	合	开	合	等位	别音
オ				オ	オ											オ	オ	オ	オ	一	内外转图 体韵齿音二限ルハ〇ヲ附シヲ音ト晓匣二母ノ音二限ルハ〇ヲ附ス 汉音
ウ	オ°	イ°		イエ	イ°						イ°			イ°	イユ	イ°	イヨ	イヨ	オ°	二	
イユ	イヨ	イ	ウ	ウイキエ	イ	ウイキ	イ	ウイキ	イ	ウウイキイ	イ			イ	イユ	イ	イヨ	イヨ	イイ	三	
イウユ	イヨ	イ		イ	イ			イ	ウウイキイ	イ	ウウイキイ	イ			イユ	イ	イヨ		イユ	四	
オ				オ	オ										ウ	オ	オ	オウ		一	吴音
ウ	オ°	イ°		イユ	イ°				イ°		ウイ	イ°	ウイ	イ°	ウ°		イオヨ	オ°	オ	二	
イウユ	オイヨ	オイオウ	オ	オイエ	オイキ	オイキ	ウイキ	エイイ	イ	ウウイキイ	イ	ウウイキイ	イ	イユ	エ	イオヨイ	ウイオユ	イオヨ		三	
イウエ	オイ	イ		イ	イ			イ	ウウイキイイ	イ	ウウイキイ	イ			イユ		イヨ	ヨ	イウユ	四	
					マ										ウ		∠		∠	去上平	汉原音
		フ			ー												ワ		ワ	入	
		ム			ン										ウ		ウ		ウ	去上平	汉音 音尾
		フ			ツ												ク		ク	入	
		ム			ン										ウ°		ウ		ウ	去上平	吴音
		フ			チ												ク		ソ	入	
一二		三八		二〇	一九	一八	一七	一〇		九		八	七	六	五	四	三七	四三	四二	一	转次
模虞		鱼		侵	文	欣	魂痕	痕臻真		微		之	脂			支	侯尤幽	登蒸	登蒸	冬钟	东	平 每转排当 二百六韵
姥麌		语		寝	吻	隐	混准	很轸		尾		止	旨			纸	厚有黝	等拯	肿	董	上	
暮遇		御		沁	问	焮	恩穆	恨震		未		志	至			寘	候宥幼	嶝证	宋用	送	去	
				缉	物	迄	没术	没栉质									德职	德职	沃烛	屋	入	

《隋唐音图》中之内外转图(下)

转							外										
			呼				口		张								
假		果		咸		山		蟹		效		梗		江		宕	
合	开	合	开	合	开	合	开	合	开	合	开	合	开	合	开	合	开
						ウワ	ア			ウワ	ア	ア				ウワ	ア
ウアワ	イアヤ				ア	ウアワ	ア	ア	ア	ウアワ	ア	ア	ア	ウアワ	ア		アº
ウアワ	イアヤ			エア	エ	ウエ	エ	ウエ	エ	ウエ	エ		エ	ウエ	エ	ウアワヤ	イアヤ
	イアヤ			エ	エ	ウエ	エ	エ	エ	ウエ	エ	エ	エ	ウエ	エ		イアヤ
		ウアワ	ア		ア	オア	ワア			ウアエ	エア		オ			ア	ア
ウエエ	ア			ア	ア	エワ	エア	ウアワ	エ	ウアエ	エ	ウアエ	ア		エア	イヤ	ウアワ	オ		イヤº
ウエエ	イヤ			エア オ	オエ	エ	エ	ウエ	エ	ウオエ	オ	ウアエ	エ		エ	イヤ	イヤ		ワア	イアヤ
	イアヤ			エ	エ	エ	エ	エ	エ	エア	ウエエア	エア	エア	イヤ	イイヤヤ	イヤ			イヤ
						∠		マ		イ		ウ		⌒	⌒	⌒	
						ハ		ン		イ		ワ		ワ		ワ	
						ハ		ン		イ		ウ		イ		ウ	
						フ		ツ				キク		ク		ク	
						ム		ン		イº		ウ		イアヤ		ウ	
						フ		チ				ク		ク		ク	
三〇	二九	二八	二七	四一	四〇	三九		二四	二三	二二	二一	一六	一五	一四	二六 二五	三六 三五 三四 三三	三二	三一
麻		戈	歌	凡	谈衔咸盐添	覃删仙盐	桓删仙先	寒删仙先		山元仙		佳		灰皆齐	哈皆哈齐	豪爻宵萧	耕清青	庚清	江	唐阳
马		果	哿	范	敢槛俨琰忝	感豏琰	缓清狝铣	旱清狝铣		产阮狝		蟹		贿	海骇海苎	晧巧小筱	耿静迥	梗静	讲	荡养
祃		过	个	梵	阚鉴酽艳栝	勘陷艳	换谏线霰	翰谏线霰		裥愿线		泰卦祭		队怪祭	代怪祭霁	号效笑啸径	净劲径	净敬劲	绛	宕漾
				乏	盍狎业叶	合洽叶帖	末曷黠薛屑	辖月薛				废托寄			央	托寄	麦昔锡	陌昔	觉	铎药

127

模[o]　鱼[ĭo]　虞[ĭu]

3. 通摄三韵,其主要元音为[o]:

东[oŋ]　冬[uoŋ]　钟[ĭwoŋ]

4. 流摄三韵,其主要元音为[ə]:

侯[əu]　尤[ĭəu]　幽[ieu]

5. 臻摄七韵,其主要元音为[ə]及[ě]:

痕[ən]　魂[uən]　臻[(i)ěn]　真[ĭen]
谆[ĭuěn]　欣[ĭən]　文[ĭuən]

6. 深摄一韵,其主要元音为[ə]:

侵[ĭəm]

7. 曾摄二韵,其主要元音为[ə]:

登[əŋ]　蒸[ĭəŋ]

(乙) 外转九摄:

8. 果摄二韵,其主要元音为[ɑ]:

歌[ɑ]　戈[uɑ]

9. 假摄一韵,其主要元音为[a]:

麻[a]

10. 蟹摄九韵,其主要元音为[ɑ],[a],[ɐ],[æ],[e]:

咍[ɑi]　灰[uɑi]　泰[ɑi]　皆[ai]　佳[ai]
夬[uai]　废[ĭwɐi]　祭[ĭæi]　齐[iei]

11. 效摄四韵,其主要元音为[ɑ],[a],[æ],[e]:

豪[ɑu]　肴[au]　宵[ĭæu]　萧[ieu]

12. 山摄七韵,其主要元音为[ɑ],[a],[ɐ],[æ],[e]:

寒[ɑn]　桓[uɑn]　山[an]　删[an]　元[ĭɐn]
仙[ĭæn]　先[ien]

13. 咸摄七韵,其主要元音为[ɑ],[a],[ɐ],[æ],[e]:

覃[ɑm]　谈[ɑm]　咸[am]　衔[am]　严[ɐm]

盐[iæm] 添[iem]

14. 宕摄二韵,其主要元音为[ɑ],[a]:

唐[ɑŋ] 阳[iaŋ]

15. 江摄一韵,其主要元音为[ɔ]:

江[ɔŋ]

16. 梗摄四韵,其主要元音为[ɐ],[ɛ],[æ],[e]:

庚[ɐŋ] 耕[ɛŋ] 清[iæŋ] 青[ieŋ]

准是而论,则所谓内转者,皆含有后元音[u]、[o],中元音[ə]及前高元音[i]、[e]之韵;外转者,皆含有前元音[e]、[ɛ]、[æ]、[a],中元音[ɐ]及后低元音[ɑ]、[ɔ]之韵。如自元音图中第二标准元音[e]引一斜线至中元音[ə]以下一点,更由此平行达于第六标准元音[ɔ]以上一点,则凡在此线上者皆内转元音,在此线下者皆外转元音,惟[e]之短音应属内,长音应属外耳。其分配如下图:

内外转元音分配图

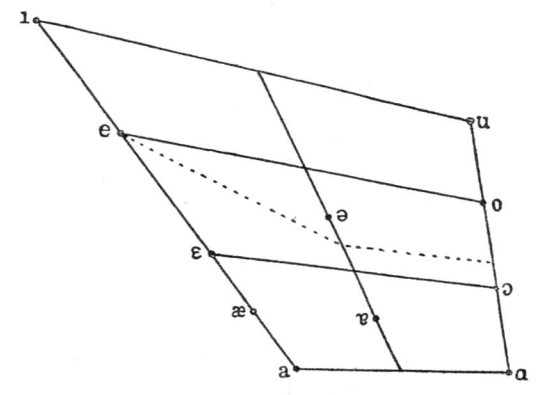

线以上之元音非后即高,后则舌缩,高则口弇,故谓之"内";线以下之元音非前即低,前则舌舒,低则口侈,故谓之"外"。其理即明,而后知江慎修内弇外侈之说确有所见也。大矢透辈演绎其旨,推阐

加详,其功诚不可没。惟竟谓支那不能了解内外转真义,必待彼而后明,[①]其亦知我国前修固已早发其端,而日人拘守假名,审音尚未精密耶?

(四)内外转之特征

由上所论,可知二等字具足与否,乃内外转之现象,而非内外转之本题。《四声等子》及《切韵指掌图》之著者既并转为摄,求内外转之意义而不可得,于是乃揭橥二等具足与否一端,以为《辨内外转例》。按诸实际,内外转之特征,固不止此。据大岛正健《韵镜新解》所举,内转之特征如下(第5项为笔者所益附):

1. 二等只能有正齿音,不得再有其他诸音;
2. 除第二十二转(元)、第四十一转(凡)及第十六转之寄韵(废)[②]外,轻唇音只存于内转而不属于外转;
3. 匣母不现于三等,又除第十七转(真)外,亦不现于四等;
4. 除第三十七转(幽)外,来母不见于四等。(页13,14)
5. 照、穿、床、审、喻及精、清、从、心、邪、帮、滂、并、明、见、溪、群、疑诸母因声而异等。(《七音略》4,5,6,7等图)

外转之特征如下(第5项为笔者所益附):

1. 唇、舌、牙、喉半舌五音与齿音并得列于二等;
2. 唇音在二等全部为重,在三等除第二十二(元)、第四十一(凡)两转及第十六转之寄韵(废)外,皆为重母;
3. 匣母不现于三等,与内转同,其所异者,即在能现于四等;
4. 来母得现于四等。(页17,18)
5. 同一图内无因声异等者,有则另列一图如《七音略》21,22仙四,23,24仙三;25宵三,26宵四;31盐三,32盐四;36,37清四,38清三。

---

① 参阅《韵镜考》,页100。
② 案《韵镜》各本,废韵多附内转第十(微合),惟《七音略》列于第十六转(佳)内。

但麻、阳两韵是例外。

所指各点,除宕、果两摄外,大体皆然。可知二等具足与否,实非内外转惟一之特征。且如验诸音理而不合,则与其迁就表面之特征,勿宁但求音理之通达。大岛正健对于宕摄既据和汉对译、梵汉对译之音读,及《正韵字汇》阳江相通之事实,而疑其应属于外转,终以此摄性质悉合于内转之条件,又断定其应读如江南之 ōng 音[①];对于果摄既知其在和汉对译及梵汉对译中韵响有 a,而亦不能从《韵镜发挥》之说改列外转,反谓《韵镜》当时之音已同于现在中国各省之 o[②],则皆不免瞻徇旧说,舍本逐末矣!至于唇音在外转之变轻母者,惟限于元、凡、废三韵,则因主要元音 [ɐ] 与内转之 [ə] 相近,故得有此相同之演变也。

(五)附释转字义

案,河野通清《韵鉴古义标注》云:

> 转者,圆啭流利为义;

井上文雄《磨光韵镜索隐》云:

> 《广韵》,转,陟兖切,旋也。

余谓前义差胜于后,然"转"虽与"啭"同,而非即"圆啭流利"。《淮南子·修务训》:

> 故秦楚燕魏之歌也,异转而皆乐。

高诱注:

> 转,音声也。

《广韵》去声三十三线:

> 啭,韵也,又鸟吟,知恋切。

---

① 参阅《韵镜音韵考》及《韵镜新解》页 16。
② 同上。

《集韵》：

> 啭，株恋切，声转也。

据雷浚《说文外编》：

> 啭，知恋切，鸟鸣也。《说文》无"啭"字，只可作"转"。周伯琦《六书正讹》曰：转别作啭，非。

是转与啭实即一字，于此应训唱诵。等韵之学传自沙门，其义当本于六朝经师之"转读"。慧皎《高僧传》等十三，论曰：

> 天竺方俗，凡歌咏法言，皆称为呗。至于此土，咏经则称为转读，歌赞则号为梵呗。

《支昙籥传》云：

> 尝梦天神授其声法，觉因裁制新声。梵响清靡，四飞却转，反折还弄。

《智宗传》云：

> 若乃八关之夕，中宵之后，四众低昂，睡蛇交至。宗则升坐一转，梵响干云；莫不开神畅体，豁然醒悟。

又道宣《续高僧传》第四十，《善权传》云：

> 每读碑志，多疏俪词。……及登席，列用牵引而啭之。

盖皆以唱诵经文，宏宣教义，殆即所谓"此方真教体，清净在音闻，我昔三摩提，尽从闻中入"者也。由此演变，遂成唐五代之"俗文"、"变文"，故敦煌石室所发现之民间唱本，如《太子五更转》之类，犹以转称。至于以声经韵纬，纵横成叶之图为一转者，则源出梵音之《悉昙章》。日本入唐求法僧空海所撰《悉昙字母并释义》[①]于所列五十根本字后，更举迦（a）、迦（ā）、祈（i）、鸡（ī）、句（u）、句（ū）、计（e）、盖（ai）、句（o）、唅（au）、欠（am）、迦入（ah）十二摩多[②]，并谓：

> 此十二字者，一个迦字之一转也。从此一迦字母门，出生十二字。如是一一字母各出生十二字，一转有四百八字。如是有二合、三合、四合

---

① 据北京刻经处《弘法大师杂著八种》本。
② 原本列有梵字，今改为拉丁字注音，以便印刷。

之转,都有一万三千八百七十二字。(页7)

《七音略》及《韵镜》之四十三转图,当即模仿《悉昙》型式而归纳《切韵》音类以演成者。其所谓"转",固应指唱诵言也。郑渔仲谓:"释氏以参禅为大悟,通音为小悟。"①后代释子,有所谓"韵主"者,即纯以唱韵开悟后学。刘献廷《广阳杂记》中记虚谷大师事云:

> 虚谷大师本无锡秦氏,其祖为长沙太守,遂流寓衡山,宗族间久不通音问矣。师年七十六,而精健如少年,视听尚不稍衰。其教下法派,则本之二《楞》一《两》,固贤首也。曾听《南华》内七篇于耳观师,有省,自此深好外典。为人直逼前古,好学之诚,出于天性。更能诲人不倦,毫无覆藏,见处亦自超脱。尝受等韵之学于语拙韵主。韵主真定巨鹿人,为黄山第二代教授师。当明中叶,等韵之学盛行于世。北京衍法五台,西蜀峨眉,中州伏牛,南海普陀,皆有韵主和尚,纯以唱韵开悟学者。学者目参禅为大悟门,等韵为小悟门。而徽州黄山普门和尚,尤为诸方所推重。语拙师幼不识字,年三十矣,入黄山充火头,寒暑一衲,行住坐卧惟唱等韵。如是六年,一旦豁然而悟,凡藏典翻译,无留难者。遂为第二代韵主教授师。岁在丁卯,传法南来,五台颛愚和尚甚器重之。桂王闻其名,延入藩府,执弟子礼,学等韵。后养于南岳以终老焉。虚谷大师尝从之学,深有所得,受付属,迄今五十矣。尝抱人琴俱亡之惧,逢人即诏之学等韵。②

所记事迹,虽涉神奇,然亦可见唱诵在等韵中之重要矣。今《字母切韵要法》中之《内含四声音韵图》及《禅门日诵》中之《华严字母韵图》犹存"唱"字之迹,赵荫之先生已论及之③,余因诠释内外转之意义,更附论转与唱之关系如此。

(原载《中央研究院历史语言研究所集刊》
第四本第二分,1933年)

---

① 《通志·七音略·序》。
② 畿辅丛书本卷三,页35。
③ 参阅赵荫棠:《康熙字典字母切韵要法考证》第四节,前中央研究院历史语言研究所《集刊》第三本第一分,页101—105。

各韵图中之内

书目\转次	摄名	通	江	止							遇		蟹				臻			
		1	2	3	4	5	6	7	8	9	10	11	12	13	14	15	16	17	18	19	20
		一东	二冬钟	三江	四支	五支	六脂	七脂	八之	九微	十微	一鱼	二模虞	三哈泰皆齐祭夬	四灰皆齐祭夬	五佳泰祭	六佳祭废	七痕臻真	八魂谆	一九欣	二〇文
七音略	至.	内	外	(缺)	内							内	内	外				外			
	乾.	内	外	内								内	内	外				外			
韵镜	信.谚钞(后). 古.磨(后).汉(前).	内	外	内								内	内	外				外			
	嘉.	内	外	内								内	内	外				外			
	享.永.宽(18).	内	外	内								内	内	外				外			
	庆.	内	外	内								内	内	外				外			
	宽(5).元.解.订. 改.磨(前).汉(后).	内	外	内								内	内	外				内			
	钞(前).	内	外	内								内	内	外				内			
四声等子		内	外	内								内	内	外				外			
切韵指掌图		内	外	内								内	内	外				外			
切韵指南		内	外	内								内	内	外				外			
等韵切音指南		内	外	内								内	内	外				外			
今所考定		内	外	内								内	内	外				内			

略字解

至＝元至治二年版通志本
乾＝清乾隆十三年版通志本
享＝日本享禄元年本
永＝日本永禄七年本
宽(18)＝日本宽永十八年改订本
元＝日本元禄九年本
钞(后)＝日本毛利贞斋《韵镜秘诀袖中钞》元禄八年改订本
解＝日本元禄十二年沙门盛典《韵镜易解》
磨(后)＝日本井上文雄《磨光韵镜》安永九年重版正字本
订＝日本太田嘉方《订正韵镜》
改＝日本明治四十五年大岛正健《改订韵镜》

附注：表首阿拉伯数码表示《七音略》转次，汉字数码表示《韵镜》转次

外转异同表

	山				效		果		假		宕		梗				流	深	咸			曾	
	21 二一 山元仙	22 二二 山元仙	23 二三 寒删仙先	24 二四 桓删仙先	25 二五 豪爻宵萧	26 二六 宵	27 二七 歌	28 二八 戈	29 二九 麻	30 三〇 麻	34 三一 唐阳	35 三二 唐阳	36 三三 庚清	37 三四 庚清	38 三五 耕清青	39 三六 耕青	40 三七 侯尤幽	41 三八 侵	31 三九 覃咸盐添	32 四〇 谈衔严盐	33 四一 凡	42 四二 登蒸	43 四二 登
	外	(缺)	外	外	(缺)		外		外		内		外		内		外	内	内		外	内	
	外		外		内		外	外	内		外		内		外		内	内	外			内	
	外		外		内		外		外		内		外		外		内	内	外			内	
	外		外		外	内	内	外			外						内	内	外			内	
	外		外		内	内	内	外			外						内	内	外			内	
	外		外		外			内			外						内	内	外			内	
	外		外		外		内				外						内	内	外			内	
	外		外		外						外						内	内	外			内	
	外		外		外						外						内	内	外			内	
	外		外		外	外	外		外				外				内	内	外			内	

信＝日本建长四年明了房信范复写本
庆＝日本庆长十三年刊本
谚＝日本延宝七年津高益奥《韵镜谚解大成》
古＝河野通清《韵鉴古义标注》
汉(前)＝日本太田方《汉吴音图》文化年中原刻本

嘉＝日本嘉吉元年写本
宽(5)＝日本宽永五年原刊本
钞(前)＝日本毛利贞斋《韵镜秘诀袖中钞》原刻本
磨(前)＝日本井上文雄《磨光韵镜》延享元年原刻本
汉(后)＝日本太田方《汉吴音图》文政年中重刻本

释 清 浊

凡发音时声带不颤动者谓之"清声",或谓之"不带音";若声带颤动而生乐音者,则谓之"浊声",亦谓之"带音":此稍具语音学常识者皆能辨之。

按《隋书·潘徽传》云:"李登《声类》、吕静《韵集》,始判清浊,才分宫羽"。孙愐《唐韵序·后论》云:"切韵者,本乎四声,引字调音,各自有清浊。"则清浊之辨,由来已久。顾以定名含混,涵义不明,致后来说者乃淆乱。方以智云:"将以用力轻为清,用力重为浊乎?将以初发声为清,送气声为浊乎?将以喀喉之阴声为清,喀喉之阳声为浊乎?"(《通雅》卷五十,页十九。)江永云:"清浊本于阴阳:一说清为阳,浊为阴,天清而地浊也;一说清为阴而浊为阳,"阴"字影母为清,"阳"字喻母为浊也。"(《音学辨微》:页十二)其立论纷纭,从可概见矣。尝谓清浊之辨所以淆乱者,盖由二事缴绕其间:一为牵混受阻之状态及送气不送气;二为牵混声调之阴阳。自《韵镜》以帮、非、端、知、见、精、照、心、审、影、晓为"清",以滂、敷、透、彻、溪、清、穿为"次清",以并、奉、定、澄、群、从、邪、床、禅、匣为"浊",以明、微、泥、娘、疑、喻、来、日为"次浊";其后沈括《梦溪笔谈》,黄公绍《韵会》,刘鉴《切韵指南》,李元《音切谱》等亦皆分为四类,而定名及区划微有异同。惟《四声等子》及《切韵指掌图》另分邪、禅为"半清半浊",江永《音学辨微》另分来、日为"浊",心、审为"又次清",邪、禅为"又次浊":是为异耳。今据《韵镜》分类,参酌诸家异名,定为全清、次清、全浊、次浊四类。若以语音学术语释之,则全清者,即不送气不带音之塞声、擦声及塞擦声也;次清者,即送气不带音之塞声、塞擦声及不带音之擦声也;全浊者,即送气带音之塞声、塞擦声及带音之擦声也;次浊音,即带音之鼻声、边声及喻纽也。分类虽嫌稍疏,而讨论旧音,颇便称举,故可并存不废。惟自元、明以降,全浊平声北音变同次清,而仄声又复不辨清浊,于是"以初发声为清,送气声为浊"之误会乃因之而起。虽以陈澧之明辨,犹谓《梦溪笔谈》及《四声等子》所论清浊为"发""送""收"(《切韵考·外篇》)卷三,页五),似是而非,未能悉合。后学淆惑,复奚怪焉:此一事也。四声各有清浊,孙愐之论,至为显明。然全浊声值,唐以后多数消失,清浊遗迹,但能于声调之变异中寻之。且自元周德清《中原音韵》以北音为宗,平分阴阳,入派三声。而谓:"阴阳字平声有之,上去俱无"。于是声母之清浊逐一变而为声调之阴阳。盖以北音之全浊声母平声变近次清,而声调之高低犹殊;仄声变同全清,而声调之高低亦混:浊声本值已不复辨矣!江永《音学辨微》云:"平有清浊,上去入皆有清浊,合之凡八音。桐城方以智以咙喤上去入为五声,误矣。盖上去入之清浊,方氏不能辨也。"(《音学辨微》页十二)。余谓上去入清浊之不辨,实不自方氏始。且方氏既以"咙""喤"代表阴平阳平,而不沿用清浊旧称,则其所谓"五声"乃指声调之高低言,而不指声母之带音不带音言,已甚显著。此固不只北音为然也,更以现代南部方音证之:今吴语、闽语、粤语中平仄兼具阳调者甚伙。溯其源起,虽皆由古浊声衍成,然除吴语而外,大抵皆为声调之异,其能保持全浊本值者殊不多睹。又西藏字母之ཀ[ga]、ཛ[dza]、ད[da]、བ[ba]、ཇ[dza],本应读为全浊,而现代拉萨音乃变为:ཀ[ka]、ཚ[tsa]、ད[ta]、པ[pa]、ཇ[tsa]之低调。其演变之迹亦可引为旁证也。然则阴阳虽出于清浊,而与清浊非一物。自清浊之辨不明,于是或以"咙喉之阴声为清,喤喉之阳声为浊";或以"清为阳,浊为阴";或以"清为阴,浊为阳"。声母与声调混为一谈而清浊本义转以日晦:此二事也。若乃《广韵》卷末附《辨字五音法》,一唇声并饼,注云清也。二舌声灵历,注云清也。三齿声陟珍,注云浊也。四牙音迦佉,注云浊也。五喉声纲各,注云浊也。此惟以并饼为清不误,其余灵历浊而误以为清,陟珍迦佉纲各皆清而误以为浊。又有《辨字四声轻清重浊法》以"珽、珍、陈、桩、弘、龟、员、禋、孚、邻、从、峰、江、降、妃、伊、微、家、施、民、同"等为轻清;以"之、真、辰、洪、春、谆、朱、殷、伦、风、松、飞、夫、分、其、杭、衣、眉、无、文、傍"等为重浊;清浊混举,不可依据。今以带音不带音为清浊;以声调之高低升降为阴阳:命名既定,纠纷立解,往昔支离缴绕之谈,皆可存而不论也。

(原载《中央日报·文史》第六期,
1936年12月13日,署名罗莘田)

《通志·七音略》研究
——景印元至治本《通志·七音略》序

一　宋元等韵之派别

宋元等韵图之传于今者,大别凡有三系:《通志·七音略》与《韵镜》各分四十三转,每转纵以三十六字母为二十三行,轻唇、舌上、正齿分附重唇、舌头、齿头之下;横以四声统四等,入声除《七音略》第二十五转外,皆承阳韵。孙觌《内简尺牍》谓杨中修《切韵类例》为图四十四,当亦与此为近;此第一系也。《四声等子》与《切韵指南》各分十六摄,而图数则有二十与二十四之殊。其声母排列与《七音略》同,惟横以四等统四声,又以入声兼承阴阳,均与前系有别;此第二系也。《切韵指掌图》之图数及入声分配与《四声等子》同,但削去摄名,以四声统四等;分字母为三十六行,以轻唇、舌上、正齿与重唇、舌头、齿头平列;又于第十八图改列支之韵之齿头音为一等;皆自具特征,不同前系。惟杨倓《韵谱》"变三十六分二纸肩行而绳引"[①],"于旧有人者不改,旧无人者悉以入隶之"[②],其式盖与此同;此第三系也。综此三系,体制各殊,时序所关,未容轩轾。然求其尽括《广韵》音纽,绝少漏遗,且推迹原型,足为构拟隋唐旧音之参证者,则前一系固较后二系差胜也。

---

① 张麟之:《韵镜序作》。
② 戴震:《答段若膺论韵书》。

二　等韵图肇自唐代非宋人所创

《七音略》所据之《七音韵鉴》与《韵镜》同出一源，其著者为谁，郑樵、张麟之辈已谓"其来也远，不可得指名其人"。①《宋史·艺文志》有释元冲《五音韵镜》，明王圻《续文献通考》有宋崔敦诗《韵鉴》及宋吴恭《七音韵镜》等，其书是否与郑、张所据为同系，亦以散佚已久，无从考核。日人大矢透据藤原佐世《日本现在书目》所录《切韵图》及释安然《悉昙藏》所引《韵诠》，谓《韵镜》之原型夙成于隋代。②其比附《韵诠》，虽未尽协，然效法《悉昙章》之韵图，自《切韵》成书后即当继之以生，而非创自宋人，则固不容否认也。更举数证，以实吾说。

张麟之《韵镜序作》题下注云："旧以翼祖讳敬，故为《韵鉴》，今迁祧庙，复从本名。"案翼祖为宋太祖追封其祖之尊号，如《韵镜》作于宋人，则宜自始避讳，何须复从本名？倘有本名，必当出于前代。此一证也。

《七音略》之转次，自第三十一转以下与《韵镜》不同：前者升覃、咸、盐、添、谈、衔、严、凡于阳、唐之前，后者降此八韵于侵韵之后。案隋唐韵书部次，陆法言《切韵》与孙愐《唐韵》等为一系，李舟《切韵》与宋陈彭年《广韵》等为一系。前系覃、谈在阳唐之前，蒸、登居盐、添之后；后系降覃、谈于侵后，升蒸、登于尤前。③今《七音略》以覃、谈列阳、唐之前，实沿陆、孙旧次，特以列图方便而升盐、添、咸、衔、严、凡与覃、谈为伍。至于《韵镜》转次则显依李舟一系重加排定，惟殿以蒸、登、犹可窥见其原型本与《七音略》为同源耳。

---

① 张麟之：《韵镜序作》。
② 大矢透：《韵镜考》，第四章。
③ 参阅王国维《观堂集林》八，《李舟切韵考》。

此二证也。

敦煌唐写本守温韵学残卷所载《四等重轻例》云：

平声

| 观古桓反 | 关删 | 勬宣 | 涓先 |

上声

| 满莫伴反 | 䜌潺 | 免选 | 缅狝 |

去声

| 半布判反 | 扮襇 | 变线 | 遍线 |

入声

| 特徒德反 | 宅陌 | 直职 | 狄锡 |①

其分等与《七音略》及《韵镜》悉合。降及北宋，邵雍（1011—1077）作《皇极经世声音图》，分字音为"开"、"发"、"收"、"闭"四类，除舌头、齿头、轻唇及舌上娘母与《等韵》微有参差外，余则"开"为一等，"发"为二等，"收"为三等，"闭"为四等②，亦并与《七音略》合。是四等之分划，在守温以前盖已流行，北宋之初亦为治音韵者所沿用，则其起源必在唐代，殆无可疑。此三证也。

《七音略》于每转图末分标"重中重"，"重中轻"，"轻中轻"，"轻中重"等词，其定名亦实本诸唐人。案日释空海《文镜秘府论》调声云："律调其言，言无相妨，以字轻重清浊间之须稳。至如有'轻''重'者，有'轻中重'，'重中轻'，当韵之即见。且疵（侧羊反）字全轻，霜字轻中重，疮字重中轻，床（士应反）字全重。"又论文意云："夫用字有数般，有'轻'有'重'，有'重中轻'，有'轻中重'，有虽重浊可用，有轻清不可用者，事须细绎之。若用重字，即以轻拂之便快也。"空海精研悉昙，善解声律。就其所举"疵""霜""疮""床"四字

---

① 全文见刘复《敦煌掇琐》下辑，今四声各举一例，余俱从略。
② 参阅袁子让《字学元元》卷十《四音开发收闭辩》。

推之,盖以"全清"塞声为"全轻","全清"擦声为"轻中重","次清"为"重中轻","全浊"为"全重";其含义虽不与《七音略》悉符(见下文),然"重中轻""轻中重"之名称必为唐代等韵学家所习用,则显然易见。① 此四证也。

昔戴东原谓:"呼等亦隋唐旧法","二百六韵实以此审定部分。"② 钱竹汀亦云:"一二三四之等,开口合口之呼,法言分二百六部时,辩之甚细。"③ 证以前说,盖不甚远。故等呼之名虽后人所定,而等呼之实则本诸旧音。至于经声纬韵,分转列图,则唐代沙门师仿悉昙体制,以总摄《切韵》音系者也。

三 《七音略》《韵镜》与其原型之异同正犹《等韵切音指南》与《切韵指南》之异同

论者或谓《七音略》第一转匣母平声三等"雄"字,《广韵》为"羽弓切"应属喻母,今列匣母下,则从《集韵》"胡弓切"之音;第四转唇音平声三等有"陂"、"縻"二字,《广韵》"陂,彼为切","縻,靡为切",依下字当列第五转合口,今列开转内,则从《集韵》"班縻切"与"忙皮切"之音。至其所收之字见于《集韵》而不见于《广韵》者,尤不胜枚举。此并可证明《七音略》与《韵镜》之归字从宋音而不从唐音。且《七音略》揭明三十六字母标目,而七音各以类从,均较唐人三十字母秩然有别。则此系韵图纵有妙用,亦限于审正宋音,未可据以远溯隋唐。此说似是而实非也。盖两书之归字即使迁就宋音,而其原型则未必不出于前代。正犹《康熙字典》卷首之《等韵切音指

---

① 案空海于唐德宗贞元二十年甲申(即日本桓武天皇延历二十三年,公元804年)入唐留学,从不空三藏弟子昙贞受悉昙。
② 见《声韵考》,卷二。
③ 见《潜研堂答问》十三。

南》归字虽从清音,而刘鉴之《切韵指南》则固作于元末(至元二年丙子,公元1336)也。尝对校两书而揭其异点,则:

(一)韵摄次第不同:《切韵指南》以通、江、止、遇、蟹、臻、山、效、果、假、宕、曾、梗、流、深、咸为序;《切音指南》以果、假、梗、曾、通、止、蟹、遇、山、咸、深、臻、江、宕、效、流为序。且《切音指南》于曾摄合口三等见母下复列通摄之"恭"字;宕摄二等开口复列江摄牙音唇音喉音字,合口复列江摄舌音齿音半舌音字;又江摄见母下之"㧁""㧶"二字,止摄合口见母下之"㿟""㿠"二字,咸摄第二图见母下之"干"字,精母下之"尖"字,深摄见母下之"根"字;均为《切韵指南》所无。此种修改,殆因清初之《字母切韵要法》并梗、曾、通为庚摄,江、宕为冈摄,山、咸为干摄,深、臻为根摄而欲比照删并者也。

(二)各摄之开合口不同:《切韵指南》以止、蟹、臻、山、果、假、宕、曾、梗九摄各有开口合口二呼,以通、江、遇、效、流、深、咸七摄为独韵。《切音指南》于刘鉴所定之独韵七摄,改江摄为开合呼,效、流、深、咸为开口呼,通、遇为合口呼。

(三)唇音开合口之配列不同:《切韵指南》梗摄合口三等"丙、皿"二字,曾摄合口三等"逼、堛、愎、奞"四字。山摄合口二等"班、版、扮、攀、襻、蛮、矕"七字,四等"褊、缅"二字,宕摄合口一等"帮、螃、膀、傍"四字,《切音指南》均改列开口;惟将宕摄开口三等之"方、昉、放、缚"等十六字改列合口;此种修改亦与《字母切韵要法》同。

(四)正齿音二三等之分划不同:《切韵指南》通摄正齿音二等有"崇、㒞"二字,宕摄正齿音二等有"庄、牀、壮、斮"等十三字,《切音指南》均降列三等,且自开转合。此与《字母切韵要法》以"崇"等为庚摄合口副韵,以"庄"等为冈摄合口副韵之例适合。

(五)止摄齿头音及唇音之等第不同:止摄齿头音"资、雌、慈、思、词"第十九字,《切韵指南》原在四等,《切音指南》均改列一等。又《切韵指南》于唇音二等内复列三等之"陂、䃾、彼、破、被、美"六字,《切音指南》更升为一等而删去复见三等之字。

（六）入声之系统不同:《切韵指南》蟹摄合口三等屋韵之"竹、畜、逐、鼀","切音指南"易以术韵之"怵、黜、术、貀",足征-k -t 两尾已混而不分。又《切韵指南》通摄三等烛韵之"瘃、楝、躅、傉",《切音指南》易以屋韵之"竹、畜、逐、鼀",复以三等烛韵之"辱"字改列一等,足征屋、烛两韵亦洪细莫辨。他如《切音指南》以药、铎承流摄,以德承止摄一等,亦皆受《字母切韵要法》之影响。

（七）字母之标目不同:《切韵指南》之"群、床、娘"三母,《切音指南》改为"郡、状、娘",与《字母切韵要法》同。此由当时读第三位为不送气音,故易平为仄以免误会也。

然其所异者不过归字之出入,而其不可易者则为结构与系统。倘使刘鉴原书已佚,后人遂据《切音指南》之归字而断定此系韵图不出于元季,宁非厚诬古人耶？故据《七音略》与《韵镜》之归字而否认其原型作自唐代者,其失殆与是埒也！

四 《七音略》与《韵镜》之异同

《七音略》与《韵镜》虽同出一源,而其内容则非契合无间。举其大端,凡有七事。

一曰转次不同。自第三十一转以下,两书次第颇有参差。兹胪举韵目,列表于下：

转次	《七音略》韵目	《韵镜》韵目
第三十一转	覃咸盐添（重）	唐阳（开）
第三十二转	谈衔严盐（重）	唐阳（合）
第三十三转	凡（轻）	庚清（开）
第三十四转	唐阳（重）	庚清（合）
第三十五转	唐阳（轻）	耕清青（开）

第三十六转	庚清(重)	耕青(合)
第三十七转	庚清(轻)	侯尤幽(开)
第三十八转	耕清青(重)	侵(合)
第三十九转	耕青(轻)	覃咸盐添(开)
第四十转	侯尤幽(重)	谈衔严盐(合)
第四十一转	侵(重)	凡(合)
第四十二转	登蒸(重)	登蒸(开)
第四十三转	登蒸(轻)	登(合)

由此可见《七音略》所据为陆法言《切韵》系之韵次，《韵镜》所据为李舟《切韵》系之韵次；其异同所关，已于前文论之矣。

二曰重轻与开合名异而实同。《七音略》于四十三转图末标"重中重"者十七（第三十二，第三十六两转元本作重中轻，殿本及浙本作重中重，今从元本），"轻中轻"者十四，"重中轻"者五，"轻中重"者二，"重中重(内重)"，"重中重(内轻)"，"重中轻(内重)"，及"重中轻(内轻)"者各一。《韵镜》则悉削"重""轻"之称，而于图首转次下改标"开""合"。凡《七音略》所谓"重中重"，"重中重(内重)"，"重中重(内轻)"，"重中轻(内重)"及"重中轻"者，皆标为开；所谓"轻中轻"，"轻中轻(内轻)"，"轻中重"及"轻中重(内轻)"者皆标为"合"。惟《韵镜》以第二十六、第二十七、第三十八及第四十诸转为"合"，以第二、第三、第四及第十二诸转为"开合"，均于例微乖，则当据《七音略》之"重""轻"而加以是正。故夹漈所定"中重""内重""中轻""内轻"之辨，虽难质言，而其所谓"重""轻"适与《韵镜》之"开""合"相当，殆无疑义也。①

三曰内外不同。内外之辨，系于元音之弇侈。内转者，假定皆含有后高元音[u][o]、中元音[ə]及前高元音[i][ĕ]之韵；外转者，假定皆含有前元音[e][ɛ][æ][a]、中低元音[ɐ]及后低元音[ɑ][ɔ]

---

① 参阅《释重轻》，见本书页106。

之韵。① 今考《七音略》与《韵镜》之"内""外",惟有三转不同:第十三转咍、皆、齐、祭、夬诸韵及第三十七转(即《韵镜》第三十四转)庚清诸韵,《七音略》以为"内",而《韵镜》以为"外";第二十九转麻韵,《七音略》以为"外",而《韵镜》以为"内";据例以求,第十三转所含之元音为[ɑ][a][æ][e],第三十七转所含之元音为[ɐ][æ],则《韵镜》是而《七音略》非;第二十九转所含之元音为[a],则《七音略》是而《韵镜》非。互有正讹,未可一概而论也。

　　四曰等列不同。分等之义,江慎修辨之最精。其言曰:"一等洪大,二等次大,三四皆细,而四尤细。"② 惟谓"辨等之法,须于字母辨之"③,则不逮陈兰甫所谓"等之云者,当主乎韵,不当主乎声"④,尤能烛见等韵本法也。如以今语释之,则一二等皆无[i]介音,故其音"大";三四等皆有[i]介音,故其音"细"。同属"大"音,而一等之元音较二等之元音略后略低,故有"洪大"与"次大"之别,如歌之与麻,咍之与皆,泰之与佳,豪之与肴,寒之与删,覃之与咸,谈之与衔,皆以元音之后[ɑ]前[a]而异等。同属"细"音,而三等之元音较四等之元音略后略低,故有"细"与"尤细"之别,如祭之与齐,宵之与萧,仙之与先,盐之与添,皆以元音之低[æ]高[e]而异等。然则四等之洪细,盖指发元音时,口腔共鸣间隙之大小言也。⑤ 惟同在三等韵中,而正齿音之二三等以声母之刚柔分(二等为舌尖后音三等为舌面前音);喻母及唇音、牙音之三四等以声母有无附腭作用分(三等有 j 四等无 j);复以正齿与齿头不能并列一行,而降精清从心邪于四等,此并由等韵立法未善,而使后人滋惑

---

① 参阅《释内外转》,见本书页129。
② 见《音学辨微·辨等列》。
③ 同上。
④ 见《东塾集》,卷三,《等韵通序》。
⑤ 别详拙著《释等呼》(案原稿没有发表——编者)。

者也。今考《七音略》与《韵镜》之等列大体相去不远,惟以抄刊屡易,难免各有乖互。

若据上述分等之例订之,则《七音略》误而《韵镜》不误者,凡二十五条:

转次	母及调	例字	《七音略》等列	《韵镜》等列
1 第三转		(全转)	平声列二等上去入列三等	四声均列二等
2 第六转	来平	梨	二	三
3 第七转	知去	轛(追萃切)	入一	去三
4 同 前	澄去	坠	四	三
5 同 前	见溪群去	愧喟匮	四	三
6 同 前	见群上	癸揆	去一	上四
7 同 前	见群去	季悸	入一	去四
8 第八转	喻平	饴(与之切)	三	四
9 第九转	晓去	欷(许既切)	四(字作稀)	三
10 同 前	疑去寄入	刈(鱼肺切)	一	三
11 第十二转	审上	数(所矩切)	三	二
12 第十七转	喻去	酳(羊晋切)	三	四
13 《韵镜》第三十四转《七音略》第三十七转	见溪上	矿(古猛切) 䫀(苦猛切)	一	二
14 同 前	见上	璟(俱永切)	二	三
15 同 前	溪上	憬(集韵孔永切)	○	三
16 同 前	溪上	顷(去颖切)	三	四
17 同 前	晓上	兤(许永切)	四	三
18 同 前	匣上	䁝(胡猛切)	三	二
19 《韵镜》第三十五转《七音略》第三十八转		(全转)	一二三无四等	二三四无一等
20 同 前	端入	狄	○	四
21 同 前	见上	剄(古挺切)	改列溪母三等	四
22 同 前	影上	巊(烟涬切)	一	四

	转次	母及调	例字	《韵镜》等列	《七音略》等列
23	《韵镜》第三十九转 《七音略》第三十一转	明上	烎（明忝切）	三	四
24	同　前	疑上	顉（鱼检切）	四	三
25	同　前	匣平	嫌（户兼切）	三	四

《韵镜》误而《七音略》不误者亦有十四条：

	转次	母及调	例字	《韵镜》等列	《七音略》等列
1	第四转	从平	疵	三	四
2	第五转	穿上	揣（初委切）	三	二
3	第十一转	喻平	余（余诸切）	三	四
4	第十四转	清去	毳（此芮切）	三	四
5	第十七转	晓去	衅（许觐切）	四	三
6	第二十四转	匣去	县（黄练切）	三	四
7	第二十五转	疑平	尧（五聊切）	三	四
8	同　前	疑平	峣（五聊切）	四	○案峣与尧同音
9	《韵镜》第三十二转 《七音略》第三十五转	见群上	䁝（俱往切） 俇（求往切）	二	三
10	《韵镜》第三十三转 《七音略》第三十六转	疑平	迎（语京切）	四（宽永本不误）	三
11	《韵镜》第三十七转 《七音略》第四十转	滂平	䫹（匹尤切）	四	三
12	《韵镜》第三十九转 《七音略》第三十一转	匣上	鼸（胡忝切）	三（宽永本不误）	四
13	第四十二转	审上	殊（色庋切）	三	二
14	同　前	喻去	孕（以证切）	三	四

若斯之类，并宜别白是非，各从其正者也。

　　五曰声类标目不同。《韵镜》各转分声母为"唇""舌""牙""齿""喉""半舌""半齿"七音，每音更分"清""次清""浊""次浊"诸类，而不别标纽文。《七音略》则首列帮、滂、并、明，端、透、定、泥，见、溪、群、疑，精、清、从、心、邪，影、晓、匣、喻，来、日二十三母；次于端组下复列知、彻、澄、娘，精组下复列照、穿、床、审、禅，而轻唇非、敷、奉、微四母则惟复见于第二、第二十、第二十二、第三十三、第三十

四、五转帮组之下；又于第三行别立"羽"、"徵"、"角"、"商"、"宫"、"半徵"、"半商"七音以代"唇"、"舌"、"牙"、"齿"、"喉"、"半舌"、"半齿"；此其异也。就标明纽目而论，则郑渔仲改从宋代习尚者，实较张麟之为多。至以"羽""征"等七音代表声母发音部位，则与序文所引郑译之言同一附会矣。

六曰废韵所寄之转不同。《韵镜》以"废、计、刈"三字寄第九转（微开）入三，（案废字与次转重复，计字本属霁韵。）以"废、吠、㤿、犦、䅩、秽、喙"七字寄第十转（微合）入三。（㤿丘吠切，䅩呼吠切，但《广韵》寄于祭韵之末，乃后人窜入者。）《七音略》留"刈"字于第九转而改列一等，移置"废、肺、吠、犦、秽、喙"六字于第十六转（佳轻），而于第十五转（佳重）但存废韵之目。今案废韵之主要元音为$[\mathrm{e}]$，与佳韵同属外转，《七音略》以之寄第十六转，实较《韵镜》合于音理，惟应移第九转入一之"刈"字于第十五转入三，则前后始能一贯耳。

七曰铎药所寄之转不同。案《韵镜》通例，凡入声皆承"阳韵"。《七音略》大体亦同；惟铎药两韵之开口《七音略》复见于第二十五（豪肴宵萧）及第三十四（唐阳，即《韵镜》第三十一）两转，与《韵镜》独见于第三十一转者不同，盖已露入声兼承阴阳之兆矣。

上述七事，皆其荦荦大端。以转次及废韵所寄言，则《七音略》似古于《韵镜》；以声类不标纽目及入声专承阳韵言，则《韵镜》又似古于《七音略》；要之，皆于原型有所损益，实未可强分先后也。至于两书归字之出入，别于《韵镜校释》中详之，此不赘及。

五　至治本与清武英殿本及浙江局本之异同

此本乃元三山郡庠所刊，至治二年（1322）郡守吴绎摹印五十部,散之江北诸郡,故俗称至治本,而其刊版实当在至治以前。入明,版入南京国子监,兹所据北京图书馆藏之蝶装犹为元印本,实传世《通志》之最古者也。尝以此本与清乾隆武英殿本及浙江局本对校,发见其足以正他本之误者,凡二十七条:

	转次	母调等	至治本	武英殿本	浙江局本
1	第三转		外转第三	外转第三	内转第三×
2	同 前	滂去三	胖	胖×	胖×
3	第十转	並上三	臏	臏×	臏×
4	第十二转	禅上三	竖	竖×	竖×
5	第十七转	审去二	阞	阞×	阞×
6	第二十转	见入三	亥	亥×	亥×
7	第二十一转	明上二	魩	魩×	魩×
8	同 前	彻上三	䚋	䚋×	䚋×
9	同 前	邪上四	綾	繕×	繕×
10	第二十三转	泥入四	涅	涅×	涅×
11	第二十四转	明平一	瞞	瞞×	瞞×
12	第二十八转	溪去一	課	課	(缺)
13	第二十九转	明去二及禡韵目	禡	禡×	禡×
14	第三十一转	定上一	禫	禫×	禫×
15	第三十二转	心去四	(空格)	僮×	僮×
16	同 前	心入一	僮	翠×	翠×
17	同 前	审入二	翠	(空格)×	(空格)×
18	同 前	(图末)	重中轻	重中重×	重中重×
19	第三十四转	疑去一	柳	柳	柳×
20	同 前	来上一	朗避宋朗字讳	郎×	郎×
21	第三十六转	审去二	土?案敬韵有生字,所敬切,宜列此位,此字疑即生之破字。	(空格)×	(空格)×
22	同 前	(图末)	重中轻	重中重×	重中重×
23	第三十七转	匣上三	廿	廿×	廿×

24	第三十八转	（上声韵目）迥		迥	迥×
25	同　前	从入一	䕍	䕍	頤×
26	第四十一转	精平四	㳌	㳌×	㳌×
27	第四十二转	喻入四	弋	弋	戈×

此本与他本同误者，除上文关于等列者外，尚有七十条：

	转次	母调等	误字	应据韵镜校正
1	第一转	晓入一	縠(胡谷切)	改列匣入一
2	第五转	见去四	诶(女恚切)	改列泥去三
3	同　前	溪去四	睨(规恚切)	改列见去四，而于此位另补觖字(窥瑞切)
4	第六转	疑平三	示(神至切)	狋(牛饥切)
5	同　前	审平三	只(诸氏切)	尸(式脂切)
6	第七转	心平四	绥(儒佳切)	绥(息遗切)
7	第十一转	邪去四	屐(奇逆切)	屦(徐预切)
8	同　前	影上三	㭒(依倨切，与䤯同音)	㧿(於许切)
9	第十二转	影上三	诩(况羽切)	改列晓上三，而于此位另补伛字(於武切)
10	第十三转	端平一	䰐	䰐(丁来切)
11	同　前	见去二	诫(是征切)	诫(古拜切)
12	同　前	溪去一	溉(古代切)	慨(苦溉切)
13	同　前	影上一	欥(苦管切)	欸(於改切)
14	同　前	晓上二	骇(侯楷切)	改列匣上二
15	同　前	晓上四	徯(胡礼切)	改列匣上四
16	第十四转	晓去二	䫻	䫻(火怪切)
17	第十五转	定去一	太(他盖切)	大(徒盖切)
18	同　前	疑平二	崔(仓回切)	崖(五佳切)
19	第十六转	帮去二	派(匹卦切)	庍(方卦切)
20	第十七转	明入三四	蜜密	密 美笔切 三等　蜜 弥毕切 四等
21	同　前	彻入三	秩(直一切)	扶(丑栗切)
22	同　前	影上四	引(余忍切)	改列喻上四
23	同　前	晓平一	痕	痕(户恩切)改列匣平一
24	同　前	匣上一	狠	很(胡恳切)

25	第十八转	澄入三	述(食聿切)	术(直律切)
26	同 前	见上三	窘(渠殒切)	改列群上三
27	同 前	从平四	唇(沿上而讹)	鹑(昨旬切)
28	第二十一转	滂去四	䛟	䛟(匹战切)
29	同 前	影入二	輾 士限切,与栈同音,应并入床上二	鹝(乙辖切)
30	同 前	(韵目平一)	山	改列平二
31	第二十二转	微平三	㨉(集韵弥殄切)	楠(武元切)
32	同 前	见上三	奱(力兖切)	卷(集韵九远切)
33	第二十三转	彻平三	脡	脡(丑延切)
34	同 前	照上三	瞸	膳(旨善切)
35	同 前	匣上四	现(胡甸切)	岘(胡典切)
36	同 前	日上三	跣	跣(人善切)
37	第二十四转	帮上一	叛 薄半切,与畔同音,应并入并去一	粄(博管切)
38	同 前	溪去一	鑹	鑹(口换切)
39	第二十五转	知平二	凋 都聊切,与貂同音,应并入端平四	嘲(陟交切)
40	同 前	彻上三	巐	巐(丑小切)
41	同 前	澄平二	祧	桃(直交切)
42	第二十六转	群平四	蹻(去遥切)	改列溪平四
43	同 前	疑平四	翘(渠遥切)	改列群平四
44	第二十七转	透去四	柂(集韵余知切)	拖(吐逻切)
45	同 前	溪上一	何(胡歌切)	可(枯我切)
46	第二十八转	定去一	堕(徒果切)	隋(徒卧切)
47	同 前	来去三	臝(臝有落戈、郎果二切)	㼌(鲁过切)
48	第二十九转	从平四	查(鉏加切)	查(才邪切)
49	第三十一转	彻入二	盔	盏(丑囚切)
50	第三十二转	透平一	䩞(集韵有如占、他念二切)	甜(他酣切)
51	同 前	见去一	𪑦	𪑦(古蹔切)
52	同 前	清上四	槧(有慈染、才敢、七艳诸切)	憸(七渐切)
53	同 前	从上一	糌(子敢切)	槧(才敢切)
54	第三十三转	非上三	朕	腰(府犯切)
55	同 前	溪上三	丩	凵(丘犯切)

56	第三十四转	见去三	疆(居良切)	彊(居亮切)
57	第三十六转	滂入二	柏(博陌切,与伯同音)	拍(普伯切)
58	同　前	并入三	擿	檘(弼戟切)
59	同　前	明去二三	命孟	孟命 孟在二等敬韵, 命在三等劲韵 改列来入二
60	同　前	日入二	礐(力摘切)	
61	第三十八转	並入二	擗(毗亦切,在昔韵四等)	欂(蒲革切,在麦韵二等)
62	同　前	端去四	叮(当经切)	矴(丁定切)
63	同　前	透上四	挺(徒鼎切)	侹(他鼎切)
64	同　前	定上四	(空格)	挺(徒鼎切)
65	第四十转	透上一	姓(息正切)	天口切,同纽有姓 甡字,与姓形近而讹
66	第四十一转	娘上三	枮(如甚切)	拰(尼凛切)
67	第四十二转	晓平一	恒(胡登切)	改列匣平一
68	同　前	匣平一	岠(胡登切)	与恒并为一纽
69	同　前	匣平三	蝇(余陵切)	韵镜亦误列三等, 应改列喻平四
70	第四十三转	(韵目)	蒸等拯嶝证	应删

此本与他本不同而实并误者,凡十条:

	转次	母调等	至治本	武英殿本	浙江局本	校改之字
1	第十转	晓上三	旭	旭	旭	尡
2	第十一转	清去四	甉	甉	甉	觋
3	第十三转	疑去二	睰	睰	嗻	䁍
4	同　前	匣去寄入二	嚇	嚇	嚇	㪅
5	第十四转	泥平一	㥍	㥍	㥍	㥻
6	第二十四转	定去一	叚	叚	叚	段
7	同　前	彻上三	㬥	㬥	㬥	脵
8	同　前	晓入三	旻	旻	旻	旻
9	第三十七转	晓平四	昫	昫	昫	呴
10	第三十九转	晓入四	狐	狐	狐	殈

此本误而他本不误者,凡十七条:

	转次	母调等	至治本	武英殿本	浙江局本
1	第四转	彻上三	褫×	褫×	褫
2	第五转	来平三	羸×	羸×	羸
3	第七转	见上三	軌×	軌×	軌

4 同　前	心去四	邃×	邃×	邃
5 第十三转	来平四	黎×	黎×	黎
6 第十四转	喻去三	衛×	衛×	衛
7 第十五转	明去四	袂×	袂×	袂
8 同　前	来去一	頼×	頼×	頼
9 第二十一转	澄去二	祖×	祖	祖
10 同　前	溪上三	言×	言(去偃切)	言×
11 同　前	群去三	健×	健	健
12 同　前	来上一	夘×	夘	夘
13 第三十一转	匣去二	陷×	陷	陷
14 第三十五转	溪上一	廮×	廮	廮
15 第四十转	见上三	久×	久	久
16 同　前	从上一	鮔×	鮔	鮔
17 第四十二转	见入一	祴×	祴	祴

此外至治本凡从員者皆作"貟"，罻作"罳"兑作"兖"，曷作"昌"，儁作"雋"，祭作"祡"，殳作"旻"，麥作"麦"，兮作"丂"，鼻作"鼻"，算作"笇"，夗作"夗"，册作"冊"，鬼作"鬼"，恩作"忽"，達作"达"，赞作"賛"，闌作"闌"，番作"畨"，复作"叏"，爽作"爽"，寮作"寀"，夸作"夸"，専作"専"，丈作"丈"，尢作"尤"，则由沿袭当时之书写体势而然，或正或俗，宜分别观之！凡此种种，或此本是而他本非，或他本是而此本非，或此本与他本并非，要当参证《韵镜》，旁稽音理，正其所短，取其所长，斯可成为定本。段懋堂曰："校书之难，非照本改字，不讹不漏之难也，定其是非之难。"[1]不其然欤？

1934年，北京大学既印行《韵镜》《龙龛手鉴》及《西儒耳目资》以便学子研究，马幼渔先生更提议印行《通志·六书·七音》二略，俾后来治文字音韵学者，于夹漈在历史上之贡献有所认识。嗣承徐森玉、赵斐云两先生之赞助，乃由北京图书馆假得此本，景印流

---

[1]《经韵楼集》卷十二《与诸同志书论校书之难》。

传。其年秋,余自南京北来,承乏母校语言学及音韵学讲席,适逢印行此书之会,因就曩日研习所得,略论宋元等韵源流及《七音略》与《韵镜》之异同,并对校诸本而判定其是非,聊供读此书者之参考云尔。

(1935年4月25日序于北京北海静心斋)
(原载《中央研究院历史语言研究所集刊》第五本第四分,1935年)

《经典释文》和原本《玉篇》
反切中的匣于两纽
——跋葛毅卿《喻三入匣再证》

在《切韵指掌图》的"检例"里,有一首"辨匣喻二字母切字歌",原文是:

> 匣阙三四喻中觅,喻亏一二匣中穷。上古释音多具载,当今篇韵少相逢。(原注:户归切帏,于古切户。)

从这首歌里,我们可以看出一些匣喻两纽在古代音韵中的关系来。几年以前,葛毅卿君曾经根据这首歌诀和王国维手写本《切韵残卷》里"云""越"两字的反切,在《通报》里发表了一篇文章,假定喻三(即于纽)的音值应该和匣纽字相同。近来他又怀疑《残卷》里"于,明俱反"的"明"字或许是"胡"字的形讹,另外举了原本《玉篇》"云"作"胡勋反"和敦煌写本《尚书释文》残卷"滑"作"于八反"两条旁证,写了一篇《喻三入匣再证》。在葛君以前,曾运乾的《切韵五声五十一纽考》[①]也曾根据《切韵·序》"先仙尤侯俱论是切"那句话,把喻纽三等当作匣纽的"细音",他说:

> 先仙尤侯皆举类隔双声以明分别纽类之意。如尤,于求切,于胡不能相易者,尤为萧韵之弇音,于在虞韵亦弇音也;例:音弇者声细,故尤、于求切也。侯,胡沟切,胡于不能相易者,侯为虞韵之侈音,胡在模韵亦侈音也;例:音侈者声鸿,故侯胡沟切也。

他于是拿"胡、乎、户、侯、下、黄、何"七字当作"匣一",拿"于、羽、

---

① 《东北大学季刊》,第一期,页 14。

雨、王、云、云、韦、有、永、远、荣、为、洧、筠"十四字当作"匣二"。这和他在《喻母古读考》①里以喻三归匣的说法可以互相印证。如果再往以前推溯，那末，邹汉勋《五均论》②的《廿声卌论》里有"论喻当并匣"一条，虽然目存文佚，却未尝不可以作我们进一步探讨的启示。

当葛君写后面那篇文章的时候，我正在整理《经典释文》的反切，因为十年前我在《切韵探赜》里也曾经提出过这个问题③，所以对它还颇感兴味，顺便给葛君写信指出《释文》里的两个例子，已承葛君引入篇中。不过我现在认为还有补充的必要，因此又参照《经典释文》和原本《玉篇》中匣于两纽的反切，写成这篇跋尾。

在讨论本题以前，先得约略说明我整理《经典释文》反切的方法。《释文》这部书本来不是专为审音而作的，它的反切系统当然不能像《广韵》那样秩然不紊；所以整理这一大批棼如乱丝，将近六万张卡片的反切材料也要比陈兰甫作《切韵考》的功力更加繁难。现在先就整理声类的方法来说。我系联《释文》声类的方法，共有三种：

第一，反切上字同用、互用、递用者：如"巴"有"必加、必麻"二反，"包"有"必交、必茅"二反，同用"必"字；"薄"有"旁各、旁博"二反，"旁"有"薄刚""薄莽"二反，"薄""旁"二字互用；"缚，扶谋反"，"浮，缚谋反"，"缚""扶""浮"三字递用，是也。

第二，反切上字《释文》未著切语而据其直音之切语系联者：如"补"《释文》无反切，而其直音"圃"字有"必古、布古、布五"三反，故

---

① 《东北大学季刊》，第二期，页58—64。其后《安徽大学月刊》第一卷第一期又载方景略《喻母古读考》一篇，举于纽与影纽相通例十五条，与晓纽相通例七条，谓"于母乃自古音数母所变，未可专定为某一母变音"。
② 《邹叔子遗书》本。
③ 广州中山大学《语言历史研究所周刊》，第三集，《切韵专号》，页48，曾举《切韵》"越"作"户伐反"一例。

得与"必""布"系联,是也。

第三,反切上字在《释文》中无切语与直音可稽,而据其所切字中同音异切之上字系联者:如"方"字《释文》无反切与直音,但其所切之"奋"字有"方问、甫问、弗运"三反,三反既同切一音,故"方""甫""弗"声同一类,是也。

前两条算是"直证",后一条算是"佐证"。不得已而用佐证时,我很谨慎地看那些不同的反切在《广韵》里是否同音,同时还顾到训诂一方面有无出入;否则宁可存疑,不敢强联。根据上面所说的三个条例来看,《释文》里在《广韵》应属"匣""于"两纽的反切上字,我们可以得到"户"和"于"两类:

(甲)户类(和《广韵》的匣纽相当,在《释文》里以"户"作反切上字的,共发见一千零八十七次,较本类其他各字均多,所以拿它作标目。)

户:胡:河:①何(户可我可户可)下(户嫁嫁)华(户花瓜花)化(户化行)行(户郎刚庚)庚:孟(户遐孟)侯(户豆)和(胡戈):卧(户卧)迥(户顶)爻(户交)孝(户孝)环(户关)曷(户割葛末末葛)学(何寒火葛)·洪(户教孝)工(户衡)衡(华盲咸)缄(行洽斩)滑(胡乎于八八八)·回(音洞恢)遐(音户下下)获(音画获麦麦)兮(音户䴊兮鸡)幸(音户倖幸耿)衔(音洽行咸斩缄)洽(音户户户乎狭洽甲夹夹夹)乎(户乎怪怪)寒(户胡寒翰旦半)亥(户亥孩哀才)闲(户闲黠八八)黄(获户黄郭郭)贤(见贤贤胡遍编荐)玄(胡胡玄玄玄铉犬畎犬畎典)形刑(胫户胡刑形定定定定)恨(很户胡胡恨垦垦恳恳)惠(萤户惠肩千)穴(携户穴圭圭)弦 以上三十八字惟"弦"字无可系联,案《广韵》"弦"和"贤"同作"胡田切",虽不系联,亦应属于这一类。

(乙)于类(和《广韵》的于纽相当,即喻纽三等字,在《释文》里拿"于"作反切上字的,共发见一千四百十八次,较本类其他各字均多,所以拿它作标目。)

---

① 凡不同音的反切或本无反切而据第三例系联的上字,文中皆用[:]号隔开;"类隔"切语则于字旁加[·]号以别之。

于(音羽)于(于危)为(于威)：伪(于伪)炎(于廉)廉(于沾)沾(于凡)凡(于钳)钳(于荣)羽(音于雨矩)又(于救)宥(又救)袁(音于援袁春)韦(音于苇鬼鬼)位(鲔于位轨轨)往(于王方方)(于况况)云韵(陨于云韵敏囷敏谨)荣(荣为荣命敬)尤(有下牛求)有以上十四字惟"尤""有"两字和其他不能系联。案"尤"作"下求反"只见于《论语·为政章》"寡尤"下，各本均同，诸家也没加校订，照上述第三例，应当和户类系联；不过，法伟堂的校本却说："下乃于之讹"，若然，那就可以和本类系联了。然而，问题却没有这么简单！

这两类虽然大体上自成系统，可是彼此间常有错综的关系。例如户类的"滑"字有"胡八、乎八、于八"三反，它所切的字里"猾"有"于八、户八"二反，"皇"有"于况""胡光"二反，并且《尚书释文》"蛮夷猾夏"的"猾"字今本作"户八反"，敦煌写本作"于八反"，这当然不能诿为偶然的讹误。既然"猾"字可以有"户八"和"于八"二反，那末"尤"字也未尝不可以有"有牛"和"下求"二反。再说于类所切的"鸮"字同时有"于骄、于娇、于苗、户骄"四反，也可以作户于两类相通的例。若在本书以外找材料，我们还有许多有力的旁证。

据周祖谟所考《万象名义》中的原本《玉篇》音系①，匣于两纽简直有不可分的趋势，所以他并称"胡类"，其反切上字为：
胡(胡徒)护(胡故)护户(胡古)互(故)扈(胡古)后(胡走)侯(胡沟)黄(胡光)缓(胡管)会(胡外)奚(胡)谐(胡题)阶(胡经)孩(改)穴(胡决)衡(胡庚)红工和戈候(胡迁)厚(胡苟)后狗(胡)华(胡瓜)嬲(胡鹹)获(胡鹹)形(胡经)骇(胡駭)秸(胡)鸡(胡何(胡可)贺(胡佐)遐(胡加)下(胡雅)行(胡庚)杏(胡梗)荷多河柯多乎(户枯)悦(户拙)尹(户准)越(户厥)厥(户为)鲔(户轨)荣(户明)核(户革)解(户洒)核(户革)械(户械)于(禹俱)迂(禹俱)竿(禹朱)往(往)尤(禹尤)王(禹方)右(禹九)曰(禹月)有(于九)又(于救)雄(有宫)雨(有谓)禹

在《广韵》里本来应属于纽的"尹越为鲔荣"五字既然和匣纽系联，周君又说："于以下十三字不能与上系联。案《名义》：云、于勋反，部目作胡熏反；又属、胡甫反，原本《玉篇》云：古文寓字，《名义》寓作于甫反：是胡于声同一类。"由此看来，原本《玉篇》里的匣于两纽

---

① 1935年度北京大学中国文学系毕业论文稿本。

比在《经典释文》里还混乱得厉害。

此外,我还发现两个有趣的旁证。在南齐王融的集子里有一首双声诗:

> 园蘅眩红蘤,湖荇烨黄花,回鹤横淮翰,远越合云霞。①

又北周庾信的《问疾封中录》也是一首双声诗:

> 形骸违学宦,狭巷幸为闲,虹回或有雨,云合又含寒。模湖韵鹤下,回溪狭猿还,怀贤为荣卫,和缓惠绮纨。②

第一首里的"蘅、眩、红、蘤、湖、荇、黄、花、回、鹤、横、淮、翰、合、霞"十五字在《广韵》应属匣纽,"园、远、越、云"四字应属于纽;第二首里的"形、骸、学、宦、狭、巷、幸、闲、虹、回、或、合、含、寒、横、湖、鹤、下、还、怀、贤、和、缓、惠、纨"二十五字应属匣纽,"违、为、有、雨、云、又、韵、猿、荣、卫"十字应属于纽。不过在第一首里杂入喻纽的"烨"字,第二首里杂入溪纽的"溪绮"两字,除去这三个例外,他们既然把匣于两纽当作双声,可见这两纽的发音应该很相近的。

就以上所引的材料来推断这种现象发生的时代,我们知道王融生在宋泰始四年戊申(468),死在齐隆昌元年甲戌(494)③;庾信生在梁天监十二年癸巳(513),死在周大定元年辛丑(581);顾野王生在梁天监十八年己亥(519),死在陈太建十三年辛丑(581),大同中为太学博士奉诏撰《玉篇》(535—546);陆德明的《经典释文》是从陈至德元年癸卯(583)作起的;那末就可以说,从五世纪末到六世纪末匣于两纽都有混乱的现象,而且时代越早,混乱得越厉害。

---

① 张溥:《汉魏六朝百三名家集》本《王宁朔集》页20;钱大昕《十驾斋养新录》卷六"论双声"条亦引之。

② 张溥:《汉魏六朝百三名家集》本《庾开府集》卷二,页31;丁济《双声诗选》亦引之。此例承魏建功先生提示,特此声谢。

③ 《南齐书·王融传》:"永明十一年使兼主客,接房使房景高、宋弁。弁见融年少,问主客年几? 融曰:五十之年久逾其半。"又"郁林深忿疾融,即位十余日,收下廷尉狱。诏于狱赐死,时年二十七。"据此推定其生卒年如上文。

不过,这种现象究竟是因为同音而合并呢,还是因为音近而相通呢?要解答这个问题,我们不得不推溯匣于两纽的历史。

我尝说,曾运乾的《喻母古读考》在钱大昕古无轻唇音和舌音类隔之说不可信以后,对于古声母的考证上,是一篇很有贡献的文章。然而,就音变的普通规律来讲,在古代完全相同的声音后来不会无条件地变成两个不同的声音。所以我们只可以说匣于两纽在上古是很相近的音,而不能说他们是完全相同的音。照高本汉的拟测,匣纽的上古音是[*g'-],于纽的上古音是[*g-],两音极相近,只有送气和不送气的区别。这样固然可以填上群纽洪音的空当儿,可是于纽的洪音仍然空着。拿这种拟测来解释上面所讨论的现象,若从庾信诗里羼入的"溪绮"两个溪纽字大胆地假设上古的[*g'-][*g-]在六朝时候的某种方音里还保持未变,似乎近理一点儿;可惜这种孤证太不够作我们推断的根据了。如果说那时候[*g-]已经变[j-],不能解释它为什么算是匣纽的双声;若说[*g-]在[i]前和[*g'-]同样地变[ɣ],又不好解释群纽的[*g']在[i]前何以不变。所以从这一点来看,高氏的拟测似乎还有商酌的余地。两年前,李方桂曾经怀疑匣类有两个上古的来源:(1) 和[k][k']谐声或互读的是[*g'-],(2) 和[x]谐声的是[*ɣ-]。[①] 照他的假设,那末匣、于、群三纽应该按下面的程序来演变:

上古音	六世纪初	六世纪末
*g'-	ɣ-(匣)	ɣ-
*ɣ-	ɣ-(匣)	ɣ-
*ɣ-(i)-	ɣ-(i)-(于)	ɣ-j>j-
*g'(i)-	g'(i)-(群)	g'j-

如果这个假设可以成立,我们就可以说,在第五世纪末叶[ɣ]在[i]

---

① 这是他和我私人通信中说的,并未正式发表。

音前面还没[j]化,所以王融、庾信的诗里把匣于认为双声,在原本《玉篇》的反切里这两纽系联的地方也比较多。到六世纪末叶,[ɣ]在[i]音前面已经[j]化,所以在《经典释文》的反切里这两类分化的倾向渐强。至于这两类在《切韵》里的关系也就像见母有古居两类,溪母有苦丘两类一样,只是洪细的不同①;陆法言在《切韵·序》里既然明白指斥"先仙尤侯俱论是切"的不对,他自己当然不会又把匣于合并成一纽。我们若把《切韵》里的匣纽拟作[ɣ-],于纽拟作[ɣj-],像[k]:[kj]和[k']:[k'j]的对峙一样,就可以说得过去了。并且于纽在现代吴语里大部分还和匣一样地保持着[h-]音,在现代闽语的话音里也有好些读[h-]音的例②,这也可以表现它曾经读过[ɣ]音的。

总结上文所说,我对于《切韵》里匣于两纽的关系,赞成曾运乾拿于纽当作匣纽细音的说法,并且觉得高本汉所拟的[j]或许经过[ɣj]一个阶段。不过从发音原理讲,这个[ɣj]音不会保持长久,很快就会变成[j]的。葛君因为几个"类隔"反切的牵连要把它们并成一类,反倒不容易解释后来在大多数方言里何以匣变[h]而于变[j]了。

(1937年4月作于北京,1938年1月重订于长沙。)
(原载《中央研究院历史语言研究所集刊》
第八本第一分,1937年)

---

① 在我这篇文章初稿写完后,北平辅仁大学的葛信益君,曾给我一封信说:"《广韵》入声廿一麦,擭,呼麦切,又于馘切(诸本均同);而麦韵有匣无于,查《集韵》麦韵亦无于,惟胡麦切有擭字,未审可否作匣于相通之一证?"附录于此,以资参证。
② 参看《厦门音系》第九表(乙)。

汉语方音研究小史

一　音韵学研究的两个方面

明朝的陈第说:"时有古今,地有南北,字有更革,音有转移,亦势所必至。"又说:"一郡之内,声有不同,系乎地者也;百年之中,语有递变,系乎时者也。"这是说,人类的语音,随着时间或空间的不同,都会发生变迁的。因此关于音韵学的研究也有两方面,一方面是研究声音之纵的、历史的、时间的变迁——这便是音韵沿革;另一方面是研究声音之横的、地理的、空间的变迁——这便是方音研究。关于纵的方面,自从明朝焦竑、陈第等推阐古今音异之说,直到清朝的顾炎武、江永、戴震、段玉裁、孔广森、王念孙,以及近人章炳麟、黄侃等,相继根据《诗经》押韵跟《说文》谐声来分别部居,创通音转,他们对于周秦古音的贡献,已尽够作我们进一步研究的凭藉了。况且自从几种关于切韵唐韵的写本发见以后,对于隋唐韵书的真相,也比从前明了了许多。如果近人关于历代韵文的实际押韵状况,切韵以前的反切系统,及中原音韵以后的韵书流别,都能分头次第整理出来,那末,关于全部汉语音韵演变史的完成,或者也就为期不远了。至于谈到横的方面,那可还差得多呢!

二　前人对于方音研究的贡献

自然,关于汉语方言的研究,杨雄的《輶轩使者绝代语释别国方言》,实在是一部很古的好书;然而《方言》所供给的,是关于词汇的零碎材料,而关于语音的材料及关于语法句法构造的,差不多没有。后来沿袭杨雄这种体例来续补一些近似比较词汇式的东西,固然大有人在,可是能够注意到方音系统的,除去《颜氏家训·音辞篇》所举的那些南北音的异同以外,实在寥寥可数。明清以来渐渐有几个人供给我们一些点点滴滴的方音材料,虽然从现在的观点和方法上看,还不能满足我们的需要;可是,披沙简金,已然算是很可珍贵的了。其中能够分辨当代方音的,如明张位所记的各地乡音:

> 大约江以北入声多作平声,常有音无字,不能具载;江南多患齿音不清;然此亦官语中乡音耳。若其各处土语,更未易通也。

燕赵

北为卑	绿为虑	六为溜
色为筛	饭为放	粥为周
霍为火	银为音	谷为孤

秦晋

红为魂	国为归	数为树
百为撒	东为敦	中为肫

梁宋

都为兜	席为西	墨为昧
识为时	于为俞	肱为公

齐鲁

北为彼	国为诡	或为回
狄为低	麦为卖	不为补

西蜀

怒为路	弩为鲁	主为诅
术为树	出为处	入为茹

吴越

打为党	解为嫁	上为让
辰为人	妇为务	黄为王

	范为万	县为厌	猪为知
三楚			
	之为知	解为改	永为允
	汝为尔	介为盖	山为三
	士为四	产为伞	岁为细
	祖为走	睹为斗	信为心
闽粤			
	府为虎	州为啾	方为荒
	胜为性	常为墙	成为情
	法为滑	知为兹	是为细
	川为筌	书为须	扇为线①

清潘耒的南北音论：

五方之民，风土不同，气禀各异，其发于声也，不能无偏，偏则于本然之音必有所不尽。彼能尽与不能尽者遇，常相非笑，而无所取裁，则音学不明之故也。淮南子云：轻土多利，重土多迟，清水音小，浊水音大。陆法言谓：吴楚时伤轻浅，燕赵时伤重浊；秦陇去声为入，梁益平声似去。此方隅所囿无可如何者也。乃北人诋南为缺舌之音，南人诋北为荒伧之调；北人哂南人"知""之"不分，"王""黄"不别，南人笑北人"屋""乌"同音，"遇""喻"同读；是则然矣，亦知其各有所短各有所长乎？南人非特缺照母开口一呼，混喻、匣二母已也，凡审、禅、穿、床之开口合口二呼皆不能读。又以歌、戈混于敷、模，庚、青、蒸混于真、文，凡五韵之字无一字正读者。北人非特无入声缺疑母已也，竟以入声之字散入平上去三声，反谓平声有二，以稍重者为上平声，稍轻者为下平声，欲以配上去为四声，是四声芟其一添其一矣。疑母同喻，微母亦同喻，至群、定、床、从、并五母之上去二声竟与见、端、照、精、邦五母相乱，非为本母不能再分阴阳，并上去入三声而皆失之；此其所短也。若夫合口之字，北人读之最真，撮口之字，南人读之最朗，清母之阴阳，北人天然自分，浊母之阴阳，南人矢口能辨；此其所长也。倘能平心静气两相质正，舍己之短，从人之长；取人之长，益己之短；则讹者可正；缺者可完，而本有之音毕出矣。余自少

---

① 见《问奇集》，页81—82。

留心音学,长游京师,寓卫尔锡先生所,适同此好,锐意讲求。先生晋人也,余吴人也,各执一见,初甚抵牾,发疑致难,日常数返,渐相许可,渐相融通,久而冰释理解,不特两人所素谙者,交质互易,而昔人所未发者,亦钩深探赜而得之。于是五十母、四呼、二十四类之说定,而图谱成焉。犹未敢自足,年来遍游名山,燕齐晋豫湖湘岭海之间无不到,贤豪长者无不交;察其方音,辨其呼母,未有出乎二十四类之外者,亦未有能通二十四类之音者。遂将勒成一书,公之天下,欲使五方之人去其偏滞,观其会通,化异即同,归于大中至正而已矣。①

李汝珍的南北方音论:

或曰:北无入声,此固方音而然。敢问南音亦有方音之异乎?对曰:岂胜言哉!即如江、冈之类,亦多未分者也。敢问可得闻乎?对曰:按江字一音,《广韵》注云:古双切。以北音辨之,古双者,音若光,而非江矣,不知者以为误也,而不明此盖南方之音耳。南有数郡,每呼江南而曰光南,又或谓之岗南,江岗不分,故有此切,方音而然,非误也。或曰:江以北音切之,何也?对曰:鸡双切也。敢问南音不分者,惟江、岗二母乎?对曰:岂胜言哉!兹以商、桑、长、藏、章、臧六母论之:即如商知切,诗也;双污切,书也;而南音或以诗为桑滋切,书为酸租切;是以诗画而为思苏矣。又如:潮营切,城也;长时切,池也;而南音或以城为曹凝切,池为藏时切;是以城池而为层慈矣。又张诗切,蜘也;中污切,蛛也;而南音或以蜘为臧丝切,蛛为宗苏切;是以蜘蛛而为资租矣。此商、桑、长、藏、章、臧六母北音辨之细,而南有数郡或合而为三矣。敢问南音分而北音不分者,有之乎?对曰:是亦多矣。以枪、羌、将、姜、厢、香六母论之:即如妻悠切,秋也;亲烟切,千也;而北音或以秋为欺悠切,千为钦烟切;是以秋千而为邱牵矣。又如箭艺切,祭也;挤有切,酒也;而北音或以祭为见艺切,酒为几有切;是以祭酒而为计九矣。又西妖切,潇也;星秧切,湘也;而北音或以潇为希妖切,湘为兴秧切;是以潇湘而为鸺香矣。此枪、羌、将、姜、厢、香六母南音辨之细,而北有数郡或合为三矣。此则窃就南北而言,至于九州之大,方音之殊,又岂能细为别之。任昉云:六辅殊风,五方异俗,则语音之异,更可知矣。②

---

① 见《类音》,卷一,页8—9;又《遂初堂文集》,卷三,页28,29。
② 见《李氏音鉴》,卷四,页17,18。

胡垣的《方音分类谱略例》说：

坦孤陋寡闻，未尝远涉，然近则桑梓乡音，数十里内已得其所由分；远则闽粤数千里外，亦得其所由合。有异乡子弟就学，则任其自然之方音，不强以舍彼就我，而我自能知彼之误与不误；盖验之于音呼音韵，乃有以比例而会通也。即如金陵读甘韵官韵开口合口二呼，皆如扬州之读岗韵，口甚张也。至下关则官韵合口呼渐觉笼口，浦口隔江与下关同音，而东行二里则为六合乡，读冠韵愈笼口矣。盖金陵读"官宽欢剜"如"光筐荒汪"；六合读之，则与"公空烘翁"相近，全属笼口；浦口下关介乎张笼之间，则甘官两韵相接之音，所谓浊韵也。浦口城东自称"阿侬"，与金陵同音，至浦口西门则自称曰"丸"，又西至江浦县城，则自称曰"卬"；盖"翁"字笼口，"卬"字张口，"卬""翁"之间，则如"丸"字也。金陵读基韵齐齿呼与孤韵撮口呼如"基李西衣"，"居吕须迂"，至明晰也。下关则"西衣"或读如"须迂"，至浦口东二里六合乡，则"居吕须迂"皆读为"基里西衣"。以是谱衡之，则金陵较浦口缺一官韵笼口之音，六合乡较浦口缺一基韵撮口呼之音，数十里内按谱可辨也。至远如闽省言语难通，然尝就邑侯卢刺史馆，朝夕闻闽音。以谱衡之：则根冈皆读如公韵，公韵多读为根之开撮，甘官多读为冈韵，坚齐齿多读为根齐齿，根牙音又读为甘韵，读基韵为该韵，支韵为劫韵，歌钩为高韵，孤高为钩歌韵：如"论"为"龙"，"门"为"蒙"，"讲"为"拱"，"汤"为"通"，"东"为"登"，"庸"为"荧"，"先"为"新"，"面"为"命"，"生"为"山"，"信"为"散"，"心"为"三"，"利"为"赖"，"西"为"腮"，"皮"为"陪"，"四"为"谢"，"纸"为"者"，"兜"为"倒"，"头"为"陶"，"鹅"为"敖"，"坐"为"造"，"露"为"漏"，"烛"为"昼"，"布"为"播"，"壶"为"何"；皆可以韵例推也。其不换韵者，每异呼：如"交"为"高"，"征"为"金"，"下"为"哈"，"鸭"为"额"，"眉"为"糜"；又可以呼例推也。其轻唇音悉为喉音第三位：如"分风方"为"训烘荒"。其齿音分属喁牙："知彻朝"为"低铁刁"，"照之窗神"为"醮赍囱星"。其喁尾音悉归第三位："肉"为"律"，"砚"为"念"，"日"为"立"，"耳"为"你"，"二乳人"皆为"乃"。其音之轻重易位者：如"台"为"代"，"钱"为"尖"，"笑"为"消"，"左"为"锁"，"纬"为"遂"，"微"为"糜"，"换"为"望"，"房"为"本"，"饣甫"为"哱"，"被"为"陪"，"发"为"挖"，"盆"为"盏"，"螃"为"蒙"，"袍"为"保"。其牙音读为喉齐齿者："墙"为"穷"，"脊"为"极"，"酒"为"九"，"姐"为"假"。其平仄异者："雨"为"迂"，"语"为"鱼"，"瓦"为"蛙"，"伯"为"巴"，

"炉"为"六","帖"为"太";尤易解也。"食茶"为"撒他","茶""他"齿音通噂也;"食烟"为"撒烘","烟"为"因"声,读为"翁","翁"属喉第四位,上一位即"烘"也;"食贩"为"撒琫","饭"本音"饳","饳"属坚韵,近根以转公韵也。由是推之,则用金陵方音可识闽音,更何方音之难识乎?是编总谱携以远游,循例辨音,如泾县、长沙之读高韵,有似扬州之读钩韵,即知"高考蒿"皆读如"钩弣吼"也;安庆、桐城、庐江读"都"为"兜",即知"都图鲁"读为"兜头篓"也;镇江读"祖"为"左",即知"祖粗数"读为"左搓锁"也;镇江、扬州、徐州,北至北直,读高韵皆笼口,有似金陵之读歌韵者,则知"刀叨劳、遭操骚、包抛毛"皆笼口读也;徐州北至北直,读坚官韵皆张口,有似金陵之读姜羌香者,则知"坚牵掀颠天年尖千先鞭偏绵官宽欢端团栾钻攒酸搬潘瞒"皆为舌穿牙之张口也。此类不胜悉数,拟编方言分类谱详之。①

胡氏于此谱以外,还想编《方音互易谱》、《方音补字谱》、《方音变易寻源谱》、《童音谱》及《方音入声谱》等,文繁不具录,可以参阅原书。此外,劳乃宣在《等韵一得·外篇杂论》中也说:

> 诸方之音各异,而以南北为大界。陆法言《切韵》序曰:"江东取韵与河北复殊,因论南北是非,古今通塞。"是分南北以论音,自六朝已然。以今时之音论之,大率以江以南为南音,江以北为北音,而南北互有短长。如喻疑微母,南分而北不分;舌上母闭口韵,南有而北无;南有入声,北无入声;上去入之清浊,南有别而北无别;此南长于北者也。奉与微,状与禅,从与邪诸母,北分而南混;庚青蒸韵与真文元韵,北异而南同,南音读麻如歌,读歌如鱼虞,读灰如佳,而北音不然;此北长于南者也。以南北大界而论,大概如是。而一郡一县又各有不同。如山东有有微母之处,山西有有入声之处,又有庚青蒸与真文元不分之处;则北与北又不同。闽广有舌上母,闭口韵,而江浙无之;江浙湖南江西多能分仄声清浊,而他省不尽然;湖州等处有浊上声,而他郡无之;绍兴庚青蒸与真文元有别,而他郡不能;则南与南又不同。古人所定母韵,乃参考诸方之音而为之,故讲求音韵者,必集南北之长,乃能完备;即口吻不能全得其音,亦当

---

① 见《古今中外音韵通例》,卷七,页 1,2。

心知其意,乃不为方言所囿也。①

这几家当中,张位胪列了八处的方音转变,而没有表示自己的意见,比较近于客观。胡垣拿江北方音跟别处比较,并且着眼到方音的分类、变易等项,虽用汉字标音,难免有不准确的地方,但识见颇有可取;潘耒、劳乃宣所知道的方音,固然不少,然而他们的目的是在"观其会同,化异即同","集南北之长,乃能完备";仍然脱不了切韵式"最小公倍数"的审音法。至于李汝珍所说,不过就南北声纽的不同,聊举一隅罢了。在我看,能够了解科学的方音调查法的,清初的刘献廷,实在可以算是一个。他说:

> ……于途中思得谱土音之法,宇宙音韵之变迁,无不可记。其法即用余新韵谱以诸方土音填之,各郡自为一本,逢人便可印证。以此法授诸门人子弟,随地可谱,不三四年,九州之音毕矣。思得之不觉狂喜。②

他的著作虽然没有完成,而他的方法跟态度,直到现在是还值得我们重视的。因为方音变迁是自然的现象,只有异同而没有正讹,所以我们只应该如实地记载客观的事实,不应该武断地妄下主观的评判。像刘献廷所谓"各郡自为一本,逢人便可印证",实在是研究方音的正当态度。若像明陆容所谓"天下音韵多谬":

> 书之同文,有天下者力能同之;文之同音,虽圣人在天子之位,势亦有所不能也。今天下音韵之谬者,除闽粤不足较已。如吴语"黄""王"不辨,北人笑之;殊不知北人音韵不正者尤多:如京师人以"步"为"布",以"谢"为"卸",以"郑"为"正",以"道"为"到",皆谬也。河南人以"河南"为"喝难",以"七弟"为"妻弟",北直隶、山东人以"屋"为"乌",以"陆"为"路",以"阁"为"杲",无入声韵;入声内以"缉"为"妻",以"叶"为"夜",以"甲"为"贾",无合口字;山西人以"同"为"屯",以"聪"为"村",无东字韵;江西、湖、广、四川人以"情"为"秦",以"性"为"信",无清字韵;歙、睦、婺三郡人以"兰"为"郎",以"心"为"星",无寒侵二字韵。又如"去"字:山西

---

① 见《等韵一得·外篇杂论》,页36。
② 见《广阳杂记》,卷三,中华书局1957年排印本,页150。

人为"库",山东人为"趣",陕西人为"气",南京人为"可"去声,湖广人为"处"。此外,如山西人以"坐"为"剉",以"青"为"妻";陕西人以"盐"为"年",以"咬"为"裹";台温人以"张敞"为"浆抢"之类;如此者不能细举。非聪明特达,常用心于韵书者,不能自拔于流俗也。①

袁子让所谓"方语呼音之谬":

> 各方乡语各溺其风气,故学等子为难。他乡不及详,如吾乡(郴州)之讹,有足议者。吾乡读"肉"为"辱"是也,而"欲"亦为"辱","玉"亦为"辱";读"于"为"余"是也,而"鱼"亦为"余","如"亦为"余";读"污"如"侉"是也,而"无"亦为"侉","吾"亦为"侉","屋"亦为"侉","物"亦为"侉";盖疑微喻日交相讹也,讹在同音之外者也。"僧"读心母平声是也,而合口之"孙"亦曰"僧",审母之"生"亦曰"僧";"增"为精母平声是也,而合口之"尊"亦曰"增",照母之"争""臻"亦曰"增";盖精照心审交相讹也,讹在同音之内者也。由吾乡而推之,如吾楚音或呼"如"为"殊",而呼"辰"为"壬";此禅日互相混也。闽音以"福"为"斛",而以"湖"为"符";此奉晓互相混也。粤音以"人"为"寅",而以"银"为"壬";此喻日互相混也。蜀音以"南"为"兰",以"囊"为"郎",以"能"为"伦";盖泥来互相混也。吾楚黄音以"元"为"嚅",以"颛"为"戎",以"涓"为"专",以"君"为"迍";此疑日见照互相混也。此皆讹在同音之外者也。北音呼"辰"为"臣",而呼"殊"为"除";盖误禅于床也。浙音呼"章"为"将",而呼"真"为"津";盖误照于精也。江右音或以"朝"为"刁",以"昼"为"丢"去声;盖误知于端也。吴音"黄"曰"王","行"曰"盈","和"曰"訸","玄"曰"员";盖误匣于喻也。闽音"潮"曰"迢","问"曰"闷";盖误澄于定,误微于明也。此皆讹在同音之内者也。如此之类,殆难更数。然以此母误彼母者,未有不以彼母还误此母者也,此又于各方之误而益见元声之妙也。钟过谓东方之音在齿舌,南方在唇舌,西方在腭舌,北方在喉舌。便于喉者不利于唇,便于齿者不利于腭,由是讹正牵乎僻论,是非乱乎曲说,孰从正之哉?学者即讹索真,可与正音论切矣。②

以及他所谓"方语呼声之讹":

---

① 见《菽园杂记》,卷四。
② 见《字学元元》,卷八,页4。

>声原不谬而方语不同,互有彼此之讹。如各韵有东江支真之别,而方语于韵外淆之;如同韵有平上去入之别,而方语或于韵内混之。尝即所耳闻者一概:秦晋读"通"如"吞",读"东"如"敦",读"龙"如"论",读"红"如"魂";盖谬东韵于真文也。徽东读"堂"如"檀",读"郎"如"兰",读"阳"如"延",读"冈"如"干";盖谬阳韵于寒韵也。齐鲁读"萌"如"蒙",读"荣"如"容",读"琼"如"穷",读"黉"如"红",读"肱"如"公";盖误庚韵于东韵也。闽人读"朱"如"支",读"车"如"箕",读"胥"如"西";盖谬鱼虞于支微也。粤人读"谋"如"茅",读"楼"如"劳",读"头"如"逃",读"愁"如"曹";盖谬尤韵于宵肴也。此皆韵外之淆也。他如,燕东读浊平如清平;秦晋读清平如浊平;吾楚人亦读清平如浊平,而又读去声如清平;荆岳之间读入声如去声,读去声又如平声,而读平声复如去声;齐人读入如平;鲁人读入如去;蜀人读入如平,而叙嘉之间读去亦如平;此皆韵内之混也。陆德明(案此当为法言之讹)论声韵谓:"吴楚则伤轻浅,燕赵则伤重浊,秦陇则上声为入,梁益则平声似去。"声之不同,各从其方,自古以然。正声者辨其所以异,即统其所以同矣。①

这同钱大昕所谓"声相近而讹"之类:

>吴中方言鬼如举,归如居,跪如巨,纬如喻,亏如去平声,逵如瞿,椅读于据切,小儿毁齿之毁如许。
>
>江西方言雨如苇。
>
>苏州之葑门读葑如富。
>
>桐城人读图如头,对如帝。
>
>婺源人读命如慢,性如散。
>
>秦晋人读风如分,东如敦,蓬如彭。
>
>广东人读四如细,七如察,九如苟。②

都抱着"以纽韵正音科简州国讹音"③的态度,是从以韵书矫正方音的立场来说话,并不是为方音而研究方音。比较陈澧在《广州音说》里的主张适得其反:

---

① 见《字学元元》,卷八页5。
② 见《十驾斋养新录》,卷五,页32。
③ 章炳麟《国故论衡·正言论》中语。

广州方音合于隋唐韵书切语,为他方所不及者,约有数端。余广州人也,请略言之:平上去入四声,各有一清一浊,他方之音,多不能分上去入之清浊。如平声"邕"(《广韵》于容切)、"容"(余封切),一清一浊,处处能分;上声"拥"(于陇切)、"勇"(余陇切),去声"雍"(此雍州之雍,于用切)、"用"(余颂切),入声"郁"(于六切)、"育"(余六切),亦皆一清一浊,则多不能分者(福建人能分去入清浊而上声清浊则似不分);而广音四声,皆分清浊,截然不溷;其善一也。上声之浊音他方多误读为去声,惟广音不误。如"棒"(三讲)、"似""市""恃"(六止)、"伫""墅""拒"(八语)、"柱"(九麌)、"倍""殆""怠"(十五海)、"旱"(二十三旱)、"践"(二十八狝)、"抱"(三十二皓)、"妇""舅"(四十四有)、"敛"(五十琰)等字是也。又如"孝弟"之"弟",去声(十二霁),"兄弟"之"弟",上声浊音(十二荠);"郑重"之"重",去声(三用),"轻重"之"重",上声浊音(二肿);他方则兄弟之弟、轻重之重,亦皆去声,无所分别,惟广音不溷;其善二也。(李登《书文音义便考私编》云:"弟子之弟上声,孝弟之弟去声,轻重之重上声,郑重之重去声,愚积疑有年,遇四方之人亦甚伙矣,曾有呼弟、重等字为上声者乎?未有也。"案李登盖未遇广州之人而审其音耳。)侵、覃、谈、盐、添、咸、衔、严、凡九韵皆合唇音(上去入声仿此),他方多误读与真、谆、臻、文、殷、元、魂、痕、寒、桓、删、山、先、仙十四韵无别。如"侵"读若"亲","覃""谈"读若"坛","盐"读若"延","添"读若"天","咸""衔"读若"闲","严"读若"妍"。(《御定曲谱》,于侵、覃诸韵之字,皆加圈于字旁以识之,正以此诸韵字,人皆误读也。)广音则此诸韵皆合唇与真、谆诸韵不溷;其善三也。(广音亦有数字误读者,如凡、范、梵、乏等字,亦不合唇;然但数字耳,不似他方字字皆误也。)庚、耕、清、青诸韵合口呼之字,他方多误读为东冬韵。如"觥"读若"公","琼"读若"穷","荣"、"萦"、"荧"并读若"容","兄"读若"凶","轰"读若"烘"。广音则皆庚青韵;其善四也。《广韵》每卷后,有新添类隔今更音和切,如"眉,武悲切",改为"目悲切";"绵,武延切",改为"名延切",此因字母有明微二母之不同,而陆法言《切韵》、孙愐《唐韵》则不分,故改之耳。然字母出于唐季,而盛行于宋代,不合隋及唐初之音也,广音则明微二母不分,"武悲"正切"眉"字,"武延"正切"绵"字,此直超越乎唐季宋代之音,而上合乎《切韵》、《唐韵》;其善五也。五者之中,又以四声皆分清浊为最善。盖能分四声清浊,然后能读古书切语而识其音也。切语古法,上一字定清浊而不论四声,下一字定四声而不论清浊,若不能分上去入之清浊,则遇切语上一字上去入声者,不知其为清音为浊音矣。(如东,德红切,不知德字清音,必疑德红切未善矣。鱼,语居切,不知语字浊音,必疑语居切未善矣。自明以来,韵书多改古切语者,以此故也。)广音四声皆分清浊,故读古书切语了然无疑也。余考古韵书切语有年,而知广州方音之善,故特举而论之,非自私其乡也。他方之人,宦游广州者甚多,能为广州语者亦不少,试取古韵书切语核之,则知余言之不谬也。朱子云:"四方声音多讹,却是广中人说得声音尚好。"①此论自朱子发之,又非余今日之创论也。至广中人声音之所以善者,盖千余年来,中原之人徙居广中,今之广音实隋唐时中原之音,故以隋唐韵书切语核之而密合如此也。请以质之海内审音者。②

他想拿一地方的方音来推证隋唐韵书切语,自然也不免囿于主观的成见,似乎有点宣传"广韵者,广东人之韵也"的神气,然而他所据的材料跟所用的方法,就比较可靠得多了。所以在我看来,与其援古正今,还不如据今考古好呢!

以上所述,大体都是拿"当代的"活语言作对象;此外,也有从传记杂纂中钩稽方音材料的。如顾炎武《日知录·方音》条:

五方之语,虽各不同,然使友天下之士而操一乡之音,亦君子之所不取也。故仲由之喭,夫子病之;鴃舌之人,孟子所斥。而《宋书》谓:"高祖虽累叶江南,楚言未变,雅道风流,无闻焉尔。"又谓:"长沙王道怜,素无才能,言音甚楚,举止施为,多诸鄙拙。"《世说》言:"刘真长见王丞相,既出,人问见王公云何? 答曰:'未见他异,惟闻作吴语耳'。"又言:"王大将军年少时,旧有田舍名,语音亦楚。"又言:"支道林入东,见王子猷兄弟还,人问见诸王何如? 答曰:'见一群白颈乌,但闻唤哑哑声'。"《北史》谓:"丹阳王刘昶呵骂僮仆,音杂夷夏,虽在公座,诸王每侮弄之。"夫以创业之君,中兴之相,不免时人之议,而况于士大夫乎? 北齐杨愔称裴诹之曰:"河东士族,京官不少,惟此家兄弟全无乡音。"其所贱可知矣。至于著书作文尤忌俚俗,公羊多齐言,淮南多楚语,若易传论语何尝有一字哉? 若乃讲经授学,弥重文言:是以孙详蒋显曾习周官,而音乖楚夏,(原

---

① 见《朱子语类》,一百三十八。
② 见《东塾集》,卷一,页27—29。

注：左思《魏都赋》：盖音有楚夏者，士风之乖也。)则学徒不至；(原注：《梁书·儒林传》陆倕云。)李业兴学问深博，而旧音不改，则为梁人所笑；(原注：《北史》本传)邺下人士，音辞鄙陋，风操蚩拙，则颜之推不愿以为儿师；(原注《家训》。)是则惟君子为能通天下之志，盖必自其发言始也。《金史·国语解》序曰："今文尚书辞多奇涩，盖亦当世之方言也。"《荀子》每言"案"，《楚辞》每言"羌"，皆方言。刘勰《文心雕龙》云："张华论韵，谓士衡多楚，可谓衔灵均之声余，失黄钟之正响也。"①

钱大昕《十驾斋养新录》"声相近而讹"条：

> 李匡文《资暇集》：今人谓"帽"为"慕"，"保"为"补"，(今北人读堡为补，唐时盖已然。)"襃"为"逋"，"暴"为"步"；此由豪韵转入模韵也。黄州呼"醉"为"沮"，呼"吟"为"垠"(逆斤切，《明道杂志》)；秦声谓"虫"为"程"(同上)。浙之东，言语"黄""王"不辨(《癸辛杂识》，黄匣母，王喻母)。②

又"元时方音"条：

> 《古今韵会举要》谓："怴"与"肃"同，"怵"与"祝"同，"出"与"烛"同，"黜"与"触"同，"术"与"逐"同，"律"与"六"同，"率"与"缩"同，"弗"与"福"同，"拂"与"复"同，"佛"与"伏"同，"屈"与"曲"同，"郁"与"或"同，"欻"与"旭"同，"骨"与"谷"同，"窟"与"哭"同，"咄"与"笃"同，"突"与"毒"同，"朏"与"朴"同，"孛"与"仆"同，"没"与"目"同，"窣"与"速"同，"忽"与"穀"同；皆不合于古音，证之今音，亦多龃龉，殆元时方音也。《辍耕录》云："今中州之韵，入声似平，又可去声，所以'蜀''术'等字皆与鱼虞相近。"③

李汝珍在《古人方音论》里说：

> 或曰："江""岗"不分，此固南音而然；然如"岗"字一音，古人或为"居郎切"者，何也？对曰：此母异粗细，故有是切。历观古人诸书，类如此者，不能枚举。然细推之，殆亦当时方音之异耳。敢问可得闻乎？对曰：以古音考之：即如读"皮"为"婆"，宋役人讴也；读"邱"为"欺"，齐婴儿语也；读"户"为"甫"，楚民间谣也；读"裘"为"基"，鲁朱儒谑也；读"作"为

---

① 见《日知录集释》，卷二十九，页24。
② 见《十驾斋养新录》，卷五，页32。
③ 见《十驾斋养新录》，卷五，页33。

"诅",蜀百姓辞也;读"口"为"苦",汉白渠诵也。又"家"读"姑"也,秦夫人之占;"怀"读"回"也,鲁声伯之梦;"旂"读"斤"也,晋灭虢之征;"瓜"读"孤"也,卫良夫之噪;彼其间巷赞毁之间,梦寐卜筮之顷,何暇屑屑摹拟,若后世吟诗者之限韵耶?其为当时方音之异可知矣。他如郑康成《礼记注》云:齐人言"殷"声如"衣"。刘熙《释名》云:兖冀言"歌"声如"柯"。贾公彦《周礼疏》云:齐人"犹""摇"声相近,孔颖达《尚书疏》云:"其",齐鲁之间声如"姬"。龚明之《中吴纪闻》云:吴人谓"来"曰"厘"。郭忠恕《佩觿》云:河朔谓"无"曰"毛"。都邛《三余赘笔》云:吴人谓"须"为"苏"。朱子《韩文考异》云:建州谓"口"曰"苦"。《嘉莲燕语》云:吴人以"玉"为"虐"。《颜氏家训》云:南人以"钱"为"涎",吴人呼"绀"为"禁"。苏佑《遁斋璅言》云:吴人呼"生"为"丧",呼"行"为"杭"。徐充《暖姝由笔》云:晋人呼"风"为"分",谓"胸"为"熏",谓"弓"为"裈"。刘攽《诗话》云:闽人以"高"为"歌",关中"青"为"萋",以"虫"为"尘",以"中"为"蒸"。此指方言大略而言。①

李邺论"方音"中说:

《玉篇》载五音声论云:东方喉声,西方舌声,南方齿声,北方唇声,中央牙声。今之吴越"子纸""专毡"不分,南康"匡""腔"反用,麻城以"荒"为"方",建昌"劝""𤫊"为一,江北"都""兜"不分,齐秦"率""帅"不分,山西"分""风"反称,广中"头桃""留楼""元完"不分,闽中尤殷。然古已有之:如《灌夫传》"首鼠两端",《西羌传》《邓训传》皆作"首施两端",则今之吴语也;康成"龃牙"即"龃龉",景纯"连牙"即"错互",孟坚"规橅"即"规模",则汉晋时犹有"牙"如"吾"、"无"如"母"之声。《罗敷行》"言可共载不?""不"与"敷"叶,则不归尤韵矣;《紫玉歌》"双"叶"凰""光",则已江阳合韵矣。方音不可不知,然不可为其所囿。《日知录·方音》一条曰:孙详蒋显曾习周官,而音乖楚夏(《梁书》);李业兴学问深博,而旧音不改,则为梁人所笑(《北史》);邺下人士音辞鄙陋,风操蚩拙,则颜之推不愿以为儿师(《家训》)。夫言杂乡音尚所不取,顾可施之切响间乎?②

---

① 见《李氏音鉴》,卷四,页 18—20。
② 见《切韵考》,卷一,页 6,7。

诸如此类,散见于各地方志及诸家笔记里的还有很多。这虽然不如由实际调查所得的直接材料可贵,可是对于我们,在比较参证上也很有用处。至于清人考证周秦古韵,大体是以"雅言"为据的;然而对于古韵不能强合的地方,也不能不认为方音使然。所以顾炎武说:

> 古诗中间有一二与正音不合者:如"兴",蒸之属也,而《小戎末章》与"音"为韵,《大明七章》与"林""心"为韵;"戎",东之属也,而《常棣四章》与"务"为韵,《常武首章》与"祖""父"为韵。又如箕子《洪范》以"平"与"偏"为韵;孔子《系易》于屯,于比,于恒,则以"禽"与"穷""中""容""凶""功"为韵;于蒙,于泰,则以"实"与"顺""巽""愿""乱"为韵;此或出于方音之不同,今之读者不得不改其本音而合之。①

> 侵韵字与东同用者三见:此章之"阴",《荡》首章之"谌",《云汉》二章之"临";《易》四见:屯比恒象传之"禽""深",艮象传之"心";若此者,盖出于方音耳。②

江永说:

> 字固有定音,而方音唇吻稍转,不无微异,古今皆然。(古韵标准平声第一部中字下。)

> 大抵古音今音之异,由唇吻有侈弇,声音有转纽,而其所以异者,水土风气为之,习俗渐染为之。(同上,平声第八部总论。)

> 顾亭林云:孔子传易亦不能改方音……非具特识能为是言乎?(同上,例言。)

> 《文王》以"躬"韵"天"……《小戎》以"中"韵"骖",《七月》以"冲"韵"阴"……其诗皆西周及秦豳,岂非关中有此音诗偶假借用之乎?夫子传易于屯,于比,于恒,于艮,以"穷""中""终""容""凶""功"韵"禽""深""心",……岂非鲁地亦有此音假借用之乎?要之此方音偶借,不可为常。……审定正音乃能辨别方音,别出方音便能审定正音。(同上,第一部总论。)

---

① 见《音论》,卷中,页 8。
② 见《诗本音》,卷四,页 15 下。

张行孚说：

> 顾江二家谓古韵兼用方音，钱氏谓古韵兼用双声转音，皆知古韵有必不可强合者，其说固已十得八九矣。然必合顾、江、钱三家之说，知古韵之所以不能强合者皆方音为之，方音之所以不能尽合者皆双声为之，然后古韵之条理可得而言也。①

胡垣说：

> 垣尝留心方音，知今世方音不能强同，即古人方音亦必不能画一也。作诗者既非一方之人，用韵者自非一方之音，《节南山》首章，"岩""瞻""惔""谈""监"不杂东冬韵者，是诗人之方音合于今韵覃盐咸类也。《国风》"中""骏""风""南""音""心"，则诗人之方音读侵覃盐咸笼口，而得与东韵合也。《大雅》"仇方鉤援，民人所瞻，考慎其相"；《商颂》"下民有严，不敢怠遑"；亦诗人之方音读盐咸笼口微张，而得与阳韵合也。《虫斯》"诜""振"，《扬之水》"薪""申"，固诗人方音合于真韵也。《周颂》"涇""成"，《小雅》"冈""薪"，《大雅》"明""君"，《小戎》"群""錞""苑""膺""弓""滕""兴""人""音"，《抑》三章"今""政"，九章"人""言""行""僭""心"，亦诗人方音读真文元与阳东青蒸侵韵合也。高邮王氏《经义述闻》以"临""崇"为韵，"明""长"为韵，"君""顺"为韵，而不以"君""明"为韵，则亦泥古而未能以今通古矣。今崇明读庚类阳而不类真，湖北读魂痕类元而不类真；婺源读先类真而不类庚；金陵读覃删类阳而不类侵，读真文类庚蒸侵而不类元阳；镇江读覃类删而不类江阳；数百里内，今昔多异矣，岂古人独能一音哉？②

上举这几家的意见，偏重在"别出方音便能审定正音"，可是由现在看，假如材料够我们下判断，那就必须考证出古代方音来，然后才能窥见周秦古音的真相；所以他们的观点尽管跟我们不同，而启发我们的地方实在不少。

就我上面所引的材料来看，可见前人对于方音研究，无论在古代的，或近代的，都算是有了"筚路蓝缕"的贡献，可惜因为工具的

---

① 见《说文发疑》，卷一，页25。
② 见《古今中外音韵通例》，卷三，页4,5。

缺乏,方法的粗疏,材料的零散,始终没有经过系统的研究;这并不是古今人识见相去之远,不过是时代使然罢了。

除此之外,还有一种从前人认为"不登大雅之堂"而我们现在必得另眼看待的东西,这就是流行于民间的方音韵书。这种书流传于各地的很多,然而搜集起来也颇不易。我所知道的,只有:福州的《戚林八音》及《正音通俗表》,漳州的《十五音》,泉州的《汇音妙悟》,汕头的《潮声十五音》,广州的《千字同音》,连阳的《拍掌知音》,云南的《韵略易通》,徐州一带的《十三韵》,徽州的《乡音字汇》,婺源的《新安乡音字义考正》,合肥的《同声韵学便览》,宣城的《音韵正讹》,湖北武昌的《字音汇集》,江西清江一带的《辨字摘要》,河北一带的《五方元音》,山东一带的《十五音》和《韵略汇通》等十几部;另外散在各处的一定还不少。这种书本来为一般人就音识字用的,它们辨别声韵固然不见得精确,而大体总是以当地乡音为准;这实在是我们调查方言最好的间接材料。我尝以为,陆法言《切韵·序》所谓的"吕静《韵集》,夏侯咏《韵略》,阳休之《韵略》,周思言《音韵》,李季节《音谱》,杜台卿《韵略》等各有乖互",恐怕就是这一类的东西。因为自从汉末有了反切,韵书因之蜂出,当时因为政治的不统一,难免"各有土风,递相非笑"。假使当年陆法言不想论定"南北是非,古今通塞",仍保存这些方音韵书的本来面目,那末,六朝方音的概况或许就不待我们重新考证了。由此看来,我们对于现代的方音韵书,是实在不应该轻视的。

三 西洋人研究汉语方音的成绩及其缺点

自从海禁大开以后,中西的交涉日渐频繁,一般外国的传教士跟外交家,因为实际上的需要,对于汉语方言的记音法曾经作了好些零碎的工作。关于北京方言的著作跟字典,一时数也数不清,它们的价值也不相等。其中流行最广的要算是威妥玛（F. Thomas Wade）的《语言自迩集》，后来翟尔士（H. A. Giles）《汉英大字典》里所记的北京音，就是根据它注的。至于其余的方言，也有些特别好的字典，例如：关于广州话有艾德尔（E. J. Eitel）的《广州方言字典》，客家话有雷氏（Ch. Rey）的《汉法客话字典》，陆丰话有商克（S. H. Schaank）的《陆丰方言》，福州话有麦克莱（R. S. Maclay）跟白尔德文（C. C. Baldwin）的《福州话字典》，厦门话有杜哥拉士（C. Douglas）的《厦门土话字典》，汕头话有季布孙（C. Gibson）的卫三畏《汉文字典》的《汕头话索引》，上海话有大维（D. H. Davis）跟奚尔斯比（Silsby）的《汉英上海土话字典》，南京话有何美龄（K. Hemeling）的《南京官话》，四川话有川北教会的《汉法中国西部官话字典》等；这些部书都供给我们不少的材料。此外，关于山西、陕西、甘肃、河南的方言，比较不大有人注意，而高本汉（B. Karlgren）却亲自调查了这些方言中的十七种。关于山东、湖北、湖南、贵州、云南等处的单个方言，佛克（A. Forke）曾经发表了几个同北京话比较的音表，其结果是不甚可靠的。此外，还有麦惕尔（C. W. Mateer）在《官话类编》里简略地讲了几种方言，穆麟德（P. G. von Möllendorf）在《中国方言的分类》里举了些南部方言的例子。至于华北和扬子江流域一带，瑞典的传教士也供给了六七种方言的记载。假若粗略地讲，关于现代方音研究的材料，我们固然不能说过分地缺乏，可是还使我们不满足的，却有三点。

第一，拼法的不一致——各家拼法的参差跟错误都使我们应用上发生大困难。例如，卫三畏（S. W. Williams）在他的《分音字典·索引》里所注的上海音，都是很可疑的。关于陕西、山西、河南、甘肃的方言，有一个叫做"标准罗马字社"的曾经发刊了一些拿北京音作根据的音表，那些音表简直错得一塌糊涂。但是一直到现在,在所有讲中国方言的书中,最"像煞有介事"而结果最坏的,莫过于柏克尔(E. H. Parker)在《翟尔士大字典》里每个字底下所注的十二种方言(广州、客家、福州、温州、宁波、北京、汉口、扬州、四川、朝鲜、日本、越南)。若拿他跟上面所举的几种字典比较,至少可以看出他有四分之一是不对的。在他的字典里,他虽想采取一致的拼法,可是他自己并不能严格地遵守。即以北京话读 yu 音的字而论,柏克尔有时候写作 yu,有时候写作 you,拼法非常地随便:

幽(平声)	北京 yu, you	诱(上声或去声)	北京'you, you'
攸(平声)	北京 yu	右(去声)	北京 yu, you
酉(上声)	北京 yu, you	幼(去声)	北京 yu

还有软化的 n,他也随便用 ñ, ny, ñy, ñi, ni 等好几个记号;这岂不是自乱其例么?所以关于汉语现代方音研究,这些传教士跟外交家虽然给了我们不少瑕瑜互见的材料,然而单以北京话而论,大家尚且不能用一致的拼法,再讲到不大很知道的方言,那就乱得更可想见了。

第二,语音学知识的缺乏——上面所述的各家,除去高本汉自己调查的十七种方言是用龙德尔(J. A. Lundell)所作的瑞典方音字母记音,其余都是用极粗略的拉丁字母来写的。这些个拼法,不单像上面所说的那样的参差不齐,而且,从语音学的观点看,往往是空疏无意义的。举例来说,北京的'T',事实上不过是个舌面前的擦音,威妥玛把它写作 hs(i),并且说 h 是在 s 的前头而不能掉转过来的。卫三畏的《分音字典》为解决这个困难的注音问题,曾经说:"把指头放在牙齿当中再说 hing 或 hü。"从这儿发生出来的讨论,我们还有什么话可说呢?还有季布孙在《汕头话索引》里告诉我们说:他用 ü 写的那一个音,"是在 turn 里的 u 跟 learn 里的 ea 的中间的声音"。不过他已经觉得"有点古怪"了。此外,像麦惕尔的《官话类编》,柏克尔的语言学论文,还有许多类似的书,大部分都是缺乏语音学知识的。

第三,出发点的错误——从前西洋人研究中国现代方音的大缺陷,就是没有历史的出发点。像柏克尔的语言学论文不见得会有历史的根据,那可以不必提了;就是像穆麟德在1899年所作的一本书拿难懂易懂作中国方言分类的出发点,佛克跟"标准罗马字社"所刊布的几个音表拿北京话作出发点,也是一样不中用的。因为不能互通的两种方音,未见得没有历史的关系。例如,北京话的[tṣan]跟上海话的[tse],声音虽然差得很远,可是一推溯它的来源,可以说同是从古音"展"[tiăn]并行演变下来的。因此我们就可以得到一个简单的方程式:北京[tṣ]＝上海[ts],北京[an]＝上海[e]。同时,广州的[tsæ]跟上海的[tse]音很相近,其实它跟上海的[tsia]同出于古音的"借"[tsia]。如果没有历史的出发点,我们哪能知道它们彼此的关系呢?再说,无论拿哪一种现代方音作研究别的方音的出发点,事实上往往都走不通。例如,古音的[ĕi](微)、[iĕ](支)、[i](脂)、[i:](之)四韵在北京话都变成[i],其余好些种方言也照着它这样变。那末,北京话自然可以当作很好的根据了;可是在福州话,[ĕi][i][i:]变[i][iĕ],还保存[ie]的古读,这就不能再拿北京话作研究的出发点了。其实研究现代方音惟一有效的出发点就是古音。例如马伯乐(Henri Maspero)的《安南语音学》和高本汉的《中国音韵学研究》,都因为抓到了这个出发点,才能对于汉语音韵学有相当的贡献,其余的人恐怕大多数都走错路了。

由于有这三个缺点,西洋人对于汉语现代方言所作的那末多的书,除去少数学者的著作,大部分只能作为我们参考的材料,不能作为研究的根据,因为它们在语音学上的价值是很有限的。

四　方音研究的最近发展

近三十年来,国内学者研究现代方音的兴趣,是由征集歌谣引起的。自从1918年2月北京大学发起征集歌谣以来,经过五六年的工夫,歌谣收到的日渐增加。后来因为歌谣里有许多俗语都是有音无字的,除了华北和特别制有方言字的广东等几省以外,要用汉字记录俗歌实在是不可能的事;即便勉强写出来,也不能正确,而且容易误解。单用汉字既然不行,注音字母那时也没有制定闰音符号,那末,要想记录一首方音的俗歌来,只有用拉丁字母标音的一法。这种意见,北京大学《歌谣周刊》(第31期)中一篇短文《歌谣和方音调查》里首先提出,后来逐渐引起各方面的注意和讨论;钱玄同并草拟了一种歌谣音标(北大《歌谣周刊》增刊)。到了1924年1月26日,北京大学研究所国学门宣告成立"方言调查会";同年五月,又拟定了一种方音字母,并且标注了北京、苏州、绍兴、福州、绩溪、南阳、黄冈、湘潭、昆明、广州、潮州、厦门、成都、焦岭十四种方音,作为实例。这实在是国人用新方法研究现代方音的"椎轮大辂"。再加刘复于同年三月在巴黎用实验语音学方法研究汉语声调的报告——《四声实验录》——也出版了;他返国后便在北京大学成立语音乐律实验室,于是在方音研究上更给予了科学上的助力。1925年10月18日,北京大学研究所国学门在北海濠濮间召开第三次恳亲会,魏建功在会上把"到底怎么样"一句话用国际音标记录了三十三种方言,作为余兴。那时国人对于方言调查兴趣的浓厚,由此也就可见一斑。可是用语音学的方法,大规模地调查一个语群的方音而写成专书的,赵元任的《现代吴语的研究》实在要算是第一部了。这本书是1928年6月由清华大学研究院刊行的。赵元任所调查的区域包括江苏的东南部和浙江东北大部分,一共有三十三个吴语方言点。他对于声母韵母的音值,只是凭着听觉所得,用严式国际音标记注下来;对于审辨声调的音值,则只借助于一个渐变的音高管,也没有用其他的仪器。

前中央研究院历史语言研究所成立以后,1928年11月到1929年2月,在广东、广西作初次的方言调查。其范围东至潮汕,西至南宁,北至乐昌,南至中山。当时就地记音和就近觅人记音的地方,有潮安、东莞、恩阳、广州、桂林、贵县、揭阳、中山、乐昌、廉州、南宁、三水、韶州、新会、始兴、台山、文昌、梧州、桂平、江口、梅县、五华等二十二处。1930年8月在海南岛调查了琼州、海口、文昌、乐会、万宁、崖县六处方音。1933年3月到8月,白涤洲调查了陕西旧关中道所属的四十二县方音。1934年6月到8月,罗常培调查了安徽南部歙县、绩溪、休宁、黟县、祁门、婺源六县四十六点的方音。1935年前历史语言研究所又拟订调查全国方言总计划,打算普遍调查全国各地方言,灌制永久性的音档并画出方言地图。于是,1935年春天,调查了江西省方言;同年秋天调查了湖南省方言。1936年5月调查了湖北省方言。因为受日本帝国主义的侵略战争的捣乱,这个计划并没能完全贯彻。但是,在抗日战争期间的艰苦条件下,在1940年3月到5月调查了云南省九十八县,一百二十三个点的方言;1941年10月、11月又调查了四川省大部分的方言。这些调查的结果,除了《湖北方言调查报告》已经出版,《关中方音调查报告》就要出版以外,大部分还都没有印行。

此外,研究一地方音者,有罗常培的《厦门音系》、《临川音系》,周辨明的《厦语的构造及声调变化》,陶燠民的《闽音研究》,王力的《博白方音研究》(法文本),岑麒祥《广州方音研究》(法文本),刘文锦的《记咸阳方音》等。因为国内方音研究的进步,于是外国人的研究也改变了旧的方法,像卞志一(Theodor Bröring)的《山东音声》(Laut und Ton in Süd-Schantung),龙果夫(E. H. и A. A.

Драгунов)夫妇的《湘潭与湘乡的方音》(Диалекты Сянтань и Сянсян),这些著作比起从前传教士们所作的,已然是不可同日而语了。

至于用现代语音学方法去考证汉语古代方音的,罗常培所著《唐五代西北方音》就是一个例子。因为要想弄清楚汉语音韵史每个时期的方音系统,更应该彻底弄明白现代的方音系统。近三十年来的方音研究,虽然有一些进步,可是已经调查过的方言还不及全国汉语区域的一半。像河南、河北、山西、山东、甘肃、福建的大部分,江苏北部、东北各省及安徽的大部分,贵州的全部,都是未经开垦的荒田,正待我们去披除榛莽。然而,调查方音的人才是要经过相当训练的,这种大规模的调查事业既然不是少数人所能完成,那就要扩大组织队伍,才可能希望发展。我们所以要提倡汉语现代方音研究,无非想引起多数同志的兴趣,组织起来,共同参加这个大规模的调查研究事业罢了。

总结过去的经验,我们可以说:中国从前许多学者早就注意到汉语方音的研究;只是受标音工具的限制,所作成果还有许多不精确的地方。近三十年来,有了语音学的帮助,在这一方面的成就自然比前人进步了许多,但是有一个缺点我们必须指出来:方音研究固然是方言学的基础,却不是方言学的全部。杨雄《方言》一类的书重视词汇,忽略语音;近年来的调查重视语音,忽略词汇;都不免各有偏差。今后必须把这两个方面结合起来,才能算是汉语方言学的全面的研究。

(原载《东方杂志》第三十卷第七号,1933年;
1954年3月重订于北京)

杨雄《方言》在中国语言学史上的地位
——《方言校笺及通检》序

在语言学的三大部门里,从中国古代语言学发展史来看,词汇学创始得最早,可是后来并没能发挥光大。音韵学到第三世纪才有了萌芽,因为受了几次外来的影响,比较最能走上科学的路。文法学发展得最晚,一直到第十九世纪末才有了第一部系统的文法书《马氏文通》(前六卷1898年冬出版,后四卷1899年付印)。它以后的五十年来,除了最近几部比较接近语言科学的语法著作以外,大体上还不免停滞在"拉丁文法汉证"或"拉丁文法今证"的阶段。

词汇的纂辑从公元前二世纪已经开始了。《尔雅》的著者虽然有人伪托得很古,实际上它只是汉代经师解释六经训诂的汇集。曹魏时张揖所作的《广雅》,也仿照《尔雅》体例,搜罗《尔雅》所没有收进去的名物训诂。这一类的词书主要是为六经作注脚的,他们所辑录的限于古书里有文字记载的语言,并没有注意到当时各地人民口里的活语言。至于较后的刘熙《释名》,乃是一部主观的、唯心的训诂理论书,近人虽然有根据它作"义类"或"字族"研究的,可是从唯物的语言学观点来看,这部书在中国语言学史上并不占重要的地位。当公元第一世纪左右,已经有唯物的观点,从大众的语言出发,应用客观的调查方法的,只有《方言》能够具备这些条件。

《方言》是中国的第一部比较方言词汇。它的著者是不是杨雄,洪迈和戴震有正相反的说法,后来卢文弨、钱绎、王先谦都赞成戴说,认为《方言》是杨雄所作。本书的著者周燕孙(祖谟)在自序里对这个问题并没加断定,他的矜慎态度是很可嘉许的。我自己却很相信应劭的话:他在《风俗通》序里开始说:"周秦常以岁八月遣𬨎轩之使采异代方言,还奏籍之,藏于秘室。及嬴氏之亡,遗弃脱漏,无见之者。蜀人严君平有千余言,林闾翁孺才有梗概之法。杨雄好之,天下孝廉卫卒交会,周章质问,以次注续。二十七年尔乃治正,凡九千字。"由这段记载,咱们可以推断:方言并不是一个人作的,它是从周秦到西汉末年民间语言的可靠的记录。杨雄以前,庄遵(就是严君平)和林闾翁孺或者保存了一部分资料,或者拟定了整理的提纲。到了杨雄本身也愿意继承前人的旨趣,加以"注续"。他"注续"的资料不是凭空杜撰的,而是从群众中来的,他虽然没有坐着轻便的𬨎轩车到各处去调查方言殊语,可是他利用各方人民集中都市的方便,记录了当时知识分子(孝廉)、兵士(卫卒),其他平民乃至少数民族的语言。他所用的调查方言法是"常把三寸弱翰,油素四尺,以问其异语;归即以铅摘次之于椠。"(见《答刘歆书》,并参阅《西京杂记》)。这简直是现代语言工作者在田野调查时记录卡片和立刻排比整理的工夫。这真是中国语言学史上一部"悬日月不刊"的奇书,因为它是开始以人民口里的活语言作对象,而不以有文字记载的语言作对象的。正因为这样,所以《方言》里所用的文字有好些只有标音的作用:有时沿用古人已造的字,例如,"儇,慧也",《说文》"慧,儇也",《荀子·非相篇》"乡曲之儇子";有时迁就音近假借的字,例如,"党,知也","党"就是现在的"懂"字;又"寇、剑、弩,大也",这三个字都没有"大"的意思;另外还有杨雄自己造的字,例如,"俺"训爱,"悷"训哀,"姘"训好之类。这三类中,除了第一类还跟意义有关系外,实际上都是标音符号。至于像"无写"、"人兮"一类语词的记载,更是纯粹以文字当作音符来用的。假如当时杨雄有现代的记音工具,那么,后代更容易了解他重视活语言的深意了。《方言》还有一个长处,就是郭璞《方言注》序所说的:"考九服之逸言,标六代之绝语;类离词之指韵,明乖途而同致;辨章风谣而区分,曲通万殊而不杂。"它虽然偏重横的空间,却没忽略了纵的时间,虽然罗列了许多殊域方言,却能划分地区,辨别"通语"、"凡语"和"转语";在头绪纷繁的资料中却能即异求同,条分缕析。综括全书来看,这的确是一部有系统、有计划的好书。它的许多特征,本书校笺者的自序已然说得很详细,这里就无须赘述了。

杨雄以后,懂得这部书是拿语言作对象的,前有郭璞(276—324),后有王国维(1877—1927);跟他所用的调查方法不谋而合的,只有一个刘献廷(1648—1695)。从景纯的注可以看出汉晋方言的异同,和有音无字的各词的读法;可是假若没有静安的阐发,郭注的优点恐怕也不能像现在这样显著。所以郭、王两君都可以算是方言的功臣。刘献廷曾经想应用他自己所定的新韵谱(1692)"以诸方土音填之,各郡自为一本,逢人便可印证。以此授诸门人子弟,随地可谱,不三四年九州之音毕矣"(《广阳杂记》卷三。拿他所说的跟杨雄比较起来,虽然刘偏重音韵,杨偏重词汇,但是在十九世纪以前,语言学还没有成为科学的当儿,中国的先民居然前后辉映地发明了跟现代语言科学若合符节的调查方法,这实在不能不算是中国语言学史上的两大贡献。

杨雄以后,续补《方言》的有杭世骏、戴震、程际盛、徐乃昌、程先甲、张慎仪各家。至于分地为书的,有李实《蜀语》、张慎仪《蜀方言》、胡文英《吴下方言考》、孙锦标《南通方言疏证》、毛奇龄《越语肯綮录》、茹敦和《越言释》、范寅《越谚》、刘家谋《操风琐录》、胡朴安《泾县方言》、詹宪慈《广州语本字》、罗翙云《客方言》等;考证方言俗语的,也有岳元声《方言据》、杨慎《俗言》、钱大昕《恒言录》、钱坫《异语》、翟灏《通俗编》、张慎仪《方言别录》、孙锦标《通俗常言疏证》、谢璘《方言字考》等书。总起来看,这些书大都是从史传、诸子、杂纂、类书,以及古佚残编等抄撮而成;除去一两种外,始终在"文字"里兜圈子,很少晓得从"语言"出发。能够了解并应用《方言》本书的条例、系统、观点方法的,简直可以说没有人。可惜在中国语言史上发达最早的词汇学,从《方言》以后,就这样黯淡无光,不能使第一世纪左右已经有了的逼近语言科学的方法继续发展!

　　章炳麟的《新方言》,运用古今音转的定律来整理当时的活语言,比起上面两类著作来,算是知道拿语言作对象的。不过,他一定要把"笔札常文所不能悉"的语词,都在《尔雅》《说文》里求得本字,硬要证明"今之殊言不违姬汉",那就未免拘泥固执没有发展观念了!关于这一点,倒是他的弟子沈兼士见解高明得多。沈氏说:"表示语言的文字,本不一定都用本字";语词随时孳生,"后起的语言,不必古书中都有本字"。"语言往往因种族交通而发生混杂的状态,倘一切以汉字当之,恐反昧其来源"。并且"中国的语言由单缀音逐渐变为多缀音,而文字学家仍拘守着'字',不注意到'词',对于复音词往往喜欢把它拆开来,一个一个替他找本字,殊为无谓"。这些议论的确是"青出于蓝"的。沈氏认为研究方言的方法可以分纵横两方面:纵的方面应该从事"各代记载中方言之调查和比较","单缀语渐变为多缀语之历史的研究","语言与文字之分合的研究","语源的研究";横的方面应该从事"语汇之调查","同一意义之各地方言的比较研究","各地单语之词性变化法的比较研究","与异族语之关系的研究"。(见段砚斋杂文《今后研究方言的新趋势》)。这些观点直到现在还是很重要的。章、沈所论虽然跟《方言》本书没有直接关系,实际上却比那些续补《方言》或考证常言俗语的著作有价值,所以我在这里附带提一下。

　　周君这个校本以宋李文授本作底本,而参证清代戴震、卢文弨、刘台拱、王念孙、钱绎各本,论其是非,加以刊定。旁征的论著达三十三种,其中的原本《玉篇残卷》、《玉烛宝典》、《慧琳一切经音义》、《倭名类聚抄》、王仁煦《切韵》、《唐韵残卷》等,都是清人所没看见的。对于原书的讹文脱字也都能够依例订正;实在不愧是"后出转精"的"定本"。至于吴晓铃君主编的通检,兼用"引得"和"堪靠灯"两法,分析细微而且富于统计性,对于应用《方言》作研究的人,实在便利万分,减少无穷的麻烦。拿通检跟校笺配合起来,可称"相得益彰"!从此中外学者再来研究《方言》,只要"手此一编",就可以不必还在校刊文字和分析排比上费冤枉功夫;他们就可以集中精力,"单刀直入"地从语言的观点上去探讨《方言》的精诣。这样一来,两千年前庄遵、林间翁孺和杨雄的集体工作,才可以在郭璞、刘献廷、王国维之外,多加几个知己。假如将来中外学者对于《方言》能够有伟大的新贡献,那么,他们的成绩应该有不少的部分记在周、吴两君的账上!

(原载《光明日报》1950年10月22日)

论藏缅族的父子连名制[①]

——敬以此文哀悼陶云逵先生

在解释什么叫做"父子连名制"以前,让我先讲一个故事:

在文康所作的《儿女英雄传》第三十三回里,安家的那位舅太太讥讽安老爷好引经据典地转文,曾经说了一个下象棋请人支着儿的故事,原文说:

有这么一个人下得一盘稀臭的象棋,见棋就下,每下必输;没奈何请了一位下高棋的跟着他在旁边支着儿。那下高棋的先嘱咐他说,支着儿容易,只不好当着人说出来,直等你下到要紧的地方儿,我只说一句哑谜儿,你依了我的话走,再不得输了。这下臭棋的大乐,两个人一同到棋局,和人下了一盘。他这边才支上左边的士,那家儿就安了当头炮;他又把左边的象垫上,那家又在他右士角里安了个车。下来下去,人家的马也过了河了,再一步就要打他的挂角将。他看了看士是支不起来,老将儿是躲不出去,一时没了主意,只望着那支着儿的。但听支着儿的说道:"一杆长枪";一连说了几遍,他没懂,又输了。回来就埋怨那个支着儿的。那人说:"我支了那样一个高着儿,你不听我的话,怎的倒怨我?"他说:"你何曾支着儿来着?"那人说:"难道方才我没叫你走那步马么?"他

[①] 这篇文章初稿原在南开大学《边疆人文》第 1 卷,第 3、4 期合刊发表(1944 年 3 月);后来续作"再论藏缅族父子连名制",在《边政公论》第 3 卷,第 9 期发表(1944 年 9 月);"三论藏缅族父子连名制",在《边疆人文》第 2 卷,第 1、2 期合刊发表(1944 年 12 月)。这段附录是综合以上三篇文章重订汇成的。

说:"何曾有这话?"那人急了,说道:
"你岂不闻一杆长枪通天彻地,
地下无人事不成,
城里大姐去烧香,
乡里娘,
娘长爷短,
短长捷径,
敬德打朝,
朝天镫,
镫里藏身,
身清白,
白面潘安,
安安送米,
米面油盐,
阎王要请吕洞宾,
宾鸿捎书雁南飞,
飞虎刘庆。
庆八十。
十个麻子九个俏,
俏冤家,
家家观世音,
因风吹火,
火烧战船,
船头借箭,
箭箭射狼牙,
牙床上睡着个小妖精,
精灵古怪

怪头怪脑,
恼恨仇人太不良,
梁山泊上众弟兄,
兄宽弟忍,
忍心害理,
理应如此,
此房出租,
出租的那所房子后院种着棵枇杷树,
枇杷树的叶子像个驴耳朵。
是个驴子就能下马。

你要早听了我的话,把左手闲着的那个马别着象眼,垫上那个挂将,到底对那子一步棋,怎得就输呢! 你明白了没有?"

那下臭棋的低头想了半天,说:"明白可明白了;我宁可输了都使得,实在不能跟着你二鞑子吃螺蛳,绕这么大弯儿!"

这段故事里包含一个所谓"顶针续麻"的文字游戏,就是上一句的末一字或末两三字和下一句的前一字或前两三字同字或同音。例如:"一杆长枪通天彻地"的末一字和"地下无人事不成"的头一字是一样的,而这第二句的末一字"成"和第三句"城里大姐去烧香"的头一字是同音的。又如"此房出租"的末两字和"出租的房子后院种着棵枇杷树"的头两字相同,而这句的末三字又和下句"枇杷树的叶子像个驴耳朵"的前三字相同。这种游戏在民间文艺里普遍地流行着。诗词曲里有一种"顶真体",又叫做"连珠格",性质也和这种文字游戏一样。例如,《中原音韵》载无名氏《小桃红》云:

断肠人寄断肠词,词写心间事,事到头来不由自,自寻思,思量往日真诚志,志诚是有,有情谁似,似俺那人儿。

乔梦符也有效连珠格《小桃红》,见《乐府群玉》。又郑德辉《伯梅香》首折的《赚煞》,马致远《汉宫秋》第三折《梅花酒》和《收江南》，还有《白雪遗音》中"桃花冷落"一首也用此格。现在再举《桃花冷落》为例：

桃花冷落被风飘，飘落残花过小桥，桥下金鱼双戏水，水边小鸟理新毛，毛衣未湿黄梅雨，雨滴红梨分外娇，娇姿常伴垂杨柳，柳外双飞紫燕高，高阁佳人吹玉笛，笛边弯线挂丝绦，绦结玲珑香佛手，手中有扇望河潮，潮平两岸风帆稳，稳坐舟中且慢摇，摇入西河天将晚，晚窗寂莫叹无聊，聊推纱窗观冷落，落雪渺渺被水敲，敲门借问天台路，路过西河有断桥，桥边种碧桃。

更往远里说，像《毛诗既醉》自二章至末章，《宋书·乐志》卷三所载，"平陵东，松柏桐，不知何人折义公"歌，曹子建《赠白马王彪诗》，李白《白云歌送刘十六归山》……或重每章末句，或重每句的末几字，也都算是"顶真体"。我为什么在这篇文章的起头儿先啰啰嗦嗦举这一大些例子呢？因为这里所要讲的"父子连名制"正好借顶针续麻的例子来说明它。

父子连名制是藏缅族（Tibeto-Burman family）的一种文化特征（cultural trait），靠着它可以帮助体质和语言两方面来断定这个部族里许多分支的亲属关系；并且可以解决历史上几个悬而未决的族属问题。综括说起来，在这个部族里，父亲名字末一个或末两个音节（syllable）常和儿子名字的前一个或前两个音节相同（overlapped）。它的方式大约有底下几种：

1. ABC—CDE—DEF—FGH
   恩亨糯 糯笨培 笨培埚 埚高劣
2. A□B—B□C—C□D—D□E
   龚亚陇 陇亚告 告亚守 守亚美
3. ABCD—CDEF—EFGH—GHIJ
   一尊老勺 老勺渼在 渼在阿宗 阿宗一衢
4. □A□B—□B□C—□C□D—□D□E

193

　　　　阿宗阿良　阿良阿胡　阿胡阿烈　阿烈阿甲
在各分支里虽然不免有小的参差，大体上很少超越上面所举的几个方式以外。

　　我研究这个问题的兴趣起初是由纸上材料引起的。1943年春天我到云南西部的鸡足山去游览，在一个叫做悉檀寺的庙里发现一部丽江木土司的《木氏宦谱图像世系考》，当时颇发生浓厚的好奇心。回来整理游记，曾参考陶云逵，董作宾，凌纯声各家的说法写成一篇"记鸡足山悉檀寺的木氏宦谱"，发表在《当代评论》第3卷第25期上。后来由自己调查和朋友供给，陆续得到些个现实的活材料。现在综合这两方面的材料写成这篇论文，希望对这问题发生兴趣的人类学家，民族学家和语言学家格外予以补充或修订，好让这个问题更可以得到圆满的解决。

　　我对这个问题想分三纲六项十三目来叙述它：

壹、缅人支

　　（一）缅人（Burman）对于这一部族，我自己并没得到什么直接材料，只在缅甸的历史里发现有父子连名的事实。当西元2世纪到4世纪的时候，缅甸孔雀王朝的世系也是父子连名的。例如：

　　　　Pyo—so—ti　Ti—min—yi

　　　　　Yi—min—baik　Baik—then—li

　　　　　Then—li—jong　Jong—du—yit[①]

另外还得希望精通缅甸掌故的加以补充。

　　（二）茶山（A chit）茶山是住在滇缅北界一带的一个部族。1944年春天我曾亲自得到这一支的两个谱系：一个叫孔科郎的数了46代；另一个叫董昌绍的数了9代。现在分列于下：

---

　　① Phayre：History of Buma p.279，据凌纯声"唐代白蛮乌蛮考"所引，见历史语言研究所《人类学集刊》第1卷第1期。

（甲）孔氏世系

1. Ya˧ be˩ bawm˧
2. Mashaw˥ bawm˧ ①
3. Bawm˧ shaw˥ chung˧
4. Chung˧ shaw˧ nin˧
5. Shi˧ nin˧ k'ying˦
6. K'ying˧ da˥ ə˧
7. Da˥ ə˧ saw?˥
8. Saw?˥ yaw˧ chu˥
9. Chu˥ fu˧ fek˥
10. Fu˧ fek˥ k'um˥
11. K'um˥ kwe˥ zik˩
12. Zik˩ k'u˥ lam˩
13. K'u˧ lam˩ pe˧
14. Shaw˥ gyaw˥ xang˧
15. Xang˧ zaw˧ byu˩
16. Byu˩ zaw˧ te˥
17. Te˥ maw˧ yaw˩
18. Maw˧ yaw˩ p'yan˩
19. P'yan˩ byaw˧ yang˧
20. Yang˧ lawm˧ lik˧
21. Lik˧ ding˩ chit˥
22. Chit˥ kang˥ yau˧
23. Kang˩ yau˧ gwi˩
24. Gwi˩ chung˩ chyit˥
25. Chung˧ chyit˧ yaw˩
26. Yaw˩ au˧ ding˩
27. Dingl˩ aw˧ yaw˧
28. Waw˧ law˧ jang˥
29. Jang˥ law˧ bawm˩
30. Bawm˩ law˧ nu˥
31. Nu˥ kyang˧
32. Kyang˧ bau?˥
33. Bau?˥ myaw˧
34. Myaw˧ t'uk˥
35. T'uk˥ bawm˩
36. Bawm˩ zing˧
37. Zing˧ yaw˩
38. Yaw˩ bawm˩
39. Bawm˩ k'aw˧
40. K'aw˧ ying˧
41. Ying˧ sau˧
42. Sau˧ ying˧
43. Ying˧ yaw˩
44. Yaw˩ ying˧
45. Ying˧ k'aw˩
46. K'aw˩ lang˧

以上46代，除1、2为平辈外，其余都可以表现父子连名，但第13

---

① 茶山语的音标暂照韩孙（O. Hanson）的"山头文"略加修订，但调号是另加的。

代以上和第 14 代以下不衔接。据孔科郎说:"第 13 代以上可以和牛狗草木讲话,还没有完全变成人。"那么,这以前或许只是远古的传说,还不能算是孔氏的直系宗谱吧?

(乙)董氏世系

1. Yawn ˧ sau ˩ 2. Sau ˩ chang ˧
3. Chang ˧ lang ˧ 4. Lang ˧ bau ˧ ＝Lang˧ gying
5. Bau √ zung ˧ ＝Bau √ ying＝Bau ˧ taik √
6. Zung ˩ ying ˧ 7. Ying √ sau ˧
8. Sau √ chang ˧ 9. Chang ˧ sau √

这个谱里,第 4 代有兄弟二人,第 5 代有兄弟三人,那么,这一支应该是长房传下来的。据董昌绍说,约在 400 年前,片马还是林莽丛芜的时候,他的第一世祖 Yawn ˧ sau ˩ 才来到这里做"筚路蓝缕,以启山林"的开荒工作。这位拓荒者的坟在下片马,坟地内有汉文碑和刻像。第四世祖的坟在下片马 Gyung √ gyung ˩ 山上;第五世祖的坟在下片马 A ˩ wyaw √ bau √:这两个坟都没有碑。拿孔董两家比较来看,董氏似乎比孔氏晚的多,如果昌绍的话可信,那末董氏似乎从明朝嘉靖的末叶才搬到片马去的。

贰、西番支

(三)么些或那喜(Moso 或 Na-khi)据余庆远《维西见闻录》说:

么些无姓氏,以祖名末一字,父名末一字,加一字为名。递承而下,以志亲疏。

其实,若照上文所举连名制的四种方式和下面所举么些族的三种世系详加审核,咱们就可以发现余氏所说的话似是而非了。我所得到的三种材料是:

(甲)丽江么些经典中所记大洪水后的 6 代

1. 宗争利恩 2. 恩亨糯 3. 糯笨培

4. 笨培呙　　5. 呙高劣　　6. 高劣趣①

照余氏的说法,这里的第3代便应作"恩糯培",第4代应作"糯培呙",显然是跟事实不符的。

(乙)"玉龙山灵脚阳伯那"《木氏贤子孙大族宦谱》里所记传说的12代:

1 天羡从从　　　2 从从从羊　　　3 从羊从交
4 从交交羡　　　5 交羡比羡　　　6 比羡草羡
7 草羡里为为　　8 里为糯于　　　9 糯于南伴普
10 伴普于　　　11 于哥来　　　12 哥来秋②

从此以后便接续木氏的历史世系。据说木氏的第一代祖先是叶古年。叶古年以前11代是东汉时的越巂诏,他以后的6代改为笮国诏。杨慎《木氏宦谱序》说:叶古年是唐武德时的军官,他的后裔秋阳却在唐高宗上元时才袭职。可是,若依父子连名制的系统来讲,哥来秋以后就应和秋阳系联,中间不该有叶古年间隔。我颇怀疑叶古年就是哥来秋或秋阳两人中之一的汉化姓名。自然这一点还需要更多的证据才能断定。

(丙)丽江《木氏宗谱》

木氏是从唐武德年间到清初时候世袭的丽江土司,关于这一家的宗谱共有四种:

1. 杨慎《木氏宦谱序》明嘉靖二十四年撰,今藏丽江木氏家。
2. 《木氏宦谱图像世系考》与杨《序》合装一册,有二本:一有清道光二十年海南陈钊钟所题"木氏归命求世之图"的标签并后序及诗跋,藏丽江木氏家;一题"木氏宦谱"藏云南鸡足山悉檀寺。

---

① 据董作宾"夑人谱系新证"所引,见中山文化教育馆《民族学研究集刊》第2期。
② 参看 Joseph F. Rock, *The Ancient Na-khi Kingdom of Southwest China*, Cambridge, 1947, pp. 81—85.

3. 《木氏历代宗谱碑》在今丽江县城东南10里蛇山木氏坟地。清道光二十二年初镌。
4. 《续云南通志稿·南蛮志》么些诏附注之《木氏宦谱》。《志稿》系清光绪二十七年王文韶等修成。

这四种材料的异同,详陶云逵"关于么些之名称分布与迁移"和我的"记鸡足山悉檀寺的《木氏宦谱》"两篇文章里,这里且不多赘。

现在只据《木氏宗谱碑》列其世系如下:

1. 秋阳	2. 阳音都谷
3. 都谷剌具	4. 剌具普蒙
5. 普蒙普王	6. 普王剌完
7. 剌完西内	8. 西内西可
9. 西可剌土	10. 剌土俄均
11. 俄均牟具	12. 牟具牟西
13. 牟西牟磋	14. 牟磋牟乐
15. 牟乐牟保	16. 牟保阿琮
17. 阿琮阿良	18. 阿良阿胡
19. 阿胡阿烈	20. 阿烈阿甲
21. 阿甲阿得(木得)	22. 阿得阿初(木初)
23. 阿初阿土(木土)	24. 阿土阿地(木森)
25. 阿地阿寺(木嵚)	26. 阿寺阿牙(木泰)
27. 阿牙阿秋(木定)	28. 阿秋阿公(木公)
29. 阿公阿目(木高)	30. 阿目阿都(木东)
31. 阿都阿胜(木旺)	32. 阿胜阿宅(木青)
33. 阿宅阿寺(木增)	34. 阿寺阿春(木懿)①

---

① 据 J. F. Rock 前引书,木懿以后为"阿春阿俗(木靖),阿俗阿胃(木尧),阿胃阿挥(木兴),阿挥阿住(木钟)",仍用连名制。木钟以后,木德,木秀,木睿,木汉,木景,木荫,木标,木琼,木松奎始废弃之。(pp. 136—153)。所据与《宗谱碑》不同。

35．木樨	36．木松
37．木润	38．木楒
39．木仁。	

以上 39 代的连名制，第一代和第二代是用第一式，第二代到第 16 代用第三式，第 17 代到第 34 代用第四式。到了明初虽赐姓木，但原来父子连名的风习一时不易更改，只在木姓后加上原名的末一名作为姓名，例如阿甲阿得也叫做木得。直到清康熙时，从木溪以后这种文化特征才看不出来了。

（丁）永宁土司的世系

据《永北直隶厅志》（卷三，页 36 下到 41 上）所载永宁土司世系的前两代也是采用父子连名制的：

1．卜都各吉	2．各吉八合

可是从第三代卜撤（1413），第四代南八（1425）以后这种文化遗迹已经消灭，从第五代阿直（1458）起，子孙就都以"阿"为氏了。这种汉化的趋势是从明永乐时候才开始的。①

叁、倮倮支

（四）倮倮（Lolo）就已经得到的材料说，这个部族的谱系我曾经看见过七种：

（甲）丁文江（V. K. Ting）《爨文丛刻》（*A Collection of Lolo Writings*）《帝王世纪》中洪水以前的 30 代：

1．希母遮	2．遮道公	3．公竹诗	4．诗亚立
5．立亚明	6．明长夬	7．长夬作	8．作阿切
9．切亚宗	10．宗亚仪	11．仪亚祭	12．祭迫能
13．迫能道	14．道母仪	15．母仪尺	16．尺亚索
17．索亚得	18．得洗所	19．洗所多	20．多必益

---

① 参看 J. T. Rock 前引书，(pp. 377—381)。

21．必益堵	22．堵洗仙	23．洗仙佗	24．佗阿大
25．大阿武	26．阿武儒	27．儒侏渎	28．渎侏武
29．武老撮	30．撮朱渎		

据译者罗文笔的序文说,"从人类始祖希母遮之时,直至撮侏渎之世共有30代人。此间并无文字,不过以口授而已。流于29武老撮之时,承蒙上帝差下一祭司宓阿叠者,他来兴奠祭,造文字,立典章,设律科,文化初开,礼仪始备。但此间当有洪水略解,余无此书,不能备载"。所谓"洪水"是一个阶段,往前推溯到他们传说中所认为人类的始祖希母遮,而第30代撮朱渎又和水西安氏的始祖渎母吾连起名来了。

(乙)《爨文丛刻》《帝王世纪》中的"后天渎母"世系,即贵州水西,倮倮安氏世系,从安氏的始祖渎母吾到一分明宗共计84代:

1．渎母吾	2．母齐齐	3．齐亚红
4．红亚得	5．得古沙	6．沙古母
7．古母龚	8．龚亚陇	9．陇亚告
10．告亚守	11．守亚美	12．美阿得
13．得亚诗	14．诗美武	15．美武梦
16．梦蝶多	17．多亚质	18．质吾勺
19．吾勺必	20．必一梅	21．梅阿亮
22．亮阿宗	23．宗亚补	24．补亚勺
25．勺亚讨	26．讨阿常	27．阿常必
28．必益孟	29．孟吾守	30．守阿典
31．典亚法	32．法一宜	33．一宜尺
34．尺亚主	35．主阿典	36．典阿即
37．即亚登	38．登亚堵	39．堵阿达
40．阿达多	41．多阿塌	42．塌阿期
43．期阿否	44．否那知	45．那知渎

46. 渍阿更	47. 阿更阿文	48. 阿文洛南
49. 洛南阿磕	50. 阿磕一典	51. 一典即期
52. 即期忍一	53. 忍一卜野	54. 卜野一尊
55. 一尊老勺	56. 老勺渍在	57. 渍在阿宗
58. 阿宗一衢	59. 一衢卜宜	60. 卜宜阿义
61. 阿义阿洛	62. 阿洛阿冬	63. 阿冬大屋
64. 大屋老乃	65. 老乃老在	66. 老在阿期
67. 阿期老帝	68. 老帝卜直	69. 卜直那考
70. 那考崩在	71. 崩在老知	72. 老知老铺
73. 老铺不足	74. 不足直巴	75. 直巴安作
76. 安作直吾	77. 直吾老成	78. 老成洛西
79. 洛西非说	80. 非说老古	81. 老古老得
82. 老得老颠	83. 老颠一分	84. 一分明宗

据罗文笔说:"余详考我宗祖母齐齐之谱系,直至我主安昆被吴三桂掳掠之时,共计84代,其间治乱兴衰,不及详载"。从吴三桂灭水西安氏到罗文笔还有六代,若从他的始祖希母遮算起一共是120代,一贯相承,都用父子连名制。

(丙)武定夷族古史

这部分材料是马学良从武定凤土司家里得到的。一种是相连的六代:

1. 竹　　彻　　客　　第　　一　　彻　　客　　士　　第　　二
dɤ˩　tʂʻɜ˩　kʻɤ˥　ni˩　tʻa˩　tʂʻɜ˩　kʻɤ˥　sɹ˥　ni˩　ni˥
士　　阿　　沙　　第　　三　　沙　　鲁　　濯　　第　　四
sz̩˥　ɣa˩　ʂa˩　ni˩　so˦　ʂa˩　lɔ˦　tsʷɔ˦　ni˩　ɥi˦
鲁　　濯　　装　　第　　五　　楚　　舒　　族　　第　　六
lu˦　tsʷɔ˦　tʻɤ˦　ni˩　ŋɤ˦　tʻɤ˦　sɹ˦　tsɤ˦　ni˩　tɕʻʊ˦

另一种是相连的十代:

母	阿	齐	第	一	齐	阿	宏	第	二
mɣ˦	La˦	tsʼi˦	ni˩	tʼa˦	tsʼi˦	La˦	hu˦	ni˩	ni˦
宏	阿	德	第	三	德	窝	所	第	四
hu˦	La˦	dɣ˦	ni˩	sɑ˦	dɣ˦	ʦʼuɣ˦	ʂʷ˦	ni˩	ɨ˦
所	务	母	第	五	务	母	筹	第	六
ʂʷ˦	ʼɣ˦	mɣ˦	ni˩	ŋɣ˦	ʼɣ˦	mɣ˦	tʼʃʷ˦	ni˩	Lu̯ə˦
筹	阿	怒	第	七	怒	阿	鲁	第	八
tʂʼʷ˦	La˦	nu˦	ni˩	ɕi˦	nu˦	ya˦	lu˦	ni˩	hi˦
鲁	阿	士	第	九	士	阿	末	第	十
Lu˦	La˦	ʐ̣˦	ni˩	ky˦	ʐ̣˦	ʼɣ˦	hɐm˦	ni˩	ʦɣ˦

第二种的前三代完全和水西安氏的第二代到第四代相同。在马君所得的材料里,像这样的谱系共有二十几种,现在只选列两种作例。

(丁)四川冕宁倮倮的父子连名制

这是傅懋勣根据冕宁小相公巅黑倮倮的报告写下来的。他曾写成"倮倮传说中的创世纪"一文在成都出版的《边疆服务》上发表,并先把这些材料抄寄给我。他所抄的原文是:

ɣ˦ dʐɯ˦ ʐ̣˩ ˩ ˩ tsɿ˦ (自)

ʂɿ˩ ˩ ˩ ɣɯ˦ tʼɯ˦ tsʼɿ˩ (一辈)

ɣʷ˦ tʼɯ˦ vo˩ lɯ˦ ɲiE˩ (二)

vo˩ lɯ˦ tɕʼʅ˦ pu˩ sua˩ (三)

tʐʼy˦ pu˩ dʑɣ˦ m̩ ˩ ɨ˦ (四)

dʑɣ˦ m̩ ˩ zʷ˦ so˦ go˦ (三儿)

dʑɣ˦ m̩ ˩ dʑɣ˦ tʼɯ˩ gE˦ (断根)

dʑɣ˦ m̩ ˩ dʑɣ˦ ḷ˩ gᴱ˦ (断根)

dʑy˦ m̩ ˩ ɣ˦ ɣ˩ dzu˦ (有后)

Y˦ Y˩ zʷ˦ so˦ go˦ (三儿)

Y˦ Y˩ la˦ iE˩ iE˦ lE˦ hE˩ ŋga˦ (汉人)

丫丫丫 ↓ kɿ˥ tsɿ˥ ↓ lE ˧ no͜ŋ su˥（黑夷）

丫丫丫 ↓ sɿ˥ ʂa↓ lE ˧ o↓ dzu ↓（西番）

这个例里每句除名字外还有表示意义的字眼,凡字下加曲线的都是。它的世系虽然只有六代,但连名的制度很显然。并且夷、汉、番的关系在夷人心目中是怎样也表示出来了。

（戊）西康倮族阿合和罗洪两氏家谱

这也是傅懋勣在川康调查时所得材料的一部分。阿合和罗洪都是当地倮族的大支,他们的世系,前一种是12代,后一种是14代,完全采用父子连名制：

（1）阿合家谱（见下表一）

* * * * *

（2）罗洪家谱（见下表二）

* * * * *

以上这两个家谱是傅君根据阿合和罗洪两家后裔口头背诵,先以倮文记录然后再译成汉字的。在川滇黔以外我们现在又加上这种从西康得到的可贵材料,可见这种制度流布很广的。

此外,据凌纯声说："1935年在云南时,遇四川大凉山附近的罗罗青年曲木藏明,曾告余,他的父亲能背家谱,上下世连名,数十代相承,丝毫不爽"。证以傅君所记,咱们可以知道这种制度在川康夷族中一样通行的。

（五）窝尼（Wo-ni）窝尼亦作和尼,是汉人对于住在云南南部操倮倮方言各部族的称呼。他们住的地方没有越过北纬24°以北的。据毛奇龄《蛮司合志》卷八说："诸甸本土,罗罗和尼人好相杀,死则偿以财。家无姓名,其有名者,或递承其父名之末一字,顾无姓。弘治（1488—1505 A. D.）中知府陈晟以《百家姓》首八字司分一字,加于各名之上,诸甸皆受,惟纳楼不受。"可见窝尼一样沿用父子连名制。1943年和1944年高华年和袁家骅前后到云南新

表一 阿合家谱（十二代）

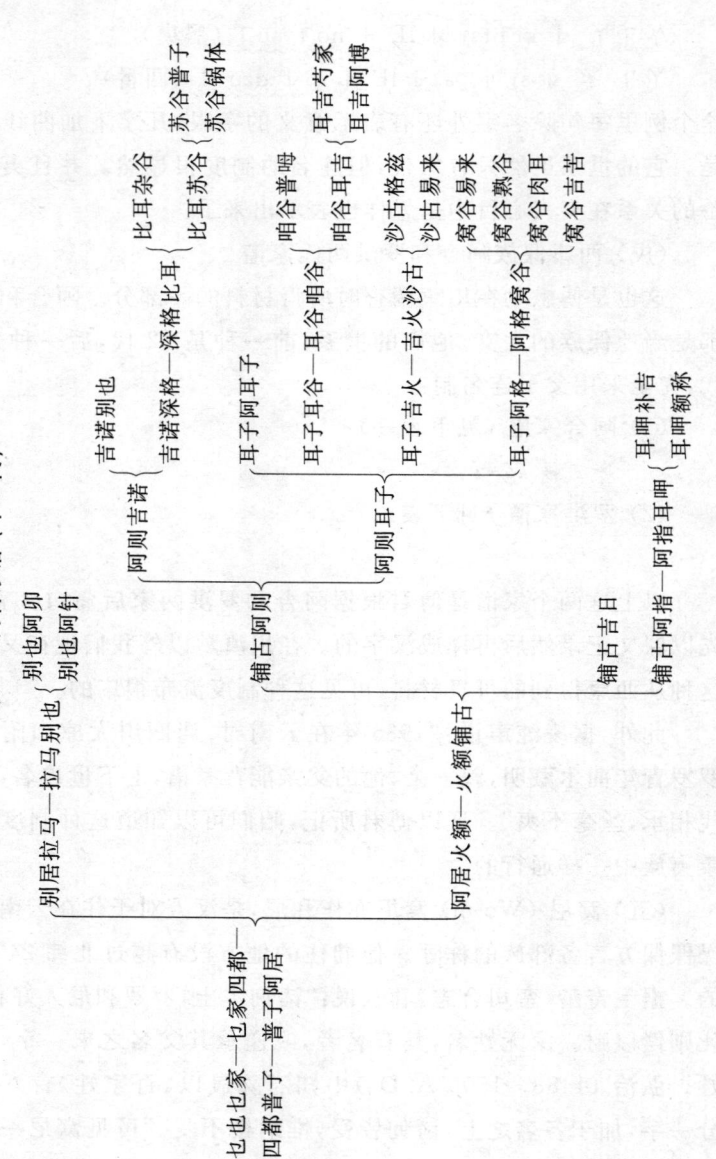

```
别居拉马—拉马别也┬别也阿卯
                  └别也阿针

纪也纪家—纪家四都—四都普子—普子阿居

阿居火额—火额铺古┬铺古阿则─┬吉诺别也
                  │         ├阿则吉诺—吉诺深格—深格比耳┬比耳杂合
                  │         │                            └比耳苏合┬苏合普子
                  │         │                                      └苏合锅体
                  │         │         ┌耳子阿耳子
                  │         └阿则耳子─┼耳子耳合—耳合啥合┬啥合普啊
                  │                   │                  └啥合耳吉┬耳吉兮家
                  │                   │                            └耳吉阿博
                  │                   ├耳子吉火—吉火沙古┬沙古格兹
                  │                   │                  └沙古易来
                  │                   └耳子阿格—阿格窝合┬窝合易来
                  │                                      ├窝合熟合
                  │                                      ├窝合肉耳
                  │                                      └窝合吉苦
                  └铺古吉日
                   铺古阿指—阿指耳呷┬耳呷朴吉
                                    └耳呷额称
```

表二　罗洪家谱（十四代）

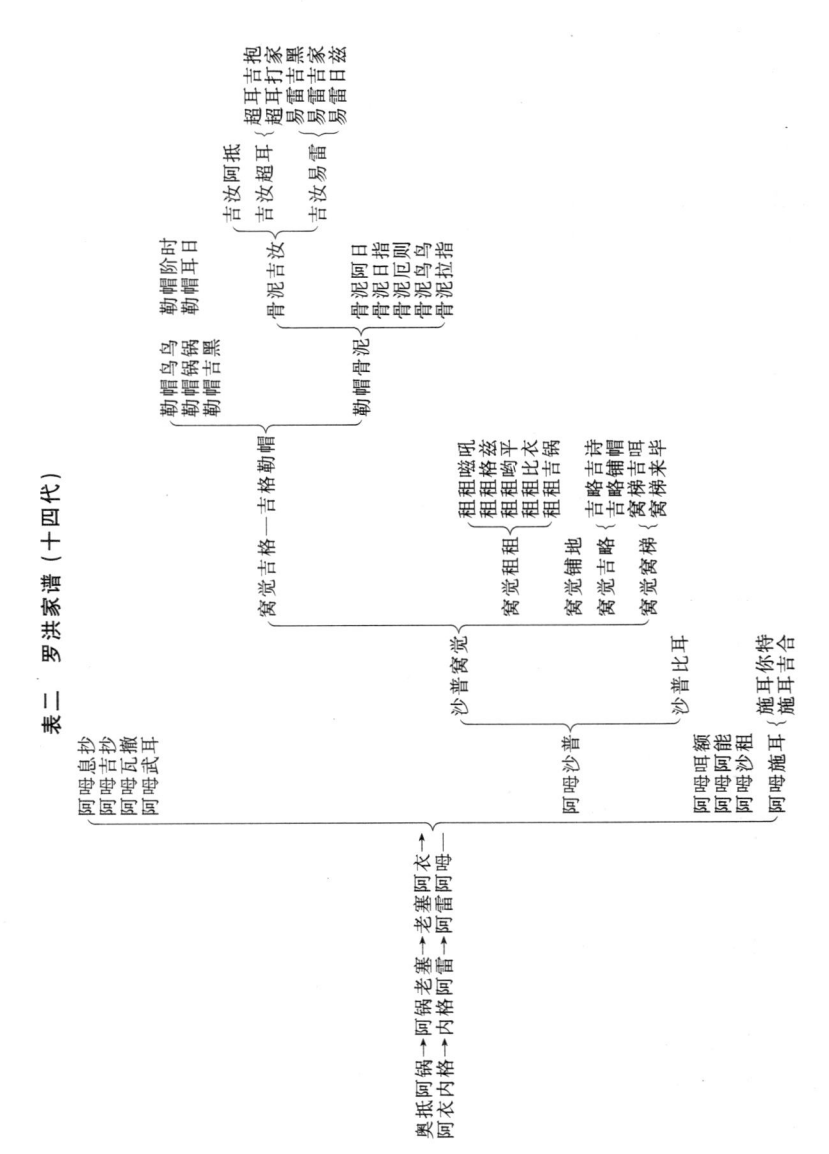

奥抵阿锅→阿锅老塞→老塞阿衣→
阿衣内格→内格阿雷→阿雷阿唔─

```
阿唔息抄─┬─阿唔息抄
         ├─阿唔瓦撒
         └─阿唔武耳

阿唔沙普──沙普窝觉─┬─窝觉吉格──吉格勒帽─┬─勒帽乌鸟──勒帽阶时
                    │                      ├─勒帽锅锅──勒帽耳日
                    │                      └─勒帽吉黑
                    │            ─吉格勒帽──勒帽骨泥─┬─骨泥吉汝─┬─吉汝阿抵
                    │                                │          ├─吉汝超耳─┬─超耳吉抱
                    │                                │          │          └─超耳打吉家
                    │                                │          └─吉汝易雷─┬─易雷吉家黑
                    │                                │                      └─易雷日兹
                    │                                ├─骨泥日指
                    │                                ├─骨泥日厄则
                    │                                ├─骨泥乌鸟
                    │                                └─骨泥拉措
                    ├─窝觉租租─┬─租租嗞吼
                    │          ├─租租格兹
                    │          ├─租租昀平
                    │          └─租租比衣锅
                    ├─窝觉铺地
                    ├─窝觉吉略─┬─吉略吉帽
                    │          └─吉略吉铺
                    └─窝觉窝梯─┬─窝梯吉唔
                                └─窝梯来毕

阿唔沙比耳──沙普比耳
阿唔额
阿唔能
阿唔沙租
阿唔施耳──施耳你特──施耳吉合
```

平峨山两县去调查窝尼语,可惜他们对于这一方面没有注意到,使我不能证实毛奇龄的话,像对于倮倮那样真确。

(六)阿卡(A—ka)阿卡也叫卡人,人数甚多,住在景栋东部,云南南部和老挝。1935年陶云逵到云南南部调查,在从孟连(Mong Len)到孟遮(Mong Chieh)途中经过一个叫酒房的阿卡村落,他由两个阿卡老人的口中记录出下面两个世系来:

(甲)卜罗赛的世系,共56代:

1. Su—mi—o[①]   2. O—tzuo—lö
3. Tzuo—lö—tzung   4. Tzung—mö—yieh
5. Mö—yieh—ch'ia   6. Ch'ia—di—hsi
7. Di—hsi—li   8. Li—hǒ—bä
9. Ho—bä—wu   10. Wu—nio—za
11. Nio—za—tzwo   12. Tzwo—mö—er
13. Mö—er—chü   14. Chü—twǒ—p'uo
15. Twǒ—p'uo—muo   16. Muo—kǔo—twǒ
17. kǔo—twǒ—ji   18. Ji—lê—nio
19. Nio—ch'i—la   20. La—tang—buǒ
21. Buǒ—muo—buo   22. Muo—buo—ji
23. Ji—la—bi   24. Bi—mǒ—tzwo
25. Tzwo—hwā   26. Hwā—jiä
27. Jiä—tzä   28. Tzä—jiō
29. Jiō—blung   30. Blung—läi
31. Läi—mi   32. Mi—hsia
33. Hsia—yi   34. Yi—ch'iä
35. Ch'iä—kung   36. Kung—kang

---

① 记音照陶氏原来所用的系统。

*37. Hsia—tzwo
38. Tzwo—ji
39. Ji—z'a
40. Z'a—bang
41. Bang—läi
42. Läi—ni
43. Ni—buo
44. Buo—pö
45. Ma—buo（女）
46. Buo—gong
*47. P'u—da
48. Da—tzung
49. Tzung—ch'iwo
50. Ch'iwo—ji
51. Ji—z'a
52. Z'a—nio
53. Nio—chwo
54. Chwo—zä
55. Zä—bluö
56. Bluö—sä（本人）

（乙）欧赖的世系，共47代：

1. Su—mi—o
2. O—tzuo—lö
3. Tzuo—lö—tzung
4. Tzung—mö—yieh
5. Mö—yieh—ch'ia
6. Ch'ia—di—hsi
7. Di—hsi—li
8. Li—ho—bä
9. Ho—bä—wu
10. Wu—nio—za
11. Nio—za—tzwo
12. Tzwo—mö—er
13. Mö—er—chü
14. Chü—twǒ—p'uo
15. Twǒ—p'uo—muo
16. Muo—kǔo—two
17. Kǔo—twǒ—ji
18. Ji—lë—niǒ
19. Niǒ—ch'i—la
20. La—tang—buo
21. Tang—buo—sö
22. Buo—sö—läi
23. Läi—lung—buo
24. Buo—yi—nǒ
25. Nǒ—muo—buo
26. Muo—buo—di
27. Di—hsia—biä
28. Biä—muǒ—tzö
29. Tzö—wo—yi
30. Wo—yi—jia
31. Jia—tzä
32. Tzä—jia

33. Jia—blung   34. Blung—läi
35. Läi—hsia   36. Hsia—yi
37. Yi—chiä   38. Chiä—kung
39. Kung—kong   *40. Hsia—tzwo
41. Tzwo—ji   42. Ji—za
43. Za—bang   *44. O—dë
45. Dë—gong   46. Gong—tzwǒ
*47. Ou—lä（本人）

这两个世系的前20代完全相同；甲系第27代到第40代，除去31、32两代外，也和乙系第31代到第43代相同。只是甲系的第21到第26代，第41到第56代，乙系第21到第30代，第44到47代，是各成系统的。因此咱们可以知道这两系的宗属很近。至于甲系的第37代和第47代，乙系的第40代、第44代和第47代何以各和上代不衔接，那或许是传诵的讹漏，也或许另有别的原因，现在还不能断定。(＊号表示不衔接)。

以上所说，是就我现在所能找到的材料来讨论的。自然，在藏缅族以内的其他部族，或以外的旁种部族具有这种文化特征的，也许不在少数，将来需要补充的地方正多。这篇文章只在用磁石引铁式提出问题，希望引起各方面注意，慢慢地材料越凑越多，便可让它得到圆满的解决了。

这种制度有什么用处呢？照我想第一是帮助记忆。以上所举各支除倮倮么些外，都没有文字，即使有文字也不是日常应用的。有了这种"顶针续麻"式的连名制便容易背诵得多了。其次，因为容易记忆，每个人便可以把他祖先的名字从始祖到自己都记在心里，借此可以知道凡是能推溯到同一始祖的都是同族的人，并且从这承先启后的链索，还可以分别世次，像汉人宗谱里的字派一样，这在种姓的辨别上是很重要的。

此外的功用,便是可以帮助咱们解决些个历史上的族属问题。

关于云南的古史,中国的史书像司马迁的《史记》,班固的《汉书》,常璩的《华阳国志》和樊绰的《蛮书》虽然都有记载,但嫌语焉不详。直到元明的时候,中国人得到土著用白子文所写的《白古通》以后,对于云南古史知道的才比较多一点儿。于是元张道宗著有《记古滇说》,明阮元声著有《南诏野史》,杨慎著有《滇载记》,对于南诏先世的世系都有记载。不过和《后汉书》所载哀牢夷的沙壹故事,和佛教输入后的阿育王(Açoka)故事往往牵混不清。1941年董作宾在他所作的"爨人谱系新证"①里,曾经把《白古记》所载低蒙苴的九子,和《帝王世纪》中渳侏朱(董校作渳武朱)的十二子互相比较,颇有很好的意见,这里且不多谈。我们现在还是单从南诏的世系说起。

有些历史家和西洋人研究东方学(sinology)或摆夷(Shan)民族史的,像 Hervey de Saint-Devis, Parker, Rocher, Cochrane 等,认为南诏和摆夷的亲缘很近,应该属于泰族(Tai famlily)。并且说南诏就是摆夷所建的王国。据王又申翻译的达吗銮拉查奴帕原著的《暹罗古代史》上说:

据中国方面之记载,谓汰人之五个独立区域合成一国,时在唐朝称之曰南诏。南诏王国都昂赛,即今日云南省大理府。南诏之汰人素称强悍,曾多次侵入唐地及西藏,但终于佛历一千四百二十年(西历877)间与唐朝和好。南绍之王曾与唐朝之公主缔婚。自此以后,王族之中遂杂汉族血统,汰人亦逐渐忘却其风俗习惯,而同化于中国。虽则如此,汰人尚能维持独立局面。直至元世祖忽必烈可汗在中国即皇帝位,始于佛历一千七百九十七年(西历1254)调大军征伐汰国。至入缅甸境内。自彼时起以至今日,汰人

---

① 中山文化教育馆《民族学研究集刊》第二期,页181—200。

原有土地乃尽沦落而变成中国。

对于这个意见,咱们且不提出别项驳议,单就世系来推究,已然足够证明它不对的了。

据杨慎所辑的《南诏野史》引《白古记》,南诏先世的世系是:

骠苴低—低蒙苴—蒙苴笃……

从此以下传36世至

细奴罗—罗晟—晟罗皮—皮罗阁—

阁罗凤—凤伽异—异牟寻—寻阁劝—

$\begin{cases} 劝龙晟 \\ 劝利晟—晟丰祐—世隆—隆舜—舜化真 \end{cases}$

假如咱们承认父子连名制是藏缅族的文化特征,而且据陶云逵说,他所得到的车里宣慰司的摆夷宗谱又绝对没有这种现象,那么,看了南诏蒙氏的世系以后,上面所引的意见当可不攻自破了。

至于南诏以外其他五诏的世系大部分也用父子连名制。如:

蒙嶲诏凡四世:

嶲辅首—佉阳照(弟)—照原—原罗

越析诏或么些诏凡二世:

波冲—于赠(兄子)

浪穹诏凡六世:

丰时—罗铎—铎罗望—望偏—偏罗矣—矣罗君

邆赕诏凡五世:

丰咩—咩罗皮—皮罗邓—邓罗颠—颠文托

施浪诏凡四世:

望木—望千(弟)—千傍—傍罗颠①

后来大理段氏汉化的程度较深,这种文化特征已不显著。可是段

---

① 六诏的世系是参酌樊绰《蛮书》《新唐书南蛮传》和杨慎《南诏野史》决定的。

智祥的儿子叫祥兴,孙子叫兴智,无意中还流露出父子连名的遗迹来。至于创立"大中国"的高氏也还保持着这种风俗。他的世系是:

　　高智升—高升泰—高泰明—高明清

高氏的子孙清初做姚安府同知,仍然沿用父子连名制。光绪二十年所修《云南通志》卷一百三十五,页十七,引《旧志》说:

　　顺治初,高奣映投诚,仍授世职。奣映死,子映厚袭,映厚死,子厚德袭,雍正三年以不法革职,安置江南。又《云龙记往》的《摆夷传》里也有一段记载说:

　　先是夷族无姓氏,阿苗生四子,始以父名为姓:长苗难,次苗丹,次苗委,次苗跆;苗丹子五人:曰丹戛,丹梯,丹鸟,丹邓,丹讲;五子中惟丹戛有子戛登。①

他们的世系应该这样排列:

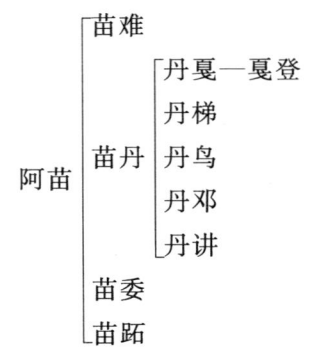

```
         ┌苗难
         │      ┌丹戛—戛登
         │      │丹梯
阿苗 ────┤苗丹 ─┤丹鸟
         │      │丹邓
         │      └丹讲
         │苗委
         └苗跆
```

这显然也是属于父子连名制的。不过原书所谓《摆夷传》应该是僰夷或白夷的错误,也就是白子或民家。因为我在上文已经说过泰族并没有这种文化特征;而且从现代民族分布来讲云龙也只有白子而没有摆夷;所以我才有上面的校订。如果我所校订的不错,那

---

　① 《云南备征志》卷十九。此条承张征东于1944年夏自维西抄寄,特此声谢。

211

么拿这条材料同大理段氏,"大中国"和姚安高氏的世系比较,我们对于民族的族属问题,似乎更可以得到解决的曙光了。然而证据却还不止于此:

1944年7月我们一行33人应马晋三(崇六)阎旦夫(旭)陈勋仲(复光)王梅五(恕)诸位的邀请,同到大理采访县志资料,门类分析的细密,参加人员的繁多,颇极一时之盛。吴乾就专攻杜文秀史实,但因为他兴趣广博,功力勤劬,所收获的副产品极为丰富。例如双姓问题,同姓相婚问题,他都到处留心,随手摘录。没想到他比我晚回昆明10天,竟在大理下关给我搜到了关于父子连名制的史料。这真使我大喜过望!

他所得到的材料有两种:一个是"善士杨胜墓志并铭",大明成化三年"龙关习密僧杨文信撰并书咒",原碑在大理下关斜阳峰麓么些坪;一个是"太和龙关赵氏族谱叙",天顺六年二月吉旦"赐进士第南京国子监丞仰轩山人许廷端顿首拜撰"。① 在前一个材料里我们发现:

杨贤—杨贤庆—杨庆定

祖孙三世都是父子连名,庆定以下则不然。据乾就所加案语说:"庆定明洪武间人。洪武十五年左右副将军蓝玉沐英率师克大理,设官立卫守之,庆定遂为都里长,是则元代段氏之世,杨氏仍沿风习,行父子连名制。至是汉人移居者多,当地土著渐濡汉化,杨氏之放弃其父子连名旧习,盖其一端也"。在后一个材料里我们又发现:

赵福祥—赵祥顺—赵顺海

祖孙三世也是父子连名,自赵赐以下这种文化的遗迹就不可复见

---

① 两种材料原文和吴君跋语载南开大学《边疆人文》第2卷,第1、2期合刊,拙著"三论藏缅族的父子连名制"附录。

了。乾就所加案语说:"赵氏自赵福祥而赵祥顺,赵顺海,祖孙三代亦父子连名。其始祖永牙至福祥数世当亦如此,惜其名讳失传,无可考按耳。降及赵顺海子赵赐,父子连名制始废。赐元末明初人,以习密宗,洪武间曾随感通寺僧无极入觐。此与龙关杨氏自洪武间杨胜始不以父名连己名,正可参证。是则大理土著在元以前皆行父子连名制。迨明洪武十五年蓝玉沐英等戡定大理后,汉人移殖者日众,当地土人始渐渍汉化,举其远古之惯习而废弃之,当无可疑也。"

拿以上两个实例和我在上文所举的大理段氏,"大中国"高氏和姚安高氏三个例来互相勘研,我们可以提出三条新的结论:

第一,从这个文化遗迹我们可以推测大理乃至迤西各县的一部分土著曾经和藏缅族有过关系。

第二,善士杨胜墓志的所在地是大理下关斜阳峰麓的"么些坪"。拿这个地名和余庆远《维西见闻录》所记么些姓氏制度及丽江《木氏宗谱》的34代父子连名互相参证,我觉得这绝不是偶然的巧合,至少可以说杨胜的先世和广义的藏缅族有过血缘关系。况且据"玉龙山灵脚阳伯那"所载木氏传说中的第七代祖先"草羡里为为"的第三个儿子就是民家(么些语"Lä-bbu")的祖先:那尤其确凿有据了。

第三,从前赖古伯利(Terrien de Lacouperie),戴维斯(H. R. Davies),丁文江,凌纯声等关于民家族属的推测,由这个文化特征来看,我认为都值得重新考虑了。截到现在为止,只有李方桂所说民家语言和倮倮语相近的假设还离事实不远。

在中国古史里也有一种以祖父的字或名为氏的制度,郑樵《通志氏族略序》说:

七曰、以字为氏:凡诸侯之子称公子,公子之子称公孙,公孙之子不可复言公孙,则以王父字为氏。如:

> 郑穆公之子曰公子骓,字子驷,其子曰公孙夏,其孙则曰驷带,驷乞;
> 宋恒公之子曰公子目夷,字子鱼,其子曰公孙友,其孙曰鱼莒,鱼石。

此之谓以王父字为氏。

> 八曰、以名为氏:无字者则以名。如:
> 鲁孝公之子曰公子展,其子曰公孙夷伯,其孙则曰展无骇,展禽;
> 郑穆公之子曰公子丰,其子曰公孙段,其孙则曰丰卷,丰施。

此诸侯之子也。天子之子亦然:王子狐之后为狐氏,王子朝之后为朝氏,是也。无字者以名。然亦有不以字而以名者,如樊皮字仲文,其后以皮为氏;伍员字子胥,其后以胥为氏:皆由以名行,故也。

《氏族略》二又说:

> 亦有不以王父字为氏,而以父字为氏者,如:
> 公子遂之子曰公孙归父,字子家,其后为家氏;
> 公孙枝字子桑,其后为子桑氏。
>
> 亦有不以王父名为氏,而以父名为氏者,如:
> 公子牙之子曰公孙兹,字戴伯,其后为兹氏,
> 季公鉏字子弥,其后为公鉏氏。
>
> 以名为氏者不一而足,左氏但记王父字而已。

这种氏族制度乍看起来似乎也像是父子连名或祖孙连名,也可以由子孙的氏推溯他的宗系由来,但定氏以后父子或祖孙的名字间就不再有链索关系,所以和藏缅族的父子连名制是不能强为比附的。

最后,我想起胡适1914年7月20日在他的《藏晖室札记》卷五里曾经记了一条"印度无族姓之制"说:

> 与印度某君谈,其人告我,印度无族姓之制,其人但有名无姓氏也。其继承之次,如父名约翰·约瑟·马太,则其子名约瑟·马太·李邰,李邰为新名,其前二名则父名也;其孙则名李邰·腓立·查尔斯,其曾孙则名腓立·查尔斯·维廉,以此类推。

原文所谓约翰、李邰等等,自然是借用西洋人的名字来说明印度的这种制度,并不是说印度人当真用这几个名字。我对于这个提示

颇感兴趣,可惜对于印度所知道的太少了,所以关于这一点还得希望印度友人的帮助,好使我将来有订补本文的机会。至于波斯、阿拉伯和俄国的姓名制度虽然也含有表现世次的特征,但是因为和这里所讨论的父子连名制并不相同,所以本文不再赘及。

1943年12月10日初稿,次年2月25日重订;

1949年3月20日续纂"再论""三论"两篇,以成全文。

案,此文属稿时,承陶云逵先生惠赠阿卡族之世系两种,并予以数点宝贵之商订。12月21日余在西南联合大学文史学讲演会宣读此文,复承亲自莅场切磋,且为《边疆人文》索稿。乃修订未竟,君突为病菌所袭。比及展转床褥,犹谆谆以此文为念,嘱其夫人林亭玉女士翻箧检寻。经余笺告待君痊可后呈正,始克安心。今此文虽勉强写定,而君已不及见之矣!悬剑空垄,衔恨何如?君所作"西南部族之鸡骨卜"方刊布于《边疆人文》第2期,综合勘究,胜义殊多。倘假以岁年,则其有造于斯学者,讵可限量?今竟奄忽溘逝,则岂朋辈之私痛而已哉!君以1944年1月26日下午5时病殁于昆明云南大学附属医院,次月16日各学术团体相与开会追悼之。余挽以联语云:

谵语病帏间念念不忘连名制;
痛心遗箧里孜孜方竟骨卜篇。

盖纪实也。呜呼云逵!君如有知,当因知友之践约而怡然瞑目耶?抑因赍志谢世而永怀无穷之悲邪?

附吴乾就所录"父子连名制"文件二种

(一) 善士杨胜墓志并铭

龙关习密僧杨文信撰并书咒

窃曰孝子之事丧亲也,先以明堂之为重。此庆杨氏之茂族者,是大理龙关邑之贤也。高祖杨贤,元朝于知管掌方面,可行明令丛万民为乡里。曾祖杨贤庆,接任仓官,有大行之威势。祖考杨庆定,洪武年间,建立苍洱府县,封为本都里长,生于三男:曰长,曰平,曰胜。胜取杨氏,生于三男:长曰山,次曰禄,三曰惠;后取何氏,曰兰,生于海能,男妇曰好,曰才,曰春,曰音姐。续孙^{按从上下文观之,"续孙"盖"续弦"之音误,详下},曰温,曰圭,曰坚,曰旻。有三女:曰丑,适杨圭,曰朱,适赵四,曰善,适苏禾。四男三女之数,各生子孙聪俊^{按原刻如此,当为"俊"之误笔},续代贤绣^{按当为秀之误}连绵不期^{按殆为"绝"之音误}。成化二年闰三月,年至耳顺,大限寿终,卜择吉地,葬之斜阳。长男杨山,起大孝心,投之先生,请文赞文^{按当为"父"之误,从下句"高曾"对举父之上似落一"祖"字,当作"祖父"或"父祖"}之厚德,题高曾祖之扬名,兴后绍子嗣,示现现^{按原抄如此盖现世之意或衍一现字}从所遗之本,配□^{按此字漫漶难辨据上文当为"杨"字}修善之门,乡党举之尊见憻^{按原文如此}。盖亲族怜^{按当为邻之误}里,广布田地粮食,可以接济贫人。是以生男好学,明晓三端六艺,或文或武;女有三从四德,守闺守室。

大哉宗枝,可以彰也!

　　铭曰:元姓宏农,表德讳胜,生之晓月,有名有行。

　　　　　　贤子贤孙,体师习仁,胤嗣报恩,立石刻铭。

　　　　　孝男杨山,杨三十禄,杨惠,杨海能。

大明成化三年　孟春三月吉日立。

石匠何嵩刻

　　乾就谨案:原碑在大理下关斜阳峰麓么些坪。坪上诸墓,元明为多,元以前者皆火葬,以瓦瓮载骨灰埋地下,上平放石一方,立石幢其上,幢高三尺许,顶有藏文咒语,盖么些人之习俗也。明代则垒石为坟,前立石碑。碑盖自右而左,……志碑为汉文,碑阴皆藏文横书,字体至工致,诸明代碑皆然,此碑亦如之。

　　此墓志有堪注意者数事:一、自杨贤而至杨贤庆,而杨庆定,祖孙三世,皆父子连名,而庆定以下则否。庆定,明洪武间人,洪武十五年左右副将军蓝玉沐英率师克大理,设官立卫守之,庆定遂为都里长。是则元代段氏之世,杨氏仍沿风习,行父子连名制。至是汉人移居者多,据《明史》列传第二百一,云南土司一大理条:洪武"十六年……命六安侯王志,安庆侯仇成,凤翔侯张龙,督兵往云南品甸,缮城池,立屯堡,置邮传,安辑人民。……二十年诏景川侯曾震,及四川都司,选精兵二万五千人给军器农具,即云南品甸屯种,以俟征讨。"则汉人于大理府属,大规模移民屯种,乃洪武二十年事。当地土著,渐濡汉化,杨氏之放弃其父子连名旧习,盖其一端也。原碑云:"高祖杨贤,元朝于知管掌方面,可行明令丛万民为乡里。"虽仅溯至杨山之高祖,元时居于龙尾关,未及其始祖所自出。惟碑南复有大理府学儒士杨永撰故处士杨公墓志曰:"按状:公讳脚,姓杨,为龙尾世家,其始所自出莫考。……时成化二年龙集丙戌春三月良日,孝妻施氏,孝子杨德杨明等同立。"此碑亦立于成化间,先杨胜墓志铭一年,杨胜殆与杨脚同族,而"其始所自出莫考",但"为龙尾世家。"则杨氏盖久居大理之土著,当可置信也。

二、杨胜娶杨氏,女杨丑复适杨圭,则婚媾不讳同姓,盖大理土著之习尚。今大理人之同姓相婚,其所从来远矣。

三、就文体言,"于"字凡四见,"元朝于知管掌方面"之"于"字,殆与"以"字同义;其余二"生于三男""生于海能"三"于"字:皆无义,可删,而三句句法皆同有此"于"字;岂其时土人之口语虚字欤?

四、碑文惯例,以至汉人礼俗,妇人皆称氏而不名,而此则题杨胜后妻曰何兰,其媳曰好,曰才,曰春,曰音姐按原碑下云:"续孙曰温,曰圭,曰坚,曰旻。"所谓"续孙"于义难通。若谓杨胜有此四孙,但下文云:"四男三女之数各生子孙聪俊。"男女皆总其数,于孙则否。则非谓杨胜有此孙辈四人于文义甚明。杨胜有子四,男妇四,"续孙"四名,复紧接于男妇四名之下,则所谓"续孙"盖"续弦"之音误,谓杨胜四子,同复娶四妇也。杨山等之续孙,殆犹其父之"后取"耳。若此悬拟为可信,则杨胜八媳皆尽举其名,而略其氏也。皆举其名而反略其氏,亦可异也。意者,么些人有较原始之种姓,而无较后起之氏从姓出之氏,姓不常用,如满人之姓爱新觉罗,亦不常冠于名上也。盖全族一姓,诸人皆同,自无需此赘称耳。即以父名冠己名,表示某人之子某以当汉人之所谓氏。杨氏自杨胜始,始去父子连名制。明初距其旧习未远,故此所起之氏盖汉化后仿汉人而立者每为时人所忽略,今杨胜诸子妇于碑文中举名略氏,殆以此故欤?

五、原文云:"此庆杨氏之茂族者,是大理龙关邑之贤也。"此"庆杨氏"之"庆"字,于文义颇难索解。苟释为形容词,实扞格难通。考杨氏自杨胜始不连父名以为己名,其父曰杨庆定,祖曰杨贤庆,皆同具一庆字,方诸春秋时,以王父字为氏之习尚,则杨胜今不复连父名以为己名,而取祖父名之末字以为氏,则庆字正其选也。故窃谓"庆"字为一专名:杨氏固氏杨矣,亦可氏"庆",故亦可合称为"庆杨"氏也。兹仅聊备一说于此,以待先进教正,未敢遽为断论,强作解人!

六、杨胜配□,乡党举为"尊见儋";杨禄又作杨三十禄_{按三十当非禄之字,杨山杨惠杨海能皆未字名联书,且碑中人名,亦尽有名无字,盖时人尚无此习也。}此"尊见儋","三十"果何取义,俱待考。

(二)太和龙关赵氏族谱叙

宇宙间无穷止,无测量,大无内,小无外者,佛法僧也。其设教不一,惟秘密一宗,为三宝中最上乘也。教始燃灯,如来传释迦文佛,释迦于涅槃会上传金刚手尊者,尊者传五印度诸国王,金刚乘师波罗门,遂成五祖因缘。今阿左力皆中印度之秘宗也。蒙晟罗时,天竺人摩迦陀阐瑜珈教,传大理阿左力辈,而赵氏与焉。自是法派分流南渡矣。赵氏之先讳永牙者,福应万灵,不可尽述。凡几世传至赵福祥,祥顺,顺海,世居大理太和龙尾关白蟒寨。蒙时关中有白蟒吞人为害,适启赤城者,义士也,手持利刀,舍身入蟒腹,蟒害遂除。居人德之,取赤城葬于灵塔寺,建浮屠镇之,煅蟒骨灰之,遂名曰白蟒寨。今人误名白马非也。顺海公资性颖敏,慕道精勤,驱役鬼神,召风至雨,禳役(疫)救灾,可谓德服众望者。公之大父与考,宗眼慧明,运风雷,伏龙虎,旱求则澍,淫求则止,咸为蒙诏国师。顺海生子一,曰赐,赐生三子:畴,曰均,曰护,亦习先业,咸以德著。洪武十五年

天兵克服云南,取大理,赐如

京款贡,均请从焉。时
禁宫祟^{按当为崇之误。}乱,公深入宫闱默坐课功,不旬日而祟除。天颜有喜,给羊皮

　旨,免世差,

　钦赐人头骨、水盂、法鼓、宫绣、袈裟等宝,并
御制诗十八章。驰驿遗^{按当为遣之误。}还。护迎公于滇,滇人留护治孽龙,遂家于滇池海口。其后莫考。公抵家与师无极勤^{按勤当作勒。}

御制诗于感通寺悬之。乃健^{按当作建}寺于山之左腋,屡被水患,再迁于荡山之巅,名曰宝度。公生于元至正戌^{按作戊子}子,寿七十二。永乐十八年不疾跏趺坐化,时有白气自泥瓦上冲,饭顷方息。茶毗之日,舍利莹然,葬于斜阳麓。从葬者如归市,咸睹瑞鹤回翔,彩霞呈秀,莫不称奇。兹天顺六年适长子寿再应第二次

钦取

诏,恐祖迹沦没,以族谱谋于余,恳余叙诸首,可谓光前裕后矣。余不似,姑述其略以传不朽,以识岁月云。

时

天顺六年二月吉旦

赐进士第南京国子监监丞仰轩山人许廷端顿首拜撰。

　　　太和赵氏渊流
　　　　草木子作
赵永牙　　公唐末宋人也,与董细师,杨会舍,王玄兴六人游行
　　　　　于渠酋之间。

西竺神僧出永牙,随求随应果无涯;天水流传公命脉,至今衣钵染烟霞。

　　　敦素子天目山人高季赠
赵福祥　　公生于蒙段时,永牙之玄孙也。

西天佛种,蒙诏师封,坐招风雨,伏鬼屠龙,噫嘻吁,孰能与之追

纵。

翰林院修撰银溪王岳赠

赵祥顺　　公生于元，福祥之子，有孝行。

口吐白毫毛，毛内见佛像，霪求立可晴，旱求立可降，鬼神服其灵，日月失其亮，功行超今古，皓皓不可尚。

监察御史西淙杨瑄赠

赵顺海　　公生于元，祥顺之子，寿八十二，娶杨氏。人世妖魔作祟(按作祟殃)殃，神师驱伏敢猖狂，任他风雨能呼至，天地阴阳自主张。巡城御史萃峰张鹏题

赵赐　　公生于元，顺海之子，洪武龙兴十五年，天兵征云南既平，以西平侯沐(按乃沐之误)公保厘之，于时感通僧无极

率徒入觐，公携子均从焉，献白驹一骑，白山茶一本。高皇纳之，山茶忽开一朵。上喜，命翰林大学士李翀应制赋诗赠之。赐御制诗十八章并序记，驰驿遣归。遇子护，迎公于滇，滇人留护治昆海龙，遂家焉。公寿七十二。

　　竺皇秘毗求种轮

　　自款灵阙山三月

　　来纳法德到归功行满朋

　　西土精阐不特千一

　　国都教卢紫菰孤

　　编修车泉杨慎赠

（下略）

乾就谨案：太和龙关赵氏族谱为黄纸手卷，上有红朱长印多颗文为："皇帝圣德，奉戴玄珠"纸多断烂，以棉纸裱之，今仍断为大小二卷。全谱纸张如一，惟有新旧之分，故色素有赭黄嫩黄之别而已。手卷一面工楷抄写"大般若波罗蜜多心经卷第四十一"，题云："大理国灌顶大阿左犁赵泰升敬造《大般若经》一部，聊申记云"。末有

"时天开十九年癸未岁中秋望日,大师攸清奇识"等字。字体工整,出自一人手笔。手卷之另一面,则为《赵氏族谱》,字体或工或拙,出自多手,盖时有补缀,及经卷既尽,复续纸为之也。

除上所择录及历代世系外,先后复有成化年间湖广德安府判云贵解元段子澄之《赵氏族谱后跋》;嘉靖辛亥三十年[按原跋未题年月,惟后文中谓嘉靖辛亥;以御史大夫致政家居;"于兹谱有感,复托中溪馆长名笔制后跋,以竟其终"云,则赵作当在嘉靖三十年后事。]族人赵汝濂之谱跋;隆庆元年李元阳之《赵氏族谱跋略》;万历丙申二十四年昆明张养节之昆阳《赵氏族谱序》:凡比诸序跋,皆述及赵氏先世之所从出,而与许廷端之《太和龙关赵氏族谱叙》略同。

今按,赵氏自赵福祥而赵祥顺,赵顺海,祖孙三代亦父子连名。其始祖永牙,唐末人,自永牙至福祥数世,当亦如此,惜其名讳失传,无可考按耳。降及赵顺海子赵赐,父子连名制始废。赐,元末明初人,以习密宗,洪武间曾随感通寺僧无极入觐;此与龙关杨氏自明洪武间杨胜始不以父名连己名,正可参证,是则谓大理土著在元以前皆行父子连名制,迨明洪武十五年蓝玉沐英等戡定大理后,汉人移殖者日众,当地土人始渐溃汉化,举其远古之习惯而废弃之,当无可疑也。

(原载《语言与文化》附录一,语文出版社,1989年9月)

从借字看文化的接触

语言的本身固然可以映射出历史的文化色彩,但遇到和外来文化接触时,它也可以吸收新的成分和旧有的糅合在一块儿。所谓"借字"就是一国语言里所羼杂的外来语成分。它可以表现两种文化接触后在语言上所发生的影响;反过来说,从语言的糅合也正可以窥察文化的交流。萨丕尔说:"语言,像文化一样,很少是自给自足的。由于交际的需要,使说一种语言的人们和那些说邻近语言或文化上占优越的语言的人直接或间接发生接触。这种交际也许是友谊的,也许是敌对的。它可以从事业或贸易的平面上进行,也可以是精神食粮,像艺术、科学、宗教之类的借贷或交换。要想指出一种完全孤立的语言或方言,那是很难的,尤其是在初民社会里。邻近人群接触,不管程度或性质怎样,一般都足以引起某种语言上的交互影响。"[1]

中国自有历史以来,所接触的民族很多。像印度、伊兰、波斯、马来、暹罗、缅甸、西藏、安南、匈奴、突厥、蒙古、满洲、高丽、日本,和近代的欧美各国都和汉族有过关系。每个文化潮流多少都给汉语里留下一些借字,同时汉语也贷出一些语词给别的语言。对于这些交互借字仔细加以研究,很可以给文化的历史找出些有趣解释。中国和其他民族间的文化关系几乎可以从交互借字的范围广狭估计出个大概来。咱们姑且举几个例:

(一)狮子　凡是逛过动物园或看过"人猿泰山"一类影片的

---

[1] E. Sapir, *Language*, p. 205.

人们,对于那种野兽应该没什么稀罕。可是假如要问:"狮子是不是产在中国?如果不是,它是什么时候到中国来的?"这就不是一般人所能解答的了。狮也写作"师",《后汉书·班彪传》李贤注:"师,师子也。"又《班超传》:"初月氏尝助汉击车师有功。是岁(88 A.D.)贡奉珍宝,符拔师子,因求汉公主。超拒还其使,由是怨恨。"又《顺帝纪》"阳嘉二年(133 A.D.)疏勒国献师子封牛。"李贤注:"《东观记》曰:疏勒王盘遣使文时诣阙。献师子,似虎,正黄有髯耏,尾端茸毛大如斗。封牛其领上肉隆起若封然,因名之,即今之峰牛。"可是,《洛阳伽蓝记》卷三,永桥下说:"狮子者,波斯国王所献也。"那么,照文献上讲,狮子的来源有月氏(Indo-Scythians),疏勒(Kashgar),波斯(Persian)三个说法。从命名的对音来推求,华特尔(Thomas Watters)认为狮 ši 是由波斯语 sēr 来的。① 劳佛(Berthold Laufer)对于这个说法不十分满意。"因为在纪元 88 年第一个狮子由月氏献到中国的时候,所谓'波斯语'还不存在。大约在第一世纪末这个语词经月氏的媒介输入中国,它最初是从某种东伊朗语(East-Iranian language)来。在那里这个词的语形素来是 šē 或 ši,(吐火罗语 Tokharian A. śiśāk),也和中国师 ši(* š'i)一样没有韵尾辅音。"② 沙畹(Edouard Chavannes),③ 伯希和(Paul Pelliot)④ 和高体越(Henri Gauthiot)⑤ 等法国汉学

---

① Thomas Watters, *Essays on the Chinese Language*(以下简称 *Chinese Language*), Shanghai, 1889, p. 350.

② Berthold Laufer, 'The Si-hia Language'《通报》*Toung Pao*(以下简称 *T. P.*)s. II, XVII (1916), 81; 还有他的 *The Language of the Yüe-chi or Indo-Scythians*, Chicago, 1917, p. 4; *Chinese Pottery of the Han Dynasty*, pp. 236—245.

③ Edouard Chavannes, 'Les Pays Occident d'après le Heou Han Chou' *T. P. s.* II, VIII (1907), 177, note 5, '符拔, 狮子'; *Trois généraux Chinois de la Dynastie des Han orientaux*, *T. P. s.* II, VII (1906), 232.

④ Paul Pelliot, *T. P. s.* II, XXI (1922), 434, note 3, (Review to G. A. S. Willians' *A Manual of Chinese Metaphors*, p. 128).

⑤ cf, *Mémoire de Sociétié de Linguistique*, XIX (1915), 132.

家也都注意到这个字的对音。伯希和以为"关于波斯语 šēr，伊朗学家采用过一些时候的语源 xšaθrya 必得放弃了。因为高体越已经指出这个字是从粟特语（Sogdian）的 *šrɣw，*šarɣə"狮子"来的。总之关于这个语词虽然有人不承认它是所谓"波斯语"，但对于它是伊朗语属几乎没有异议。高本汉（Bernhard Karlgren）也采取莫根斯廷教授（Prof. G. Morgenstierne）的话，说"狮si 在那时是伊朗语 śarɣ 的对音。"[①]

（二）师比　是用来称一种金属带钩的。在史传里也写作犀比，犀毗，私纰，胥纰，鲜卑等异文。《楚辞·招魂》"晋制犀比，费白日些"。《大招》"小腰秀颈，若鲜卑只"。阮元《积古斋钟鼎彝器款识》卷十丙午神钩下说："首作兽面，盖师比形。《史记》汉文帝遗匈奴黄金胥纰一，《汉书》作犀毗。张晏云：鲜卑，郭落带、瑞兽名，东胡好服之。《战国策》赵武灵王赐周绍具带黄金师比。延笃云，师比，胡革带钩也。班固与窦宪笺云：复赐固犀比金头带。《东观汉记》，郭遵破匈奴，上赐金刚鲜卑绲带。然则，师比，胥纰，犀纰，鲜卑，犀比，声相近而文相异，其实一也。"阮元所说，对于"师比"一词的来历考证得原原本本。在中国古书里凡是一个同义复词同时有许多异文，那一定是外来的借字而不是地道土产。那么师比的语源究竟是从哪儿来的呢？

关于这个问题的解答也颇不一致：许多考古学家和汉学家都认为"师比"这个词是汉族从中国西方和西北方的游牧民族借来的。[②] 王国维仅仅泛指作"胡名"。[③] 伯希和，白鸟库吉以为它是匈

[①]　Bernhard Karlgren，'*Word Families in Chinese*'，*Bulletin of the Museum of Far Eastern Antiquities*（以下简称 *B. M. F. E. A*）No 5，(1934) 30，Stockholm.

[②]　在江上波夫（Egami Namio）和水野广德（Mizuno Kōtoku）的 *Inner Mongolia and the Region of the Great Wall* pp. 103—110（Tokyo and Kyoto，1935）列有目录。

[③]　《观堂集林》贰贰，"胡服考"页2。

奴字* serbi。白鸟氏还拿它和现代满洲语的 sabi"祥瑞,吉兆"（happy omen）牵合。① 卜弼德（Peter Boodberg）虽然没说明他对于这个字的来源有什么意见,他却拿* serbi 和蒙古语 serbe 来比较。② 照郭伐赖无斯基（Kovalevskij）的《蒙俄法词典》serbe 的意思是"小钩,V形凹入口"（small hook, notch）, serbe—ge 是"V形凹入口,小钩,鳃,顶饰,钩扣"（notch, small hook, gill, crest, agraffe）。③ 总之,姑且不管当初匈奴说的话是蒙古,东胡（Tungus）或突厥（Turkish）,照以上这些人们的假设"师比"这个字无论如何不是印欧语。可是最近门琛（Otto Maenchen-Helfen）认为师比和"郭落"都是从印欧语来的。他根据《大招》里"小腰秀颈,若鲜卑只"认为"鲜卑"这个词的发现在纪元前230年以前,那时中国还不知道有匈奴,楚国人当然不会向他们借来带钩和鲜卑或师比这个字。因此他把这两个字构拟作：

1. 师比* serbi"带钩"可以和印欧语指"钩,镰"等词比附：古教堂斯拉夫语 OCS. srъpъ, 立陶宛语 Lett. sirpe, 希腊语 Gk. ἄρπη, 拉丁语 Lat. sarpio 和 sarpo, 古爱尔兰语 O. Irish. serr。

2. 郭落* kwâklâk, "带", 也可以和印欧语比附：原始印欧语 IE kuekulo-, 希腊语 κμκλος"圆圈, circle", 梵语 Skt. cakrá, 古波斯语 Avest. čaxrō, 吐火罗语 Tokhar. A. kukäl, "轮子 wheel"。拿这些词和"带"比较并没有语义上的困难。④

关于门琛的构拟我且不来批评。不过,他只根据《大招》里的

---

① P. Pelliot, 'L'Édition collective des Œuvres de Wang Kouowei,' T. P. XXVI (1929) 141; Shiratori Kurokichi, Memoirs of the Research Dept. of the Toyo Bunko（东洋文库）No. 4. 5 (Tokyo, 1929). p.5.

② Peter Boodberg, 'Two Notes on the History of the Chinese Frontier', Harvard Journal of Asiatic Studies, (以下简称 H. J. A. S.) I, (1936, 306, n. 79.)

③ Ko valevskij, Dictionaire Mongol-Russe-Français, II. 1373.

④ Otto Maenchen-Helfen, 'Are Chinese Hsi-pi and Kuolo IE Loanwords?' Language, XXI, 4 (1945), 256—260.

"鲜卑"一词切断了这个字和匈奴的语源关系,我却不大以为然。照我看,也许因为"鲜卑"这个词的发现反倒可以解决聚讼已久的《大招》时代问题。[①] 因此我还倾向于伯希和们对于师比* serbi 的假设。

(三)璧流离 《说文》玉部珋字下云:"璧珋,石之有光者也"(依段注校改)。段玉裁注说:"璧珋,即璧流离也。《地理志》曰:'(黄支国)……入海市明珠璧流离。'《西域传》曰:'罽宾国出璧流离'。璧流离三字为名,胡语也,犹珣玗琪之为夷语。汉武梁祠画有璧流离,曰'王者不隐碑过则至'。吴《禅国山》纪符瑞,亦有璧流离。梵书言吠瑠璃,吠与璧音相近。《西域传》注孟康曰'璧流离青色如玉'。今本《汉书注》无璧字,读者误认璧与流离为二物矣。今人省言之曰流离,改其字为琉璃;古人省言之曰璧珋。珋与流琉音同。杨雄《羽猎赋》'椎夜光之流离'。是古亦省作流离也"。关于璧流离这个语词在汉以前的出处,段玉裁所说已经介绍的非常详尽,可惜他只泛指为胡语而没能仔细推究它的语源。案这个语词的对音可以分作两派:一种是旧译的璧流离,吠琉璃;另一种是新译的毗头黎,鞞头利也。前者出于梵文俗语(Prakrit)的 velūriya,后者出于梵文雅语(Sanskrit)的 vaidūrya。[②] 本义原为青色宝,后来变成有色玻璃的通称,和希腊 βιρυλλος,拉丁 beryllos,波斯,阿拉伯的 billaur,英文的 beryl 都同出一源。从段玉裁所引许多历史上的证据,可知璧流离这种东西以及这个语词在汉

[①] 游国恩《先秦文学》云:"作《大招》者非景差亦非屈原,盖秦汉间人模拟《招魂》之作,不必实有其所招之人也。……观其篇首无叙,篇末无乱,止效《招魂》中间一段;文辞既远弗逮,而摹拟之迹甚显,其为晚出,殆无疑焉。游氏并举"鲜蟻甘鸡"一段言楚者三,及"青色直眉,美目嫡只"中"青"字为秦以后语为证。(页 157—159)。

[②] Thomas Watters *Chinese Language*, p. 433;何健民译,藤田丰八著,《中国南海古代交通丛考》,页 115;冯承钧《诸蕃志校注》页 132,133;季羡林《论梵文 t d 的音译》,1949,页 29,30。

朝时候已经从印度经由中央亚细亚输入中国了。

（四）葡萄 《史记·大宛列传》载汉武帝通西域得葡萄首蓓于大宛，可见这两种东西都是张骞带回来的。葡萄《史记》、《汉书》作"蒲陶"，《后汉书》作"蒲萄"，《三国志》和《北史》作"蒲桃"。西洋的汉学家们，像陶迈谢（W. Tomaschek），[①]荆思密（T. Kingsmill），[②]和夏德（F. Hirth）[③]都假定这个词出于希腊语 βότρυs "a bunch of grapes"，沙畹和赖古伯烈（Terrien de Lacouperie）也附和这一说。劳佛以为葡萄很古就种植在伊兰高原北部一带，时代实在比希腊早。希腊人从西部亚细亚接受了葡萄和酒。希腊文的 βότρμs 很像是闪语（Semetic）借字。大宛（Fergana）人决不会采用希腊字来给种植在他本土很久的植物起名字。他以为葡萄盖与伊朗语 *budāwa 或 *buðawa 相当。这个字是由语根 buda 和词尾 wa 或 awa 构成的。照劳佛的意思 buda 当与新波斯语 bāda（酒）和古波斯语 βατιάkη（酒器）有关。βατιάkη 等于中古波斯语 bātak，新波斯语 bādye。[④] 最近据杨志玖考证，葡萄一词当由《汉书·西域传》乌戈山离的扑挑国而来。扑挑字应作"朴桃"。它的所在地，照徐松说就是《汉书·大月氏传》的汭达，照沙畹说就是大夏（Bactria）都城 Bactra 的对音。[⑤] 因为这个地方盛产葡萄所以后来就用它当作这种水果的名称。[⑥]

---

① 'Sogdiana,' *Sitzungsber. Wiener Akad.*, 1877, 133.

② 'The Intercourse of China with Central and Western Asia in the 2nd Century B. C.', *Journal of the Royal Asiatic Society.* （以下简称 J. R. A. S.），China Branch XIV (1879), 5, 190.

③ *Fremde Einflüsse in der Chin. Kunst*, p. 25; and *Journal of American Oriental Society* （以下简称 J. A. O. S) XXXVII, (1917), 146.

④ Berthold Laufer *Sino-Iranica*, pp. 225—226; of. Horn, *Neupersische Etymologie*. No. 155.

⑤ Edouard Chavannes, *T. P.* s. II, VI, (1905), 514.

⑥ 杨志玖'葡葡语源试探'全文载青岛《中兴周刊》6期，页11—14，1947年出版。

（五）苜蓿　在《汉书》里只写作"目宿",郭璞作"牧蓿",罗愿作"木粟"。劳佛曾经发现古西藏文用 bugsug 作这个语词的对音,①因此他就把它的原始伊兰语构拟作 * buksuk, * buxsux 或 * buxsuk.②陶迈谢（W. Tomaschek）曾经试把这个词和一种 Caspian 方言吉拉基语（Gīlakī）的 būso（"alfalfa"）相比。③ 假如我们能够证明这个 būso 是由 * buxsox 一类的语源孳衍而来那就可以满意了。我们得要知道中国最初接触的东伊兰民族从来没有文字,他们所说的语言实际上已经亡掉了。可是仗着汉文的记载居然能从消灭的语言里把大宛人叫 Medicago sativa 的语词 * buksuk 或 * buxsux 保存下来,这真不能不感谢张骞的功绩!

（六）槟榔　《汉书》司马相如上林赋:"仁频并闾",颜师古注: "仁频即宾榔也,频或作宾"。宋姚宽《西溪丛话》卷下引《仙药录》 "槟榔一名仁频"。这个名词应该是马来语（Malay）pinang 的对音。爪哇语（Java）管 pinang 叫做 jambi,也或许就是"仁频"的音译。④

（七）柘枝舞　段安节《乐府杂录》所记各种教坊乐舞里有一种叫作"柘枝舞"。唐沈亚之《柘枝舞赋》序说:"今自有土之乐舞堂上者唯胡部与焉,而柘枝益肆。"⑤晏殊也说这是一种胡舞。⑥ 刘梦得《观舞柘枝诗》:"胡服何葳蕤,仙仙登绮墀",⑦也只泛言胡服,并

---

①　B. Laufer, 'Loanwords in Tibetan.' *T. P.*, s. II, XVII, (1916) 500, No. 206.

②　B. Laufer, *Sino-Iranica*, p. 212.

③　"Pamir-Dialekte" *Sitzungsber. Wiener Akad*, 1880,792.

④　T. Watters, *Chinese Language*, p. 343;并参阅藤田丰八《中国南海古代交通丛考》中"宋代市舶司及市舶条例",页 241;冯承钧《诸蕃志校注》页 117—118。

⑤　《沈下贤文集》,《四部丛刊》本页 8.

⑥　北字图书馆藏抄本《晏元献类要》卷 29,"杂曲名"条"五天柘枝横吹",原注《古今乐府录》曰:胡乐也"。

⑦　《刘梦得文集》卷五。

没说明是哪一国。近来据向达考证说:"余以为柘枝舞出于石国。……石国《魏书》作者舌,《西域记》作赭时,杜还《经行记》作赭支。《唐书·西域传》云:'石或曰柘支,曰柘折,曰赭时,汉大宛北鄙也'。《文献通考·四裔考·突厥考》中记有柘羯,当亦石国。凡所谓者舌,赭时赭支柘支柘折以及柘羯,皆波斯语 Chaj 一字之译音。……"①我想从字音和文献上交互证明,向氏的拟测是毫无疑义的。

(八)站　站字的本义照《广韵》上说"久立也",原来只有和"坐"字相对待的意思。至于近代语词驿站或车站的站字,那是从蒙古语 jam 借来的。这个字和土耳其语或俄语的 yam 同出一源。《元史》中所谓"站赤"是 jamči 的对音,意译是管站的人。②

(九)八哥　八哥是鸜鹆的别名。《负暄杂录》说:"南唐李后主讳煜,改鸜鹆为八哥"。《尔雅翼》也说:"鸜鹆飞辄成群,字书谓之䴔䴔(原注,卜滑切)鸟"。䴔䴔就是阿拉伯语 babghā' 或 bābbāghā' 的对音。阿拉伯人管鹦鹉叫做 babghā',鸜鹆和鹦鹉都是鸣禽里能效人言的,所以可以互相假借。

(十)没药　这味药是从开宝六年(973A.D.)修《开宝本草》时才补入的。马忠说:"没药生波斯国,其块大小不定,黑色似安息香"。当是阿拉伯文 murr 的对音,译云"苦的"。中文或作没药,或作末药。"没"muət 和"末"muât 的声音都和 murr 很相近的。李时珍说:"没,末皆梵言",那是因为不知道来源才弄错的。

(十一)胡卢巴　宋嘉祐二年(1057A.D.)修《嘉祐补注本草》时才收入,一名苦豆。刘禹锡说:"出广州并黔州,春生苗,夏结

---

① 向达《唐代长安与西域文明》页 94—95。
② 冯承钧,《西域南海史地考证译丛续编》,——伯希和"高丽史中之蒙古语",页 78。系读白鸟库吉"高丽史に见えわる蒙古语之解释"(东洋学报 18 卷 pp. 72—80,东京,1929)的提要。

子,子作细荚,至秋采。今人多用岭南者。或云是番萝卜子,未审的否?"苏颂《图经本草》说:"今出广州,或云种出海南诸番,盖其国芦菔子也。……唐以前方不见用,《本草》不著,盖是近出。"这味药也是阿拉伯文 hulbah 的对音,大约在第 9 世纪左右才输入中国的。

(十二)祖母绿　绿柱玉(emerald)一名翠玉。《珍玩考》又称"祖母绿"。《辍耕录》作"助木剌",《清秘藏》作"助水绿"(水盖木字的讹写)。后面这三个名词都由阿拉伯文 zumunrud 译音而成。①

以上所举的例子,有的历史比较早,有的流行很普遍,都是很值得注意的。此外像"淡巴菰","耶悉茗"借自波斯语的 tambaco, jasmin;"阿芙蓉"借自阿拉伯语的 afyun。这一类例子一时无从举完,我只能挑出些极常见的来以示一斑。

自从海禁大开以后,中国和欧美近代国家的来往一天比一天多,语言上的交通自然也一天比一天繁。要想逐一列举那是绝对不可能的。为便于概括叙述,咱们姑且把近代汉语里的外国借字分作四项:

(甲)声音的替代(phonetic substitution),就是把外国语词的声音转写下来,或混合外国语音和本地的意义造成新词。细分起来,再可列作四目:

(1)纯译音的　例如广州管保险叫燕梳(insure)邮票叫士担(stamp),叫卖叫夜冷(yelling),牌号叫嘜(mark),商人叫孖毡(氈)或孖𠲖(merchant),时兴叫花臣(fashion),发动机叫磨打(motar),十二个叫打臣(dozen),四分之一叫骨或刮(quarter),

---

① 这四条例子里的阿拉伯文对音都承马坚教授指示,特此声谢!(收入《文集》时又请教了胡振华教授。)

支票叫则或赤（check），一分钱叫先（cent）之类，都是由英语借来的。上海话管机器叫引擎（engine），软椅叫沙发（sofa），暖气管叫水汀（steam），电灯插销叫扑落（plug），洋行买办叫刚白度（compradore）也是从英语借来的。此外像各地通行的咖啡（coffee），可可（cocoa），雪茄（cigar），朱古力（chocolate），烟土披里纯（inspiration），德谟克拉西（democracy）等等也应属于这一目。

（2）音兼义的　有些借字虽然是译音，但所选用的字往往和那种物件的意义有些关系。例如吉林管耕地的机器叫马神（машйна），哈尔滨管面包叫裂粑（хлеб），火炉叫壁里砌（печь），这是受俄语的影响。此外广州话管领事叫江臣（consul），管电话叫德律风（telephone）；还有人把美国一种凉爽饮料译作可口可乐（cocacola），把世界语译作爱斯不难读（Esperanto）也都属于这一目。

（3）音加义的　这类借字有一部分是原来的译音，另外加上的一部分却是本地话的意义。例如广州话管衬衣叫恤衫（shirt），管支票叫则纸（check），还有普通话里的冰激凌（ice cream），卡车（car），卡片（card），白塔油（butter），佛兰绒（flannel）之类，都属于这一目。药名金鸡纳霜和英语的 quinine 不大相符，可是咱们得知道这个字的前半是西班牙文 quinquina 的对音，霜字是形容那种白药末儿的样子。

（4）译音误作译义的　例如"爱美的"一词原是 amateur 的译音，意思是指着非职业的爱好者。可是有人望文生训把"爱美的戏剧家"误解作追逐女角儿的登徒子，那就未免唐突这班"票友"了！

（乙）新谐声字（new phonetic-compound）　外国语词借到中国后，本国的文人想把他们汉化，于是就着原来的译音再应用传统的"飞禽安鸟，水族著鱼"的办法硬把他们写作谐声字。在不明来源的人看,简直不能发现他们的外国色彩。这种方法由来已久。例如从玉牙声的珋字,见于许慎《说文》,很少人知道它是梵文俗语 veluriya 的缩写(参看上文璧流离);从衣加声和从衣沙声的袈裟见于葛洪《字苑》,很少人知道它是梵文雅语 kāsaya 的译音。此外,像莳萝(cummin)由于中世纪波斯语的 zīra,茉莉(jasmin)出于梵文的 malli:在习焉不察的中国读者恐怕极少知道这两种植物是由外国移殖过来的。自从科学输入以后,像化学名词的铝(aluminum),钙(calcium),氨(ammonia),氦(helium)之类,更是多得不可胜数。至于广州话管压水机(pump)叫做"泵"那似乎又是新会意字而不是谐声字了。

(丙)借译词(loan-translation) 当许多中国旧来没有的观念初从外国借来时,翻译的人不能把他们和旧观念印证,只好把原来的语词逐字直译下来,这就是所谓借译。这类借字大概以抽象名词居多。当佛法输入中国以后,佛经里有很多这一类的借译词。像"我执"(ātma-grāha),"法性"(dharmakara),"有情"(sattva),"因缘"(hetupratyaya),"大方便"(mahopāya),"法平等"(dharmasamatā)之类,都属于这一项。近代借字的许多哲学名词,像葛林(Thomas H. Green)的"自我实现"(self-realization),尼采(Friedrich W. Nietzsche)的"超人"(Übermensch),也都是所谓借译词。

(丁)描写词(descriptive form),有些外来的东西找不出相等的本地名词,于是就造一个新词来描写它,或者在多少可以比较的本地物件上加上"胡","洋","番","西"一类的字样,这就是所谓描写词。这种借字的方法从很早就有的。在中国把西方民族统通看作"胡人"的时候,已经有胡葱(Kashgar 的 onion),胡椒(印度的 pepper),胡麻(外来的 flax 和 sesame),胡瓜(cucumber),胡萝卜(carrot)等等。稍晚一点儿便有把泛称的"胡"字改作地名或国名的,像安息香(the fragrant substance from Arsak or parthia),①波斯枣(Persian date)之类。近代借字里的描写词,有的加国名,像荷兰水(soda water),荷兰薯(potato),荷兰豆(peas),有的加"西"字,像西米(sago),②西红柿(tomato);有的加"番"字,像番茄(tomato),番枧(soap);有的加"洋"字,像洋火或洋取灯儿(match),洋烟卷儿(cigarettes)。还有不加任何地域性的词头,只就东西的性质来描写的,像广州管煤油(petroleum)叫"火水",管洋火(match)叫"火柴",也都是所谓描写词。③

以上所举的几条例子不过想把中国语里的外来借字稍微指出一些纲领。若要详细研究,广博搜讨,那简直可以写成一部有相当分量的书。然而这却不是轻而易举的事。因为从事这种工作的人,不单得有语言学的训练,而且对于中西交通的历史也得有丰富的常识,否则难免陷于错误。例如,李玄伯在《中国古代社会新研》里说:"focus者,拉丁所以称圣火也。中国古音火音近佛,略如法语之 feu,现在广东陕西语所读的仍如是。focus 之重音原在 foc,由 focus 而变为火之古音,亦如拉丁语 focus 之变为法语之 feu,失其尾音而已"。我们先不必抬出"古无轻唇音"的高深考证来,单就火属晓纽[x]不属非纽[f]一点来说,就可把这个说法驳倒了! 况且比较语言学本来没那么简单,如果不能讲通成套的规律,就是把一个单词孤证讲到圆通已极,也不过枉费工夫罢了。至于把拉丁语中国古语硬扯关系也和早期传教士推溯汉语和希伯来语同源弄成一样的笑话!

---

① Thomas Watters, *Chinese Language*, p. 328—331.
② sago 中国也写作砂谷或西谷。在安南作 saku,印度作 sagu,马来作 sagu。Crawford(Des Dict. Indian Isl.)以为这个字根本不是马来语,应该是从摩鲁加群岛(Molucca Islands)的土语演变而来的。参看 Thomas Watters 前引书 p. 342—343.
③ 关于近代语借字所分的四类参看罗常培 "Chinese Loanwords from Indic" 稿本,pp. 3,4.

当两种文化接触时,照例上层文化影响低级文化较多。然而专以借字而论,中国语里却有入超现象。这当然不能纯以文化高低作评判的标准,另外还有许多别的原因。第一,当闭关自守时代,中国一向以天朝自居,抱着内诸夏而外夷狄的态度。固有的哲学,宗教,艺术,文化,四裔诸邦很少能领略接受,因此语词的交流至多限于一些贸易的商品,或官吏的头衔。第二,中国向来对于外国语不屑于深入研究,遇到有交换意见的必要也不过靠着几个通译的舌人,到底有若干语词流入异域,从来没有人注意过。第三,自从海禁大开以后,西洋人固然翻译了不少经典古籍,可是除去专名和不可意译的词句很少采取"声音替代"的借字法,就是有些借译词或描写词也容易被一般人所忽略。第四,汉语的方言太复杂,从一种方言借出去的字,说别种方言的人不见得能了解。因此就不觉得它是中国话。有这种种原因难怪中国语里的借词多于贷词了。

对于外国语里的中国贷词研究,据我所知,像徐勒吉(Gustav Schlegel)对于马来话,[①]劳佛对于西藏话,[②]李方桂对于泰语,[③]Ko Taw Seim 对于缅甸语,[④]佘坤珊对于英语[⑤]都供给一些材料。可是要作系统研究,还得需要若干专家去分工合作才行。我在这里只能举几个简单的例。

有些中国字借到外国语里以后,翻译的人又把它重译回头,因

[①] Gustav Schlegel, 'Chinese Loanwords in the Malay Language,' *T. P. I.* (1890), 391—405.

[②] Berthold Laufer, 'Loanwords in Tibetan,' T. P. s. II, XVII, (1916), 403—552.

[③] 李方桂,《龙州土语》,南京,1940, pp. 20—36; 'Some Old Chinese Loanwords in the Tai Language,' *H. J. A. S.* VIII, 344(March, 1945), 333—342.

[④] Ko Taw Seim, 'Chinese Words in the Burmese Language,' *India Antiquiry*, XXXV (1906), 211—212.

[⑤] 佘坤珊,"英语里的中国字",《文讯》第1期,5—17,贵阳文通书局出版。

为昧于所出，不能还原，于是写成了几个不相干的字。这样展转传讹，连"唐人都唔知呢啲系唐话喽"！例如，《元朝秘史》壹"捏坤太子"中的"太子"两字，《圣武亲征录》（王国维校本页35）作大石，《元史》壹零柒《世系表》和《辍耕录》都作"大司"，《蒙古源流》叁又作"泰实"：其实这只是汉语"太师"二字的蒙古译音 taiši。① 同样，《元朝秘史》里的"桑昆"（sänggün 或 sänggum），一般人认为是将军的对音，伯希和却怀疑它是"相公"的对音。② 此外，那珂通世以为蒙语兀真（或作乌勤 ujin）就是汉语"夫人"；领昆（linkum）就是汉语的"令公"。③ 照此类推，满洲话的"福晋"（fujin）虽然意思是汉语的公主，④可是就声音而论，它和"夫人"更接近了。英语里的 typhoon，在 1560 年 F. Mendes Pinto 就开始用过了。关于它的语源，西洋的汉学家们，有的说出于希腊语的 typhon，有的说出于阿拉伯语的 tūfān；有人认为它就是广东话"大风"的译音，还有人认为它借自台湾的特别词汇"台风"。⑤ 在这几说中我个人偏向第三说。不过，"台风"这个词在康熙二十三年（1684）《福建通志》卷五十六，《土风志》里就出现过，王渔洋的《香祖笔记》里也用过它。可见它从 17 世纪起就见于中国的载籍，不过修《康熙字典》时（1716）还没收入罢了。

萨丕尔说："借用外国字往往惹起他们的语音改变。的确有些外国声音和重读特点不能适合本国的语音习惯。于是就把这些外

---

① 伯希和，"蒙古侵略时代的土耳其斯坦评注"，见冯承钧译《西域南海史地考证译丛》三编，页 40。
② 同上书，页 42。
③ 李思纯《元史学》第三章，页 126—127，引那珂通世《成吉思汗实录》页 33 和该书序论页 59。
④ Thomas Watters, *Chinese Language*, pp. 365—366.
⑤ Henry Yule and A. C. Burnell, *Hobson-Jobson*, new edition, edited by William Crooke, pp. 947—950; G. Schlegel, 'Etymology of the Word Taifun,' *T. P.* VII (1896), 581—585.

国语音改变，使他们尽可能的不违反本国的语音习惯。因此咱们常常有语音上的妥协。例如近来介绍到英语来的 camouflage（伪装）这个字，照现在通常的读音和英文或法文典型的语音习惯都不相合。词首送气的 k，第二音节的模糊元音，l 和末一个 a 的实在音质，尤其是第一音节上的强重音，这些都是意识同化于英文发音习惯的结果。这些结果把英美人所读的 camouflage 弄得和法国人所读的显然不同。另一方面，第三音节里长而重的元音和'zh'音（像 azure 里的 z）尾位置也显然是'非英语的'（un-English），就像中古英语的声母 j 和 v 一样，起初必曾觉得不和英语惯例切合，可是这种异感现在早已消磨完了"。① 布龙菲尔德也说："本来介绍借字的或后来用它的人常常愿意省去他自己的双重筋肉调节，就用本地的语言动作（speech-movements）来替换外国的语言动作。例如在一句英语里有法文 rouge 这个字，他就用英语的［r］替换法语的小舌颤音，用英语的［uw］替换法语非复音的（non-diphthongal）紧［u］。这种语音的替代在不同的说话者和不同的情境之下程度要不一样；没有学过法语发音的人们一定得作成上面所说的程度。历史家将要把这种现象算作一种适应，这种适应可以改换外国的语词来迁就自己语言的基本语言习惯。"②由这两位著名语言学家的说法，咱们可以知道借字对于本来语言的改变率是相当大的。现在且举一个大家公认的汉语贷词但还不能确证它的原来汉字是什么的：

在 7 世纪突厥的碑文中有 Tabghač 一个字，这是当时中央亚细亚人用来称中国的。这个名称在一定地域之中一直延存到元朝初年，因为 1221 年邱处机西行的时候，曾在伊犁听见"桃花石"

---

① Edward Sapir, *Language*, pp. 210—211.
② Leonard Bloomfield, *Language*, pp. 445—446。

(Tabgač)这个名词。① 在东罗马和回教徒的撰述里也见有这个名称,但有的写作 Tamghaj,Tomghaj,Toughaj,也有的写作 Taugaš,Tubgač。它的来源当初并没判明,为什么叫"桃花石"也不得其解。夏德(F. Hirth)和劳佛(B. Laufer)以为这些字乃是"唐家"的对音,②桑原骘藏又进一步解释作"唐家子"。③ 伯希和以为"桃花石"的名称在 7 世纪初年 Théophylacte Simocatta 的撰述里早已写作 Taughast,他所记的显然是 6 世纪末年的事迹和名称,同唐朝实在没关系。④ 他"曾考究桃花石原来的根据,或者就是拓跋。其对音虽不精确,而有可能。就历史方面来说,元魏占领中国北部,而在中亚以土姓著名,遂使中亚的人概名中国为拓跋。犹之后来占据元魏旧壤的辽朝,种名契丹,中亚的人又拿这个名字来称呼中国的情形一样。这也是意中必有的事。"⑤这三种假设,严格照对音推究起来,都不能算是精确。"唐家子"的说法虽然可以用同化(assimilation)的规律把 Tamghaj 或 Tomghaj 读作 *Tangghaj 或 *Tongghaj,又可用西北方音丢掉鼻尾的现象勉强拿 Tau-或 Tou 对译"唐"字,可是 Tubgač 和 Tapkač 两个写法又不好解释了。总之,当初借字的人把中国古音歪曲太多,以至经过

① 《长春真人西游记》卷上"九月二十七日至阿里马城。……土人呼果为阿里马,盖多果实,以是名其城。……土人惟以瓶取水,戴而归,及见中原汲器,喜曰:'桃花石诸事皆巧',桃花石谓汉人也"。《丛书集成》本页 12。
② F. Hirth, *Nachwörte zur Inschrift des Tonjukuk*, p. 35.
③ 桑原骘藏说见其所著《宋末提举市舶西域人蒲寿庚之事迹》页 135—143(陈裕菁译《蒲寿庚考》页 103—109;冯攸译《中国阿拉伯海上交通史》页 132—143);又《史林》第 7 卷第 4 号页 45—50。参阅向达《唐代长安与西域文明》页 25,注 1。
④ 参考沙畹(Fdouard Chavannes)撰《西突厥史料》(*Documents sur les Tou-kiue Occidentaux*, pp. 230,246)。因年代不合而不能考订 Tabghač 为唐朝,此说 Yule 在 1866 年早已说过了。(*Cathay and the Way Thither*, 1, LIII).
⑤ P. Pelliot, "L'origine du Nom de 'Chine',"T. P. s. II. XIII(1912),727—742;冯承钧《西域南海史地考证译丛》伯希和《支那名称之起源》,页 45—46.俄语称中国为 КИТАЙ[k'it'ai]即契丹之译音。

许多专家的揣测还不能确指它的来源,这的确不能不算是遗憾!

然而解释外国语里中国贷词的麻烦却还不止于此。照我的看法,另外还有时间和空间的两种困难:

凡是稍微知道一点汉语变迁史的人都应该明白,中国从周秦到现代,语音是随着时代变迁的。假若拿着现代汉语的标准去衡量不同时代的贷词,那就难免摸不着头绪。例如"石"字中古汉语读 źiäk,现代汉语读 sī,在西藏借字里把"滑石"读作 hasig,而把"玉石"读作 yü-si,"钟乳石"读作 grun-ru-si。① "石"字的-k 尾(西藏写作-g)在前一个例里仍旧保存,在后两个例里却完全丢掉。这正可以显示三个字并不是在同一时代从中国借去的。如果单拿现代音作标准就不能确认 sig 和 si 所对的原来是同一个字,并且把这可宝贵的音变佐证也忽略掉了。藏文借字的时代有明文可考的,咱们可举"笔"字作例。汉文的"笔"字藏文借字作 pir。据《唐会要》说:吐蕃王弄赞赞普(Sron-btsan Sgam-po)请唐高宗(650—683 A. D.)派遣造纸笔工人。② 可见中国的毛笔至晚在 7 世纪已经输入西藏了,古汉语的 -t 尾许多中亚语都用-r 来对,所以 pir 恰是古汉语 piēt 很精确的对音。准此类推,像"萝卜"作 lá-bug 或 la-pʻug,"铗子"作 a-jab-tse,保存了中古音的-k 尾或-p 尾。他们借入藏语的时代一定比"粟米"su-mi 或"鸭子"yā-tse 早的多。因为"粟"(sïwok)的-k 尾和"鸭"(ˑâp)的-p 尾,在后两个借字里都不见了。③

汉语贷词在方言里的纷歧也正像在古今音中的差异一样。中国首先和马来人贸易的以厦门或其他闽南人居多。所以不单闽南

---

① B. Laufer, 'Loanwords in Tibetan,' *T. P.* s. II. XVII(1916)509. 521.
② 《唐会要》卷九十七,页 3 下。闻人诠本卷一四六上,3a。
③ 关于藏文借字各例,参看 Laufer 前引文,*T. P.* s. II, XVII, (1916),503, 508,518,522。

语里渗入许多马来语词,就是马来语里的汉语代词也都限于这一隅的方言,旁地方的人很难辨识它是从中国借去的。例如马来语里的 angkin 借自"红裙",bami 借自"肉面",bak 或 bek 借自"墨",tjit 借自"拭"niya 借自"领",tehkowan, tehko 借自"茶罐","茶鼓"……凡是能说厦门语的一看见上面这些汉字就会读出很相近的[aŋ˧ kun˧],[baʔ˥ mī˧],[bak˥, biək˥],[tɕʻit˩],[niā˩] [te˧ kuan˩] [te˧ kɔ˩]等等声音;反之,他们听见那些马来声音也会联想到这些汉字。① 假设换一个旁的方言区里从来没听见过厦门或其他闽南方言的中国人,他无论如何马上找不出相当的汉字来。这在从外国借来的字也有类似的现象。例如,梵文的 Bodhidharma,在中国的禅宗经论里一向译作菩提达摩或简称达摩,可是厦门人却把他写作陈茂。② 这不单把这位禅宗初祖汉化了,而且照厦门音读起来,陈茂[tā˧ mo˥]的确和达摩[tɑt˥ mo˧]没有什么大分别。同样,回教的教主 Mohammed 普通都译作谟罕默德,可是赵汝适在《诸蕃志》里却把他写作麻霞勿。③ 这两个人名用国语读来相差很多,从后一个译名绝对找不出它和 Mohammed 的渊源来。不过,假如咱们请一位广东人念"麻霞勿"三字[ma˩ ha˩ mɐt˩],岂不是很好的对音,比"谟罕默德"更贴切吗?

近百年来,中国和英美的接触最多,语言上的交互影响当然也最大。关于汉语里的英文借字,我在上文已经约略提到,这里我想再举几个从汉语借到英文里的例。中国对外贸易以丝瓷茶为大

---

① 参看 Gustav Schlegel, 'Chinese Loanwords in the Malay Language,' *T. P.* (1890), 394, 400, 402, 403;罗常培《厦门音系》,北京 1930。

② Thomas Watters, *Chinese Language*, pp. 393—394.

③ Friedrich Hirth and W. W. Rockhill, *Chau Ju-kua*, His Work on the Chinese and Arab Trade in the 12th and 13th Centuries, entitled *Chu-fan-Chih*, St. Petersberg, 1912, pp. 116. 120.

宗,所以咱们先从这三种东西说起。

现在英语的 silk（丝）中世英语作 silk 或 selk,它是从盎格鲁-撒克逊语 seolc, seoloc 演变来的;和古北欧语 silki,瑞典丹麦语 silke,立陶宛语 szilkai,俄语 shelk',拉丁语 sericum, sericus,希腊语 sēres, sērikos 都有关系。英语里的 seres, seric, sericeous, serge, sericulture 等都是它的孳乳字。[①] 汉语"丝"字的现代音 sl 和中古音 si:虽然和印欧语里的各种语词不太切合,可是它的上古音 *siəg 就有几个音素可以和它们比较。所以印欧语里这些关于"丝"的语词无疑是从中国 *siəg 借去的。从历史来讲,丝业最初是中国发明的,也是我们物质文明最早传布到全世界的。我们养蚕和缫丝的方法在 3 世纪的时候传到日本。先是,日本派了几个高丽人到中国来学习,这些人回到日本去的时候带回了四个中国女子专教皇宫里的人各种纺织的技术。后来日人在 settsu' 省为这四个女子建了一坐庙以纪念她们的功德。相传在 5 世纪的时候,有一个中国公主把蚕种和桑子缝在她的帽子里,然后经和阗越葱岭而传到了印度。等到地中海的人学会养蚕的时候已经是 6 世纪了。当时罗马皇帝茹斯逊年（Justinian）派了两个波斯僧侣到中国来学习各种缫丝和纺织的秘密。约在纪元 550 年左右,这两个僧侣把蚕种藏在一根竹竿里才带到了君士坦丁,于是,"西欧 1200 多年的丝业都发源在这竹管里的宝藏。"[②]欧洲人所以叫中国作 Sĕres 或 Serres,正可见他们心目中的中国就是产丝的国家。西洋人对于蚕能吐丝的事实好久不能了解,于是发生了很有趣的观念。有的人以为丝是一种植物,生长在树上。

---

① 参看《牛津字典》IX, si—p. 46; Walter W. Skeat, *A Concise Etymological Dictionary of the English Language*. p. 485; *Webster's New International Dictionary of the English Language*, 2nd Ed. ,pp. 2285 b,2337 b.

② *Encyclopædia Britanica*, vol. 20 (14th ed.)pp. 664—666.

在 15 世纪的时候有一个英国人说:"有一种人名叫 Serres,他们那里有一种树长着像羊毛一般的叶子"。因此英国人常称丝作"中国羊毛"(Serres'wool)。这种观念的历史很古,罗马诗人 Virgil 就说过:

How the Serres spin, Their fleecy forests in a slender twine.

(中国人把他们羊毛的树林纺成细纱)

一直到 16 世纪,Lyly 的书里还记载着很奇怪的传说以为丝的衬衫能使皮肤出血!①

后来中国和西欧的海上交通发达起来,我们输出的丝织品的种类也渐渐多了。于是流行在英国的贷词,有 Cantoncrape(广东皱纱)或 China-crape(中国皱纱),有 pongee(本机绸),Chefoo silk(芝罘绸),或 Shantung silk(山东绸)。此外像 pekin 指北京缎,nankeen 指南京黄棉布,那又从丝织品推广到棉织品了。②

可以代表中国文化的输出品,除了丝以外就得算瓷器,我们中国的国名 China 也因此竟被移用。不过,Sēres 是用出产品代表国名,China 却是借国名代表出产品罢了。China 和拉丁语 Sinae,希腊语 Thinai,印度语 Cina 都同出一源。关于它的语源,虽然有人以为它或者是纪元前 4 世纪时马来群岛航海家指示广东沿岸的名称,③可是我个人还赞成它是"秦的对音"。④ 当瓷器输入欧洲的时候,英国人管它叫 chinaware 意思就是 ware from China(中国货)。随后 chinaware 的意思变成 ware made of china(瓷器),末了把 ware 也省去了,于是就变成了 china。现在"中国"和"瓷器"

---

① 佘坤珊前引文,页 7。
② 同上书,页 6,7。
③ 劳佛(B. Laufer)'The Name China'(支那名称考),*T. P.* s. II, XIII. (1912), 719—726.
④ 伯希和(P. Pelliot)'Deux Itinéraires de Chine en Inde', *B. E. F. E. O.*, IV, (1901), 143—149; 又 *T. P.* s. II, XIII(1912), 727—742(见前).

在英文里的分别只是字首大小写的区别。可是在说话里,China-man(中国人),chinaman(卖瓷器的人),甚至于和 chinaman(瓷人)三个字的第一音段读音是一样的,只是第二音段的元音,因为轻重读的不同,分成[ə]和[æ]两音罢了。

中国的瓷器最初是 16 世纪的葡萄牙人带到欧洲去的。他们不像英国人那样含糊的叫"中国货",而特别取了一个名字叫它 porcellana(后来变成英文的 porcelain)意思就是"蚌壳",他们把那光润乳白的质地比作螺钿那样可爱。

英国的陶业到了 18 世纪才有,以前都是依靠着中国输入大量的瓷器。随着陶业的发展,许多技术上的名词也进了英文。起先他们由中国输入不可缺的原料如"高岭土"(kaoling)和"白土子"(petuntze)。kaoling 是江西景德镇西北高岭的译音。高岭土亦叫做 china-clay, porcelain-clay 或 chinametal。白土子也是原料之一,但是没有高岭土价值贵。这两种原料配合的成分"好的瓷各半;普通的用三分高岭土对六分白土子;最粗的也得用一分高岭土对三分白土子"。[①] 制成瓷器以后,第二步当然要加彩色,于是 china-glaze, china-paints, china-blue, china-stone 种种瓷釉的名称也跟着来了。最初他们着重模仿中国瓷器上的花纹,所以"麒麟"(chilin or kilin),"凤凰"(fenghwang)和"柳树"(willow pattern)也被他们学去了。柳树花纹是英人 Thomas Turner 在 1780 年输入英国的。后来这个图案很受欢迎,于是日本商人看到有机可乘,就大量的仿造,用廉价卖给英美的平民。[②]

第三种代表中国文化的出产品就要推茶了。这种饮料在世

---

① Encyclopædia Britanica, vol. 5, p. 549, China-clay:《牛津字典》II. 35I, 又 V, 652。

② 佘坤珊前引文,页 7—9。

界文明上的贡献恐怕不亚于丝和瓷。中国饮茶的风气从唐时才开始盛行起来,[1]但张华《博物志》已经有"饮真茶令人少眠"的话,可见茶有提神止渴的功用晋朝时候的人早就知道了。外国流行一个关于茶的传说,也可证明它的功用。相传印度的和尚菩提达摩(Bodhidharma)发愿要睁着眼打坐九年。三年终了的时候他发觉两只眼睛闭上了,于是割去了眼皮继续打坐。到了第六年终了正疲倦要睡的时候,偶然伸手从身旁的一棵树上摘下一个叶子来含在嘴里,顿觉精神百倍,使他达到九年不睡的初愿。[2]

欧洲最早的茶商是葡萄牙人。[3] 他们在 16 世纪的末叶到中国来买茶,那时他们采用普通话的读音 chaa。后来远东的茶叶都操在荷兰人的手里。这些荷兰人都集中在南洋一带,所以厦门人先把茶叶由中国运到爪哇的万丹(Bantan),然后再用荷兰船载往欧洲各国。厦门口语管茶叫做 [te ˊ],荷兰人也跟着读 téh。因此欧洲人凡是喝荷兰茶的像法德丹麦等国的人都采用厦门音(例如法语 thé,德语 Tee 或 Thee,较早的欧洲音 tā),而喝大陆茶的俄波意诸国都保持官音(例如,意语 cia,俄语 Чай[tʃ'aːi],葡萄牙语 o chá)。英国最早也采用官音(例如 Thomas Blount 在 1674 年的作品里就拼作 cha),后来因为大量的购买荷兰茶的关系才把 cha 废掉而改用 tea。tea 在英文里最初的出现,是 1615 年东印度公司一个职员威克涵(Wickham)的信里;1660 年,9 月 28 日裴匹斯

---

　① 《封演闻见记》:"李季卿宣慰江南,时茶饮初盛行。陆羽来见。既坐,手自烹茶,口通茶名,区分指点,李公心鄙之。茶罢,命奴子取钱三十文酬茶博士。"案陆羽于上元初(760 A. D.)隐苕溪,则茶饮盛行于 8 世纪中叶。

　② *Encyclopædia Britanica*, vol. 21 (14 ed.), p. 857。

　③ 关于茶的最早记录,在 852 年有阿拉伯 sākh 字见于 *Relation des Voyages faits par les Arabes et les Persons dans l'Indie et à la Chine dans le IXe siècle de l'ère chrétienne*, *Reinaud* 译本 I, 40;又作 Chai Catai 见 1545 年 Ramusio *Dichiaratione*. in II, f. 15;参阅 *Hobson Jobson*, new edition, pp. 905—908。

(Samuel Pepys)的日记里又拼作 tee。① 起初英人把茶看作一种极珍贵的饮料,后来渐渐变成一般平民不可少的日用品。同时英人也不专靠荷兰茶商的供给,他们自己到中国来采购各地的名产。一时茶类名目的繁多引起了下面四句诗:

> What tongue can tell the various kinds of tea?
> Of Black and Greens, of Hyson and Bohea;
> With Singlo, Cogou, Pekoe and Souchong,
> Cowslip the fragrant, Gunpowder the strong.

Bohea 就是福建的"武夷",Pekoe 是"白毫",Congou 是所谓"工夫茶",Hyson 是"熙春",Cowslip 是"牛舌",Gunpowder 近于我们所谓"高末儿"。在这首诗以外的还有 Twankay "屯溪",Keemun "祁门",Oolong "乌龙",young Hyson 或 Yü-chien "雨前",也随着茶叶输入到英文里去。茶叶以外还有砖茶(brick-tea),瓦茶(ti-letea)和粒茶(tisty-tosty)等,那只是质地和形状上的区别罢了。

一部分英国人以为饮茶可以使人懦弱,所以管好喝茶的人叫 tea-spiller 或 tea-sot。从茶字英文也产生了一个成语:"to take tea with",意思是和人计较,特别是含敌对的意思。这也许由上海所谓"喫讲茶"来的。因为吃茶的习惯,英国人在日常生活里增加了不少新东西:像 tea cloth(茶巾),teapot(茶壶),teacup(茶杯),teakettle(开水壶),tea urn(茶罐),teaspoon(茶匙),tea table(茶桌),teatray(茶盘),teaset(茶具),tea rose(茶香月季),tea biscuit(茶饼),tea gown(茶礼服),tea party 或 tea fight(茶话会),tea service(备茶,清茶恭候)等等,都是从茶的文化输入英国后才产生的。我国近来所用"茶话会"的名词和办法也恰好像管

---

① W. W. Skeat, *A Concise Etymological Dictionary of the English Language*, p. 545; *Encyclopædia Britanica*, vol. 22 (14th ed.) p. 857.

牛肉汁叫"牛肉茶（beef tea）"一样，它们都是中国字到外国旅行一趟，沾染上些洋味儿又回到本国来了。①

除了茶叶之外，我们还有好多种植物输入英美去。属于花草类的有 china-aster（蓝菊），china-rose（月季），china-berry（楝树），china-pink（石竹）等；属于水果类的有 china-orange 也叫 mandarin orange（金钱橘），loquat（枦橘或枇杷），litchie（荔枝），cumquat（金橘），whampee（黄皮）；属于蔬菜类的有 pakchoi, petsai 或 chinese cabbage（白菜），china-squash（南瓜），china-pea（豌豆），china-bean（豇豆）等；属于药材类的有 ginseng（人参），galingale（莎草或高凉姜），②chinaroot（菝葜根）等。此外还有中国的苎麻（china-grass 或 chinastraw）据说是自然界中最坚固的纤维；由桐树上所榨取的桐油（tung-oil 或 wood-oil），它在抗日战争时几乎变成我国唯一换取外汇的输出品。

咱们再看看有关商业和海上生活一类的字。西洋人来和咱们通商第一当然要明了中国的度量衡和币制。有些名词像"细丝"（sycee），"两"（liang），"里，厘"（li），他们就用"声音替代"法直接借过去。"细丝"本来是指银子的纹理，后来就变成了"元宝"的别

---

① 佘坤珊前引文，pp. 9—12。
② 高凉姜现广东称良姜，汉高康县，三国时名高良郡，今广东高州。此字在中世纪时西行路线，一般以为是汉语（广东）—波斯语—阿拉伯语—法文—英文。在英国有极长久的历史。《牛津字典》上说：galingale 大概是来自中文的"koliang kiang"，意思是 "mild ginger from ko", a prefecture in the province of Canton. 这种姜除了当药用之外，主要是作烹饪里的香料。凡是中古欧洲的厨子都要会用这不可缺少的调味姜。英诗人乔叟（Chaucer 1340—1400）在他的 Canterbury Tales 里曾经描写他的厨子有专门手艺做姜煨小鸡，说：
　　A cook they hadde with hem for the nones,
　　To boille the chikens with the mary bones,
　　And poudre-marchant tart, and galingale.
可是远在乔叟以前 350 年，英文已经发现有 galingale 这个字。它也写做 galangal。参看 Rev. G. A. Stuart, *Chinese Materia Médica*, pp. 31—33。按马坚教授云：阿拉伯人译高凉姜为 khulinjān，传入德国变成 galingal，传入英国后再变为 galingale。

名。不过,中英贸易本来是由南洋渐渐北移到沿海的中国本土,因此有些名词英国商人就懒得译音,而采取他们熟识的马来字来代替:tael(银两),catty(斤),picul(担)等,便都是这一类。关于海上生活的字,像 typhoon 是"大风"的对音,咱们在上文已经讨论过了。除此之外,sampan(舢板)和 tanka(蛋家)一类的字也可以给"浮家泛宅"的蛋民生活映出一张小照。上海自从道光二十二年(1842)开作商埠后成了国际贸易的重心,所以 shanghai 这个字在英文里的意义也特别多。它除去代表一种鸡(据说能生双黄蛋),一种油(恐怕就是桐油)和一种枪以外,还代表一种绑票的行为。当一只船上缺少水手时,常到岸上找一个人,把他用药酒灌醉,叫他在船上做苦工。这种主动行为叫"to shanghai,"被害方面叫"to be shanghaied"。上海还有一种中西交通的特产就是洋泾浜英语。这种语言英美人叫 pidgin 或 pigeon English。据说 pidgin 是中国人误读英语 business 的讹音。因为中国人不会读 business 遂致错成 pidgin,有些人说受葡萄牙语 occupaçao(前二节丢了)的影响,此字亦拼作 pigeon。洋泾浜英文的确是中英杂糅的结晶,是由一个不懂英语的中国人和一个不懂中国语的英国人要想交换意见,自然而然产生的。它应用中文语法和有限的英文讹读字,临时凑成一种语言工具。应用的时候,双方各佐以手势和种种脸上的表情,随机应变。类似 pidgin 方式产生的字,咱们可以举 cumshaw 作例。这个字虽然有人以为粤语"感谢"的音译,可是很可能是 commission 的误读。因为 cumshaw 的意思并不限于"礼物","小账",而实在含有"佣钱"的意思在里头。[①]

此外,由我国近代史实或官制借到英文里去的,有 Taiping(太平天国),Boxer(义和拳),Kuomintang(国民党),yamen(衙

[①] Rev. G. A. Stuart, Chinese Materia Médica,页 13—14。

门），tupan（督办），tuchun（督军）①，tsung-li（总理），tipao（地保）等等；由我国输出的玩艺儿得名的，有 tangram（七巧图），firecraker（爆竹），gold-fish（金鱼），Chinese-tumbler（搬不倒儿），Chinese-lantern（纸灯笼）等等；甚至于连代表"本位文化"的赌博："番摊"（fan-tan）和"麻将"（mah-jong），在英美的交际场上也都不是陌生的语词了！chopsuey 起初不过是一碟普通的"抄杂拌儿"，推究语源只是"杂碎"的对音。可是现在它已成了中国菜的总名，连纽约极大的餐馆，像羊城，顶好，上海饭店也都用 chopsuey house 作招牌。外国人吃中国饭的大障碍显然是那双筷子，起初他们译作 nimble sticks，不过现在还是叫 chopsticks 最普通。由我们的民间迷信用语流入英文里的，可以拿 feng shui（风水）作代表。Joss 这个字本来是 pidgin 英语从葡萄牙文 Deos（神）借来的，在中国特指神的偶像。于是他们管中国的佛堂叫 Joss-house，庙里边的香叫 Joss-stick②。

中国素号"礼仪之邦"，咱们传统的繁文缛节不免给西洋人很深刻的印象。有时他们觉得咱们过分的拘泥礼节了。法国人很幽默的把一切繁文缛节叫做 chinoiserie。这个字的精彩很快的被英国人所赏识，于是就借了去变成 chinesery。③ 咱们还有时为顾全对方的面子起见不肯当时表示异议，英国人管这种虚伪叫作 Chinese compliment。说到"顾全面子"恐怕是我们对于英文最得意的贡献了。在英文常用的成语里有"to save one's face"一句话，据《牛津字典》记载这句话的来源说：

---

① 由这个字演生的还有 tuchunate 和 tuchunism 两个字。
② 佘坤珊前引文，页 14—16。
③ 《简明牛津法文字典》，p. 163，a；《牛津字典》II，p. 354；《韦氏字典》pp. 468, 469；向达说："Chinoiserie 一词始于 18 世纪，其时它的字义指着一种中国风尚。Reichwan 的 *China and Europe* 一书有专章讨论它。"

> Originally used by the English community in China, with reference to the continual devices among the Chinese to avoid incurring or inflicting disgrace. The exact phrase appears not to occur in Chinese, but "to lose face"（丢脸）, and "for the sake of his face"（为他的面子）are common.

可是在《韦氏字典》却承认"to lose face"在美国的普通性了。①

在旧礼节中,外国人顶不习惯的是跪拜礼。所以《牛津字典》里对于 kowtow（叩头）这个字有一句富有幽默的描写:

> The Chinese were determined they should be kept in the constant practice of the koo-too, or ceremony of genuflection and prostration。②

其实中国人哪里都是常常曲膝叩头的呢！武清郭琴石（家声）师有一首咏叩头虫诗说:"如豆形骸不自休,黑衣未脱便包羞。有生直合为强项,此豸缘何但叩头？只要眼前容请放,焉知皮里蓄阳秋！倘教拒斧能相识,一怒真应嫉若仇!"③它很可以代表一部分"有生直合为强项"的中国人的抱负！在近代中国外交史上还有一段关于叩头的故事:当清嘉庆二十一年（1816）英国的亚墨哈斯（Lord Amherst）奉使来华。因为不肯在觐见时遵行跪拜礼,清廷就勒令他回国,并有"嗣后毋庸遣使远来,徒烦跋涉"的话！这场关于"叩头"的纠纷,有清仁宗为英使亚墨哈斯来华致英王的敕谕为证:

> ……尔使臣始达天津,朕饬派官吏在彼赐宴。讵尔使臣于谢宴时即不遵节礼。朕以远国小臣未娴仪度,可从矜恕。特命大臣于尔使臣将次抵京之时,告以乾隆五十八年尔使臣

---

① 《牛津字典》IX, p. 137;《韦氏字典》p. 1460, C.
② 《牛津字典》V, p. 753.
③ 《忍冬书屋诗集》,叁,七。

行礼悉跪叩如仪,此次岂容改异?尔使臣面告我大臣以临期遵行跪叩,不至愆仪。我大臣据以入奏。朕乃降旨于七月初七日令尔使臣瞻觐;初八日于正大光明殿赐宴颁赏,再于同乐园赐食;初九日陛辞,并于是日赐游万寿山;十一日在太和门颁赏,再赴礼部筵宴;十二日遣行;其行礼日期仪节,我大臣俱已告知尔使臣矣。初七日瞻觐之期,尔使臣已至宫门,朕将御殿,尔正使忽称急病,不能动履。朕以正使猝病,事或有之,因只令副使入见。乃副使二人亦同称患病,其为无礼,莫此之甚!朕不加深责,即日遣令回国!……①

相传这里头还有中国官吏从中拨弄的内幕。不管怎样,这总算中国外交史上一段有关"叩头"的趣事。英文里还有 chin-chin 一字,本来是我们的口头语"请请"的译音。《牛津字典》上说"请请"是"A phrase of salutation",照它所引证的例句来看:

> We soon fixed them in their seats, both parties ·· repeating *chin chin*, *chin chin*, the Chinese term of salutation. (1795 Symes, *Embassy to Ava* 295 (Y.))

这句话里的"请请"分明是让座的意思,并不是问好。不过展转引申,渐渐地变成致敬的意思:

> On the thirty-sixth day from Charing-cross a traveller can ·· be making his *chin-chin* to a Chinese mandarin. (1885 *Paul Mall G*. 15 Apr. 4/1)

后来索性变成动词"to salute, greet":

> She '*Chin-chins*' the captain ·· and then nods her pret-

---

① 《清仁宗实录》,叁贰零,五,王先谦《东华录》嘉庆肆贰,一;Harley Farnsworth Mac Nair *Modern Chinese History Selected Readings*, Shanghai 1923. pp. 11—13.

ty head. (1859 *All Y. Round No. I*, 18.)①,
这未免以讹传讹,离开本义很远了。

以上关于中国话借进来或借出去的语词已经拉杂的举了好些例子,可是这仅仅是汉语借字研究的起例发凡。我很希望后起的同志能够受我这一点儿示例的启发更有进一步的探讨。最后我且引柏默的话作本章的结束:

> 从语言借字的分析,可以看出文化的接触和民族的关系来。这恰好像考古学家从陶器、装饰品和兵器的分布可以推出结论来一样。②

咱们应该知道借字在语言研究中的重要,但咱们切不可陷于牵强附会的错误。正确的结论是由充实的学问,致密的方法,矜慎的态度追寻出来的。

(原载《语言与文化》第四章,语文出版社,1989年9月)

---

① 《牛津字典》II. p. 352, *Hobson-Jobson*, pp. 200—201.
② L. R. Palmer, *Modern Linguistics*, p.159.

耶稣会士在音韵学上的贡献

一　叙论

I. 研究中国音韵学的困难

II.《西儒耳目资》等在中国音韵学史上的地位

研究中国音韵学所感到的困难,第一是分析"音素";第二是测定"字音"。标音的方法,从"譬况"、"读若",演进到反切,自然是改良了好多;毕竟一个方块的汉字只能代表一个整个的声音,由汉字的形体上绝不能看出那一个字由哪些个音素构成;并且反切上字既不是单纯的声,反切下字也不是单纯的韵,拿它来拼音,绝没有用单纯的声母韵母那样简单易晓。因此仅仅靠着汉字造成的反切来研究音韵学,除去"口耳相传","心知其意"外,很少好的方法使人知道它是童蒙可喻的容易东西。再者,人类的语音是随着时间空间变易的。陈第说:"一群之内,声有不同,系乎地者也;百年之中,语有递变,系乎时者也"①。那末,拿现在的字音推测从前某一时代的字音,其不精确的程度恰好像用北平的语音推测闽粤的语音一样!周秦以前,姑且不论。《切韵》的系统,尽管那样精密,直到现在,我们根据它的韵部跟反切,只能明了它的声韵分类,要想考定音值,便不能希望单从《切韵》本身探讨出什么满意的结果来!就是研究元明以降的音韵,也不免感受同样的困难。究其主因,不

---

① 《读诗拙言》。

过因为各时代流传的韵书没有字母式的音标作研究的根据罢了。自从印度文化东来,一班译经的沙门,受了梵语"体文"(Vyañjanam)的启示,归纳《切韵》和《唐韵》里头的反切上字,造成见、溪、群、疑等三十六字母,辨别七音,分"转"列图,以为沙门"唱韵"的准则,这是中国音韵学接触外来文化后的第一度演进。但是直接用罗马字母注音,使后人对于当时各个字的音值比较得到清晰的印象,并且给音韵学的研究开辟出一条新蹊径的,明季的耶稣会士(Jesuits)要算是"筚路蓝缕,以启山林"的功臣了。

明朝万历、天启之间,一班耶稣会士挟着他们会里的特殊精神跟学养,相继来到中国。当时国内的学者,如徐光启、李之藻、杨廷筠、韩霖、王徵等,都跟他们往来,对于明清之交的学术思想界,发生了很大的影响。他们最昭著的成绩,自然是在天文算法一方面。此外如利玛窦(Matteo Ricci)的《交友论》、《万国舆图》,孟三德(Edward Da Sande)的《名理探》、《寰有诠》,艾儒略(Giulio Aleni)的《职方外纪》,熊三拔(Sabatthinus de Urcis)跟徐光启的《泰西水法》,邓玉函(Jean Terenz)的《人身说概》,邓玉函跟王徵的《奇器图说》、《诸器图说》,汤若望(Johannes Adam Schall Von Bell)的《则克录》,徐光启的《农政全书》,韩霖的《守圉全书》、《慎守要录》等箸作,对于伦理、论理、舆地、理化、生理、农业、水利、制造各方面,都有相当的贡献,凡是留心明清之交的学术思想者,大概都知道。只有他们对于中国音韵学的贡献,反倒被其他方面的成绩所掩,不大引起人们的注意。据我观察,利玛窦的罗马字注音跟金尼阁(Nicolas Trigault)的《西儒耳目资》在中国音韵学史上,跟以前守温参照梵文所造的三十六字母,以后李光地《音韵阐微》参照满文所造的"合声"反切,应当具有同等的地位。因为他们:

1. 用罗马字母分析汉字的音素,使向来被人看成繁难的反

切,变成简易的东西;

2. 用罗马字母标注明季的字音,使现在对于当时的普通音,仍可推知大概;

3. 给中国音韵学研究开出一条新路,使当时的音韵学者,如方以智、杨选杞、刘献廷等受了很大的影响。

所以我觉得这个问题有研究的必要。

二 《程氏墨苑》里的利玛窦注音

I. 《西儒耳目资》的先导——庞迪我、郭居静、利玛窦

II. 利玛窦注音的条理

III. 利玛窦注音的特点

在金尼阁作《西儒耳目资》以前,他同会的朋友里已经有利玛窦、郭居静(Lazane Cattaneo)、庞迪我(Diego de Pantoja)三人作他的先导。《西儒耳目资·自序》说:"幸至中华,朝夕讲求,欲以言字通相同之理。但初闻新言,耳鼓则不聪;观新字目镜则不明。恐不能触理动之内意。欲救聋瞽,舍此药法,其道无由;故表之曰《耳目资》也。然亦述而不作,敝会利西泰(玛窦)、郭仰凤(居静)、庞顺阳(迪我)实始之,愚窃比于我老朋(?)而已。"庞迪我关于音韵学有什么著作,已经无从考见。利玛窦关于这方面的著作,据 Thoeph Boyer 说,有《大西字母》一种。可是现在除去《程氏墨苑》里的四篇注音文章,另外找不到别的东西。郭居静关于那方面的著作,据 Louis Pfister 说,有《西字奇迹》一种,是 1605 年(明万历三十三年)在北京印的。[①] 这本书现在也很不容易找到。据 Henri Cordier 说:罗马教皇的图书馆(Vaticane Library)里藏有西字奇迹

---

① 见《耶稣会士来华诸人传记》页四十三。

的残片六叶,是中国墨的拓本,中国名字叫做《程氏墨苑》。[①] 不过,《西字奇迹》的作者是谁,Cordier 并没有说明。那末,这六叶残片跟《程氏墨苑》里的利玛窦注音究竟是一是二,还是疑问。所以本篇根据的材料,除去《西儒耳目资》以外,只有《程氏墨苑》里的利玛窦注音。

《程氏墨苑》里的利玛窦注音,一共有四篇:(1)《信而步海疑而即沈》;(2)《二徒闻实即舍空虚》;(3)《媱色秽气白速天火》;(4)《述文赠幼博程子》。最近经陈援安先生用通县王氏鸣晦庐藏本景印行世,标名为《明季之欧化美术及罗马字注音》。我根据这四篇注音里 387 个不同音的字,归纳它们拼音的条理,得出下列的结果来:

(I) "字父"(即声母。借用金尼阁的名称)二十六

字父	假定的音值	例 字	附 注
c	[k]	改 cài,功 cōm,古 cù	在 a, o, u 前。
	[ts]	则 cě,即 ciě,子 cǔ	在 e, i(y), ǔ 前。
c'	[k']	堪 c'ān,可 c'ò,苦 c'ù	在 a, o, u 前。
	[ts']	前 c'iēn,且 c'iè,次 c'ǔ	在 e, i(y), ǔ 前。
ç	[ts]	哉 çāi,足 çō,助 çú	在 a, o, u 前。
ç'	[ts']	曹 ç'āo,从 ç'ûm	在 a, o, u 前。
f	[f]	方 fām,非 fi	
g	[ɣ]	艾 gái,吾 gû	在 a, o, u 前。
	[ʒ]	然 gên,人 gîn	在 e, i(y) 前。
h	[x]	海 hài,湖 hû	
j	[ʒ]	若 jǒ,如 jû	在 a, o, u 前。
k	[c]	见 kién,教 kiáo	在 i(y) 前。
k'	[c']	奇 k'î,巧 k'iào	在 i(y) 前。
l	[l]	赖 lái,流 liêu	

[①] 参阅 *Bibliotheca Sinica* Vol. V. p. 36, 77。

m	[m]	明 mĩm，谬 miéu	
n	[n]	难 nân，能 nêm	
p	[p]	邦 pām，并 pím	
p'	[p']	僻 p'iě	
q	[kw]	广 quàm，观 quōn	在 u -类复韵母前。
q'	[k'w]	暌 q'uēi，廓 q'uǒ	在 u -类复韵母前。
s	[s]	色 sě，三 sān	
t	[t]	大 tá，道 táo	
t'	[t']	通 t'ūm，天 t'iēn	
v	[v]	万 ván，物 voě	
x	[ʃ]	身 xīn，手 xèu	x 还跟 i -类韵母拼，所以它的音值是混合舌叶的[ʃ]，不是真正舌尖后的[ʂ]。ch, ch', g₂, j 等可据此类推。
ch	[tʃ]	真 chīn，正 chím	
ch'	[tʃ']	出 ch'ǔ，城 ch'îm	
ng	[ŋ]	我 ngò，爱 ngái	在 a，o 前。
nh	[ɲ]	艺 nhí，业 nhiě	在 i(y) 前。

(Ⅱ)"字母"（即韵母。借用金尼阁的名称）四十四

字母	假定的音值	例 字	附 注
a	[a]	太 tá，发 fā	
e(æ)	[ə]或[ɛ]	即 cě，者 chè	单用，或在 u、m 前，o、u 后，均读 [ə]；在 i、n 前，i、iu 后，均读 [ɛ]；在 eao、eam 两母中读[e]。
i(y)	[i]	几 kì，暨 ký	
o	[ɔ]	我 ngò，多 tō	在 a 后或作韵头用时读[ʊ]
u	[u]	古 kù，土 t'ù	以上单韵母五。

ai	[ai]	哉 çāi,改 cài	
ao	[aʊ]	好 hào,少 xào	
eu	[əu]	寿 xéu,臭 ch'éu	
ia(ya)	[ia]	家 kiā,雅 yà	
ie	[iɛ]	邪 siê,业 nhiĕ	
io	[iɔ]	确 k'iŏ,学 hiŏ	
iu(yu)	[y]	居 kiū,虚 hiū	
oa	[ʊa]	化 hoá	
oo	[ʊɔ]	座 çoò	uo 母在 t,ç 各系后变 oo。
oe	[ʊə]	或 hoĕ,物 voĕ	
ui	[ui]	对 tuí,内 nuí	
uo	[uɔ]	卧 guó,火 huò	
eao	[eaʊ]	燎 leào	
iai	[iai]	解 kiài	
iao	[iaʊ]	教 kiáo,巧 k'iáo	
iue	[yɛ]	决 kiuĕ,绝 ieu	
ieu	[iəu]	久 kièu,修 siēu	
oei	[ʊei]	灰 hoēi,贝 poéi	
uai	[uai]	国 quǎi	
uei(uey)	[uɛi]	睽 quēi,为 guēi	以上复韵母 20。
am	[aŋ]	方 fām,藏 c'âm	
an	[an]	看 c'án,山 xān	
em	[əŋ]	等 tèm,生 sēm	
en	[ɛn]	文 vên,门 mên	
im (ym)	[iŋ]	精 cīm,明 mîm	
in	[in]	钦 k'īn,民 mîn	
um(om)	[uŋ]	从 ç'ûm,众 chúm	
eam	[eaŋ]	两 leàm,量 leâm	
iam	[iaŋ]	将 ciām,像 siám	
ien	[iɛn]	前 c'iên,见 kién	
yum	[yŋ]	用 yúm	

iun	[yn]	君 kiūn,论 liún	
oam	[ʋaŋ]	荒 hoām,恍 hoám	
oem	[ʋəŋ]	猛 moèm	
uam	[uaŋ]	广 quàm	
uen	[uɛn]	闻 vuên,问 vuén	
uon	[uɔn]	观 quōn,乱 luón	
iuen(yuen)	[yɛn]	圆 yuên,全 cʻiuên	以上附声韵母 17。
lh	[əɹ]	而 lĥ,尔 lĥ	卷舌韵母 1。

附"次音"字母四

字母	假定的音值	例 字	附 注
o·	[ǒ]	足 cǒ·,逐 chǒ·	"次音"之解释详后。
ŭ	[ɿ]	自 cú,思 sú	
ie·(ye·)	[iě]	乙 yě·,笔 piě·	
io·(yo·)	[iǒ]	欲 yǒ·	

(III) 声调符号五

调类	符 号	例 字	附 注
清	-	观 quōn,山 xān	即阴平。
浊	^	文 vên,人 gîn	即阳平。
上	`	古 cù,雅 yà	
去	´	教 kiáo,化 hoá	
入	˘	学 hiǒ,业 nhiě	

此外,声母里的 r,韵母里的 y,æ,在我看,都没有另立一类的必要c 因为在这四篇注音里头,"欧罗巴"的"逻"字见了两次,全拼作"ró";可是"利玛窦"的"利"字见了四次,有两次拼作"Rí",有两次拼作"Lý",可见 r 音的存在,恐怕受了原文"European"跟"Ricci"的影响,没有完全去掉中国所无的颤音(trilled consonant),无须当作独立的声母。y字发见的回数很多,乍一看起来,好像 i, iu 不跟声母拼的时候,是拿 y 字起头儿,例如:"遗"(ŷ)、"雅"(yà)、"勇"(yùm)、"圆"(yuên)等都是这样。可是一仔细比较,立刻就有"以"(i̊)、"逾"(iû)、"因"(in)、"援"(iuên)等例外。并且同是一个"形"字,拼成 hîm 或 hŷm 两式;同是一个"彼"字,拼成 pẙ 或 pı̊ 两式:可见 i,y 之分,不过是随便的混用,好像一个"十"字有 xæ 或 xě 两式,便不能承认 æ,e 分立一样。因此我认为利玛窦所用的"字父""字母",只有上边列举的那些个。

  本来,根据不满四百个单字音所作的统计,并没有绝对的精密价值。可是上面所举的那些"声""韵""调",从沿革上讲,既然跟明以来的普通音大致相同;并且拿它们跟《西儒耳目资》比较,除去几处小的出入,大体并没有什么差异(详后)。我想就是《大西字母》尚在人间,它的内容恐怕也不过如此。其中值得注意的地方,在声母一方面,例如:代表[k][k']两音的 c、c'、k、k'、q、q'六母;[ts]、[ts']两音有 c、c'、ç、ç',四母,[ʒ]音有 g、j 两母,它们的用法各随后面的韵母不同。在韵母一方面,有些字在沿革上本属一韵,往往受了前面声母的影响,因而变成不同的韵母。例如:"两"(leàm)、"像"(siám),《广韵》同属《养韵》,因为 l 跟 s 的发音部位不同,牵连着使韵母发生 eam 跟 iam 的分别;"荒"(hoām)、"广"(quàm),《广韵》;同属唐韵(举平赅上),因为 h 跟 q 的发音部位不同,牵连着使韵母也发生 oam 跟 uam 的差异。这种精密的分析,已经超过"音位"(Phoneme)的观念,进一步注意到"音质"(Phone),颇同近代语音学家的眼光不谋而合。[①] 至于这些"声""韵""调"所代表的声音跟古音国音有什么关系,为叙述的方便起见,且留待下文讨论。

---

  ① 参阅 D. Jones: *The Pronunciation of Russian*, Chap. VIII, pp. 49—52。

三 《西儒耳目资》里关于音韵的要点

I. 此书的流传
II. "字父"与"字母"
III. 《万国音韵活图》与《中原音韵活图》
IV. "四品切法"
V. 何谓"甚"、"次"、"中"？
VI. 利玛窦与金尼阁注音的异同

金尼阁的《西儒耳目资》作于明天启五年乙丑(1625)夏月，成于六年丙寅(1625)春月(王徵序)。凡五阅月(自序)，三易稿始成(韩云序)。这部书流传甚少。《四库全书总目》所著录的，已经"残缺颇多，并非完书"①。现在上海东方图书馆所藏明天启六年关中泾阳张问达的原刻本，还存有《译引首谱》二册，111页；《列音正谱》二册，155页；《列边正谱》二册，135页；卷首载张问达，王徵，韩云，张缙芳几个人所作的序跟金尼阁的《自序》，共六篇，64页，全书一共有六册425页。其中虽然也不免有残缺的地方，可是比四库著录本略为完备。② 此外顺德温氏(汝适)藏有《译引首谱》一册③；伦敦王家图书馆，罗马教皇图书馆（Vaticane Library）跟巴黎国家图书馆也都藏有它的残本④。

这书里边所分的三个谱，只有《列音韵谱》和《译引首谱》的一部分跟音韵学有关。张缙芳的《序》说："未睹字之面貌，而先聆

---

① 参阅《四库全书总目·经部·小学类存目二》。
② 东方图书馆善本书库经部135号。
③ 见抄本《顺德温氏藏书目》。
④ 参阅 Henri Cordier：*Bibliotheca Sinica*，Vol. III. pp. 1905—1906，及 Vol. V. p. 3909。

厥声音者,一稽《音韵谱》则形象立现,是为耳资;既睹字之面貌而弗辨其谁何者,一稽《边正谱》,则名姓昭然,是为目资。而《译引首谱》则以图例问答阐发《音韵》《边正》之所以然,以为耳目之先资者也。"金氏自己也说:"《首谱》图局问答,全为后来二谱张本。其第二《列音韵谱》,正以资耳;第三《列边正谱》,正以资目。盖《音韵》包言,《边正》包字。言者可闻,字者可览。是耳目之资,全在言字之列也言既列,则分音韵,字既列,则分边正,故书虽分为三谱,总表之为《耳目资》也"。① 我们现在讨论的问题,在"言"不在"字",重"耳"不重"目",所以对于"因形以求声"的《列边正谱》可以存而不论。

上文说过,金尼阁作这部书,是遵守他同会利西泰,郭仰凤,庞顺阳等草创的规模,"述而不作,窃比于我老朋(?)"的②。所以书中关于"声""韵""调"的分类,有十分之八跟利玛窦相同。他所用的29个"元音"(即字母),分为三类:

(1)"自鸣"者(即元音 Vowels)5:

"中字"	"西号"	假定的音值	例		字
丫 土音	a	[a]	巴 pā	拿 nâ	马 mâ
额 土音	e	[ə]或[ɛ]	柏 'pě	遮 chē	热 jě
衣	i	[i]	妻 'çī	詈 lí	离 lî
阿	o	[ɔ]	我 gò	颇 'pò	错 'çǒ
午	u	[u]	孤 kū	度 tú	苦 'kù

(2)"同鸣"者(即辅音 Consonants)20:

"中字"	"西号"	假定的音值	例		字
则	ç	[ts]	尊 çūn	酒 çièu	醉 çuí
测	'ç	[ts']	忖 'çùn	前 'çiên	情 'çîm
者	ch	[tʃ]	真 chīn	正 chím	壮 chóam
扯	'ch	[tʃ']	耻 'chì	差 'chā	舛 'chuèn

---

① 《译引首谱》《列音韵谱问答》。
② 《自序》。

格	k	[k]	敬 kím	改 kài	过 kuó
克	ʻk	[kʻ]	考 ʻkào	勤 ʻkīn	恳 ʻkèn
百	p	[p]	不 pǒ·	标 piāo	傍 pàm
魄	ʻp	[pʻ]	平 ʻpîm	偏 ʻpiēn	颇 ʻpò
德	t	[t]	敦 tūn	道 táo	德 tě
忒	ʻt	[tʻ]	推 ʻtūi	陶 ʻtáo	唐 ʻtâm
日	j	[ʒ]	儒 jū	忍 jìn	让 jám
物	v	[v]	无 vû	万 ván	物 voě
弗	f	[f]	非 fī	佛 fóe	法 fā
额	g	[ɣ]	爱 gái	昂 gâm	伟 goèi
勒	l	[l]	恋 liuén	良 leâm	类 luí
麦	m	[m]	美 muì	面 mién	貌 máo
搦	n	[n]	嫩 nún	女 niù	娘 niâm
色	s	[s]	细 sí	梭 sō	巡 siûn
石	x	[ʃ]	慎 xín	升 xīm	赏 xàm
黑	h	[x]	喜 hì	恍 hoàm	忽 hǒ·

(3)"不鸣"者(即"他国用,中华不用"的辅音)4:

b [b]　　　d [d]　　　r [r]　　　z [z]

"自鸣"的五字,叫做"一字元母"。由"元母"互相结合或跟"同鸣"的-m,-n,-l 三字结合生出二十二个"自鸣二字子母":

"中字"	"西号"	假定的音值	例	字	
爱土音	ai	[ai]	开 ʻkāi	买 mài	卖 mái
澳土音	ao	[aʊ]	好 hào	扰 jào	闹 náo
盎土音	am	[aŋ]	商 xām	常 ʻchâm	忙 mâm
安土音	an	[an]	三 sān	餐 ʻçan	饭 fán
欧土音	eu	[əu]	谋 mêu	口 ʻkèu	彀 kéu
硬土音	em	[əŋ]	猛 mèn	亨 hêm	腾 ʻtêm
恩土音	en	[ɛn]	染 jèn	文 vên	痕 hên
鸦	ia	[ia]	驾 kiá	贾 kià	家 kiā
叶	ie	[iɛ]	评 kiě	爹 tiē	斜 siē
药	io	[iɔ]	削 siǒ	脚 kiǒ	殻 ʻkiǒ

261

鱼	iu	[y]	恤	sĭu	女	nìu	间 lîu
应	im	[iŋ]	病	pím	境	kìm	成 'chîm
音	in	[in]	嗔	'chīn	邻	lîn	人 jîn
阿答	oa	[ʊa]	要	xoà	滑	hoă	花 hoā
阿德	oe	[ʊə]	佛	foĕ	物	voĕ	護 hoĕ
瓦	ua	[ua]	夸	'kuā	刮	kuă	瓜 kuā
五石	ue	[uə]	拙	chuĕ	说	xuĕ	国 kuĕ
尾	ui	[ui]	谁	xuî	吹	chuī	觜 çuì
屋	uo	[uɔ]	课	'kuó	国	kuŏ	货 huó
而	ul	[ɚ˞]	而	ûl	尔	ùl	二 úl
翁	um	[uŋ]	冯	fûm	总	çùm	统 'tùm
无切	un	[un]	论	lûn	村	çūn	蠢 chùn

二十二个"自鸣三字孙母"：

"中字" "西号" 假定的音值　　　　例　字

无切	eao	[eaʊ]	聊	leâu	了	leàu	料 leáu
无切	eam	[eaŋ]	良	leâm	两	leàm	量 leám
隘	iai	[iai]	街	kiāi	解	kiài	鞋 hiâi
尧	iao	[iaʊ]	效	hiáu	巧	kiàu	妙 miáu
阳	iam	[iaŋ]	奖	çiàm	强	'kiâm	相 siám
有	ieu	[iəu]	酉	çièu	求	'kiêu	救 kiéu
烟	ien	[iɛn]	片	'pién	笺	çiēn	荐 çién
月	iue	[yɛ]	阙	'kiuĕ	雪	siuĕ	月 iuĕ
用	ium	[yŋ]	拥	iùm	雄	hiûm	胸 hiūm
云	iun	[yn]	云	iûn	熏	hiūn	氲 iūn
阿盖	oai	[ʊai]	怀	hoâi	坏	hoái	伙 hoài
无切	oei	[ʊɛi]	悲	poēi	伪	goéi	贝 poéi
阿刚	oam	[ʊaŋ]	抢	'choàm	黄	hoâm	庄 choām
阿干	oan	[ʊan]	缓	hoàn	还	hoân	环 hoán
阿根	oen	[ʊɛn]	魂	hoên	昏	hoēn	混 hoèn
歪	uai	[uai]	怪	kuái	娲	kuāi	快 'kuái
威	uei	[uɛi]	鬼	kuèi	归	kuēi	跬 'kuèi
王	uam	[uaŋ]	往	uàm	诳	kuám	王 uâm

弯	uan	[uan]	惯 kuán	顽 uán	碗 uàn
五庚	uem	[uəŋ]	靰 'kuēm	肫 kuēm	矿 kuèm
温	uen	[uɛn]	本 puèn	困 kuén	闷 muén
碗	uon	[uɔn]	官 kuōn	满 muòn	换 huòn

一个"自鸣四字曾孙母":

"中字""西号"假定的音值　　　　例　字

远　iuen　[yɛn]　权 'kiuén　倦 kiuén　狷 kiuèn

合起来一共有五十个"列音",是为"字母"(就是韵母 Finals);而以自"则"至"黑"同鸣者二十字为"字父"(就是声母 Initials)。二十个"字父"里头有"轻""重"的不同:从第一到第十是一"轻"一"重"对列;第十以后的九个音都是"轻"音,只有末一个音是"重"音。照他自己的解释,"重音者,自喉内强吹,而出气至口之外也"。其实所谓"轻""重",就是"不送气"(Unaspirated)跟"送气"(Aspirated)的分别。五十个"字母"各可分为"清"(-),"浊"(ˆ),"上"(ˋ),"去"(ˊ),"入"(˘)五声;并且第五 u 摄五声皆分"甚""次""中"(u, ủ, u)三音;第二 e 摄,第四 o 摄,第十四 ie 摄,第十五 io 摄,第二十四 uo 摄的入声,各分"甚"、"次"二音。("甚""次""中"的说明详后。)于是拿五十"字母"为经,二十"字父"除去 'ç、'ch、'k、'p、't,五重音为纬,谱为《音韵经纬总局》[①]。又拿五十"字母"加上五声跟"甚""次""中"为经,二十"字父"为纬,谱为《音韵经纬全局》[②]《列音韵谱》所根据的"中原音韵",在《全局》里已经完全包括。"欲切某字,先察其父,后察其母","父母相会","字子"(就是声韵合成的单字音)自然孳生出来。金氏为表现"自鸣同鸣相配之妙"[③],又创作了"万国音韵"跟"中原音韵"两个活图。

《万国音韵活图》"共作五圈,每圈有二十九个元音之号。……

---

① 参阅《译引音谱音韵经纬总局》跟《音韵经纬总局说》。
② 同上。
③ 《列音韵谱问答》。

二十九号之后,并空一方听用。此五圈欲会之以成万音,故宜活动以便参对。五圈之内,另有一小圈,五声所备,中各有甚有次。惟外一圈不动,余圈动而从之。假如欲成一字之音'衣'(i)字,取内第五圈之清平,其第四、第三、第二、第一在外之圈,俱以空方对之,则'衣'(i)一字之音成矣。欲成二字之音'鱼'(iǔ)字,推第四之空方,而以第四之'午'(u)加之;但'鱼'字浊平,其字内有号,二圈并外空方二圈移付浊平,则'鱼'之音成矣。欲成三字之音'月'(iuě)字,推第三之空方,而以第三之'额'(e)加之;但'月'字入声,三圈并外空方二圈移对入声,则'月'之音成矣。欲成四字之音'远'(iuèn)字,推第二之空方,而以第四之'搹'(n)加之;但'远'字上声,四圈并外空方一圈移对上声,则'远'(iuèn)字之音成矣。欲成五字之音'倦'(kiuén)字,推第一之空方,而以第五之'格'(k)字加之;但'倦'字去声,五圈并移对去声,则'倦'(kiúen)字之音得矣"。①

《中原音韵活图》"凡三圈:外圈大者,分方五十,五十者,字母圈也。上是中字,下是西号。母共五十字,中有元母、子母、孙母、曾孙母之别。中次圈,分方二十。二十者,字父圈也。上是中字,下是西号。父共二十,中有轻重之别。内小圈分方为五。五者,双平清、浊,三仄上、去、入也。今旅人定有五号,可以分之。每声左右,另有甚次;甚次之中不必写,以中为号是也。外一圈不动,内二圈宜活动,便用父对母以生子之音。父母既对,又对内小圈平、仄、甚、次之号,则字之音韵定矣。假如'格'(k)父第六,移对'英'(im)母之第十六,再加以内小圈清平之方对之,则得'经'(kīm)。如欲得'相'(siām)字,则以'色'(s)父对外'央'(iam)母,再对内圈清平之方,则得之矣。"②

---

① 《译引首谱万国音韵活图说》。参阅下图一。
② 《译引首谱中原音韵活图说》。参阅下图二。

图一 西儒耳目资万国音韵活图

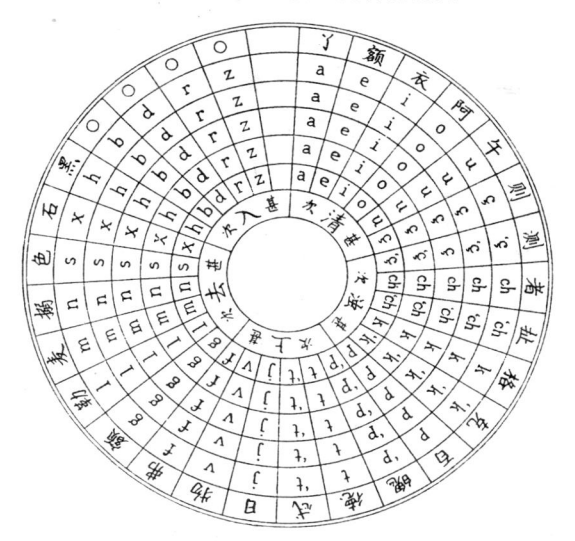

图二 西儒耳目资中原音韵活图

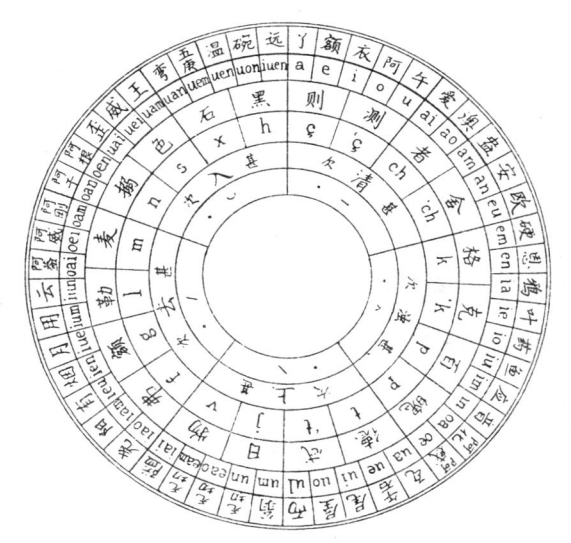

应用这两个《活图》的方法来拼音,自然可以"不期反而反,不期切而切。第举二十五字,才一因重摩荡,而中国文字之源,毕尽于此"。① 比起等韵家所讲的门法,费了许多的解释,结果倒像是"启钥而反肩镧之"②:彼此的繁简难易,真是天地悬隔了!并且"衣"(ī),"鱼"(îu),"月"(iuě),"远"(iuèn)为什么不同?"该"(kāi),"开"(k'āi),"皑"(gāi)"咍"(hāi)有什么分别?"干"(kān)"坚"(kiēn),"关"(kuān),"涓"(kiuēn)由于什么歧异?这些问题,在旧的音韵学里都不是一两句话可以说清楚;但是一用罗马字母对照,就是刚入小学校的学生也可以不待烦言,了如指掌。为什么呢?金尼阁说:

哑人聋人见华字可以定意;初学幼童见西号可以定音。③

字有笔画,有音韵。笔画易分多寡,音韵则一字而包夫多音。音不属目而属耳,故难分多寡。……中华之字,因定意而又习分音,故以为难耳。④ 但是,金氏虽然知道汉字不适于分析音素,却又不肯撇开汉字的反切·简直的用罗马字拼音。所以他一方面承认:"用西号切字,如有差一览非之,无差一览是之。切法首末宜减,不减,亦一览知之。……万字用本父本母之切,无不仿此。盖用西号,常用本父本母可也"。⑤ 可是一方面又因为"中原母音,多半无字,不得已而再用三品切法"。⑥ 这是金氏迁就汉字,不能彻底的地方。他所定的"字子四品切法"就是:

(1)本父本母切 例如以"黑"(h)、"药"(iǒ),两字切"学"

---

① 王徵序。
② 《列音韵谱问答》。
③ 同上。
④ 同上。
⑤ 同上。
⑥ 同上。

(hiǒ)字,"父母相合,不必减首减末,见西字自明"。①
(2) 本父同母切　例如以"黑"(h)、"略"(liǒ)两字切"学"(hiǒ)字,必先减去同母"略"字起首的 l。
(3) 同父本母切　例如以"下"(hiá)、"药"(iǒ)两字切"学"(hiǒ)字,必先减去同父"下"字末尾的 iá。
(4) 同父同母切　例如以"下"(hiá)、"略"(liǒ)两字切"学"(hiǒ)字,必须减去同父"下"字末尾的 iá 跟同母"略"字起首的 l。

如果所切的字起头儿并没有同鸣的"字父",换言之,就是属于影喻两纽的字,便须用字母四品切法:

(1) 代父代母切　"字母有二字自鸣,以首字为父,以末字为母;有三字或四字者,以首字为父,以余字为母。但代父因系自鸣,实不是父,故曰代父;后字虽是本母,但因不是本字之母,故曰代母"。②例如"药"(iǒ)字以"衣"(i)为代父,以"恶"(ǒ)为代母;"埃"(iāi)字以"衣"(i)为代父,以"哀"(āi)字为代母;"远"(iuèn)字以"衣"(i)字为代父,以"稳"(uèn)字为代母。
(2) 代父同代母切　例如以"衣"(i)、"褐"(hǒ)二字切"药"(iǒ)字,须减去同代母"褐"字起首的 h。
(3) 同代父代母切　例如以"尧"(iāo)、"恶"(ǒ)两字切"药"(iǒ)字,须减去同代父"尧"字末尾的 ao。
(4) 同代父同代母切　例如以"尧"(iāo)、"褐"(hǒ)两字切"药"(iǒ)字,须减去同代父"尧"字末尾的 ao 跟同代母"褐"字起首的 h。

---

① 《列音韵谱问答》。
② 同上。

这两种切法的后三品,所以要经过那么许多"减首减末"的麻烦,无非想使所有切法都变成"本父本母"或"代父代母"两品,然后一读"西号"自然成音。所以他说:

> 切法所求本字音也。每字必先有本父有本母之同。如四品,或切子切母之法,常常首与父同。既减所当减,则所剩末与母同。所切中之字岂不同乎?若父母兄弟有一不同,自不能同矣。①

这种切法,虽然还没有等韵的门法那样淆乱,可是委曲宛转,已经费了很大的周折!后来杨选杞阅《西儒耳目资》,悟出反切有一定的方法,并且仿照他的《音韵活图》作了许多活盘,也因为迁就汉字,闹出许多"勉强""不得已"的现象来。这都是不能彻底废弃汉字反切改用音标的坏结果!

金氏在五声之外又分出"甚""次""中"三音,这一层颇使后人发生误解。方以智说:"愚于波梵摩得发送收三声,后见金尼阁有甚、次、中三等故定发、送、收为横三"②,这固然是风马牛不相及的比附;《四库全书提要》说:"大抵所谓甚次即中国之轻重等子",③也不免望文生训,没有真正明白是怎么一回事。照金氏自己解释:"甚者;自鸣字之完声也。次者,自鸣字之半声也。减甚之完即成次之半","中者甚于次,次于甚之谓也","开唇而出者为甚,略闭唇而出者为次,是甚、次者,开、闭之别名也"。④ 其实,据我研究的结果,这只是金氏对于不能用罗马字母标注的中国语音想出来的补救办法。本来中国近代语音里[ɿ]、[ʅ]两个舌尖韵母,不单在利玛窦、金尼阁那时候感觉难标,就是近年来的西洋人也感受到一样的困难。高本汉(B. Karlgren)曾把这两韵母最通用的转译法,

---

① 《列音韵谱问答》。
② 《切韵声原》页七。
③ 《四库全书总目提要·经部·小学类存目二》。
④ 均见《列音韵谱问答》。

列成下面一个表：

	ɿ	ʅ
Vissière 跟 B. E. F. E. O.	eu	e
Couvreur	eu	eu
四川传教师	e	e
俄文式的写法	ы	ы
Mateer	ï	ï
Parker	z	ï
Kühnert	y	i
Wade	ǔ	ih

金氏把"觜""雌""私"等字的韵母标作 -ǔ，作为 u 的次音，直到威妥玛（T. F. Wade）还有这种观念；他把"质""赤""实""日"等字的韵母标作 e·，作为 e 的次音，正是 Vissière 跟四川传教师的标音所从出。还有 [tʂ] 或 [tʃ], [tʂʻ] 或 [tʃʻ], [ʂ] 或 [ʃ], [ʐ] 或 [ʒ] 等音后边的 [y] 韵，往往变成 [ɥ] 或 [ɥ] 音，用罗马字母也很难标注。金氏把"诸""处""书""儒"一类的字都标作 -u，作为 u 的中音。后来 Davis 跟 Silsby 用 u 标；Mateer 用 ü 标。并且说"这个 ü 的念法，在 ü 与 u 之间"；高本汉（B. Karlgren）也说："至于被唇化的 ɿ、ʅ 听起来有 y 一类的印象，所以就分别到 y 一类里去。"[①] 跟金氏的标音都不相远。至于入声"屋"韵的"族""竹""蓄""谷""哭""仆""福""禄""木""讷""速""熟"等字，"沃"韵的"笃""秃"等字，"物"韵的"不""勿"等字，"没"韵的"忽"字，现在国音都变成 [u] 韵，可是方音里还有读作 [o] 韵（如上海）的；明末的普通音或者读作 [o]、[u] 之间的音，所以金氏把它们标作 o 的次音 -o· 韵。

---

① 参阅 B. Karlgren: *Études sur la Phonologie chinoise* pp. 294—297（中译本高本汉《中国音韵学研究》，页 197—200）。

入声"质"韵的"疾""七""吉""必""匹""栗""蜜""悉"等字,"锡"韵的"的""逖"等字,"迄"韵的"乞"字,"陌"韵的"逆"字,现在国音都变 [i] 韵,可是方音里还有读作 [iə] 韵的(如山西);明末的普通音或者读作 [iə] 与 [i] 之间的音,所以金氏把它们标作 ie 的次音 -ieˑ 韵。入声屋韵三等的"菊"、"畜"两字跟烛韵的"曲"字,现在国音都变成 iu[y] 韵,可是方音里还有读作 [io] 韵的(如上海);明末的普通音或者读作 [io] 与 [y] 之间的音,所以金氏把它们标作 io 的次音 -ioˑ 韵。只有 uo 的次音 -uoˑ 韵所收入声德韵的"国"字,在金氏的《音韵经纬全局》里互见 uo、uoˑ 两韵;屋韵"屋""谷"两字照音理也应并入 oˑ 韵,或者利玛窦不分次音 uo 韵,不完全是他的疏忽。总括这几韵来看,eˑ、ǔ、u 等各自代表一个特别的音,自然另是一个问题;其余 oˑ、ieˑ、ioˑ、uoˑ 几韵,照金氏自己说:"减甚之完即成次之半","开唇而出者为甚,略闭唇而出者为次",那末,他所用的次音符号(ˑ),似乎具有语音学的短音符号[˘]或下降符号[т]两种作用;那里跟"轻重等字"有什么关系;更那里牵扯到"发""送""收"三声呢!金氏以为"甚""次"的分别"中华具其理,未具其名"。但是熊士伯批评他道:

> 按西儒主中音,"哲"固"遮"入,"质"却"知"入;"葛"固"歌"入,"谷"却"孤"入;"叶"固"爷"入,"一"却"伊"入;"药"固"阿"入,"欲"却"余"入;"斡"固"倭"入,"屋"却"乌"入:其平原殊,入应随异。今衣摄无入,午摄"租""粗"无入,横附他人以分甚次;"葛"与"谷"尤不伦,是遵何法耶?若"租","粗"与"赀","雌",摄既不同,开合尤异,比而一之,所不解已!①

又道:

> 中韵另分支思,今止于五午分别甚次,止遇不分,开合相混,其可邪?②

---

① 《等切元声》卷八,阅《西儒耳目资》,页 6。
② 《等切元声》卷八,阅《西儒耳目资》,页 11。

可见中华本来也并没具有是理！平心而论，金氏分出 [ɿ],[ʅ],[ɥ] 或 [ʮ] 几音独立，从语音学的观点看，自然应当承认他的相当价值；但是被符号所限，不得已附入 e、u 两摄；并且 oˑ、ieˑ、ioˑ、uoˑ 几韵的读音也都疑似不明，难怪后人对他误会了！

综合《西儒耳目资》里关于音韵学的要点，拿来跟利玛窦的注音比较，彼此间不过大同小异，并没有相差很远的地方。例如：

（1）利、金二氏皆用 ˉ、ˆ、ˋ、ˊ、˘ 作清浊上去入五声的符号。

（2）利、金二氏皆用 -n、-m 代表 [-n]、[-ŋ] 两个韵尾附声。

（3）金氏把利氏所分 c[k]、k[c]、q[kw] 跟 c'[k']、k'[c']、q'[k'w] 并成 k、k' 两个音位，g[g]、ng[ŋ] 并成一个 g 音位，c[ts]、ç[tſ] 跟 c'[ts']、ç'[tſ'] 并成 ç、'ç 两个音位；j[ʒ]、g[ʓ] 并成 j 音位；此外各"字父"完全相同。

（4）金氏删掉利氏所用的 oo、oem 两母，添上 ua、un、oai、oan、uan、oen 跟 uem 七母，又把 lh 改作 ul，此外各"字母"完全相同。

（5）利氏对于 l 跟 r，e 跟 æ，i 跟 y，u 跟 o 的混用现象——例如"利"字或作 lý，或作 rí；"十"字或作 xě，或作 xæ̌；"形"字或作 hîm，或作 hŷm；"功"字或作 cūm，或作 cōm 之类——金氏已经免除。

（6）"字母"受"字父"影响而改变音值的现象，若用《音韵经纬全局》里的单字归纳，金氏比利氏更有系统。例如下表：

表中 ua 跟 oa，uai 跟 oai，ui、uei 跟 oei，uan 跟 oan，un、uen 跟 oen，uam 跟 oam，iao 跟 eao，iam 跟 eam，所收的字，在《洪武正韵》里同属一韵，从音韵沿革跟宽泛的音位上讲，本来没有什么差异，它们的音值所以稍有不同，完全是受了"字父"发音部位的影响。

"字父"影响"字母"音值表

字母＼字父	□	ç	'ç	ch	'ch	k	'k	p	'p	t	't	j	v	f	g	l	m	n	s	x	h
ua	蛙	鼃				瓜	誇														
oa																					花
uai	歪			娲	呱																
oai																				衰	怀
ui	微	喙	催	追	吹					堆	推	绥				雷	眉	捼	虽	摌	
uei	废			归	恢																
oei						悲	邳									废	眉				麾
uan	弯					关	瘸														
oan																		闩			还
un		尊	材	谆	椿					敦	暾	肫				沦		孙	纯		
uen	温			专	穿	昆	坤	奔	歕			暳				分		门			
oen																					昏
uam	汪			桩	钗	光	筐												霜		
oam				庄	窗														双		荒
iao	幺	焦	锹			交	跷	标	翻	貂	挑						苗	萧	梢		哮
eao															聊						
iam	央	将	抢			江	羌											娘	襄		香
eam															良						

表例　1. 表中例字举平以赅上去入；
　　　2. 凡未填例字之格在《音韵经纬全局》中原无"字子"。

(7)"甚""次""中"的名称是不是利氏定的，很难悬揣。不过，就他的注音来看，"古"(cù)跟"子"(çù)，"度"(tǒ)跟"笃"(tǒ·)，"博"(pǒ)跟"不"(pǒ·)，"卓"(chǒ)跟"逐"(chǒ·)，"坐"(çǒ)跟"足"(çǒ·)，"业"(nhiě)跟"息"(siě·)等，韵母已经分用画然。他同金氏所差的地方，除去"如"(jū)、"书"(xū)、"主"(chù)、"著"(chú)等字没有分作"中"音以外(其中虽然有几个地方"书"字拼作 xū·，"主"字拼作 chù·，但是这只能说是

"甚"音u跟"次"音ū的混用,不能认作"中"音u的分立)只是"俗"(sǒ或sǒ·)、"速"(sǒ或sǒ·)、"必"(pyě或pyě·)、"笔"(piě或piě·)、"一"(yě或yě·)、"习"(siě或siě·)、"使"(sū或su)等字,忽分忽不分;"竭"、"洁"(kiě)跟"极"、"及"(kiě)、"则"(cě)跟"日"(gě),"学"(hiǒ)跟"蓄"(hiǒ),"落"(lǒ)跟"六"(lǒ)等字,当分而不分:没有金氏那样谨严罢了。

(8) 利、金二氏所注的单字音也稍微有些不同。例如:

例字	利玛窦注音	金尼阁注音	异点所在
误	gú	ú 或 gú	
往	vám	uám	
万	ván 或 uán	uán	
间	vuén	uén	以上声母不同。
产	c'ân	ch'àn	声母声调均异,但"产"字无阳平,利误。
暗	ngán	aǹ	声母声调均异,但"暗"字正韵有上、去二声。
为	guéy	uêi 或 guêi	声母声调均异,但"为"字本有阳平及去声。
恶	aǒ	ǒ	
主	chù	ch ù·	"甚""中"之异。
著	chú	ch ú·	"甚""中"之异。
勿	voě	vǒ·	
猛	moèm	mèm	
门	mên	muên	
锁	saò	sò	
实	xiě	xě	
石	xiě	xě	
蓄	hiǒ	hǒ·	以上韵母不同
国	quai	kuě 或 kuǒ·	声母韵母均异
巴	pà	pā	声调不同,但"巴"字无上声利误

利氏所注的387个单字以外,还跟金氏有什么异同,固然无从知道,如果所差的单是这区区29个字,当然不能算是大的出入。由上面比较的结果,可见金尼阁作《西儒耳目资》的时候,对于利玛窦、郭居静、庞迪我几个人,很像陆法言修《切韵》的时候,对于颜介、萧该、刘臻等八个人一样:都抱着一种"非余小子敢行专辄,乃述先贤遗意"[①]的态度,关于音韵的要点很少更动。不过,他作书的时候较晚,并且有国内的学者王徵,韩云等给他帮忙,所以能够创造《音韵经纬总局》,《音韵经纬全局》,《万国音韵活图》,《中原音韵活图》,《四品切法》,《列音韵谱》等几种有系统的东西,给中国的韵书改换了一个新面貌,这正是"前修未密,后出转精"的地方。

　　利玛窦跟金尼阁所用的音标符号虽然略有出入,可是它们的总数不过三十上下。拿这三十上下的符号展转拼合,再调以中国的五声,就可以把明末的普通音赅括无遗,比较旧韵书里反切上下字的纷繁无定,含混不清,相差何可以道里计?再者,中国音韵学上许多麻胡笼统的议论,根本由于不能分析音素才发生出来的,既然有了标音的符号对照,许多问题就都可以迎刃而解。假如有人问,"开""齐""合""撮"为什么不同?"质言之",就是没有"韵头"的字跟有 i-、u-、iu-、等"韵头"的字的分别;有人问,什么叫"阴韵""阳韵"?"质言之"就是没有 -n、-m〔-ŋ〕韵尾附声的字,跟有-n、-m〔-ŋ〕韵尾附声的字的分别。诸如此类,从现在的立场上看,自然是不过尔尔,但是要推溯到三百年前,我们总不能不承认它们在音韵学史上有相当的价值。所以我说利玛窦、金尼阁分析汉字的音素,借用罗马字母作为标音的符号,使后人对于音韵学的研究,可以执简驭繁,由浑而析,这是明末耶稣会士在中国音韵学上的第一个贡献。

---

① 《切韵序》。

四　明季普通音的试测

I. "字父""字母""五声"跟古音国音的比较表
II. "字父"跟古音国音的关系—[ŋ-][v-]等音的讨论
III. "字母"跟古音国音的关系—[-m]、[ɿ]、[ɥ]、[ʅ]、[ə]、[əɹ]等音的讨论
IV. 利玛窦、金尼阁的注音在语音学上的价值
V. "五声"与古音、国音的关系—"清""浊""入"三声跟全浊上声的讨论

从元朝到现在六百多年间的普通音，都以北方音作标准，大体上没有什么变迁。但是拿《中原音韵》跟现代的国音比较，像入声的分配，侵寻、监咸、廉纤三部的删并，ㄕ[ə]、儿[əɹ]等音的分化，兀[ŋ]音的丢掉，丩[tɕ]、ㄑ[tɕʻ]、ㄒ[ɕ]、广[ɲ]的独立，以至于ㄅ系的字由"合"变"开"，业系的字由"齐""撮"变"开""合"等现象，都不能不算是大同小异的地方。这些变异究竟从什么时候起的？其间的历程究竟怎样？利玛窦、金尼阁的注音便是帮助我们解决这些问题的好材料，也就是推测明季普通音的好凭借。本来分析音素跟测定字音是一个问题的两方面：既然有了代表音素的符号，根据它们去测定字音自然不是什么难事。不过，我们若再把利、金二氏的注音拿来跟古音国音比较，研究它们递变的痕迹，对于明季普通音的推测自然更有很大的帮助。在《西儒耳目资》里论到音韵沿革的，有《等韵三十六母兑考》[①]跟《三韵兑考》[②]两篇。据我研究的结果，发现它们许多罅漏错误的地方。所以另外列成下面的三

---

① 《译引首谱》，页 69。
② 《译引首谱》，页 70—84。

个比较表(参阅金尼阁利玛窦所分字父与古音国音比较表、金尼阁利玛窦所分字母与古音国音比较表、金尼阁利玛窦所分调类与古音国音比较表)：

我们根据这三个比较表,才好分别讨论利、金注音跟古音、国音的交互关系。

金氏的《等韵三十六母兑考》本来也是比较"字父"同古声母的关系的。其式如下：

自鸣字母〇同鸣字父

丫额衣阿午则者格百德日物弗额勒麦搿色石〇

〇〇〇〇〇测扯克魄忒〇〇〇〇〇〇〇〇〇黑
疑　微精知见帮端日微非　来明疑心审晓
影　清彻溪並定　　敷　　泥邪禅匣
喻　从照群滂透　　奉　　娘
　　澄
　　穿
　　床

熊士伯对于这个《兑考》以为："自鸣元母已为影、喻,则疑母自当入额,与古图三十一数正合,又以疑、影、喻入衣。微为唇音,人物是已;不当入午。皆缘不明五音,并不明喉、舌、唇、牙、齿,是以乱杂而无章"[①]。其实,若拿金尼阁利玛窦所分字父与古音国音比较表的守温字母一行跟它对照,可以讨论的,还不止这几点。金尼阁利玛窦所分字父与古音国音比较表所列利、金"字父"同三十六字母的对照,是根据利氏注音跟金氏《音韵经纬全局》里所有的单字音归纳出来的。利氏的注音字数很少,例外不多,姑且不去管它;单

---

① 《等切元声》卷八,阋《西儒耳目资》页3。

从《音韵经纬全局》归纳的结果论,已经跟这个《兑考》有许多不同的地方:

(1) 影、喻、疑并不专属于 i 摄:o 摄的"阿""婴""恶",u 摄的"乌",ua 摄的"蛙""嗗",uo 摄的"窝""娱""斡""屋",um 摄的"翁""蓊""瓮",uei 摄的"煨""委",uam 摄的"汪",uan 摄的"弯""碗""腕",uen 摄的"温""稳""酝",uon 摄的"剜"等,都属影纽。uei 摄的"为""谓",uam 摄的"王""往""旺"等,都属喻纽。u 摄的"吾""午""误",ua 摄的"瓦",uan 摄的"顽",uon 摄的"刓"等,都属疑纽。并且 j 行的"锐"字从喻纽变来,"阮"字从疑纽变来。v 行的"外"字从疑纽变来,"汪"字从影纽变来。h 行的"蠖"字从影纽变来,"雄"字从喻纽变来。至于 g 声一行,金氏的《兑考》并没有对照古声母,其实,"我""我""饿""谔""吾""伍""误""皑""熬""昂""齼""喁""硬""兀""伪"等,都属疑纽;"厄""哀""霭""爱""鏖""袄""奥""盉""埃""安""按""暗""欧""沤""恩""痠"等,都属影纽;"为""伟"等,都属喻纽。

(2) u 类的字,除去 ui 摄复见"微""尾""未"三字外,其余并没有属于微纽的。

(3) ç、'ç 两行,除去精、清、从三纽外,还有照、穿、床三纽的二等字;s 行除去心、邪两纽外,还有审纽的二等字。

(4) 'ch 行有从审纽变来的"产""春"两字,从禅纽变来的"酬""成""常""禅""蝉"五字。

(5) k 行有从匣纽变来的"棍"字,'k 行有从匣纽变来的"瓠"字,h 行有从见纽变来的"疴""恍""系"等字。

(6) j 行除去疑纽的"阮"字,喻纽的"锐"字以外,还有从泥纽变来的"懦"字,并不专属于日纽。

（7）n行有从日纽变来的"饶""挠"两字；从端纽变来的"鸟"字。

诸如此类，颇可以看出隋、唐语音跟元、明语音的蝉蜕痕迹，若像《等韵三十六母兑考》那样笼统归类，就把这些值得注意的材料给湮没了！

据金尼阁利玛窦所分字父与古音国音比较表跟上面所说的几点研究，我们可以知道金氏的二十"字父"跟守温字母相差很远；可是跟兰茂《韵略易通》的《早梅诗》二十字母，桑绍良《文韵考衷六声会编》的二十字母，李如真的二十二字母，方以智《通雅·切韵声原》的二十字母，马自援《等音》的二十一字母，林本裕《声位》的二十四字母，樊腾凤《五方元音》的二十字母，分类的趋向大致相同，虽然单字的出入，彼此间或有些微歧异，也都无关大体。它们跟守温字母最大的异点：

（1）全浊的並、定、群、澄、床、从几纽，平声变入次清的滂、透、溪、彻、穿、清；仄声变入全清的帮、端、见、知、照、精，旧来清声、浊声的分界完全混淆，只有次清的平声分成"阴""阳"二类，由"声母"的分类演变为"声调"的分类。因此金尼阁把 b、d 等也列入中华所无的"不鸣元音"了。

（2）全清的非纽、次清的敷纽跟全浊的奉纽，除去李如真分成非敷两类外，其他各家都并为一类。

（3）次浊喻、匣、邪、禅跟清声的影、晓、心、审不分。

（4）次浊舌头音泥纽跟舌上音娘纽不分。

（5）舌上音的知、彻跟正齿音的照、穿不分。

（6）次浊疑纽的音值，从《切韵》的系统跟守温字母的排列次序推测，假定在隋、唐时代应当读作舌根的鼻音 [ŋ]；但是明季的普通音，已然有从[ŋ]变[ɤ]；从[ɤ]丢掉的倾向。在利玛窦的注音里，g、nh、ng 分为三类：用 nh 拼的"疑""宜""毅""业""艺""仰"六个字都属于疑纽的齐齿呼，还算没有什么例外;至于用 g 拼的(除去在 e、i 前读作[ʒ]音的一类),"艾""悟""吾""卧"等字属于疑纽,"秽"字属于影纽,"为"字属于喻纽;用 ng 拼的,"碍""我"两字属于疑纽,"爱""暗"两字属于影纽,已经混淆不清,毫无规则。并且疑纽的"涯""元""月"等字,利氏把它们列入纯韵,尤其是[ŋ]音逐渐丢掉的佐证。金尼阁单留 g 声一类,而把利氏所分的 nh 并入 n 行跟 i 摄的纯韵,把 ng 并入 g 行跟纯韵。但是他在《等韵三十六字母兑考》的 g 行底下,既然没有对照守温字母,并且"吾""误"复见 u、gu 两处,"廆""为"复见 uei、goei 两处,可见金氏对于 g 声的读音,已经没有准把握,难怪他说:"同鸣之九曰额,则无之(按,指无守温字母对照言)。致其所属之字,如'安''恩''偶'之类,乱排他行而为螟蛉焉"。① 所以我断定金氏的 g 声至多不过是舌根的带音摩擦音[ɣ],已经不能保持很清楚的鼻音[ŋ]了。并且拿他前后各家参证,在金尼阁利玛窦所分字父与古音国音比较表所列兰茂至樊腾凤等七家里,只有李如真、方以智、马自援、林本裕四家列有疑纽。李氏的原书今不可见,林、方二氏根本并疑于影,都可以不去管他。马氏虽然把影、疑两组分立,可是影纽底下收入疑母的"瓦""悟""卧""外""牙""岩""语""达""鱼""虞""元"等字;疑纽底下收入影纽的"安""沤""欧""喂"跟喻纽的"羽"等字;并且他说:"疑字母宫(即合口呼)商(即开口呼)二音内有声;角(即混呼)征(即齐齿呼)羽(即撮口呼)三音内之声略与影母相同。其声似有似无,是为疑惑

---

① 《列音韵谱问答》。

之疑"①。这种"图穷匕首见"的现象,正可以作为[ŋ]音逐渐消失的佐证。

(7) 次浊微纽的音值,假定在隋唐时代应当读作唇齿的带音摩擦音[v],但是明季的普通音,已然有从[v]变到半元音[ǔ]或纯元音[u]的倾向。所以在利玛窦的注音里,v 行收入喻纽的"往"字,并且微纽的"万"字有 ván 跟 uán 两种拼法。金尼阁的《音韵经纬全局》里,微纽的"微""尾""未"三字复见 ui、vi 两处;喻纽的"汪"字复见 vām 跟 uām 两处。微纽的"问"字,利氏拼作 vuén,金氏拼作 uén;喻纽的"往"字,利氏拼作 vàm,金氏拼作 uàm,彼此也参差不齐。并且金氏说:"微之一,乃同鸣之七曰物,然亦有他音,略轻之亦属自鸣之五曰午。"②正可见他对于[v],[u]两音的含混。再拿他们前后的各家参证,兰茂的无纽里收入喻纽的"惟""潍""维"等字③;方以智的疑纽(由影喻疑合并成的)里,混入微纽的"晚"字,而微纽的"吻"字复见疑、微两纽;马自援的影纽里收入微纽的"网""舞""望"等字,微纽里收入喻纽的"位"字:也都可以看出[v]、[u]的混淆现象。至于樊腾凤的蛙母,根本上把影、微、疑三纽混而为一,更可作为[v]音逐渐消失的证据了。

以上各点,是金尼阁利玛窦所分字父与古音国音比较表所列各家的共同现象。从空间上看,兰茂是云南杨林人,桑绍良是湖南零陵人,李如真是江苏上元人,方以智是安徽桐城人,马自援是陕西人而生长在云南,林本裕是辽宁盖平人,樊腾凤是河北唐县人,所代表的有七省;从时间上看,《韵略易通》成于明正统十年(1445),《五

---

① 《等音声位合汇》卷上页 14。
② 《列音韵谱问答》。
③ 利氏注音中拼"惟"为 ūui,但单字孤证无从归纳其条理。

方元音》成于清雍正五年(1727)以前,中间经过了二百八十多年,但是他们所分的声类,大体都跟国音相同。至于 ㄐ、ㄑ、ㄏ、ㄒ 四母的分化,在兰方马林樊几家的书里虽然看不出来,可是利玛窦所分的 k、k'、nh 三声特别用在 i 韵的前边,金尼阁在 k 行里也混入照纽二等的"茁"字,这都可以暴露出 ㄐ 等四母逐渐分化的朕兆。只有在 i 韵前的 ç、'ç、s 等声,跟现代上海、南京、开封等处方音相同,仍旧保留 [ts]、[ts']、[s] 音,没有演变,直到读音统一会的老国音还是如此。因此我断定从明朝到现在,所谓"中原雅音"或"官话"的声类,几百年来并没有什么大变化。利玛窦跟金尼阁所用的"字父",就是根据这种普通音定的。他们所用的罗马字,像 ch、'ch、k、'k、p、'p、t、't、v、f、l、m、n、s 等,跟普通的罗马字母读音相近,丝毫不生问题;其中稍有疑义的几个字母,拿利、金二氏所拼的单字,金尼阁利玛窦所分字父与古音国音比较表所列的几部《中原音韵》系韵书,同现在的国音交互证明,我测定金氏的 ç 读若 [ts]、'ç 读若 [ts']、j 读若 [ʒ]、g 读若 [ɣ]、x 读若 [ʃ]、h 读若 [x],利氏的 c 有 [ts]、[k] 两音,c' 有 [ts']、[k'] 两音,g 有 [ɣ][ʒ] 两音,q 读若 [kw],q' 读若 [k'w],ng 读若 [ŋ] 或 [ɣ],nh 读若 [ɲ];金尼阁利玛窦所分字父与古音国音比较表里附注的国际音标就是根据这里推测的结果。

《西儒耳目资》里的《三韵兑考》[①],是王徵用《音韵经纬全局兑考》"沈韵""等韵""正韵"作成的。按他所举的韵目跟部数推求,所谓"沈韵"就是刘渊的《平水韵》,所谓"等韵"就是韩道昭的《五音集韵》。这两种韵书都经过任意的删并,同《切韵》或《中原音韵》的系统都不相合,本没有拿来对照的必要。单就《洪武正韵》论,王氏所考也不过把他自己认为跟五十"字母"读音相同的韵目列在各摄各

---

① 《译引首谱》,页 70—84。

声的底下，并没有把《全局》里所有的单字跟各韵的单字逐一比较，仔细推究它们分类的异同。所以 ao 摄不列爻、萧韵；eu 摄不列尤韵；en 摄、uen 摄、un 摄、iun 摄不列真韵；ia 摄、ua 摄不列麻韵，ie 摄不列遮韵，iue 摄不列遮屑韵，im 摄、uem 摄不列庚韵，ium 摄不列东、庚韵，ue 摄不列陌、屑韵，ui 摄、uei 摄不列灰韵，uam 摄不列阳韵，uan 摄不列删韵，uon 摄不列寒韵，iuen 摄不列先韵，这都由于他不知道各韵里还有等呼的分别所致。若是根据这个《兑考》来研究金氏注音同古音的关系，就很难得到结果。熊士伯阅《西儒耳目资》对于王氏所考已经指出许多错误疏漏的地方，并且拿金氏的五十摄跟等韵十六摄合证，重新列出一个《等韵十六摄对考》来①。不过据我想，金氏所据的是明季的普通音，若把他强纳在宋、元等韵的定型里，难免诸多柄凿，何况他分韵的观点，有几个地方根本同旧来等韵的习惯不同呢！因此我所列的附表三先把利氏注音跟金氏《全局》里所有的单字逐一同《广韵》、《正韵》对照，以推究他们彼此间关系的浅深；再拿《韵法直图》、《声韵同然集》、《字母切韵要法》等同他们的"字母"比较，以推究明、清以来韵类分合的倾向；然后拿国音的韵类参证他们所拼的单字音，那末，所谓"中原雅音"或"官音"的韵值，也就不难测定了。

照张问达《刻〈西儒耳目资〉序》说："其书一遵《洪武正韵》"。其实，据我"兑考"的结果，觉得利、金二氏的注音，同《广韵》固然是两个系统，就是同《洪武正韵》也不完全相合。拿梅膺祚《字汇》后附刊的《韵法直图》跟《康熙字典》前附刊的《字母切韵要法》互相比较，我断定利、金二氏的"字母"正可以代表明、清之交普通音的韵类；并且有许多地方已然比音韵学（phonology）的分类精密，而同近代语音学（phonetics）的记音（transcription）相合，《韵法直图》跟《字

---

① 参阅《等切元声》卷八，页 8—9。

母切韵要法》是明、清之交的两部代表的韵书。据梅膺祚的《韵法直图序》说："壬子春从新安得是图"，以《字汇》成书的时候推度，壬子当是明万历四十年（1612）。后人由"新安"而联想到朱熹，于是牵强附会的认为这是"徽州所传朱子谱"。其实，若把《洪武正韵》的平声二十二韵再按等呼细分，所得的韵类跟《直图》的四十四韵极为近似；并且从《直图》所分的遮、赀、迦、淝几韵看，也可以断定它绝不是元明以前的东西。《字母切韵要法》据劳乃宣说是"明正德以后、清康熙以前人所作"。① 我现在虽然也不能确定它的时代，可是从音变的轨迹上看，认为这个韵谱是《韵法直图》以后、《康熙字典》以前的东西，大约作于明万历四十年（1612）至清康熙五十年（1711）之间。利、金二氏所根据的语音恰可作为这两韵书的过渡。据我比较的结果，发现利、金注音跟《直图要法》都互有出入：

(1)《直图》里附 [-m] 声的甘、兼、监、簪、金五韵，利、金注音并入 an、ien、en、in 等摄；《要法》并入干、根两摄的开口正副韵，由 [-m] 附声变成 [-n] 附声。——《广韵》里的闭口韵，《中原音韵》《洪武正韵》都仍旧保留。《直图》虽然沿袭《正韵》也立了甘、兼、监、簪、金五韵，但是金韵底下的附注说："京、巾、金似出一音，而潜味之，京、巾齐齿呼，金闭口呼。京齐齿而启唇呼，巾齐齿呼而旋闭口，微有别耳"。可见 [-m] 跟 [-n] 的分界，已经若明若昧了。若拿现代方音参证，除去广东话、客家话、福佬话还保留 [-m] 附声外，在中国中北部的语音里已然找不着 [-m] 的踪迹！②元、明以来，所谓"中原雅音"，本来是以北音为主的，假定我们不拿利、金的注音，跟明崇祯十五年（1642）毕拱辰改定的《韵

---

① 《等韵一得外篇》，页 51。
② B. Karlgren: *Études sur la Phonologie chinoise*, pp. 753—763.

略汇通》(毕书把《中原音韵》的侵寻、盐咸、廉纤三部并入真寻,山寒、先全三部内)互相参证,或许被《中原音韵》跟《洪武正韵》所骗,认为明末的北方语音当真还保留 [-m] 的附声呢!至于利、金注音里用 -m 代替 [-ŋ],那是因为法文跟意大利文都没有把 ng 两字作尾音的,不过法文的 m 用在韵母后边变成 [~] 音,所以利、金用它代表 [-ŋ] 音,跟 m 本来的音值,丝毫没有关系。

(2)《直图》以入声承有附声的"阳韵",利、金注音以入声承没有附声的"阴韵",要法以入声兼承"阴""阳"二类,而以"阴韵"为主。——自从北方语音丢掉了入声 -k、-t、-p 的"收势",入声分配已然成了音韵学上的一个问题。《广韵》以入声配"阳韵"的系统,到刘鉴作《切韵指南》的时候,已然渐渐打破。所以他拿屋、沃、烛、兼承通、遇、流三摄;铎、药兼承果、宕两摄;觉兼承江、效两摄;没、质、迄兼承臻、止、蟹(三四等)三摄,曷、末、辖、薛、月兼承山、假、蟹(一二等)三摄,后来等韵家所谓"借入"之说,即由此起。《直图》虽然沿袭《广韵》《正韵》以入声配"阳韵",可是已经不能严守 [-k] 配 [-ŋ],[-t] 配 [-n],[-p] 配 [-m] 的条理毫不错乱。所以公韵 [-ŋ] 下误列收 [-t] 的没韵字,京韵 [-ŋ] 下误列收 [-t] 的质韵字,光韵 [-ŋ] 下误列收 [-t] 的末韵字,裩韵 [-n] 下误列收 [-k] 的麦韵字,坚韵 [-n] 下误列收 [-p] 的帖韵字,艰韵 [-n] 下误列收 [-p] 的狎韵字,甘韵 [m] 下误列收 [-t] 的曷韵字;并且根、巾两韵不配入声,而自乱其例把吉韵列在基韵底下;入声谷韵里忽然跑出一个"阴韵"平声的"租"字来。至于其他"阴韵"底下虽然没列入声,可是每韵之后都注明入声跟"阳韵"某韵相同,更可见以"入"配"阳"的局面,在实际语音里已经维持不住了。《要法》把入声列在"阴韵"歌、高、钩、緘、傀、结、迦、该几摄的底下,本来很合于当时的普通语音;但是一方面在"阳韵"冈、根、庚、干几摄的底下又复列外面加圈的入声,还不能打破等韵家"借入"的旧观念。就是后来杨选杞《声韵同然集》里南入配"阳",北入配"阴"的办法,也不免依违两可,不能折衷一说。利、金两氏的注音既然偏重当时的普通音,对于迁就音韵沿革的以入配"阳"说·自然不大了解。所以金氏说:"入声无字者,常借他字以足之。如'公''颗''贡''谷''空''孔''控''哭'之类。夫'公''颗''贡''空''孔''控':此三声者俱同韵。若'谷'与'哭'自有本声,奈何强借于此乎?①在他的《音韵经纬全局》里也只有"阴韵" a、e、o、u、ao、ia、ie、iu、oa、ua、uo、iue 十二摄入声有字;并且特别分出 io、oe、ue 三摄跟次音 o˙、ie˙、io˙、uo˙ 四韵专收独立的入声;从北音的观点看,金氏所分配的比较同明末的普通音相近。

(3)《直图》交骄两韵,金氏注音并作 iao 摄;《要法》拼作高摄的浇类。——《直图》的交韵跟《广韵》的肴韵相当,骄韵跟《广韵》的宵、萧两韵相当,从沿革上讲,是二等跟三四等的不同。《直图》虽然分成两韵,可是一律注为"齐齿呼",而且"巧""孝""效"三字又复见两韵,可见那时已经不能分得很清楚。并且就骄交两韵方音异同表所列举的十三处方音看,能分别的共有六个地方,除兰州外都属于南部。那末,利、金注音跟《要法》把交、骄两韵并成一类,而把两韵的知系字跟交韵的帮系字并入开口的 ao 摄或高类,是跟北方大部分的方音相合的。

---

① 《列音韵谱问答》。

（4）《直图》官、关两韵,金氏注音分作 uon, uan 两摄;《要法》并作干摄的官类。——《直图》官韵跟《广韵》桓韵相当,关韵跟《广韵》删韵的合口相当,从沿革上讲是一等跟二等的不同。但是就关官两韵方音异同表所列举的十三处方音看,能分别的只有四个地方,而且都属于南部。金氏虽然分成两摄,可是"碗""腕"二字两摄并收,可见他审音已然含混。那末《要法》并成一类,而把帮系字改列在开口干摄里,是跟北方大部分方音相合的。

（5）《直图》公觥两韵,金、利注音分作 um、uem（利作 oem）两摄;《要法》并作庚摄的公类。——《直图》的公韵同《正韵》东韵的合口呼相当,觥韵同《正韵》庚韵的合口呼相当。《要法》并作一类,同现在的国音相合。可见公觥两韵在明初还有分别,在清初已然混合。利、金仍旧分作两摄,恐怕是迁就《正韵》的结果。

骄交两韵方音异同表

音韵类	地域 例字	广州	客家	汕头	福州	温州	上海	南京	四川	北平	开封	太原	西安	兰州
骄	骄	-iu	-iau	-iau	-ieu	-iə	-iɒ	-iau	-iau	-iau	-iau	-iau	-iau	-iɒ
	尧			-iau		-ia	-iɒ	-iau	-iau	-iau	-iau	-iau	-iau	-iɒ
	昭	-iu	-au	-iau	-ieu	-iə	-ɒ	-au	-au	-au	-au	-au	-au	-ɒ
	表	-iu	-iau	-iau	-ieu	-iə	-ɒ	-iau	-iau	-iau	-iau	-iau	-iau	-iɒ
交	交	-au	-au	-au		-ɒ	-iɒ	-au	-au	-au	-au	-au	-au	-io
	孝	-au	-au	-au		-ɒ	-iɒ	-au	-au	-au	-au	-au	-au	-io
	爪	-au	-au	-au		-ɒ	-ɒ	-au	-au	-au	-au	-au	-au	-o
	包	-au	-au	-au		-ɒ	-ɒ	-au	-au	-au	-au	-au	-au	-o

表例 1. 表中所列方音仅举各代表区域以示例;
　　　2. 例字取自《韵法直图》。

关官两韵方音异同表

音韵类	例字	广州	客家	汕头	福州	温州	上海	南京	四川	北平	开封	太原	西安	兰州
关	关	-uan	-uan	-uan	-uaŋ	-ua	-uæ	-uaŋ	-uan	-uan	-uan	-uæ	-uĕ	-uæ
	顽	-uan	-an	-uan	-uaŋ	-ua	-uæ	-uaŋ	-uan	-uan	-van	-uĕ	-uæ
	班	-an	-an	-an	-aŋ	-a	-æ	-aŋ	-an	-an	-an	-æ	-ĕ	-æ
	弯	-uan	-uan	-uan	-uaŋ	-ua	-uæ	-uaŋ	-uan	-uan	-uan	-uæ	-uĕ	-uæ
	还	-uan	-uan	-uan	-uaŋ	-ua	-uæ	-uaŋ	-uan	-uan	-uan	-uæ	-uĕ	-uæ
官	官	-un	-uon	-uan	-uaŋ	-ye	-ue	-uaŋ	-uan	-uan	-uan	-uæ	-uĕ	-uæ
	端	-yn	-on	-uan	-uaŋ	-ɵ	-ɵ	-uaŋ	-uan	-uan	-uan	-uæ	-uĕ	-uæ
	般	-un		-an	-uaŋ	-ɵ	-e	-aŋ	-an	-an	-an	-æ	-ĕ•	-æ
	钻	-yn	-on		-uaŋ	-ɵ	-ɵ	-uaŋ	-uan	-uan	-uan	-uæ	-uĕ	-uæ
	欢	-un	-on	-uan	-uaŋ	-ye	-ue	-uaŋ	-uan	-uan	-uan	-uæ	-uĕ	-uæ

表例

1. 表中所列方音,仅举各代表区域以示例;
2. 例字取自《韵法直图》。

(6)《直图》弓、肩两韵,利、金注音并作 ium 摄,《要法》并作庚摄的弓类。——从沿革上讲这是《正韵》东、庚两韵撮口呼的混合,其例跟前项相同。金、利既然把撮口的弓肩两韵并成 ium 摄,足征合口 um、uem 的分别也是靠不住的。

(7)《直图》赀韵里变[ɿ]音的字,金氏注音附入 u 摄的次音 ù 韵,《要法》附入祴摄的饥类。——《广韵》支、脂、之三韵里精系的开口四等字,自从《切韵指掌图》把它们提升到一等,它们的韵母已然露出变[ɿ]音的倾向。后来周德清作《中原音韵》索性把这几韵里精、照两系字特别分立支思一部,所以精系、照系的二等字都变[ɿ]音,照系的三等字都变[ʅ]音,除去本部混入一个知纽的"徵"字跟齐微部误收照纽的"只",穿纽的"蚩""鸱""侈"等字以外,差不多完全一致。《直图》所立的"咬齿"赀韵,就是根据这里来的。利、金注音把"赀""雌""疵""私""词"等字附在 u 摄的次音 û 韵里,《要法》把"赀""雌""思""词"等字附在祴摄饥类,跟"赍""齐""西"等字双行并列,而部位高低微有不同,可见他们虽然没有另外单立一摄,实际上已经承认支、脂之的精系四等字应当变成 [ɿ] 了。不过,知、彻、澄跟照、穿、床(三等)两系的字,晚近的音,一律读成 [tʃ]、[tʃʻ] 或 [tʂ]、[tʂʻ]。按《中原音韵》的例,支、脂、之的照系三等字归入支思部,变成 [ʅ],知系的三等字却归入齐微部,保留 [i] 音,并且齐微部里所收照纽去声祭韵的"制",入声昔韵的"只""炙",职韵的"织",质韵的"鸷""质",缉韵的"汁"等字;穿纽入声昔韵的"尺""赤",质韵的"叱"等字;审纽去声祭韵的"世""势",入声职韵的"识""拭""轼""饰",昔韵的"释""适""奭",质韵"失""室",缉韵的"湿"等字;禅纽去声祭韵的"逝""誓",入声昔韵的"石""射",职韵的"食""蚀",质韵的"实",缉韵的"十""什""拾"等字,都还没有变成 [ʅ] 韵,可见 [ʅ] 音的演变似乎稍比 [ɿ] 音复杂。《直图》把"支""纸""至""栉""差""齿""懘""刺","齹""士""示""齜","诗""始""试""瑟","时""氏""侍""匕"等归入赀韵,把"知""豸""智""质""痴""侈""眙""叱","迟""跢""示""食","矢""世""失""杍""氏""誓""寔"等字附入基韵,还算是沿袭《中原音韵》的系统,可是"示"字复见两韵,已经露了含混的马脚!《要法》把"知""夂""智""陟","池""耻""殊""敕","彖""治""直"等跟"支""止""至""炙","鸱""齿""厕""赤","翓""殖""煎","尸""史""世""失","时""士""示""石"等一律列入饥类,索性连照系三等字也恢复了 [i] 音,便不免矫枉过正了!利氏注音把"知""智""致""缀"

"治""值""制"跟"之""指""旨""至""志""诔","世"跟"诗""时""是""示""氏""视"等字一律归到 i 摄;又把"炽""值""识""适""实"等字归到 ie'韵,"室""十"两字归到 e 摄,"石"字复见 ie、e 两摄,也没有把[ʅ][i]的分界划分清晰。金氏的 i 摄里虽然也收入了"知""止""致""鸱""驰""耻""诗""时""矢""侍"等字,可是,一方面因为"知""纸"之类,"各地风气不同",恐怕"忒细易乱",没有单立 i 的次音①,一方面却把入声"质""赤""实""日"等分出一个次音 e·韵来,若拿前后的音变跟金氏犹豫不决的口吻参证,可以断定,在北方普通音里,[ʅ]音的分化,并不是很晚的事情。

(8) 金氏所分 u 摄中 u 韵,利氏附于甚音 u 韵,《直图》附于居韵,《要法》附于祴摄居类。——金氏 u 韵里所收的"诸""枢""除""儒""书""殊""主""杵""汝""暑""著""处""茹""恕"等字,从沿革上讲,都属于《广韵》鱼、虞、韵照、知、日三系的三等,并且《正韵》收入鱼韵,《直图》《要法》都列在居类,似乎明末的普通音还不像现在的国音由撮口变成合口。但是金氏从 iu 摄里特别提出 ch、'ch、x、j 四类字列在 u、ů[ʅ]之间,可见这些个字音,纵使在当时没有由[y]变[u],至少也受了王徵的泾阳方音的影响读作[ʮ]音或[ʯ]音了。

(9)《直图》的迦韵,金、利注音分为 e、ie 两摄:e 摄跟《要法》的(迦)、祴两类相当,ie 摄跟《要法》的结类相当。——《中原音韵》的车遮部,《正韵》的遮韵,《直图》分为齐齿的迦韵跟撮口的泹韵。泹韵同金、利注音的 iue 摄、《要法》的诀类相当,并没有什么问题。只有迦韵[tʃ]、[tʃ']、

---

① 《列音韵谱问答》。

[ʃ]、[ʒ]系的"遮""者""蔗""车""扯""奢""蛇""舍""惹"等字金氏把它们跟《广韵》入声陌韵的"宅""栅""格""客""白""柏""陌""赫",麦韵的"厄""搦",德韵"德""忒""勒""塞",薛韵的"哲""撤""热""舌"等字合并,另立 e 摄。从种种方面看,我断定 e 的音值应当读 [ə] 音。第一,就语音的同化作用(Assimilation)说,[tʃ]、[tʃ‘]、[ʃ]、[ʒ]后边的 [ie] 音,若是丢掉颚化的 [j] 或 [i̭],很不容易读成清晰的次高前元音[e],稍一迁就舌头的惰性,便须经过 [ie]→[e]→[ə] 的两度演化。第二,金氏的自鸣第二 e 摄,同鸣第九 g 类都借用"额"字标音。g 类的音值我已经测定为 [ɤ],那末,[ɤ]→[ɤ]→[ɯ]→[ə],在音理上甚为顺适。第三,金氏说:"多省额字风气曰 e 字"。[①] 拿现在的方音参证,北平完全变成[ə]音,归化、忻县、上海跟吴语的一部分都变成[-ə]韵;读作[-e]韵或[-ɛ]韵的,不过开封、四川、丹徒、常熟、宝山罗店霜草墩等几处地方。第四,金氏同鸣"字父"的名称,除物、弗属于 oe 摄外,其余的则、测、者、扯、格、克、百、魄、德、忒、日、额、勒、麦、搦、色、石、黑等都用 e 摄的字,为是切字时使人"易晓"。所谓"易晓",就是同"字父"本来的声势接近,可以减少夹杂韵母的障碍。那末,读作不清晰的[ə]自然比清晰的[e]音适宜。第五,现在法文 e 母的名称读[ə]音不读[e]音,金氏法人,当以法文音为准,根据这五个佐证,可见现在国音的[ə]音,除去由 o 摄ㄍ、ㄉ两系字变来的以外,在明季的普通音已然分化了。这种音变,同根据《中原音韵》而定的"雅音"稍有不同。《中原音韵》的"遮"

---

① 《三韵兑考问答》。

"车""奢"等,既然跟"嗟""罝""些"等同在一部,而且《广韵》陌、麦、职、德几韵字,也都分派在皆来部里,叶读[ai]音。所以《明史·五行志》载:"万历十年有道士歌于市曰:'委鬼当头坐,茄花遍地生'。委鬼;魏也;北人读'客'为'楷','茄'又转音。为魏忠贤、客氏之兆"①。甚至于清初熊士伯所作的《入声雅音订》也还以"解"或"讦"音"格",以"楷"或"挈"音"客",以"硊"或"谒"音"额",以"哈""海"或"歇"音"赫",以"隘"上声或"谒"音"厄",以"摆"或"鳖"音"柏",以"卖"音"陌",以"丑海"或"扯"音"栅",以"斋"或"遮"音"宅",以"日夜"音"热",以"式夜"音"舌",以"多每","当者","当滓"音"德",以"哈"或"汤者""汤滓"音"忒",以"腮"上声或"桑者""桑滓"音"塞",以"赖"或"力昧"音"勒"②:我们认为这种"雅音"还是迁就《中原音韵》的结果。如果没有金氏的注音对照,或许使人相信"遮""车""奢"一类字跟入声陌、麦、职、德、几韵字在明末清初的普通音还读成 ie、iai、ai 等复韵(diphthong),而不承认国音[ə]音的成立有较久的历史!《要法》虽然从开口副韵结类分出开口正韵的〔迦〕类,但是只收知系的"彻""哲""傑""舌"等字而不收照系的"遮""车""奢""阇"等字;虽然分出陌、麦、职、德等韵字另立祴摄,而不敢把祴〔迦〕两类并入一摄,都不如金氏注音同实际语音相合。至于 e 母跟其他"字母"拼合时,拿金氏《音韵经纬全局》里的单字参证国音,我断定在 -u、-m[-ŋ]前,或在 o-、u- 后,应当读[ə]音;在 -n 前,或 i-、-iu[y]后,

---

① 《明史》卷三十。
② 《等切元声》卷六。

应当读[ɛ]音。至于eao、eam两母里的e,不过比i稍开,只能读成[I]或[e]音,还不能开到[ɛ]音的程度。

(10) 利氏的 lh 摄,金氏的 ul 摄,《直图》附入赀韵,《要法》附入饥类。——《广韵》支、脂韵日母"儿""尔""而""耳""饵"等字,变成现在国音的念法,并不是很晚的事。据《辽史·天祚纪》甲辰岁(1124)有葛儿汗(Gorkhan),同纪延庆三年(1127)有斡耳朵(Ordu)。《元史·太祖纪》像这样的例子也很多。① 《中原音韵》把它附在支思部,《直图》附在赀韵,都因为它的音值不容易譬况,而且无所附丽的原故。利氏用 lh 注它,金氏用 ul 注它,并且另外分立一摄,注音虽然不十分切合,可是比方以智明知道"儿在支韵,独字无和"②还不免"姑以人谁切"附在支韵,总算强得多了。至于《要法》复返把它列在饥类,那真是"开倒车"的现象!

从上面所说的十点,我们对于明末普通音的韵值已然可以约略考见。国音跟它们不同的地方,只有:

i 摄 ㄓ 系字变 ㄖ'[ɿ],ㄈ 系字变 ㄟ [ei];
o 摄 ㄗ、ㄓ 系字变 ㄨㄛ [uo],ㄍ、ㄉ 系字变 ㄛ[ə];
o·韵 u 韵变 ㄨ [u];
ao 摄变 ㄠ [au];
eu 摄变 ㄡ [ou];
en 摄 ㄓ 系字变 ㄢ[an];
ie·韵变 ㄧ[i],ㄓ 系字变 ㄖ'[ɿ];
io 摄变 ㄩㄝ [yɛ] 或 ㄧㄠ[iau];

---

① 满田新造《评高本汉中国古音研究之根本思想》。
② 《通雅》卷五十,《切韵声原》页30。

io˙韵变ㄩ[y]；

in摄ㄓ系字变ㄣ[ɛn]；

ieu摄变丨ㄡ[iou]；

ien摄变丨ㄢ[ian]，ㄓ系字变ㄢ[an]；

ium摄变ㄩㄑ[ioŋ]；

oei摄ㄅ系字变ㄟ[ei]；

uen摄ㄓ系字变ㄨㄢ[uan]；

iuen摄变ㄩㄢ[yan]；

um、uem两摄合并为ㄨㄑ[-oŋ]或[uəŋ]；

uan、uon两摄合并为ㄨㄢ[uan]

等项。并且金、利注音虽然没有把ㄓ系齐齿撮口两呼的字完全变成开口或合口，ㄅ系合口的字完全变成开口，可是在金氏《音韵经纬全局》里"毡"(chiēn或chēn)、"展"(chiěn或chěn)、"战"(chién或chén)、"闪"(xièn或xèn)、"善"(xién或xén)、"收"(xiēu或xēu)等，同"眉"(mûi或moêi)、"美"(mùi或moèi)、"昧"(muí或moéi)等，各有两种拼法，已经有接近国音的倾向。假使金、利注音还靠得住，那末，明末的普通音同现在的国音实在所差无几了。至于oa跟ua，oe跟ue，ui、oei跟uei，un、oen跟uen，oai跟uai、oam跟uam，eao跟iao，eam跟iam等摄，在《正韵》、《直图》、《要法》、国音里都找不出什么分别，所以熊士伯说：

> 开衣之外又有额，合午之外又有阿，遂致开合不能均齐。三十九无切（oei）似高威（uei）一等，然分"悲"于"归"未当也。三十八阿盖（oai）当高歪（uai）一等，然所填"衰""坏"即乖韵，亦非一等之"猥"也。廿七无切（un）与恩（en）不相蒙，自是又有阿根（oen）与温（uen），一若与恩吻合者，所填"昆""昏"，其能外"尊""村"而另韵邪？况"昆"与"昏"本难分者。弯（uan）之外另有阿干（oan），填"攍""还"，必不外弯而另韵矣。瓦（ua）外又有阿答（oa），果从官关分调耶？所填"花""华"仍瓜韵也。午格（ue）外又增阿德（oe）不能外国而另韵也。阳（iam）上廿九

无切（eam）填"良"，一如廿八无切（eao）填"聊"，殊难分！王（uam）上又增阿刚（oam），所填"窗""双"止二等字，"荒""光"亦同韵，且"双""忪""桩""戳"彼此错出何邪？①

熊氏用等韵的看法来纠绳他，自然觉得诸多不合。其实，金、利注音关于这几韵的分立，已然超出音韵学范围而涉及语音学的领域，若是从音韵沿革上分辨它的韵类，自然很难索解。照我的看法，这几韵的分立都由于声韵交互的关系。它们的简单条理，在第三章里已经说过。像这种韵随声变的现象，直到高本汉（B. Karlgren）还是很注意的。例如：金氏在 un 摄里所收魂韵（举平以赅上去，下同）的"尊""存""忖""孙""嫩"等字，高氏所记广东音，韵母作 -ün[yn]；魂韵的"敦""屯""钝""论"跟谆韵"桩""准""唇""瞬""晌"等字，高氏记作 -ŭn[øn]。uen 摄所收魂韵的"棍"、"坤"、"温"等字，高氏记作 -uɒn [uɐn]；"本""盆""门"等字，高氏记作 -un [un]；"喷"字高氏记作 -ɒn [ɐn]。② 又如金氏 eao 摄的"聊"字，高氏所记上海音作 leå [leɒ]，北平、开封音作 leau [leau]③，eam 摄的"良"字上海、北平、开封都作 leang [leaŋ]④，从这两个例证看，可见金、利二氏的注音，在语音学上还有相当的价值。

关于调值的测定，比较声韵更加困难。在没有韵书以前，声调的分歧，已经是"吴楚则时伤轻浅，燕、赵则多涉重浊。秦陇则去声为入，梁、益则平声似去"。⑤ 及至韵书成立，调类虽然有了"平""上""去""入"的大限，而调值的乖互，仍旧不减于前。并且除去"口耳相传"，也简直的没有法子推测。金、利二氏所分的"清""浊""上""去""入"五声，大体跟《中原音韵》系的韵书相同。只有三点稍有出入：

---

① 《等切元声》卷八，《阕西儒耳目资》，页 9—11。
② B. Karlgren: *Phonologie Chinoise*, pp. 787—791. 中译本页 620—624。
③ 同上，页 827，（中译本页 660）。
④ 同上，页 812，（中译本页 645）。
⑤ 《切韵序》。

(1)《中原音韵》的"阴平""阳平",是由声母的"清"(voiceless)、"浊"(voiced)变来的。金、利二氏虽然根据它分成"清""浊"两类,可是对于它们的成因,始终茫然。照金氏的说法:"平分清、浊,不如上、去、入之甚明耳。知切法则势如破竹矣。切法用二字,一上一下。若上之字轻,则所切无不清者;上之字重,所切无不浊者。但有轻不能重者,下字清,所切之字亦清;下字浊,所切之字亦浊"。① 似乎"清""浊"的分别,一种由于上字的"送气"(重)"不送气"(轻),一种由于下字的"清""浊"。但是"不送气"的声母固然有"清"无"浊","送气"的声母却是"清""浊"兼备。并且他所谓"有轻无重"的九母,j、v、l、m、n 等,根本就没有清声(v 母清声有影纽"汪"字,那是唯一的例外);f、g、s、x 等,虽然各有清浊,也都由于古声母的不同,跟下字的清浊没有关系。此外,他的《音韵经纬全局》的清声里混入喻纽的"迂",床纽的"楂",群纽"迦",匣纽的"瓠""鰕",并纽的"邳"等字②,也可作为不辨清、浊的证据。

(2)自从《中原音韵》把入声分派在阳平、上、去三声以后,根据北音而作的韵书,本来没有分出入声的必要。金、利二氏所分声类、韵类,从种种方面看,都可证明他们根据明末的北音,可是他们所分的调类,却跟方以智《切韵声原》、马自援《等音》、林本裕《声位》、樊腾凤《五方元音》相同,仍旧把入声跟"清""浊""上""去"并立为五。这种迁就沿革的办法,直到读音统一会派的老国音还是沿用未改。金氏尝说:"音韵之学,旅人之土产,平仄之法,旅人

---

① 《列音韵谱问答》。
② "迂""鰕"二字国音亦变阴平。

295

之道听。音韵敢吐,平仄愿有请焉"①。这就是他敢增删声韵类而不敢合并入声的原故。

(3) 全浊上声变去声的现象,在唐李涪作《刊误》时已经觉得《切韵》以"言辩之辩"及"舅甥之舅"列在上声不免为知者所笑,到了南宋以后越发的明显。张麟之《韵镜序例》说:

> 凡以平侧呼字,至上声多相犯。古人制韵,间取去声字参入上声者,正欲使清浊有所辨耳。或者不知,徒泥韵策,分为四声,至上声多例作第二侧读之,此殊不知变也。若果为然,则以"士"为"史",以"上"为"赏",以"道"为"祷",以父母之"父"为"甫"可乎?今逐韵上声浊位,并当呼为去声。观者熟思,乃知古人制韵端有深旨。

刘鉴《切韵指南序》也说:

> 时忍切"肾"字,时掌切"上"字,同是浊音皆呼如去声,却将"上"字呼如清音"赏"字。其謇切"件"字,其两切"强"字,亦如去声。又以"强"字呼如清音,"礵",丘仰切字,然则亦以时忍切如"哂"字,其謇切如"遣"字,可乎?倘因碍致思而欲叩其详者,止是清浊之分也。

所以《中原音韵》把它们改列去声,比较合于宋、元以来的实际语音;《洪武正韵》上、去复见,就不免模棱两可。金氏既然自己觉得"平仄之法,乃旅人之道听",对于这个问题只好说:"上,古声也。韵书从古,故以之立母"②因此他的《音韵经纬全局》把"豸""栈""盾""强""玤""伴""隽""塵""奉""厚""悖""骇""泫"等字,仍旧列在上声。改列去声的,只有"善""道"两字,这是他迁就《正韵》的结果。

从上述三点看,金氏所分的调类,固然有些地方迁就沿革,不尽合于元、明以来的北音,可是他审辨五声的音高,以"清平无低无昂,在四声之中。其上其下每有二:最高曰去,次高曰入;最低曰浊,次

---

① 《列音韵谱问答》。
② 《三韵对考问答》。

低曰上"①。并且改定五声的次序为"清""去""上""入""浊",对于推测明末普通音的调值,颇有相当的帮助。据他说:"平仄,清浊,甚次,敝友利西泰首至中国,每以为若。惟郭仰凤精于乐法,颇能发我之蒙耳"②。那末,他所审辨的音高,似乎还不无乐理上的根据。可惜他所用的 ˉ、ˆ、ˋ、ˊ、ˇ,是否以横标代时间,以纵标代音高,而作轨线的用意,还是仅仅拿它们当几个并无科学意义的普通西文字母上的附加符号,这我们就不得而知了。并且五声高低的顺序,跟现在北平音的阴(˧ 55：),阳(˦ 35),上 ˅(315：),去 ˯(51：)也相差甚远。究竟是明末北音的调值跟现在不同?还是他所据的方音不同?那也是很难悬揣的事!

根据上面对于声韵调比较研究的结果,参酌金氏所谓:"多省某字风气曰某",我们可以断定金、利二氏所据的声音,乃是一半折衷各地方言,一半迁就韵书的混合产物。用明代韵书的术语说,我们可以叫他作"中原雅音";用近代习用的术语说,也可以叫它作明末的"官话"。因为要想"五方之人皆能通解",所以不得不折衷迁就。例如声母里保留 g、nh、ng、v 几母,跟 ç、'ç、s 在 i 的前面不变[tɕ][tɕ'][ɕ];韵母里只把 e˙、ǔ 两母当作次音没有另外分立二韵;声调里保留入声,不敢公然取消:种种调停办法,同读音统一会用表决手续通过的老国音恰好无独有偶。本来利玛窦从明万历九年(1581)到广东香山澳,第二年便同罗明坚到端州,一住十年。"初时言语文字未达,苦心学习。按图书人物倩人指点。渐晓语言,旁通文字"。后来又到过南雄、赣州、南郡、洪州、南京、苏州等处;万历二十八年(1600)同庞顺阳等来北平后,又住了十年。③ 金尼阁自万历三十八

---

① 《列音韵谱问答》。
② 同上。
③ 艾儒略《太西利先生行述》。

年（1610）来中国后,传教浙江,崇祯二年（1629）死在杭州[①]。但据韩云《西儒耳目资序》,有"敦请至晋,朝夕论道"等语,可见金氏也曾来过北方。他们两人的语言环境虽然如此广泛,但是当时的国都既在北平,因为政治上的关系不得不以所谓"Mandarin"也者当作正音;并且《西儒耳目资》曾经"晋绛韩云诠订"、"秦泾王徵校梓",商订研究之际,也未尝不略受他们的方音影响。所以在利、金注音里,除去从 uen 摄分出 t、't、n、l、ch、'ch、x、j、ç、'ç、s 等声母另立 un 摄,跟重唇音的合口仍旧保存外,可以说完全北方官音化了。我们现在要想推测明末"官音"的音值,他们的注音便是顶好的参考材料,这就是耶稣会士在中国音韵学上的第二个贡献。

五 《西儒耳目资》的影响

I. 方以智《切韵声原》
II. 杨选杞《声韵同然集》
III. 刘献廷《新韵谱》

自从《西儒耳目资》行世以后,国内研究音韵学的人很受了它不少的影响。方以智的《通雅》成于明崇祯十二年（1639）以前,那时《西儒耳目资》刊行了不到十三年,而方氏的书里已经屡次提到它:

外域知七音,而不知哝、嗸、上、去、入。金尼亦言入中土乃知之。[②]

愚初因邵人。又于波、梵、摩得发、送、收三声,后见金尼有甚、次、中三等,故定发、送、收为横三,哝、嗸、上、去、入为直五,天然妙叶也。[③]

金尼阁字父十五,字母五十。原注:"愚按,父,切也;母,韵也"。[④]

---

① 韩霖张赓等所著《圣教信证附录》。
② 《通雅》卷五十,《切韵声原》页 4。
③ 同上,页 7。
④ 同上,页 23。

"西域音多,中原多不用也,当合悉昙等子与大西耳目资通之"①。他拿"发""送""收"比拟"甚""次""中",固然有些牵强附会;可是想参酌《悉昙》等子跟《西儒耳目资》以通西域之音,已然有了挈长补短的精神。所以他对于中国文字也觉得:"字之纷也,即缘通与借耳,若事属一字,字各一义,如远西因事乃合音,因音而成字,不重不共,不尤愈乎?"②。在三百年前居然有这种大胆的汉字革命论,我们不能不承认他是罗马字注音的响应! 方氏又以一切韵母约统于◎(原注——恩翁切,喉中折摄也)、〔乌〕、〔意〕、〔阿〕、〔邪〕、〔牙〕六余声:乌阿之余声即本声;支开之余声为〔意〕;邪哇之余声为〔邪〕、〔牙〕;爊讴之余声为〔乌〕;其余皆统于◎③。我想这也是参酌金尼阁五十列音里 -m[ŋ]、-n、-a、-e、-i、-o、-u 几种韵尾而定的。不过他以"升鼻之◎,本于脐◎"④,所以把 -m[ŋ]、-n 两类合而为一罢了。至于他的《旋韵图说》大部分是受了邵雍《皇极经世声音图》跟陈荩谟《皇极统韵》的影响,羼杂很浓厚的道士气! 虽然同金尼阁的《音韵活图》不无关系,可是比起杨选杞《同然集》里几个盘图来,自然有远近亲疏的不同了。

杨选杞的时代、生地,跟《声韵同然集》的大体,我在《声韵同然集残稿跋》里已然约略说过。他作书的动机,因为旧韵书的反切,有难有拗,并且所用的上下字也没有一定,后来看见《西儒耳目资》,"顿悟切字有一定之理,因可为一定之法"(《同然集纪事》)。于是就他所定的三十一"字祖",二十五"大韵",分配"宏""中""细"三声,定了十五个"宏声字父"、十三个"宏声字母",二十一个"中声字父"、二十个"中声字母",三十一个"细声字父"、二十四个"细声字母","芟繁就简","各求其

---

① 《通雅》卷首之二,页 22,《小学大略》。
② 《通雅》卷一,页 18。
③ 参阅《切韵声原》,页 28。
④ 同上。

不易之字"。又模仿金尼阁《万国音韵活图》、《中原音韵活图》的方法，把三十一"字祖"、六十二"字类"跟七十五韵类，列成一个"同然总盘"（参图三）；把"宏""中""细"三声的"字父""字母"分列为三盘（参图四、五、六）。"盘各分父母为天地"，以便旋转。总共"字父""字母"不过一百多字，"而父母递相摩荡，则靡音不备"。有音有字的，固然不必说；就是无音无字的，也可以"阅盘而触类旁通，自然有得"。这种方法完全是从《西儒耳目资》演绎出来的。可惜他迁就汉字而不能应用标音的字母，所以时常有"拈之不出"的遗憾，在有定的"字父"、"字母"里不能不有"借""代"的例外；并且"盘图"跟"分韵"里所用的"字父""字母"也微有异同。这都是限于工具，心余力绌的地方！至于杨氏所分的声类，跟金氏的二十"字父"完全不同。所分的韵类，只有从裩规两韵里分出端、精、照、来、日等系的字别立敦堆两韵，或许受了金尼阁从 uen、uei 两撮分出 un、ui 两摄的影响；啰、国、瘸三韵似乎跟《耳目资》的 e、ue、io 三摄相近；此外各韵大部分还是根据明代的韵书（参阅金尼阁利玛窦所分字母与古音国音比较表）。关于入声的分配，杨氏分别南北方音：南入附在"阳韵"公、光、冈、姜、裩、巾、肱、官、干、关、甘、监、金等十三韵之下，北入附在"阴韵"基、乖、孤、戈、瓜、靴、国等七韵之下（参阅金尼阁利玛窦所分字母与古音国音比较表），跟《耳目资》完全附入"阴韵"也不相同。诸如此类，既然跟《耳目资》没有直接的关系，本篇也就不再赘叙。

　　清朝初年，用新方法研究音韵学的，杨选杞之后，还有一位刘献廷。献廷尝从蜀僧大悦，湘僧虚谷等问等韵之学。[①] 又遍考《华严》字母、天竺《陀罗尼》、泰西腊顶语、小西天《梵书》暨天方、女直等各种语音，参证同时林益长、吴修龄之说，自谓"于声音之道，别有所窥，颇窃造物之奥，百世而不惑"[②]。康熙三十一年壬申（1692），

---

① 《畿辅丛书》本《广阳杂记》卷三，页 35,36。
② 《广阳杂记》卷三，页 36。

图三　声韵同然集同然图

图四　声韵同然集宏声图

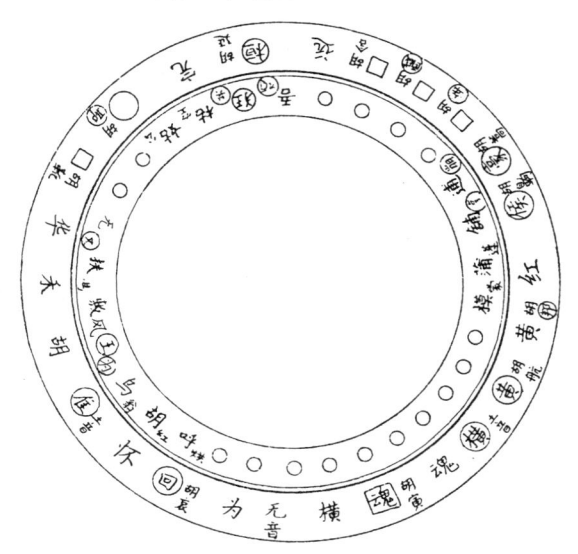

图五 声韵同然集中声图

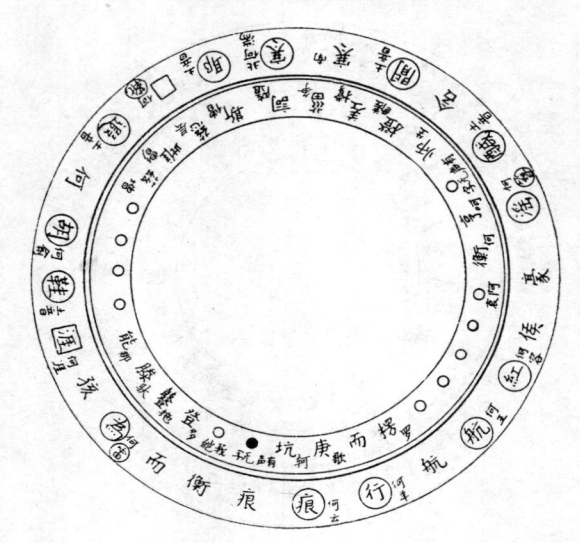

图六 声韵同然细声图

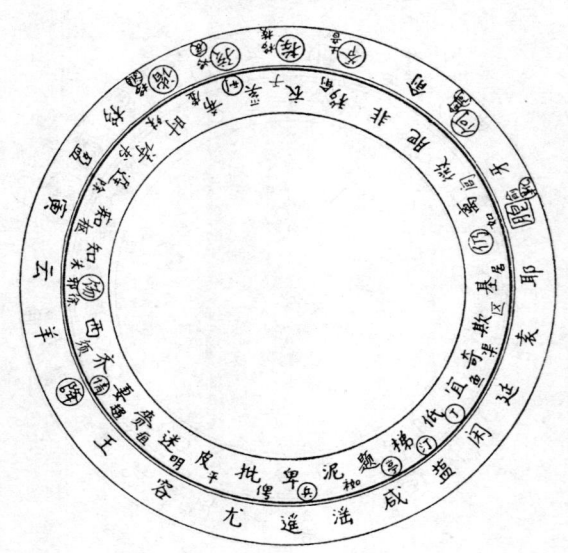

他在衡州署中拟定《新韵谱》纲要,预备"归山后次第成书"。但全祖望给他作传时,已经不见原书,恐怕全书始终就没有写定。我现在根据《广阳杂记》①跟全祖望的《刘继庄传》②试测《新韵谱》的音类,关于韵母一方面可以确定的有下面几个音:

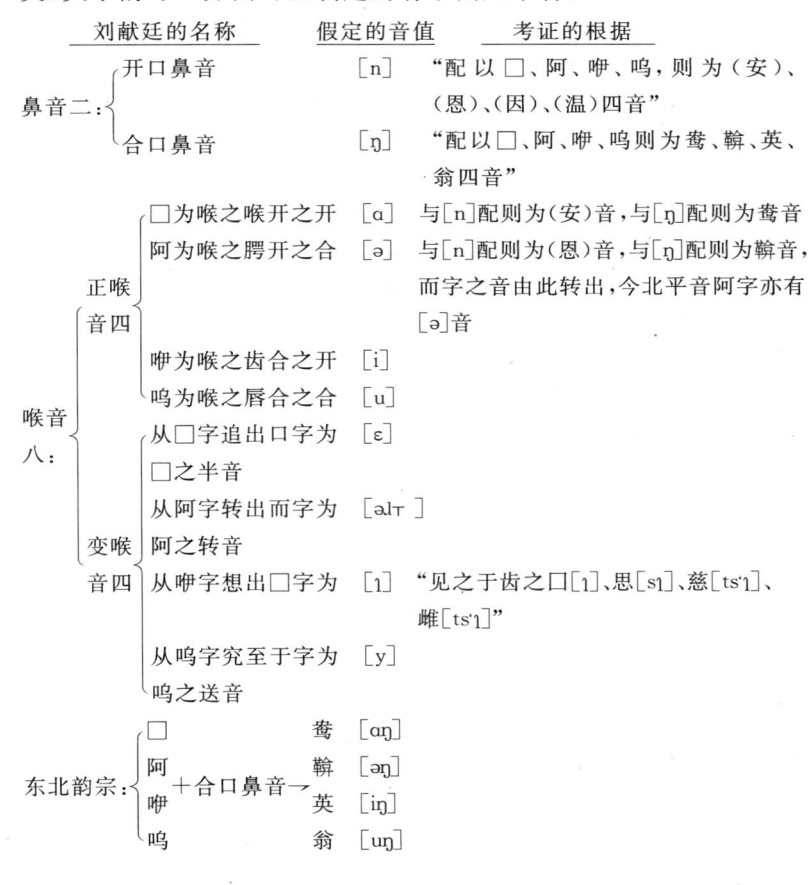

	刘献廷的名称	假定的音值	考证的根据
鼻音二:	开口鼻音	[n]	"配以□、阿、咿、呜,则为(安)、(恩)、(因)、(温)四音"
	合口鼻音	[ŋ]	"配以□、阿、咿、呜则为甇、罌、英、翁四音"
喉音八: 正喉音四	□为喉之喉开之开	[ɑ]	与[n]配则为(安)音,与[ŋ]配则为甇音
	阿为喉之腭开之合	[ə]	与[n]配则为(恩)音,与[ŋ]配则为罌音,而字之音由此转出,今北平音阿字亦有[ə]音
	咿为喉之齿合之开	[i]	
	呜为喉之唇合之合	[u]	
喉音八: 变喉音四	从□字追出口字为 □之半音	[ɛ]	
	从阿字转出而字为 阿之转音	[əɹ]	
	从咿字想出□字为	[ɿ]	"见之于齿之□[ɿ]、思[sɿ]、慈[tsʻɿ]、雌[tsʻɿ]"
	从呜字究至于字为 呜之送音	[y]	
东北韵宗:	□ 阿 +合口鼻音→ 咿 呜	甇 [ɑŋ] 罌 [əŋ] 英 [iŋ] 翁 [uŋ]	

---

① 《广阳杂记》卷三,页46,47。
② 《鲒埼亭集》卷二十八,页11—16。

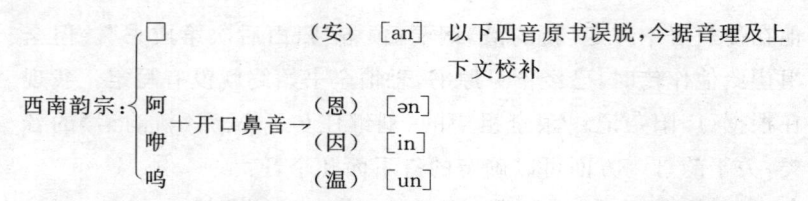

西南韵宗：$\begin{cases} □ & (安) & [an] \\ 阿 \\ 咿 & +开口鼻音→ & (恩) & [ən] \\ 呜 & & (因) & [in] \\ & & (温) & [un] \end{cases}$ 以下四音原书误脱，今据音理及上下文校补

刘氏拿这几个音作基本韵素，然后"以喉音自互交合，凡得音一十有七；喉鼻自互交合，凡得音一十。又哀、爊二音，有余不尽，三合而成五音，共三十二音为韵父"。这三十二"韵父"究竟是哪些个音，在《广阳杂记》里既然没有明文，也颇不易悬揣。不过，刘献廷是大兴人，就前章研究的结果，明末的北方音同现在并没有甚大的出入。若参酌刘氏的韵素跟现在的北平音来推测，那末，"喉音自互交合"，应当得出下面的十七个可能的音来：

名称	假定的音值	同国音的比较
口	[ɑ]	ㄚ, a
阿	[ə]	ㄜㄛ, e o
咿	[i]	ㄧ, i
呜	[u]	ㄨ, u
口	[ɛ]	ㄝ, e
而	[əɾ]	儿, el
口	[ɿ]	日', ㄙ', y
于	[y]	ㄩ, iu
哀	[ai]	ㄞ, ai
爊	[au]	ㄠ, au
(欧)	[əu]	ㄡ, ou
(鸦)	[ia]	ㄧㄚ, ia
(耶)	[iɛ]	ㄧㄝ, ie
(洼)	[ua]	ㄨㄚ, ua
(窝)	[uə]	ㄨㄛ, uo
口	[ɛi]	ㄟ, ei
(月)	[yɛ]	ㄩㄝ, iue

"三合而成"的应当是下面五个可能的音：

名称	假定的音值	同国音的比较
（涯）	[iai]	ㄧㄞ, iai
（幺）	[iau]	ㄧㄠ, iau
（幽）	[iəu]	ㄧㄡ, iou
（歪）	[uai]	ㄨㄞ, uai
（威）	[uei]	ㄨㄟ, uei

（附注：凡韵目名称外加括弧者，皆系《广阳杂记》无明文，而今据音理增入者。）

除去刘氏不用的 o、io 两音，几乎全跟现在的北平音相同。只有"喉鼻相互交合"而成的音，若在"东北韵宗"莺[ŋ]、鞥[əŋ]、英[iŋ]、翁[uŋ]，"西南韵宗"（安）[an]、（恩）[ən]、（因）[in]、（温）[un] 以外，再加上跟变喉音于 [y] 音结合的（雍）[yŋ]、（云）[yn] 两音，已经满了十个的数目。但是三合而成的（央）[iaŋ]、（汪）[uaŋ]、（烟）[ian]、（湾）[uan]、（渊）[yan] 五音，上自明季的《韵法直图》跟利玛窦金尼阁的注音，下至现代的北平音，全没有阙少。献廷的《新韵谱》既然想赅备万有之音，至少也不应当遗漏它们！或者他拟定初稿时，只记得加入"喉音自互交合"的三合音，而忘记喉鼻相互交合的三合音了罢？

关于韵母一方面，我们虽然未窥全豹，究竟还算是有迹可寻。至于声母一方面，除去"韵历二十二位，则韵母（即声母）也"一句话外，更是无从捉摸。据前章附表二，明以来分声母为二十二类的只有李如真一人。但是参证他前后各家，跟现在的北平音，可以断定那时的大兴方音不会还保持非、敷两母的分别。所以献廷所定的二十二"韵母"，或者是在 [p]、[p']、[m]、[f]、[t]、[t']、[n]、[l]、[k]、[k']、[x]、[tʂ]、[tʂ']、[ʂ]、[ʐ]、[ts]、[ts']、[s] 十八个音以外，又把旧影、喻、微、疑几纽字分配 [ɣ]（影疑开口）, [j] 或 [i]（影、喻、疑齐齿）, [w] 或 [ŭ]（影、疑合口及微母）, [ɥ] 或 [y̆]

（影、喻撮口）四音。除去 丩，く，广，丅四母还没有分化，跟现代的北平音极为相近。

当刘献廷的时代（1648—1695），印欧系的比较言语学还没有萌芽。他对于《新韵谱》的设计（1692），离 Rasmus Rask（1787生）跟 Jocob Grimm（1785生）的诞生，远在九十年以前，已经能旁求诸"大荒以外，囊括浩博"①；听见康甲夫家所藏刘孔当的《五经叶韵》后附有琉球、红夷文字，甚至说这正是他"悬金而求，募贼以窃"的东西，深以面失为憾！② 并且对于方音调查，就想用他的《新韵谱》"以诸方土音填之，各郡自为一本，逢人便可印证。以此法授诸门人子弟，随地可谱，不三四年九州之音毕矣。"③这种治学的方法跟态度，已经立下比较音韵学的楷模。从现在看，我们不能不佩服献廷的先觉！

献廷的《新韵谱》既然参考过"泰西腊顶语"，并且连琉球、红夷等国文字都想"悬金而求，募贼以窃"，那末，他对于用罗马字标注汉音的《西儒耳目资》绝不会没有寓目。再从《新韵谱》的内容参证，他以"韵母"为声，以"韵父"为韵，虽然跟金尼阁所谓"字父""字母"适得其反，可是，"父""母"的称谓，以及"横转各有五子，子凡若干，万有不齐之声，无不可资母以及父，随父而归宗，因宗以归祖，由祖以归元"④一段画谱系的议论，未必不由于《耳目资》的影响。并且他为避免等韵重叠之弊，使各韵"有横转而无直送"，"横转有阴、阳、上、去、入之五音，而不历喉、腭、舌、唇、齿之七位"。若照他的说法画起谱来，恰好同《耳目资》的《音韵经纬全局》格式相合。而且他不拿喉腭、舌、齿、唇等发音部位作分别声类的标准，也同金

---

① 全祖望《刘继庄传》。
② 《广阳杂记》卷三，页 43。
③ 同上，页 45。
④ 同上，页 47。

氏极为相近。所以我说《新韵谱》同《耳目资》必定有相当的关系。

中国音韵学自从受了梵文化以后,对于声类、等呼的辨别,自然比较以前精密了好多。可是一方面由着和尚们把"唱韵"当作"小悟门",拥戴"韵主",口耳相传;一方面由着等韵家牵附律吕,五行,弄得一塌糊涂,乌烟瘴气!自从利玛窦、金尼阁用罗马字标注汉音,方以智、杨选杞、刘献廷受了他们的启示,遂给中国音韵学的研究,开辟出一条新路径,这就是耶稣会士对于中国音韵学研究的第三个贡献。

六 余论

I. 诸家对于《西儒耳目资》的评论
II. 评论的评论
III. 近代西洋人研究中国音韵学的发端
IV. 国语罗马字的萌芽

耶稣会士关于音韵学的著作,庞迪我、郭居静、利玛窦的书既然没有流传,也就引不起什么好坏的批评。金尼阁的《西儒耳目资》刊行以后,国外的学者像 Landregge, Dehaisne, Pfister 等,以为这部书不单给字典创出一个特例,而且搜罗同声韵的汉字,按着西文次序排列,改正了汉语音韵学不少的错误,对于中国学者有很大的影响。足征作者有创作的天才,勤恳的工力跟广博的学识[1]。他们对于这部书固然极端的揄扬,可是国内的学者,却对它毁誉参半。恭维它的说:

其书一遵《洪武正韵》,可以昭同文之化,可以采万国之风,可以破多

---

[1] Loui Pfister《耶稣会士来华诸人传记》,页139。

> 方拗涩附会之误;其裨益我字韵之学,岂浅鲜哉![①]
> 先生一旦贯通,以西学二十五字母,辨某某为同鸣父,某某为自鸣母,某某为相生之母。分韵以五声,如华音,平则微分清浊焉。不期反而反,不期切而切,不体外增减一点画,不法外借取一诠释,第举二十五字母才一因重摩荡,而中国文字之源,西学记载之派,毕尽于此![②]

诋毁它的说:

> 切韵一道,经中华历代贤哲之厘定,固有至理寓乎其中,知者绝少。因其不知,遂出私智以相訾謷,过已![③]
> 明季西人金尼阁窃等韵之余绪,撰列音韵,究不过得其粗者!切脚下一字全不理会,几类洞庭切。又读字悉依中原音,且有依其国土音者,而古音且尽废矣!于字母外,更造字父字孙之说,尤为不典![④]

平心而论,切韵里边所寓的至理,自从耳目资出世以后,实在减少许多"知者绝少"的神秘。并且他的目的在记录当时的普通音,使"未睹字之面貌,而先聆厥声音者,一稽《音韵谱》则形象立现"[⑤]。假使舍弃"中原音"而保存"古音",恐怕除去少数的"好古之士",没有好多人能够应用它作为"耳资"。它的切法只求"父母相合,见西号自明"。既然不玩等韵家所谓"类隔""交互""广""通""侷""狭"那一套把戏,当然可以不理会相沿的"切脚"。就《总局》里所列的单字论,只有"坻"(chí)、"鬏"('çuā)、"疛"(hēu)、"巢"(çiào)、"瘝"(k'uān)、"堁"(uó)等字,同《广韵》、《正韵》国音全不相合,可以算是金尼阁的错误;至于"酬"('chēu)、"禅"('chên)、"常"('châm)、"产"('chàn)、"系"(xi)、"哨"(xiào)、"頀"(hoě)、"鸟"(niào)、"溺"(niáo)、"雄"(hiûm)、"恍"(hoàm)、"母"(mù)等字,跟《正韵》国音合,跟《广韵》不合,正可据以考见明代的音变;"他"(tā)、"打"

---

① 本书《张问达序》。
② 本书《王徵序》。
③ 熊士伯《等切元声》卷八,《阅西儒耳目资》,页1。
④ 周春《松霭遗书·小学余论》卷下,页11。
⑤ 《西儒耳目资》张缵芳序。

(tà)、"那"(ná)、"棍"(kuén)等字,跟国音合,跟《广韵》、《正韵》不合,正可据以考见明末以后的音变;"濡"(jun)、"佤"(kuāi)、"环"(hoán)等字,跟《正韵》合,跟《广韵》国音不合,正可据以考见明代韵书的特别音读,何尝同"洞庭切"相类呢?还有金氏在丫、额、爱、澳、盐、安、欧、硬、恩几个韵目的旁边注了"土音"二字,本是指着中国"多省风气"的读音而言,同"其国土音"渺不相涉!"字父""字孙"的名称,本是从旧来所谓"字母"演绎出来的,这种谱系式的称呼,固然不十分妥当,但是也不发生"典""不典"的问题,所以熊、许二氏的批评,总不免有给等韵争正统的偏见!据我看,一个到中国不满十五年的外国人,花了五个月的工夫,作成这么大一部著作,使中国字学韵学受了很大影响,虽然 Landregge, Dehaisne, Pfister 跟张问达、张缙芳、王徵诸人的批评,间或揄扬过当,可是从中国音韵学演进的历程上看,绝不能否认它同梵文化的守温字母,满文化的"合声"反切,具有鼎峙的地位。况且近代西洋人,如 J. Edkins, Z. Volpicelli, Kühnert, S. H. Schaank 以至于马伯乐(H. Maspero)、高本汉(B. Karlgren)等,对于中国音韵学研究的逐渐进步;罗马字标音从威妥玛式(Wade System)、邮政式(Postal System)演进到国音字母的第二式;如果推溯远源,都可以说,三百年前已经播下了种子。所以耶稣会士在音韵学上的贡献,虽然不像历算学那样彰明较著,可是在中国音韵学史上的确是不可埋没的事实!

(1929 年 10 月 18 日写竟于北平)
(原载《中央研究院历史语言研究所集刊》
第一本第三分,1930 年)

附： 耶稣会士在音韵学上的贡献年表

明神宗万历九年，辛巳（1581）

利玛窦始抵中国广东香山墺。时年29岁。

十一年癸未（1583）

利玛窦偕罗明坚入肇州。"初时言语文字未达，苦心学习，按图画人物，倩人指点，渐晓语言，旁通文字"

二十五年丁酉（1597）

郭居静来华。

二十六年戊戌（1598）

大宗伯王忠铭拟携利玛窦入京，未果，止居南都。

二十七年己亥（1599）

庞迪我来华。

二十八年庚子（1600）

利玛窦庞迪我等偕伴八人同至北京。

三十三年乙巳（1605）

《程氏墨苑》所收利玛窦罗马字注音文：《信而步海疑而即沉》、《二徒闻实即舍空虚》、《媱色秽气自速天火》及《述文赠幼博程子》四篇，均作于是年。

郭居静《西字奇迹》印于北京。（？）

三十八年庚戌（1610）

四月，利玛窦卒。

金尼阁来华，传教浙江。

四十年壬子（1612）

杨选杞或当生于是年以前。

四十六年戊午（1618）

庞迪我卒。

明熹宗天启五年乙丑（1625）

夏，金尼阁始作《西儒耳目资》。

韩云为《西儒耳目资》作序。

六年丙寅(1626)
> 春,《西儒耳目资》成。
> 春月王徵为《西儒耳目资》作序。
> 五月癸亥,张问达刻《西儒耳目资》成,为之作序。

明思宗崇祯二年己巳(1629)
> 金尼阁卒于杭州。

五年壬申(1632)
> 李秩南(平)生。

十二年己卯(1639)
> 方以智《通雅》成——姚文燮刻《通雅》凡例云:"先生是书成于己卯以前"。

十三年庚辰(1640)
> 郭居静卒。

十四年辛巳(1641)
> 夏,方以智作《通雅自序》。

十五年壬午(1642)
> 夏,方以智作《通雅凡例》。

清世祖顺治五年戊子(1648)
> 刘献廷生。

八年辛卯(1651)
> 杨选杞糊口旧金吾吴期翁家,与其犹子吴芸章交,得见《西儒耳目资》,顿悟切字有一定之法。

十年癸巳(1653)
> 杨选杞馆于李秩南家,笔墨六载。

十五年戊戌(1658)
> 杨选杞从李秩南来北京。

十六年己亥(1659)
> 李秩南中本年特科第九名进士,寓书杨选杞,促成《声韵同然集》。
> 本年仲冬朔,杨选杞编次《声韵同然集》,凡五阅月,仅草就平入二

声。

　　　　杨选杞或当卒于是年以后。

清圣祖康熙五年丙午（1666）

　　　　刘献廷迁吴。

七年戊申（1668）

　　　　四月李秩南卒。

二十六年丁卯（1687）

　　　　刘献廷至北京。

二十九年庚午（1690）

　　　　刘献廷南游衡岳，始有日记。

三十一年壬申（1692）

　　　　夏，刘献廷于衡州署中初定《新韵谱》。

三十四年乙亥（1695）

　　　　刘献廷卒。

四十三年甲申（1704）

　　　　罗马教皇发禁止祀天敬祖之教令。

四十六年丁亥（1707）

　　　　清廷因罗马教皇宣布禁止祀天敬祖之教令，将教皇公使送澳门监禁。

清世宗雍正元年癸卯（1723）

　　　　因耶稣会士党允礽，本年闽浙总督满宝奏请：除在钦天监供职之西洋人外，其余皆驱往澳门看管，不许阑入内地。有旨施行。

金尼阁《音韵经纬全局》与利玛窦注音合表

字父 金尼阁音	利玛窦 字父	金尼阁音 利玛窦音 五音 声音	a 丫音					e 额音				i 衣音 i(y)				
			ā	â	à	a	ē	ê	è	e	ē	ī	î	ì	i	í
则	c	c_1(e,i,u)	嗟			杂				甚次 则·	资	齐	依 沛	易 际·祭
测	'c	c'_1(e,i,u)		茶	许	擦				宅· 则·			续	砌
者	ch	ch	楂		鲊	札 遮			蔗	哲 质 知之	妻		止旨 只	止旨 致治
扯	c'h	c'h	差		槎	察 车				撤 赤	鸥	驰	耻	痓
格	k	c_2(a,o,u)				札		者	蔗	格	机		己儿·记纪	
		k(i)												
		q(u-)												
克	'k	c'_2(a,o,u)						扯		客	欺	奇其	起企·企气	
		k'(i)												
		q'(u-)												
百	p	p	巴·	罢	霸	八				白伯·	碑	皮	彼俾·	避敝·
魄	'p	p'	啪		吧	汃				柏	披		庀	譬
德	t	t			大	达答·				德 得·	隄		底	地·帝·

(续表)

字母 利玛窦 金尼阁	金尼阁音 利玛窦音	声音	a 丫音 a					e 额音 e					i 衣 i(y)				
字父	金尼阁音		ā	â	à	á	ǎ	ē	ê	è	é	ěē·	ī	î	ǐ	í	ǐ
'ṭ 忒	t'		他														
j 日	j(a,o,u) g₁(e,i)						闷				甚次 忒 热日。		衣 梯	移 听	衣 体	易 替	
v 物	v								惹								
f 弗	f						袜 法安·					非	微 肥	尾 斐非· 未 费		
g 额	g₂(a,o,u) ng(a,o)										厄						
l 勒	l			麻	马玛·		蜡腊·				勒 陌 墨·		离 糜	里 米	唇利· 昧	
m 麦	m			挈	拿	那	昧 纳				摺			泥	你	语	
n 挪	n										塞 色·		西	蓝·	徙	致· 细	
nh(i)																	
s 色	s		沙		洒		撒	奢	蛇	舍	舌实· 石实·		诗	时	午·	侍世·	
x 石	x				噶	嘎·	杀				赫		羲希·	爱	音	系	
h 黑	h																

附注：表中字旁无号者为金氏所有；加点号者为利氏所有；加圈号者为金、利所共有。

(续表)

字母			金尼阁音			o				u		ù		
	利玛窦音		声音			阿				午		(次音)		
字父		金尼阁五音	ŏ	ô	ò	ǒ	ŏo	ū	ú	ǔ	ū	ú	ǔ	u
金尼阁音		利玛窦音												
则	c	c_1(e,i,u)	阿		婴	佐	昨次 恶族 坐足	租		助 阻	贷	胙	子 紫	
测	'c	c'(a,o,u) c'_1(e,i,u) c'(a,o,u)	磋	煙	左° 蹉 楚	挫	错履 汙竹 草逐	粗	秫	楚	雎	措	此°	自° 恣
者	ch	ch					绅薯	初		阻主		助		
扯	'ch	ch'							锄	滤		惩		次° 刺
格	k	c_2(a,o,u) k(i)	歌		哿	个	葛合 渴哭	孤		古°		故 顾		
克	'k	c'$_2$(a,o,u) k'(i) q'(u-)	柯		可°	课	剥不 渴哭	枯		苦		库		
百	p	p	波	婆	播	錢	剥不 博	逋		朴		布° 步		
魄	'p	p'	坡		颇	破	泼小 波	铺	醋	普		铺		
德	t	t	多		朵	堕	夺笃 度	都		睹		度		

(续表)

字母金尼阁音	利玛窦 字母	金尼阁 窦音 声	ō	ô	o	ô	ŏŏ•	ū	û	u	û	ū	û	ù	u
					阿					午				(次音) ù	
					o					u				ù	u
武	't	t'	阿	陀	娿	拖	唫欬脱兊托•	徒	徒图•	吐	土。				
日	j	j(a,o,u) / gi(e,i)					若弱肉•								
物	v	v					勿								
弗	f	f				伏	缚福复•	夫	符夫•	武	无				
额	g	g₂(a,o,u)		我	我	饿	渴		吾	甫	伍				
勒		ng(a,o)		罗	逻	擦	落𫙺乐六•	卢	户	鲁					
麦	l	l				磨	抹木•	模	模	母					
掷	m	m		摩	麽		莫•								
	n	n / nh(i)		椎	娜	柰	诺讷•		奴	弩			没		
色	s	s	梭		锁所	姿	索速• 朔俗•	苏		数	诉数•		㐌		
石	x	x				贺	杓蓺•			恕		私思•	词	死使•	
黑	h	h	诃	荷何•	火		葛忽•	呼	胡湖•	虎	互			洄土•	

316

（续表）

字父金尼阁音	字母利玛窦/金尼阁	声五音利玛窦音			ū (中音)			ai			ai(ay)	ai 爱土音		ao		ao 澳土音		ão
			ū̇	û	u̇	û	ũ	ãi	ãi	ai	ãi	ãi	ãi	ao	ão	ao	ão	ão
则	c	c_1(e,i,u)						栽哉		宰	在° 再•		遭		早	遭	作•
测	'c	ç(a,o,u)						猜	才	采	蔡•		操	曹	草	漕	
者	ch	c'_1(e,i,u)	诸		主	著	朮			多			招	朝°	昭	照兆•	
扯	c'h	c'_1(a,o,u)	枢	除	杵	处	黜	畜	柴	茝			超		炒	钞	
格	k	c_2(a,o,u)						该		改°	盖°		高		縞	诰	
	k(i)																
克	q	q(u-)															
	'k	c'_2(a,o,u)								恺	慨		尻		考	犒	
	k'(i)						开										
	q'(u-)																
百	p	p								摆	拜		包				
魄	'p	p'							牌		派		胞	跑	饱	豹	
德	t	t									带 代	刀		捞	道°		

317

(续表)

字母金尼阁音 / 利玛窦音	声母 利玛窦音 / 金尼阁音	ū	u̇(中音) u̇	ú	āi	ái	ai 爱音(ay) ái	ài	ǎi	áo	ao 澳音 ào	āo
芯 't	t' j(a,o,u,)												
日 j	j	如·儒	汝	茹							叨	陶	讨	套
物 v	v				合	臺		泰					饶	扰	
弗 f	f														
额 g	g₁(e,i) g₂(a,o,u) ng(a,o)					哀	恺	霭	艾·爱		廖	熬	枕	奥
勒 l	l					来	买	赖				劳	老	涝
麦 m	m					埋	乃					茅	卯	貌
搦 n	n					能		耐				挠	脑	闹
	nh(i)													
色 s	s	书	殊	恕		腮		赛			骚		嫂·锁	臊
石 x	x		罄			筛	洒	晒			烧	韶	少	邵
黑 h	h			术		哈	孩	害			蒿	豪	好	号·好

318

（续表）

字母 字父 金尼阁音	利玛窦音	金尼阁音 利玛窦五音	声	am 盎土音 em	am	âm	an 安土音 an	an	ân	ân	eu 欧土音 eu	eû	eu	eû	eǔ
则	c	c_1(e,i,u) ç(a,o,u)	c	臧		奘	簪		瓒		邹		走	奏	
测	'c	c'_1(e,i,u) ç'(a,o,u)	'c	仓	藏	苍	餐	残产	惨		篸	嗾	凑	
者	ch	ch	ch	章	常	掌	沾		栈产		周舟		肘	胄	
扯	c'h	ch'	c'h	昌		敞	谗		谗		抽	酬畴	丑	臭	
格	k	c_2(a,o,u) k(i)	k	冈		扛	干		干		勾		苟		
克	'k	c'_2(a,o,u) k'(i)	'k	康		抗	堪刊		坎	看			口	敜	
百	p	q(u-) p	q(u-) p	邦		谤	班		版	瓣	抠	裒	掊	寇	
魄	'p	p'	'p	滂	庞	胖	攀		飯	盼	秠	衰	瓿		
德	t	t	t	当		党	丹		亶	旦但	兜		斗	豆鬬	

（续表）

字母 字父 金尼阁音	利玛窦音	金尼阁音 利玛窦音 声音	am 盎土音 em		ám	ām		an 安土音 an	àn	ān		eu 欧土音 eu	èu	eū	eǔ
'c	t'	t'(a,o,u)	汤	唐	傥	烫	滩	坦	炭		偷	头	斟	透	
j	j	j(a,o,u)		穰	壤	让						柔	踩	糅	
v	g₁	g₁(e,i)			罔	忘									
v	v	v	汪												
f	f	f	方	房	纺	访	番	反	饭			浮	否	覆	
g	g₂	g₂(a,o,u)		昂	盎		安		垵		欧	朋	噢	沤	
g	ng	ng(a,o)		郎	朗	浪		阑	暗			娄	楼	硒	
l	l	l													
m	m	m		忙	莽	漭		蛮	懒			谋	亩	茂	
n	n	n		囊	曩	儾		难	暗			孺	教	耨	
n	nh(i)	nh(i)		仰	飒	伙		南	慢						
s	s	s	桑	常	颡	丧	三	散	难		搜		搜	漱	
x	x	x	商	赏	赏	饷	山	汕	伞		收		首	符	
h	h	h	杭	项	颃	吭	憨	旱	翰		荷	侯	厚	后	

（续表）

字父\金尼阁音	字母\利玛窦音	利玛窦音\金尼阁音五声	am 硬音 em					en 恩音 en					ia 鸦 ia(ya)				
			êm	ém	em	êm	ém	ên	en	én	ên	én	iá	iá	ia	iá	iá
则	c	c₁(e,i,u) ç(a,o,u)	曾				赠增	臻							鸦		
测	‛c	c‛₁(e,i,u) ç‛(a,o,u)	峥	层		岑	劗	琛	岑	眈	忖			衙		亚	
者	ch	ch	争		梗		侦	毡		氈	村				雅		
扯	c‛h	ch‛	橙		肯		睁	柘	禅	展	战			家	伽	傢	驾	甲
格	k	c₂(a,o,u) q(u-)	更	杭	夢	赓	庚	根		艮	良		恳					
克	‛k	c‛₂(a,o,u) q‛(u-)	阬	彭	肯	肯	佰											
百	p	p	朋		羹		珊											
魄	‛p	p‛	烹		捧													
德	t	t	登		等		瞪											

（续表）

字母 金尼阁/利玛窦/五音		声音	êm	êm	am 硬音 em	ém	ěm	ên	ên	en 恩普音 en èn	én	ěn	iâ	iâ	ia 鸦 ia(ya) iǎ	iǎ	iǎ
字父 金尼阁普音																鸦	雅	亚	鸭
忒	't	t		瞢	橙					冉	ên					
日	J(a,o,u)			仍	扔		然 燃			染						
物	v	v					文	恩		吻	同汶					
弗	f	f														
额	g₂(a,o,u)	g		羧	硬					硬						
勒	ng(a,o)			萌	猛	棱										
麦	m	m		能		孟										
捐	n	n		伫			门°									
色	s	s	生°		省	胜	森	修		惨	掺					
石	x	x	享		译		扇	蠕	闪	善			霞	向	下	瞎
黑	h	h						痕	狠	很			鰕			

(续表)

字母	利玛窦音	金尼阁音	声音 金尼阁音\利玛窦音	ie 叶 ie(ye)					io 药 io(yo)				iu 鱼 iu(yu)			
				iē	iĕ	iè	ié	iĕiĕ·	iō	iŏ	iò	iŏiŏ·	iū	iú	iù	iŭ
则	c	c_1(e,i,u) / ç(a,o,u)		罝	爷耶	野也·	夜	苣攻· 叶即·				苴攻 药攻·	迁	鱼子·	御预·	域
测	'c	c'_1(e,i,u) / ç'(a,o,u)				姐	借	栉即· 疾				爵	疽		聚	
者	ch	ch			茄	且	赶	切七				鹊	趋	徐	娶	倏
扯	c'h	c'h						炽								
格	k	c_2(a,o,u) / k(i)						评吉 极·				脚菊	迂	居	据俱·	苗
克	'k	q(u-) / c'_2(a,o,u) / k'(i)						挈乞				壳曲 确·	墟		去	屈
百	p	q'(u-) / p						鳖必· 笔·								
魄	'p	p'						擘匹· 僻·								
德	t	t		多				经的								

(续表)

字母\金尼阁音\利玛窦音	利玛窦音	金尼阁音	ie 叶 ie(ye)				io 药 io(yo)				iu 鱼 iu(yu)			
			iě	iê	iè	iēiěiè·	iō	iô	iò	iōiǒiò·	iū	iû	iǔ	iù
				各耶野也·	夜	查叉铁叶一迩					迂	鱼子语与·御顽·	御顽·	域
忒	ʼt	t'												
日	j	j(a,o,u)												
		gi(e,i)												
物	v	v												
弗	f	f												
额	g	g₂(a,o,u)												
		ng(a,o)												
勒	l	l	些	斜	写	列漂立·灭蜜溺逆啮业·				略		同	旅	虑	律
麦	m	m			谢	屑眉·									
搦	n	n				悉音·				唐		衲	女	女	
		nh(i)				禽协实·									
色	s	s								削		徐	胥	絮	恤
石	x	x								学畜蓄·		许	许	嘘	嘘
黑	h	h									虚·				殈

（续表）

字母			声母	im 应 im(ym)				in 音 in(yn)				oa 阿答			
利玛窦	金尼阁音	金尼阁音 利玛窦音		im	im	ĭm	ĩm	in	in	ĭn	ĩn	oa	oã	oă	oã
则	c	c₁(e,i,u)		英	迎	影	应	因	黄淫	引	印				
		ç(a,o,u)													
测	'c	c'₁(e,i,u)		精		井	净	津		尽	烬				
		ç'(a,o,u)		清	情	请	倩	嗳亲	桼	寝	沁				
者	ch	ch		贞	成城	整	正政	真珍	陈沉	畛	震				
扯	c'h	ch'		称		逞	侦	嗔		鯍	趻				
格	k	c₂(a,o,u)		京经		境	敬竟	巾金		紧谨	仪				
		k(i)													
		q(u-)													
克	'k	c'₂(a,o,u)		卿	檠	磬	庆	钦	勤	鞼	鼓				
		k'(i)													
		q'(u-)													
百	p	p		兵	平	丙并	病	宾		禀	摈				
魄	'p	p'		砰		频	聘	缤	频	稟品					
德	t	t		钉		顶鼎	定								

(续表)

字母\字父	金尼阁音\利玛窦音	金尼阁音\利玛窦音声	im		im	im	in	in	in	in	oã	oã	oa	oã	oã
					应				音				阿答		
			im	im(ym)	im	im	in	in(yn)	in	in	oã	oa	oã	oã
忒	't	t'	英	迎	影		因	寅淫	引	印					
日	j	j(a,o,u)	听	庭	挺	听									
		g₁(e,i)						人。任·	忍	刃					
物	v	v														
弗	f	f														
额	g	g₂(a,o,u)														
		ng(a,o)														
勒	l	l		令	领	另	辛心。	邻林·	廪	吝					
麦	m	m		明名·	皿	命	申身·辰神·沈念·	民	敏						
搦	n	n		宁	泞	宁	欣	纫		信					
		nh(i)														
色	s	s	惺	匈	省	性		寻							
石	x	x	升声	绳	胜盛·			辰神·沈念·		慎			华	要	化·
黑	h	h	馨	形行·	悻	行幸·		頟		醺	花			踝	刷 滑

(续表)

字父\金尼阁音	字母\利玛窦音	五音\金尼阁音	oē	oê	oè	oé	oě	oō	oô	oò	oó	oǒ	uā	uâ	uà	uá	uǎ
					oe 阿德					oo					ua 瓦		
则	c	c₁(e,i,u) / ç(a,o,u)													回		嘴
测	'c	c'₁(e,i,u) / ç'(a,o,u)								座·							
者	ch	ch											娃				
扯	c'h	ch'															
格	k	c₂(a,o,u) / k(i) / q(u-)											瓜		寡		卦
克	'k	c'₂(a,o,u) / k'( ) / q'(u-)											夸		髁	胯	刮
百	p	p															
魄	'p	'p															
德	t	t															

(续表)

字母金尼阁音	字父利玛窦音	利玛窦五音	金尼阁八音声	oē	oê	oe 阿德 oè	oě 物勿	oō	oó	oo oò	oǒ	uā 蛙	uâ	ua 瓦 uà 瓦	uǎ 喟回
忒	't	t'													
日	j	j(a,o,u) g₁(e,i)													
物	v	v					物勿								
弗	f	f					佛								
额	g	g₂(a,o,u) ng(a,o)													
勒	l	l													
麦	m	m													
搦	n	n													
		nh(i)													
色	s	s													
石	x	x													
黑	h	h					護或.								

（续表）

字父金尼阁音	利玛窦音	马窦音	uě (五石)	ui (尾)				uo (屋)			
			uě	uī	uí	uǐ	ui	uō	uó	uǒ	uǒuǒ
								窝	果	过	郭屋
则	c	c₁(e,i,u) / ç(a,o,u)		嗺	微	尾	未				
测	'c	c'₁(e,i,u) / c'(a,o,u)	拙	催	摧	綷	醉				
者	ch	ch	啜	追	垂	捶	翠				
扯	c'h	ch'		吹		揣	僣				
格	k	c₂(a,o,u) / k(i) / q(u-)	国					戈	果	过	郭
克	'k	c'₂(a,o,u) / k'(i) / q'(u-)						科	颗	课	阔
百	p	p		堆		队					
魄	'p	p'				兑					
德	t	t				对•					

329

(续表)

字母 字父 金尼阁音	利玛窦音 金尼阁音 声		uě 五石	uě	ui	uí	uì	uǐ	uō	uô	uo 屋	uó 煤	uǒuǒ 斜屋
							尾				uo	uó	uǒuǒ
					ui 尾	uí 腿	uì 蕊	uǐ 锐				煤	斜屋
忒	ʻt	tʻ			推	微 髓		未 妩					
日	j	j(a,o,u)		热		糖 绫		锐					
物	v	g₁(e,i)											
弗	f	v											
额	g	f											
		g₂(a,o,u)				雷	累	类					
勒	l	ng(a,o)				眉	美	昧					兀
麦	m	l										卧.	
搦	n	m				接	馁	内					
色	s	n		说	虽衰	随	髓	遂岁.					
石	x	nh(i)			搡	谁	水	睡					
黑	h	s											
		x							禾		火.	货	活穀
		h											

（续表）

字父\金尼阁音	利玛窦音五声	金尼阁音	ul 而 无切				ūm ûm um(om) 翁 üm				un 无切			
			ul	ûl	ül lh 尔耳•	ül	ūm	ûm	um	üm	un	ûn	un	ün
c	c₁(e,i,u)	则		而。			宗	蓊	总	鬏	尊		撙	鐏
	ç(a,o,u)													
'c	c'₁(e,i,u)	测					葱	从。			村		付	寸
	ç'(a,o,u)													
ch	ch	者			尔耳•		中终•		种踵•仲重•		谆	存	准	稕
c'h	ch'	扯					冲	虫	舂		椿	唇	蠢	
k	c₂(a,o,u)	格					工		拱	贡				
	k(i)													
	q(u-)													
'k	c'₂(a,o,u)	克					弓		孔	控	敦			
	k'(i)						空							
	q'(u-)													
p	p	百												
'p	p'	魄						蓬						
t	t	德					东		董	冻		盾		顿

331

（续表）

字父\字母	金尼阁音\利玛窦音\五声	利玛窦音	金尼阁音	ul	lh ul· 尔·耳·	ûl 二°	ûm 翁	um(om) 同	ûm 翁	ûm 痈	ũm	un 哎	ûn 屯	un 无切	ûn 纯	ũn
't	t'	忒					翁	蓊	ûn	甕					纯	ûn
j	j(a,o,u)	日					通°	统	痛		曈	瞳		瞳	蠢	
v	v	物						兀				睏	蝻		濡	
f	f	弗					风·丰·	冯								
g	g₁(e,i), g₂(a,o,u), ng(a,o)	额						奉	缝					沦	论	
l	l	勒					龙	笼	弄							
m	m	麦					蒙	蠓	梦							
n	n	挪					农	癃	臛							
s	nh(i), s	色					嵩	耸竦·	送		孙			嫩		
x	x	石					舂	憧				纯	损		巽	
h	h	黑					烘	鸿	横				盾		瞬	

（续表）

字母\利玛窦音\金尼阁音	利玛窦音	eao 无切				eam 无切				iai			iai		
	金尼阁音	eão	eâo	eão	eâo	eâm	eâm	eâm	eâm	iai	iâi	iâi	iai	iâi	iâi
则	c	c_1(e,i,u)								埃	涯	矮	隘		
测	,c	ç(a,o,u)													
者	ch	c'_1(e,i,u)													
扯	c'h	c'(a,o,u)													
	ch.	ch													
	c'h	c'h													
格	k	c_2(a,o,u)								街		解	介		
		k(i)													
		q(u-)													
克	'k	c'_2(a,o,u)								鞋		楷	鞯		
		k'(i)													
		q'(u-)													
百	p	p													
魄	'p	p'													
德	t	t													

（续表）

字父＼字母	eao 无切 eao					eam 无切 eam					iai				
金尼阁音＼五音＼玛窦音＼声	eâo	eào	eâo	eão	eâo	eâm	eâm	eâm	eâm	eâm	iâi	iâi	iâi	iâi	iâi
弋 't' / 't															
日 j / j(a,o,u)															
物 v / g₁(e,i)															
弗 f / v															
额 g / f															
勒 l / g₂(a,o,u)		聊				良量									
麦 m / ng(a,o)		丁					两								
挪 n / l			料燎					量							
色 s / m											埃	涯	矮	隘	隘
石 x / n												鞋			
黑 h / nh(i)												骇		邂	
s															
x															
h															

(续表)

字母 利玛窦音 金尼阁音		金尼阁音 利玛窦音 声母	iao 尧 iao				iam 阳 iam				ieu 有 ieu			
			iao	iao	iao	iao	iâm	iam	iâm	iàm	iêu	iêu	iáu	iều
则	c	c_1(e,i,u) ç(a,o,u)	么	焦	香	要	央	桁	详	养	优	尤游·	有	有幼·
测	'c	c'_1(e,i,u) c'(a,o,u)	焦	巢	巢	谯	桁	详	奖	匠	揪		酒	儌
者	ch	ch												
扯	c'h	c'h		樵	悄	峭	抢		碾	跑	秋	苜		
格	k	c_2(a,o,u) k(i) q(u-)	交	乔	晈	叫教·	江		讲	绛	鸠			九大·救球·
克	k'	c'_2(a,o,u) k'(i) q'(u-)	挑	乔	巧	窍	羌	强	疆		丘	求		
百	p	p	标	瓢	表	票					彪			模
魄	'p	p'	翻	瓢	飘	漂								模
德	t	t	貂		鸟	吊					丢			

(续表)

字母金尼阁音	字父利玛窦音	利玛窦音	金尼阁音 声母	iao	iao	iao	iao	iao	iăm	iam	iàm	iàm	iam	ieu	ieu	ieu	ieu	iau	ieu
					尧				央	阳		阳			忧		有		
				iao	iao	iao	iao			iam	iàm	iàm	iam	ieu	iéu	ieu	ieu	iáu	ieu
				幺	尧	膏	要			养					忧	尤游	有	有幼	
忒	't	t'		挑	条		跳												
日	j	j(a,o,u)																	
		g₁(e,i)																	
物	v	v																	
弗	f	f																	
额	g	g₂(a,o,u)																	
		ng(a,o)																	
勒	l	l													留	流	柳	溜	
麦	m	m			苗	眇	妙			娘	酿					缪	谬		
搦	n	n				鸟	溺								牛	纽			
色	s	nh(i)		萧	小		肖		襄相	相	想	相 像		修	囚	消	袖		
石	x	x		稍	文	稍	哨			祥				收		首	兽		
黑	h	h		哮		晓	效			香	降	响亨	向	休		朽	齅		

336

(续表)

字父金尼阁普音	利玛窦字母	金尼阁普音 声	利玛窦普音	ien 烟					iue(yue) 月				ium 用			yum 用	ium	ium
				ien	ién	ièn	ién	iĕn	iŭe	iŭe	iŭe	iŭe	iŭm	iŭm	iŭm	yum	iŭm	iŭm
				烟	颜言•	眼演•	堰					月曰•	雍	融容拥•	用勇•	用		
则	c	c_1 (e,i,u)		笺			剪	荐				绝						
测	'c	c'_1 (e,i,u)		千	渐• 前。	浅	倩											
者	ch	ch		毡		蝉	展	战										
扯	c'h	ch'		燀			语	缠										
格	k	c_2 (a,o,u)		坚				见。				厥决•	扃			同		
		k(i)							茄									
克	'k	c'_2 (a,o,u)		汧	乾			栗•				阕	弓	穹	顷	跨		
		q(u-)																
		k'(i)																
		q'(u-)																
百	p	p		边	便	扁褊	变便•											
魄	'p	'p		偏		鶣	片											
德	t	t		颠		典	电											

337

(续表)

字母 利玛窦字	金尼阁音 利玛窦音	金尼阁音 声音	ien 烟 ien				iue iue(yue) 月				ium 用 yum			
			ien	ién	iĕn	iĕn	iùe	iŭe	iúe	iùe	iùm	iúm	iŭm	iŭm
忒	't	t'	天	颜言·眼演·	堧	忝				月日·	雍	融容·拥勇·	用	
日	j	j(a,o,u)		田	胰									
物	v	g₁(e,i)												
弗	f	v												
		f												
额	g	g₂(a,o,u)												
		ng(a,o)							劣					
勒	l	l	先	连	挛	练								
麦	m	m	瀍	眠	免	面								
搦	n	n	轩	年	姌	廿				雪				
		nh(i)												
色	s	s	先	涎	铣	霰				血	胸	雄	讻	呴
石	x	x	禅	单	闪	善								
黑	h	h	轩	闲嫌	宪	献陷·								

（续表）

字母 利玛窦音 金尼阁普音 字父 金尼阁普音	利玛窦音	iun 云 iun			iun 云		oai 阿盖				oei 无切 oei			
		iun	iûn 云	iùn 陨	iún 运	iǔn	oāi	oái	oǎi	oài	oēi	oéi	oěi	oèi
则 c	c_1(e,i,u)	盦												
	ç(a,o,u)													
测 'c	c'_1(e,i,u)	逡			俊									
	ç'(a,o,u)													
者 ch	ch													
扯 c'h	c'h													
格 k	c_2(a,o,u)	钩者	群	箬	郡									
	k(i)													
	q(u-)													
克 'k	c'_2(a,o,u)	困		稠										
	k'(i)													
	q'(u-)													
百 p	p										悲	裴	珤	贝
魄 'p	p'										邳		霈	呸
德 t	t													

（续表）

字母\字父	金尼阁音\利玛窦音五音声普	iûn	iûn iun 云	iun 云切	iûn	iùn	oâi	oâi	oai 阿盖	oâi	oãi	oêi	oêi	oei 无切	oêi	oéi	oêi
忑 ' t	t'	氲															
日 j	j(a,o,u), g₁(e,i)		云	陨	运												
物 v	v																
弗 f	f																
额 g	g₂(a,o,u), ng(a,o)				沦												
勒 l	l																
麦 m	m					峻											
搦 n	n, nh(i)	荀	巡旬•	笋													
色 s	s	熏			训			衰									
石 x	x							怀	伙	坏				磨灰•	回	悔	诗会
黑 h	h											委	眉	为	伟	伪	

340

(续表)

字父\字母	利玛窦音\金尼阁音	金尼阁音\利玛窦音声音	oam		oam 阿刚				oan		oan 阿干				oem		oèm		
			oâm	oăm	oám	oàm	oâm	oăm	oán	oàn	oán	oàn	oân	oăn					
c	则	c_1(e,i,u)																	
	测	ç(a,o,u)																	
'c		'c_1(e,i,u)																	
		ç'(a,o,u)																	
ch	者	ch	庄																
c'h	壮	c'h	窗	撞	奘	壮													
k	格	c_2(a,o,u)			创	创													
		k(i)																	
		q(u-)																	
'k	克	'c_2(a,o,u)																	
		k'(i)																	
		q'(u-)																	
p	百	p																	
'p	魄	'p																	
t	德	t																	

（续表）

字母 利玛窦 金尼阁音	金尼阁音 利玛窦音	声音	oām	oâm	oam 阿刚 oàm	oǎm	oām	oân	oan 阿干 oàn	oǎn	oem	oèm		
忒 't	t'													
日 j	j(a,o,u)													
物 v	g₁(e,i)													
弗 f	v													
额 g	f													
	g₂(a,o,u)													
	ng(a,o)													
勒 l	l													
麦 m	m		双	黄	爽	载	曰					猛·		
搦 n	n		荒	忙	怆	况			还	缓	环			
色 s	nh(i)													
石 x	s													
黑 h	x													
	h													

（续表）

字父	利玛窦金尼阁音	金尼阁五音	声	利玛窦金尼阁音	oen 阿根				uai 歪				uei 威				
									uai				uei(uey)				
字母					oĕn	oén	oèn	oēn	uāi	uái	uǎi	uài	uēi	uéi	uěi	uèi	uēi
金尼阁音													瘣	为		威	谓
则	c	c₁(e,i,u)															
		ç(a,o,u)															
测	'c	c'₁(e,i,u)															
		ç'(a,o,u)															
者	ch	ch															
扯	c'h	c'h															
格	k	c₂(a,o,u)			娲		呙	国·	归		鬼	傀					
		k(i)															
		q(u·)															
克	'k	c'₂(a,o,u)			咕		怪	快	恢	夔	蹞	胜	馈				
		k'(i)															
		q'(u·)															
百	p	p															
魄	'p	p'															
德	t	t															

343

（续表）

字母\字父\金尼阁音	利玛窦音\五音\金尼阁普音	利玛窦普音\声	oen				oên	uai				uâi	uei				uêi
			阿根					歪					威				
			oên	oên	oên	oên	oên	uai	uâi	uâi	uâi	uâi	uêi	uêi	uei(uey)	uêi	uêi
													瘘	为	委	谓	
忒	't	t'															
日	j	j(a,o,u)															
		g₁(e,i)															
物	v	v															
弗	f	f															
额	g	g₂(a,o,u)											秽·				
		ng(a,o)															
勒	l	l															
麦	m	m															
搦	n	n															
		nh(i)															
色	s	s															
石	x	x															
黑	h	h	昏	魂	混	慁											

344

(续表)

字母 金尼阁音	利玛窦音	金尼阁音/利玛窦音 声	uam 王 uam				uan 弯 uan				uem 五庚 uem			
			uăm	uâm	uǎm	uām	uán	uân	uǎn	uān	uěm	uêm	uěm	uēm
则	c	c_1(e,i,u)	汪	王	住	旺	弯	顽	碗	腕万˙				
		ç(a,o,u)												
测	'c	c'_1(e,i,u)												
		ç'(a,o,u)												
者	ch	ch	桩		奘	恿								
扯	ch	c'h	纵	床	磏	创					眩			
格	k	c_2(a,o,u)	光		广˚	诳	关			惯				
		k(i)												
		q(u-)												
克	'k	c'_2(a,o,u)	筐	狂	侹	旷		癞			靰		矿˘	
		k'(i)												
		q'(u-)												
百	p	p												
魄	'p	p'												
德	t	t												

(续表)

字母金尼阁音	利玛窦音	金尼阁音声	uâm 汪	uâm 王	uâm 王	uâm 住	uâm 旺	uâm	uân 弯	uân 顽	uân 弯	uân 碗	uân 万· 腕	uêm	uêm	uêm	uêm 五庚	uêm
忒	't	t'																
日		j(a,o,u)																
物	v	g₁(e,i)																
弗	f	v																
额	g	f																
		g₂(a,o,u)																
		ng(a,o)																
勒	l	l																
麦	m	m																
搦	n	n																
		nh(i)																
色	s	s	霜	傻	凉													
石	x	x																
黑	h	h																

(续表)

字母 (利玛窦音/金尼阁音)	金尼阁音声	uen 温				uon 碗				iuen 远(yuen)			
利玛窦音 / 金尼阁音		uen	uén	uěn	uèn	uon	uón	uǒn	uòn	iuen	iuén	iuèn	iuēn
ç / c₁(e,i,u) 则	ç	温		稳	蕴	刖	刓	碗	腕	冤	元圆·远苑·	远	愿
ç / ç(a,o,u) 测						钻		纂	钻	镞		隽	
'ç / c'₁(e,i,u) 者	'ç					撺	攒		窜		全		
ç' / ç'(a,o,u) 扯													
ch / ch 格	ch	专	船传·	转	僎								
ch / ch	ch	穿		舛	钏								
k / c₂(a,o,u) 克	k	昆		衮	棍	官 观·		管	贯	鹃		捐	倦
k(i) / k(i)													
q(u~) / q(u~)													
'k / c'₂(a,o,u) 百	'k	坤		梱	困	宽		款		卷	权	犬	劝
k'(i) / k'(i)													
q'(u~) / q'(u~)													
p / p 魄	p	奔	盆	本·	坌	般	盘	伴	判				
'p / p' 德	'p	颁		喷		潘							
t / t	t					端		短	段				

(续表)

字母\金尼阁音\利玛窦音声		利玛窦五音	金尼阁音	uen					uon				iuen			
					温				碗				远			
						uen				uon			iuen(yuen)			
				uén	uên	uěn	uěn	uěn	uón	uôn	uǒn	uǒn	iuēn	iuên	iuěn	iuěn
忒	ʻt	t⁶		温		䁔			剜	剻	碗	腕	冤	元圆·	远苑·	愿
日	j	j(a,o,u)			瞁	稳。			湍	团	碗	家				
物	v	g₁(e,i)			甬·	阮										
弗	f	v				倗·	问·									
		f		分	焚· 焚· 粉· 愤·	粪·										
额	g	g₂(a,o,u)														
		ng(a,o)														
勒	l	l							鸾		乱。					恋
麦	m	m							漫		幔			孪		
捏	n	n							溪		煖	便				
		nh(i)														
色	s	s						酸	算		筭		揎		选	旋
石	x	x						欢	缓		换		喧	玄	泫	撰
黑	h	h														炫

金尼阁利玛窦所分字父与古音国音比较表

金尼阁=利玛窦十六字父	利玛窦十六字父	金尼阁=父所分字父同守温三十六字母的对照	兰茂=十字母	桑绍良=十字母	李如真=十二字母	方以智=十二字母	马自援=十二字母	林本裕=十四字母	樊腾凤=十字母	国音二十四声母
c [ts]	c_1 [ts]	精、照二、从上去、床二上去；澄入	早$_4$	增$_{13}$	精$_{13}$	精$_{10}$	精$_{10}$	精$_{10}$	剪$_{13}$	ㄗ、tz ㄐ$_2$、j(i)$_2$
	c [ts]									
'c [ts']	c'_1 [ts']	清、穿二、从浊、床二浊；精	从$_{17}$	千$_{14}$	清$_{14}$	从$_{11}$	青$_{11}$	青$_{11}$	鹊$_{14}$	ㄘ、ts ㄑ$_2$、ch(i)$_2$
	c' [ts']									
ch [tʃ]	ch [tʃ]	知、照、澄上去入、从上；彻	枝$_9$	祯$_9$	照$_{16}$	知$_{13}$	知$_{13}$	知$_{13}$	竹$_9$	ㄓ、j
c'h [tʃ']	c'h [tʃ']	彻、穿、澄浊、床浊；审、禅、定、透	春$_{16}$	昌$_{10}$	穿$_{17}$	穿$_{14}$	穿$_{14}$	穿$_{14}$	虫$_{10}$	ㄔ、ch
k [k]	c_2 [k]	见、群上去入；匣；知	见$_{15}$	国$_1$	见$_1$	见$_1$	见$_1$	见$_1$	金$_{17}$	ㄍ、g ㄐ$_1$、j(i)$_1$
	k [c]									
	q [kw]									
'k [k']	c'_2 [k']	溪、群浊；匣、见	开$_{10}$	开$_2$	溪$_2$	溪$_2$	溪$_2$	溪$_2$	桥$_{18}$	ㄎ、k ㄑ$_1$、ch(i)$_1$
	k' [c']									
	q' [k'w]									
p [p]	p [p]	邦、并上去人；滂	冰$_{11}$	苞$_{16}$	邦$_7$	帮$_7$	邦$_7$	邦$_7$	椰$_1$	ㄅ、b
'p [p']	'p [p']	滂、并浊上人；邦	破$_3$	盘$_{17}$	滂$_8$	滂$_8$	滂$_8$	滂$_8$	匏$_2$	ㄆ、p
t [t]	t [t]	端、定上去；知	东$_1$	德$_5$	端$_4$	端$_4$	端$_4$	端$_4$	斗$_5$	ㄉ、d

(续表)

金尼阁二十字父	利玛窦二十六字父	金尼阁二父同守温三十六字母的对照	兰茂二十字母	桑绍良二十字母	李如真二十一字母	方以智二十字母	马自援二十一字母	林本裕二十四字母	樊腾凤二十字母	国音二十四声母
'tʻ[tʻ]	tʻ[tʻ]	透,定浊上去	天 18	天 6	透 5	透 5	透 5	透 5	土 6	ㄊ, t
j [ʒ]	j [ʒ]	日;泥,疑;喻	人 14	仁 11	日 22	日 20	日 20	日 20	人 12	ㄖ, r
gi[ʒ]										
v [v]	v [v]	微;疑,影	无 13	忘 20	微 12	微 18	微 17	微 17		万, v *
f [f]	f [f]	非,敷;奉	风 2	弗 19	非 10 敷 11	夫 17	非 16	非 16	风 4	ㄈ, f
g [g]	gi [ɡ]	疑,影;喻			疑 3	疑 3	疑 3	疑 3		ㄫ,ng *
	ng [ŋ]									
l [l]	l [l]	来	来 20	费 8	来 21	来 19	来 19	来 19	雷 8	ㄌ, l
m [m]	m [m]	明	梅 5	民 18	明 9	明 9	明 9	明 9	木 3	ㄇ, m
n [n]	n [n]	泥,娘;疑;日;端	暖 7	乃 7	泥 6	泥 6	泥 6	泥 6	鸟 7	ㄋ, n
	nh [ɲ]									ㄬ
s [s]	s [s]	心;邪;审	雪 12	岁 15	心 15	心 12	心 12	心 12	系 15	ㄙ, s; ㄒ₂, sh(i)₂
x [ʃ]	x [ʃ]	审,禅;床;清	上 19	寿 12	审 18	审 15	审 15	审 15	石 11	ㄕ, sh
h [x]	h [x]	晓匣;影,喻;见	向 6	向 4	晓 19	晓 16	晓 18	晓 18	火 19	ㄏ, h; ㄒ₁, sh(i)₁

350

(续表)

金尼阁—利玛窦所分字父 二十字父	利玛窦—金尼阁— 十六字母	金尼阁—利玛窦所分字 父同守温—父所分字母 十六字母的对照	茂—桑绍良 十字母	李如真—方以智— 十二字母	马自援— 十一字母	林本裕— 十四字母	樊腾凤— 十字母	国音二十四声母
								□—i ㄨ—u ㄩ—iu
□	ng→□ nh→□	影,喻,疑;微,日	一 8	王 3	影 20	影 21		云 16,蛙 17
							◎ 瑟吒 22 诃婆 23 曷罗多 24	

表例

1. 此表直行第一双线前记利金字父及试测之音值;第二双线前记各字父归并之守温字母;第三双线前记利金以前各家所分之声类;
2. 守温三十六字母一栏系归纳利氏注音及金氏音韵经纬总局所得之局,单字偶有出入者不计;
3. 自兰茂至樊腾凤各家,仅示其分类之大体倾向,单字偶有出入者不计;
4. 各家字母下所记之数字表示其原来之次序。

金尼阁利玛窦所分字母与古音国音比较表

金尼阁五十字母(附六十声一中声)	利玛窦四十字母(附五次声)	假定的音值	金尼阁字母中所包括之广韵韵类	金尼阁利玛窦各字母中所包括之洪武正韵韵类	字汇字汇韵法直图后韵集之四十韵(附入声)	杨选杞声韵同然集之七十五韵(附南北入声)	字母切韵要法之十二摄韵之十韵类(附入声)	国音韵母三十九类
a	a	a	麻开一,歌,便(打),素开一,點开,错开,曷,合,盍乏	麻开,歌,泰开,合,辖开,黠开	拿(夏附艰,阁附关)	拿	迦(蛤)	ㄚ,a
e	e	ɔ或ε	麻开三,德开,陌开二,薛开	遮(格附庚,葛附耳)	啰(附十七之二无音"北人'各'土)	"迦"减	ㄜ,ㄝ,e
*e•	e(æ)	ɿ	质开三,昔,职,缉(照系)	陌开,质开	(并子吉)	(并子吉)	(并子吉)	囜,y
i	i	i	支开三四,脂开,祭开四,齐开,之,微(照系)	支齐,药开,屑(屑)	基	基	饥(吉)	l,i(ㄓ系变[l],ㄈ系变ㄧ)
o	o	ɔ	歌,戈,觉,铎,铎开二三,曷,末	歌开,药开,铎开,曷	(各附冈)	歌	歌(革)	ㄛ,o(ㄗ系变ㄨㄛ;ㄍㄎ系变[ɒ])
o•	o	o	屋一,沃,物,没	屋合,质合,没	(并于穀)	(并于北人孤)	(并于骨)	ㄨ,u
u	u	u	模,鱼三,虞三,木三四,没(照系)	模,木合(知照系)	姑(合附公,骨附北人孤,都北人孤裤)		孤(骨)	ㄨ,u
*ü	ü	1	支四,脂四,佳开,脂开三,泰开三,泰开,马开三	支齐(精系)	哈齐(精系)	赀	赀(附人之一无音"该","该"土"衡","衫"土)	(并于切)	ㄙ,y
ai	ai(ay)	ai	哈,皆开,佳开,脂开,纸开三,泰开三,泰开,马开二		该	该	该	ㄞ,ai

(续表)

金尼阁五十次十四字母(附六次一中声)(附五次中声)	利玛窦四十四字母(附五次次声)	假定的音音值	金尼阁利玛窦各字母中所包括之广韵韵类	金尼阁利玛窦各字母中所包括所武正韵韵类洪武正韵韵类	字汇后韵法直图之四十四韵(附入声)	杨选杞声韵同然集之七十五韵(附南北入声)	字母切韵要法之十二摄四十韵类(附入声)	国音韵母三十九类
ao	ao	au	豪,宵三,果,铎开	文开,萧开	高,(各附冈)	高,包	高	ㄠ, au
am	am	aŋ	唐开,阳开二,江开	阳开	冈	冈,"冈"(南人各)	冈	ㄤ, ang
an	an	an	寒,元开,删开,山开,覃,谈,咸,衔,盐,沁(㪉)	删开,寒开,覃,罩,盐,沁(㪉)	干,甘	干,甘,担(南人剌,阁)	干	ㄢ, an
eu	eu	əu	尤二,侯,钟(喁)	尤开	钩	钩,吚	钩	ㄡ, ou
em	em	əŋ	蒸开三,登开,庚开二,耕开二,肭(榜)	庚开二,童(棒)	庚	庚,"耕"(南人格)	庚(并于坚)	ㄥ, eng
en₁	en₁	ən	臻,痕,文(微)系)庠开二,翰,侵二	真开,侵	根,簪	根,簪(南人吃,敢)	根	ㄣ, en
en₂	en₂	an	仙开三(照系),盐	先齐(照系),盐	(并于坚兼)	(并于坚兼)	(并于坚)	ㄢ, an
ia(ya)	ia	ia	麻开二,戈三,辖开,黠,洽	麻开,辖开,合	嘉	加	加(甲)	ㄧㄚ, ia
ie(ye)	ie	iɛ	麻开四,栉,屑开,薛开,月开,帖,叶	遮开齐,质齐,屑开齐,栉齐	迦,结(附坚,颊附贽)	迦,	结(劫)	ㄧㄝ, ie
*ie•(ye•')	ie₁(ye•')	iɛ	陌开三三四,锡,昔开四,职齐,质开,缉	阳未,质未,缉	(吉附基,京,急附金)	(北人移)	(并于吉)	ㄧ,i(ㄓ系变[1])
io	io	io	觉,药开三四	药齐	(觉附江)	㾭	角	ㄩㄝ或ㄧㄠ,或iau
*io•	io•	iɔ	屋三,烛	屋撮	(菊附弓)	(并于南人菊)	(并于南人菊)	ㄩ, iu

353

(续表)

金尼阁五十次声十四字母(附五次声)	利玛窦四十四字母(附五次声)	假定的音值	金尼阁等各字母中所包括之广韵韵类	金尼阁利玛窦各字母中所包括之洪武正韵韵类	字汇韵法直图之四十四韵(附入声)	扬选后韵切声韵同然集之七十五韵(附南北入声)	字母切韵要法之十二摄三十韵母韵类九类(附入声)	国音韵母三十类
iu	iu(yu)	y	鱼三,虞三,职合四、屋合三,黠合、木三四,物	鱼合,陌梗,质陌	居(橘附钧,稳附扃)	居	居(菊)	ㄩ,iu
im	im(ym)	iŋ	蒸三,锡开二,耕开二,清三四,青二四	庚齐	京,扃	京(南人读)	经	ㄥ,ing
in	in(ym)	in	真三四,欣,侵三四,	真齐,侵	巾,金	巾,金(南人吉急)	金	ㄣ,in
oa	oa	uɑ	麻合二,辖合二,黠合二;(晓审)	麻合,辖合(晓审)	(井子瓜)	(井子瓜)	(井子瓜)	ㄨㄚ,ua
oe	oe	uo	药合二,德合二、物、没;(非晓)	陌合之质合(非晓)	(井子骨,国)	(井子骨北人孤,"画",)	(井子骨,裂)	ㄨㄛ 或 ㄨ,uo
oo	oo	uɔ	过合一(座),	个合	(井子歌)	(井子"画",)	(井子歌)	ㄨㄛ,uo
ua	ua	ua	麻合二,辖合二(见系)	麻合、辖合(见系)	瓜(括附官)	瓜(北人华)	瓜(刮)	ㄨㄚ,ua
ue	ue	ue	德合,薛合二(见知照陌合之肩燥精照系)	陌合(见照系)	(国附贼)	国(附十七之一无音)(北人"画")	"瓜"(裂)	ㄨㄝ,ue
ui	ui	ui	灰,支合三四,祭合三,脂合三四;(端精照系)	灰:(端精精系)	(井子规)	堆,追	(井子傀,圭)	ㄨㄟ,uei
uo	uo	uo	戈一,铎合,没,末(见晓系)	歌合,药合,质合,曷合;(见晓系)	(戈(郭附光)	戈(北人禾)	郭,矍	ㄨㄛ,uo
uo		uŏ	屋一,德一,	屋合,陌合	(井子郭,国,合)	(井子北人禾,孤)	(井子郭,裂)(井子骨)	ㄨㄛ,uo
ul	lh	ɚ	之三,脂开三:(日系)	支(日系)	(井子货)	(井子货)	(井子机)	ㄦ,el

(续表)

金尼阁五十字母次(附六十四字母次声一中声)(附五次声)	利玛窦四十四字母(附五次声)	假定的音值	金尼阁利玛窦各字母中所包括之广韵韵类	金尼阁利玛窦各字母中所包括之正韵韵类(洪武正韵)	字汇后韵法直图之四十四韵(附入声)	杨选杞声韵同然集之七十五韵(附南北人声)	字母切韵要法之十二摄十四韵(附入声)	国音韵母三十九类
um	um(om)	uŋ	东一三、冬、钟	东	公	公、东(南入谷笃)	工	ㄨㄥ,-ong 或 ueng
un	un	un	谆三(旬照系、端系)、魂(端系)、虞三(濡)	真合、统(濡)	(并于浑)	敦	(并于昆)	ㄨㄣ,uen
eao	eao	eau	萧(来系)	萧(来系)	(并于骁)	(并于交)	(并于浇)	ㄧㄠ,iau
eam	eam	eaŋ	阳开(来系)	阳(来系)	(并于江)	(并于姜)	(并于江)	ㄧㄤ,iang
iai	iai	iai	皆开、佳开、哈	皆	皆	皆、"皆"土	皆	ㄧㄞ,iai
iao	iao	iau	萧、宵四、肴(见端邦精晓系)	萧、宵、肴(见端邦精晓系)	骁、交	交	浇	ㄧㄠ,iau
iam	iam	iaŋ	阳开三四、江开(见精晓系)	阳(见精晓系)	江	姜、江(南人脚)	江	ㄧㄤ,iang
ieu	ieu	iou	尤三四、幽	尤	鸠	鸠	鸠	ㄧㄡ,iou
ien	ien	ien	先开、仙开三、山开、元开、寒、埃、添、缉(廿)	删、先、元(廿)	坚、艰、兼、监	坚、同、兼、监(南人结、蔑、劫、夹)	坚	ㄧㄢ,ian
iue	iue(yue)	ye	麻合四、屑合、薛合、月合	遮摄、屑摄	沱(殿附消)	靴、(北人"靴")	诀	ㄩㄝ,iue
ium	yum	yŋ	青合四、东三、钟、梗合三	东摄、庚摄	弓、扃	弓(南人菊)	弓	ㄩㄥ,iong
iun	iun	yn	谆三四、文、慁	真摄	钧	君(南人橘)	君	ㄩㄣ,iun

(续表)

金尼阁五十次声（附六字母之十四字母（附五次声）	假定的字母首音	金尼阁利玛窦各字母中所包括之广韵韵类	金尼阁利玛窦字母中所包括洪武正韵韵类	字汇后韵法直图之四十四韵(附入声)	扬造杞声韵同然集之七十五韵(附南北入声)	字母切韵要法之十二摄四十韵类(附入声)	国音韵母三十九类
oai	uɑi	脂合二,皆合三,果三(晓系)	皆合(晓系)	(并于乖)	(并于乖)	(并于乖)	ㄨㄞ,uai
oei	uei	灰,微合,脂合三四,泰开一,(贝)：(邦晓系)	灰,支合(邦晓系)	(并于规)	(并于规)	(并于傀,圭)	ㄨㄟ,uei(ㄣㄈ系变ㄟ)
oɑm	uɑŋ	唐合,阳合,江合：(知照晓系)	阳合(知照晓系)	(并于光)	(并于光,桩)	(并于光,桩)	ㄨㄤ,uang
oɑn	uɑn	删合,仙合二,缓一(审晓)	删合,旱合(审系)	(并于官)	并于官	(并于官)	ㄨㄢ,uan
oem	uɑŋ	梗开二(邦系)	梗开(邦系)	(并于肱)	(并于肱)	(并于肱)	ㄥ,eng
oen	uen	魂(晓系)	真合(晓系)	(并于稈)	(并于稈)	(并于昆)	ㄨㄣ,uen
uai	uɑi	麻合二,怪,夬合(见系)	皆合(见系)	(并于乖)	乖,乖"土(北人乖)"谷"土	乖(格附庚)	ㄨㄞ,uai
uei	uei	灰,微合,脂合三四,废合,支合：(见系)	灰(见系)	规	规"规"	傀,圭	ㄨㄟ,uei
uɑm	uɑŋ	唐合,阳合,江合,用二(见照系)	阳合(见照系)	光	光,桩"光"(南人光,桩)		ㄨㄤ,uang
uɑn	uɑn	删合二,缓,戈三,(獮)：(见系)	删合,旱合,(獮):(见系)	关	关,丹〔甘〕,〔咀〕,(南人刮,怛,答)	(并于官)	ㄨㄢ,uan
uem	uɑŋ	登合(见系)	庚合(见系)	肱	肱,"觥"土,(南人,国)	(并于工)	ㄨㄥ,ueng 或-ong

（续表）

金尼阁五十利玛窦四十字母次之（附六声一中声）（附五次声）	利玛窦各字母假定的音值	金尼阁利玛窦各字母中所包括之广韵韵类	金尼阁利玛窦各字母所包括之广韵韵类（洪武正韵）	字汇后韵法直音图之四十韵（附入声）	杨选杞声韵同然集之七十五韵（附南北入声）	字母切韵要法之十二韵最之十二韵类以前切韵（附入声）	国音韵母三十九类
uen₁	uen	魂（见邦系）、换	真合，(见邦系)	桦	桦，"樺"[南人骨，沺]	昆	ㄨㄣ, uen
*uen₂	uan	仙合(知照系)	先撮（照系）	(并于消)	(并于消)	(并于消)	ㄨㄢ, uan
uon	uon	桓，元合	寒合	官	官，端"官"（南人括撮）	官	ㄨㄢ, uan
iuen (yuen)	yen	先，仙合三四（见精晓来系），元合	先撮（见精晓系）	涓	涓（南人厥）	涓	ㄩㄢ, iuan

表例

1. 此表直行第一双线前记利金"字母"及试测之音值；第二双线前记利金前正韵韵类；第三双线前记利金以前之韵类；第三双线后记利金以后所得之统计；
2. 广韵正韵两栏系归纳利氏注音及金氏音韵经纬全局所得之统计；
3. 广韵正韵之某韵仅一字或数声类转入金氏某字母时，均各分别注明；
4. 直图同然集要法三栏仅示其分类之大体倾向，单字偶有出入者不计；
5. 入声分配颇多参差，并加括弧以别之；
6. 利金所分"字母"各家并入他韵者亦于括弧内注明。

金尼阁利玛窦所分调类与古音国音比较表

金利二氏之五声及符号	广韵之四声	中原音韵之四声	洪武正韵之四声	桑绍良之六声	方以智之五声	马自援之五声	林本裕之五声	樊腾凤之五声	国音之四声及符号
清 ˉ	平	阴平	平	浮平	呛	平	开	上平	阴平：55 ˉ
浊 ˊ		阳平		沉平	嘡	全	承	下平	阳平／35 ˊ
上 ˇ	上	上	上	上仄	上	上	转	上	上ˇ：315 ˇ
去 ˋ	去	去	去	去仄	去	去	纵	去	去ˋ：51 ˋ
入 ˜	入	分配于阴平上去三声	入	浅入	入	入	合	入	多数转入阳平及去声少数转入阴平及上声
				深入					

表 例

此表直行第一双线前记利金所分五声及其符号；第二双线前记利金以前之调类。第二双线后记利金以后之调类。

汉语音韵学的外来影响

汉字的造字方法最后虽然演进到了"谐声",可是谐声字所用的声符仍然离不了方块的汉字,从方块字的本身是分析不出什么"音素"来的。所以根据方块字来研究汉语音韵学当然要比根据标音文字的事倍而功半。不过声韵本乎天籁,出于喉舌唇吻的自然,无论古今中外,文字的体系尽管不同,而发音的原理是不会两样的。那么,在历史上因为文化的接触,得到启发的机会,借用外来的发音条理来整理汉字的音韵,自然会有相当的进步。假如我们不抹杀音韵学史上的事实,平心静气地来推求汉语音韵学演进的因果,我们就得承认它曾经受了几次的外来影响。

一 印度梵语的影响

中印文化接触的最早,而梵文和汉文的性质却有宜于"耳治"和宜于"目治"的不同。郑樵《通志六书略·论华梵》下说:"梵人长于音所得从文入,华人长于文所得从见入。"隋唐以来,一班翻译佛经的僧侣们受了梵语"声明"和"悉昙"的陶冶,就把这一套"长于音"的伎俩搬弄到"长于文"的汉语上来。他们最大的贡献,要算是创造"字母"和"等韵"两件事。

(甲)字母　流传到现在的字母,有三种系统,一种是唐人的《归三十字母例》:[①]

[①] 敦煌唐写本,现藏伦敦博物馆。滨田耕作《东亚考古学研究》,315页曾转载之。

端丁当颠故　　　精煎将尖津　　　知张衷贞珍
透汀汤天添　　　清千枪金亲　　　彻侊忡柽缜
定亭唐田甜　　　从前强秦晉　　　澄长虫呈陈
泥宁囊年拈　　　喻延羊盐寅　　　来良隆冷邻
审升伤申深　　　见今京犍居　　　不边逋宾夫
穿称昌嗔觀　　　磎钦卿寨袪　　　芳偏铺缤敷
禅乘常神谌　　　群琴擎寨渠　　　並便蒲频符
日仍穰忎任　　　疑吟迎言鲛　　　明绵模民无
心修相星宣　　　晓馨呼欢袄
邪囚祥惕旋　　　匣形胡桓贤
照周章征专　　　影缨乌剡烟

一种是《守温韵学残卷》里的三十字母：①

　　唇音　　　不芳並明
　　舌音　　　端透定泥是舌头音　　知彻澄日是舌上音
　　牙音　　　见溪群来疑等字是也
　　齿音　　　精清从是齿头音　　　审穿禅照是正齿音
　　喉音　　　心邪晓是喉中音清　　匣喻影亦是喉中音浊

还有一种是宋人的三十六字母：

　　重唇音　　帮滂並明　　　轻唇音　　非敷奉微
　　舌头音　　端透定泥　　　舌上音　　知彻澄娘
　　牙音　　　见溪群疑　　　齿头音　　精清从心邪
　　正齿音　　照穿床审禅　　喉音　　　影晓匣喻
　　半舌音　　来　　　　　　半齿音　　日

最后一种多出"非、敷、奉、微、床、娘"六母，排列的系统也略有修改。在字母的系统没有构成以前，我们的前辈只知道有"双声"，有

---

① 敦煌唐写本，现藏巴黎图书馆，刘复收入《敦煌掇琐》第三集中。

"反切上字",而不知道归纳同声类的字揭举一字作为标目,尤其不知道依照发音的部位和发音的方法把它们组织成系统。所以字母所根据的声类尽管是《切韵》已经有的,然而五音各以类从,每组更依"全清""次清""全浊""次浊"的次序来排列,这显然是照梵文字母加以改良的。(我在前中央研究院历史语言研究所《集刊》第三本第二分发表了一篇《敦煌写本守温韵学残卷跋》,在那篇文章里附有梵藏汉字母对照表,读者可以参看。)我们只应承认这是汉语音韵学史上的一大进步,切不可沿袭旧来的思想总以为"古已有之"的是"正统",来自"外夷"的是"异端"。清朝的戴东原、钱竹汀、陈兰甫几位先生对于音韵学上的贡献很多,惟独对于字母深闭固拒,甚至于连这个名称都不肯用,这未免昧于文化交互影响的道理了。

（乙）等韵　所谓"等韵"就是模仿梵文《悉昙章》的体制,以声为经,以韵为纬,把《切韵》的音系总摄成若干转图;换言之就是悉昙化的《切韵》音缀表。它的作用跟现代注音字母的拼音表和日本语的"五十音图"是完全一样的。等韵创自什么时候,虽然还不能确定,不过在《切韵》成书后,就应当随着它产生了这种悉昙化的韵图,从种种方面看是不容否认的。(参阅我所作的《通志·七音略》研究。)说到等韵的体制,固然有许多拘泥定型,立法未善的地方,可是经纬交贯,声韵赖以分析,对于我们构拟隋唐语音,和研究发音原理上,都曾经给了不少的帮助。这实在不能不谢谢隋唐僧侣们的贡献了。

二　罗马字母的影响

自从中西文化交流以后,在西洋人所作的中国游记里,时常散见一些罗马字译注的人名和地名,可是零零碎碎的既不成片段,也没有什么条理。正式拿罗马字对译成篇的汉文或者作成专书的，据我所知，得要从明末的耶稣会士算起。我们现在且举出两种最重要的材料来：

（甲）利玛窦（Matteo Ricci）的《西字奇迹》，在《程氏墨苑》中有利玛窦所作的四篇罗马字注音：(1) 信而步海疑而即沉；(2) 二徒闻实即舍空虚；(3) 淫色秽气自速天火；(4) 述文赠幼博程子：这大概就是 Louis Pfister 所谓"西字奇迹"。我曾根据这四篇文章里 387 个不同音的字，归纳它们的拼音条理，发现有 26 个声母：

c c' ç ç' f g h j k k' l m n
p p' q q' s t t' v x ch ch' ng nh

43 个韵母：

a e i o u ai ao eu ia ie io iu oa
oo oe ui uo eao iai iao iue ieu oei uai uei am
an em im in um eam iam ien yum iun oam oem uam
uen uon iuen lh

4 个"次音"：

o· u· ie· io·

5 个声调符号：

清- 浊∧ 上＼ 去／ 入~

后来金尼阁的《西儒耳目资》就是从这个条理扩充而成的。

（乙）金尼阁（Nicolas Trigault）的《西儒耳目资》这部书是明天启六年（1625）作成的。全书分《译引首谱》、《列音正谱》、《列边正谱》三部分，其中只有《列音正谱》和《译引首谱》的几段和音韵学有关系。书中关于"声"、"调"、"韵"的分类，有十分之八和利玛窦相同。他所用的 29 个"元音"（即字母）分为三类：

(1) "自鸣"者（即元音 vowels）5 个：

a e i o u

(2)"同鸣"者(即辅音 consonants)20个：

ç 'ç ch 'ch k 'k p 'p t 't j v f
g l m n s x h

(3)"不鸣"者(即"他国用，中华不用"的辅音)4个：

b d r z

又拿自鸣的五字互相结合或跟同鸣的-m、-n、-l 三字结合，生出22个"自鸣二字子母"：

ai ao am an eu em en ia ie io iu im in
oa oe ua ue ui uo ul um un

22个"自鸣三字孙母"：

eao eam iai iao iam ieu ien iue ium iun oai oei
oam oan oen uai uei uam uan uem uen uon

1个"自鸣四字曾孙母"：

iuen

另外又加上一个"次音"记号（如 ů,e˙），一个"中音"记号（如 u̇）和五个声调符号：

清- 浊^ 上` 去´ 入˘

便可用来拼切元明以来的北音。王徵称赞他道："不期反而自反，不期切而自切，第举二十五字才一因重摩荡，而中国文字之源，毕尽于此。"在习惯于用汉字来讲音韵学的人，乍看见这种可以分析音素的新方法，自然会有惊异的感想。金尼阁又应用他所分析的音素，作成了《中原音韵活图》和《四品切法》。于是向来被人看成神秘之谜的反切，经过这一次揭穿，已经渐趋变成平易近人的玩艺儿了。①

---

① 参看我所作的《耶稣会士在音韵学上的贡献》，见《中央研究院历史语言研究所集刊》第一本第三分。

《西儒耳目资》刊行以后,在中国方面,像方以智的《切韵声源》,杨选杞的《声韵同然集》,刘献廷的《新韵谱》都受了它很大的影响;在西洋方面,像威妥玛(Thomas Wade)的《语言自迩集》,马提尔(C. W. Mateer)的《官话类编》以及传教士们所作的讲汉语拼音的书,①都直接或间接受了它许多的影响。如果要推溯国语罗马字或北方话拉丁化的来源,《西字奇迹》和《西儒耳目资》要算是最初的滥觞了。

三 满文字头的影响

满文十二字头就是满洲语的音缀表。它的拼音方法虽然赶不上梵文那样细密,可是在没受过前两种外来影响的人们看起来,已经觉得是"括音韵之源流,握翻切之窍妙,简明易晓,前古所未有"了。受这种影响的韵书,可以拿《音韵阐微》和《音韵逢源》两部作代表:

(甲)《音韵阐微》

这部书是清康熙五十四年(1715)李光地、王兰生等"奉敕"撰,到雍正四年(1726)才全部完成。《凡例》第一条上说:"从来考文之典,不外形声二端,形象存乎点画,声音在于翻切。世传切韵之书,其法繁而取音难。今依本朝字书合声切法,则用法简而取音易。如'公'字旧用'古红切'今拟'姑翁切';'巾'字旧用'居银切'今拟'基因切';'牵'字旧用'苦坚切'今拟'欺烟切';'萧'字旧用'苏雕切'今拟'西腰切'。盖翻切上一字定母,下一字定韵。今于上一字择其能生本音者,下一字择其能生本韵者,缓读之为二字,急读之即成一音。此法启自'国书'十二字头,括音韵之源流,握翻切之窍

---

① 看我所作的《国音字母演进史》页2到页9。

妙,简明易晓,前古所未有也。"

可见这一部书里所定之"合声"反切完全是受满洲文的影响。上一字怎样才能生本音呢？他说：

"凡字之同母者,其韵部虽异,而呼法开合相同,则翻切但换下一字而上一字不换。如：'姑翁'切'公'字,'姑威'切'归'字,'姑弯'切'关'字,'姑汪'切'光'字：此四字皆见母合口呼,俱生声于'姑'字。又如：'基因'切'巾'字,'基烟'切'坚'字,'基腰'切'骄'字,'基优'切'鸠'字：此四字皆见母齐齿呼,俱生声于'基'字。由此以推,凡翻切之上一字,皆取'支、微、鱼、虞、歌、麻'数韵中字,辨其等母呼法,其音自合,以此数韵能生诸部之音,在'国书'十二字头与'支、微、鱼、虞、歌、麻'数韵对音者原为第一部也。"(《凡例》二)

下一字怎样才能生本韵呢？他又说：

"凡字之同韵者,其字母虽异,而平仄清浊相同,则翻切但换上一字而下一字不换。如：'基烟'切'坚'字,'欺烟'切'牵'字,'梯烟'切'天'字,'卑烟'切'边'字,此四字皆'先'韵之轻声,俱收声于'烟'字。如'奇延'切'虔'字,'池延'切'缠'字,'弥延'切'绵'字,'齐延'切'钱'字,此四字乃'先'韵之浊声,俱收声于'延'字。由此以推,凡各韵轻声之字皆收声于本韵之'影'母,各韵浊声之字,皆收声于本韵之'喻'母,盖'影喻'二母声有清浊,乃本韵之喉音,天下之声皆出于喉而收于喉,故翻切之下一字甲'影喻'二母中字收于喉音,其声自合也。"(《凡例》三)

这种反切方法自然比旧法进步多了,不过遇到本母本呼在"支、微、鱼、虞"数韵里没有字的,"则借仄声或别部之字以代之,但开齐合撮之类不使相淆；"遇到本韵"影喻"两母没有字的,"则借本韵旁近之字以代之,其清母浊母之分不使成紊"凡是这两种情形的反切都系以"今用"两字。要是借邻韵的"影喻"两母中字以协其声的,则系以"协用"两字;借邻韵非"影喻"两母中字,则系以"借用"两字。他所以要在"合声"以外另立"今用""协用""借用"三例,只是因为"汉文有音无字者多,又'支、微、鱼、虞'数韵并各韵'影喻'二母,皆单音之字不能合声,欲得正音必婉转以求其相近"罢了。

在李光地以前,像明朝吕坤的《交泰韵》和清初杨选杞的《声韵同然集》,虽然也有改良反切的主张,可是《音韵阐微》的合声反切是受满文字头的影响,那是有明文可稽的。

(乙)《音韵逢源》

这部书是清道光二十年(1840)裕恩作的。据他的老兄禧恩所作的序说:"其法以'国书'十二字头,参合《华严》字母,定为四部,十二摄,四声,二十一母,统一切音,编成字谱,凡四千零三十二声。生生之序,出于自然,经纬错综,源流通贯,虽向之有音无字者亦可得其本韵:天地之元声于是乎备矣。"他所谓"四部"实际上就是"四呼":

第一乾部:合口呼,"光"等十二音是也;

第二坎部:开口呼,"刚"等十二音是也;

第三艮部:齐齿呼,"居汪切"等十二音是也。(凡有音无字者,原书于反切外更附注满文拼音,今恐印刷困难皆从略,下同。)

所谓"十二摄"是:

子一:	光	刚	江	"居汪切"
丑二:	官	干	坚	涓
寅三:	公	庚	京	扃
卯四:	昆	根	金	君
辰五:	"姑麀切"	高	交	"居麀切"
巳六:	乖	该	皆	"居挨切"
午七:	"姑欧切"	钩	鸠	"居欧切"

未八：	规	"哥厄切伊"	"基衣切伊"	"居威切"
申九：	锅	歌	"基婴切"	"居哟切"
酉十：	"姑日切"	"歌噎切"	皆	"居日切"
戌十一：	姑	"歌诗切"	基	居
亥十二：	瓜	噶	嘉	"居洼切"

所谓"四声"是：

巽部第一，上平声：　　光　　官　　公　　昆……
离部第二，上声：　　广　　管　　矿　　滚……
坤部第三，去声：　　桄　　贯　　贡　　棍……
兑部第四，下平声："姑王切""姑完切""姑洪切""姑文切"所谓"二十一声"是：

角一	"噶"①	亢二	"佉"	氐三	"啊"
房四	"搭"	心五	"他"	尾六	"那"
箕七	"巴"	斗八	"葩"	牛九	"妈"
女十	"咂"	虚十一	"擦"	危十二	"萨"
室十三	"渣"	壁十四	"叉"	奎十五	"沙"
娄十六	"哈"	胃十七	"阿"	昴十八	"发"
毕十九	"斡"	觜二十	"拉"	参二十一	"髯"

根据这些音素编成字谱一共可以统摄四千零三十二声，对于有音无字的，在反切之外另注满文对音，比起《音韵阐微》里"今用"、"协用"、"借用"三种不得已的办法来，反倒直截了当了。

此外熊士伯的《等切元声》和胡垣的《古今中外音韵通例》里也都论到满洲文的字头；存之堂的《圆音正考》也用满文的注音来讲明"尖字"和"团字"的区别：这都是清朝入关后，音韵学上新发生的

---

① 原书附注满文拼音，兹从略。下同。

变化。

四　近代语音学的影响

自金尼阁作《西儒耳目资》以后,西洋的教士们用罗马字来标注现代中国方言的虽不乏人,可是能用西洋的标音符号来贯通中国韵书的却不可多得。就我们所看到的材料说,在十九世纪内下列的几种著作是比较好的:

(甲)马士曼(Marshman)的《论汉语的文字与声音》(*Dissertation on the Characters and Sounds of the Chinese Language*)。这篇论文是 1809 年在 Serampole 发表的,在西洋人中他第一个指出梵文字母和中国字母的类似,又发现汉语、藏语、暹罗、缅甸各种语言间的音韵相近。很可惜的是他根据《康熙字典》前面的《字母切韵要法》去猜想中国的古音。这未免把很高的楼阁奠基在沙漠上了。

(乙)艾约瑟(Joseph Edkins)的《中国上海土话文法》(*A Grammar of Colloquial Chinese as Exhibited in the Shanghai Dialect*)和《中国官话文法》(*A Grammar of Chinese Colloquial Language, Commonly Called Mandarin Dialect*)。前一部书是 1853 年在上海出版的,后一部书是 1857 年在上海出版的。他根据现代方言证明汉语古音里有浊塞音的声母,还有韵尾辅音。此外,他的工作并没有给我们许多的启发。

(丙)武尔披齐利(Z. Volpicelli)的《中国音韵学》(*Chinese Phonology*)。这部书是 1896 年在上海出版的。他把《康熙字典》前面的《等韵切音指南》每一个字都根据翟尔士(Giles)大字典里采用帕克(G. A. Parker)的十二种方音材料逐一地写下来,然后再下一番统计的工夫,末了他按每一个音在方言出现的百分比例来拟定古音的音值,于是就定出一二三四等的元音是 a、o、e、i! 他这种笨工夫是相当费力气的,可惜他所用的材料和方法都很不幸地引他陷于错误!

(丁)商克(S. H. Schaank)《古代汉语发声学》(*Ancient Chinese Phonetics*)。这篇论文是 1900 年在《通报》第一集第八、第九两卷陆续发表的。他也根据《等韵切音指南》来拟测中国的古音,但所用的方法和武尔披齐利不同。他很注意韵表上的注解和记号,所提出的理论虽然还不免有些错误,可是比起前面几篇文章来,总算较有条理。他的说法有三点是可以承认的:

(1) 介绍声母附腭作用(就是 j 化)的观念;
(2) 提出古双唇音在三等合口前变唇齿音的条理;
(3) 发现一二等没有 i 介音,三四等有 i 介音。

至于根据"广""通""侷""狭"的"门法"而定元音为 a、i、u、o 四类,而且认为每摄的一二三四等有同样的元音,又把开合口当作声母的作用:这都是不能成立的。

当十九世纪的时候,近代语音学还没有十分发达,所以上面这几种著作仍然是应用罗马字母来整理中国的等韵,不过他们上衍利玛窦、金尼阁的余绪,下开马伯乐、高本汉的先路,在演进的历程上的确是不可少的一段工作。

至于应用近代语音学的知识,比较语言学的方法,使国内音韵学家得到借镜的,在近三十多年来,要首推马伯乐和高本汉两个人。

(戊)马伯乐(H. Maspero)对于中国音韵学有两种重要的著作:

(1)《越南语音史研究》(*Études sur la Phonétique historique de la Langue Annamite*) 是 1912 年在河内《远东法文学校学报》(BEFEO)第十二期上发表的。

他拿隋唐音作出发点,用谨严的方法来研究越南译的汉字音(Sino-Annamite),并且对于切韵的读音也构拟出暂时的系统来。这个单刊的大部分是根据商克所研究的结果,但是他对于商克的系统有些修改的地方,却比较进步多了。

(2)《唐代长安的方音》(Le Dialecte de Tch'ang-ngan sous les T'ang)是1920年在河内《远东法文学校学报》(BEFEO)第二十期上发表的。这个单刊可以分作两部分:一部分讨论《切韵》的读音,另一部分讨论唐朝这一期内语言的变迁。他在这个单刊里所拟的《切韵》读音,不单把《越南语音史研究》里的系统修改了许多,而且对于高本汉《中国音韵学研究》里的系统也批评了好些地方。最要紧的是取消独立二等韵的 i 介音和看出三等元、严、凡、废几韵的特点在主要元音而不在介音。

后来高本汉接受他的一部分意见,在《古汉语的拟测》那篇文章里又把《切韵》音的系统重订了一遍(见下)。

(己)高本汉(B. Karlgren)对于这方面的研究比从前几个西洋的汉学家都努力,而且是比较成功的。他现在已刊行的这类著作一共有八种:

(1)《中国音韵学研究》(Études sur la Phonologie chinoise)是在1915、1916、1919、1926几年陆续刊行的。这是一部898页的大书,全书共分五部分:(a)叙论,(b)古代汉语,(c)现代方言的描写语音学,(d)历史的研究,(e)方音字典。他参用反切、韵表和现代方言三种材料交互证明,对于《切韵》的语音有很详细的构拟;他把《切韵》分成47声类,284韵类,每类都用音标写出假定的读法来。这个著作受过龙德尔(J. A. Lundell)教授的训练,能够利用很精密的瑞典式方言字母来分析汉语现代方言,同时又能沟通反切和韵表两种书本上的材料来反复证验,所以对于汉语音韵在外国人中还算有比较正确的认识。这部书已经由赵元任、李方桂和我译成汉文,交商务印书馆出版。

(2)《古汉语的拟测》(*The Reconstruction of Acient Chinese*)是1922年在《通报》第二十一卷上发表的。这篇文章专为答复马伯乐的《唐代长安的方音》而作,对于他在1919年在《中国音韵学研究》里所拟定的《切韵》音有三点修正:

(a)独立二等韵原来拟有i介音,本文中采用马伯乐的意见把它删掉,例如"家"作 ka 不作 kⁱa;

(b)真(谆)韵作 -iĕn 不作 -iən;

(c)元严凡废庚改用兵-iɐ。

林语堂把这篇文章译名《答马斯贝啰论切韵之音》载在他的《语言学论丛》162至192页(开明书店出版)。

(3)《汉语分析字典》(*Analytic Dictionary of Chinese and Sino-Japanese*)是1923年出版的。这是他着手研究上古音的第一部著作。全书收集1350套谐声字,每字附注官话、广州话和《切韵》三种读音,并加训释。叙论的第二段《切韵》音系到官话音系的演变。① 第三段论谐声字的原则②。在后一篇内,他不但指出:"在上古音的谐声字里总是有相同的或相类的声母辅音,主要元音和韵尾辅尾"一条原则,而且对于上古音遗失的声母和韵尾也给我们好些新启示。

(4)《上古汉语当中的几个问题》(*Problems in Archaic Chinese*)是1928年10月在英国的皇家亚细亚学会杂志(J. R. A. S.)上发表的。③ 文共分三部分:(a)讨论上古合口闭口韵的异化和已遗失的上古韵尾辅音;(b)讨论"歌、戈、麻、模、鱼、虞"几韵的上古音。(c)批评西门华德(Walter Simon)的韵尾辅音说。

---

① 有王静如译文载在《中央研究院历史语言研究所集刊》第二本第三分。
② 有赵元任译文载清华研究院《国学论丛》第一卷第二号。
③ 有赵元任译文载《中央研究院历史语言研究所集刊》第一本第三分。

（5）《藏语与汉语》(Tibetan and Chinese)是1930年在《通报》第28卷上发表的。① 这篇文章专为批评西门华德的《古汉语韵尾辅音的拟测》(ZUI Rekonstruktion der Altchinesischen Endkonsonanten)和《藏语与汉语的比较》(Tibetisch-Chinesische Wortgleichungen)而作。主要部分虽然在于提出汉藏系语言的比较研究方法,可是对于已遗失的韵尾辅音也讨论得很详细。末了儿又附带着批评了龙果夫(A. Dragunov)的《对于构拟古汉语的贡献》(Contribution to the Reconstruction of Ancient Chinese),可是自己确把"哈覃"的主要元音改拟作 â,"皆、咸、山"的主要元音改作 a̭,认为是从上古的 ə、ɐ 变来的；又把"泰谈"的主要元音改作案 â,"佳、衔、删"的主要元音改作 a,认为这几韵在上古音里本来有 a。

（6）《诗经研究》(Shï King Researches)是1932年在瑞典Stockholm《远东古物馆杂志》第四号上发表的。② 这篇论文共分四段：(a)韵尾辅音概论,(b)"咍之尤"的上古音,(c)"麻、模、鱼、虞"的上古音,(d)"侯、尤、豪、肴、宵、萧"的上古音；附带着还讨论了有关系的几韵。末尾又附论《易林》的押韵和它的考证。高氏在《分析字典叙论》里并没讨论到上古的主要元音,他在这里,受了李方桂和林语堂的影响,才开始注意到这个很要紧的问题。

（7）《老子韵考》(The Poetical Parts in Lao-tsi)是1932年在 Göteborgs Högskolas Årsskrift 第38卷发表的。这篇文章是应用《诗经研究》所拟的上古音来考证《老子》的有韵部分。卷末附载《书经》、《庄子》、《荀子》、《吕氏春秋》、《管子》、《韩非子》、《淮南子》、《逸周书》八部古书里的押韵举例。

---

① 有唐虞译文载在《中法大学月刊》第四卷第三期。
② 有周祖谟译文,尚未印行。

(8)《汉语词类》(Word Families in Chinese)是1934年在Stockholm《远东古物馆杂志》第五号上发表的。这是他对于上古汉语最近的结论。他补充了《诗经研究》里所没讨论到的上古韵部的读法，又把从前已拟定的读法修改了许多地方。在这篇文章的前一半，他讨论了上古有舌尖音韵尾-d(或-r),-t,-n的一类，和上古有舌尖根韵尾-g,-k,-ng的一类；只保留唇音韵尾-b,-p,-m一类没有讨论。在后一半，他把同源字(cognate words)列成11个表的音韵系统，是先把字按照韵尾分成三大类：

(A)-ng,-k,-g；(B)-m,-p,-b；(C)-n,-t,-d,-r.

每类再按声母分作四组：

(a)k-,k'-,g-,g'-,ng-,x-,'-；

(b)t-,t'-,d-,d'-,t̂-,t̂'-,d̂-,d̂'-,ts-,ts'-,dz-,dz'-,tṣ-,tṣ'-,dẓ'-,ś-,s-,z-,ṣ-；

(c)n-,ń-,l-；

(d)p-,p'-,b'-,m-.

最后又讲到音转的规律，他已然懂得充分利用清朝古韵学家考证的结果，渐渐从古音韵学转向古语言学了。至于他所构拟的上古音读法，却还有些地方得要修改，容另作专篇来讨论。

总上所说，可见西洋人对于汉语音韵学研究的收获是很不平衡的，其中有一些结论也颇值得咱们参考。但是咱们必须利用他们的新工具，结合中国学者的优良传统，才能使汉语音韵学有进一步的发展。

五 总结

总起全部汉语音韵学史来看，这许多重要的生长点为什么都由"远人代谋"呢？没有别的，因为从方块字的本身是分析不出什么音素来的。所以根据方块字来研究汉语音韵学，当然要比根据标音文字的事倍而功半。从前中国人研究汉语音韵学有些地方反倒不如外国人或使用拼音文字的民族能分析，正犹现在外国人研究中国文字学还远不如中国人一样，这是工具所限，无可如何的。假如我们接受了新的工具，反过来再整理前辈所遗留的纸上材料，将来的进步是可以预期的。我以为无论研究什么学问固然不要埋没自己的长处，同时也要认清自己的短处，盲目崇拜外国人是错误的，盲目否认外国影响也是错误的。

研究历史的人切不可抹杀事实，尤其不要忽略演进历程上的因果关系。

（原载《东方杂志》第三十二卷第十四号，署名罗莘田，1935年6月7日。此次收入论文集的是作者的改订稿）

王兰生与《音韵阐微》

一 《音韵阐微》在汉语音韵学史上的地位

"反切"的方法在汉语音韵学史上的确是一件重要的发明,有了这种方法之后才不至于感受"直音"无字可注和隐僻难识的两种困难了。不过,反切的原理虽然很简单,可是拿汉字来表现这种方法却不是人人可以懂的事。因为反切上字是用来定"声"的,只有上一半有用,下一半的"韵"本来是赘疣;反切下字是用来定"韵"的,只有下一半有用,上一半也等于废物。例如:

虫 直弓切,"直"应读作[ɖʻiək],"弓"应读作[kjiuŋ],拿上字的[ɖʻ-]拼下字的[-iuŋ]就可以呼出"虫"字的《切韵》音[ɖʻiuŋ]来,上字的[-iək]和下字的[kj-]都是没用的东西。

秦 匠邻切,"匠"应读作[dzʻiaŋ],"邻"应读作[ljiĕn],拿上字的[dzʻ-]拼下字的[-iĕn]就可以呼出"秦"字韵《切韵》音[dzʻiĕn]来,上字的[-iaŋ]和下字的[lj-]也都是没用的东西。

要是不明白这种原理,那末,切"虫"字时总觉着[ɖʻ]和[iuŋ]之间有[-iəkkj-]音在里头夹杂,切"秦"字时也感到[dzʻ]和[iĕn]之间有[-iaŋlj-]音在那儿搅乱。所以三家村的老夫子教人读反切,总是把"直弓……""匠邻……"之类反复快读,纵然闹得唇焦舌敝,还是很难拗成一音。这是汉字本身不适于拼音的毛病,自然也难怪他们这样了。

但是。我们现在有音标的帮助,自然可以把每个字的音素都分析得那么"像煞有介事",在从前专靠汉字本身来讲反切的时候,恐怕就很难用几句话把它的原理讲得叫人明白。受过梵文影响的等韵学家虽然也想出种种方法来说明它,可是,照我看起来,还不免有周折繁琐的毛病。例如,要知道什么是"双声",必得先念熟一套"归纳助纽字"(见《韵镜》):

帮:宾边	滂:缤篇	並:频蠙	明:民眠
非:分蕃	敷:芬翻	奉:汾烦	微:文樠
端:丁颠	透:汀天	定:廷田	泥:宁年
知:珍邅	彻:獭延	澄:陈廛	娘:紉玁
见:经坚	溪:轻牵	群:勤虔	疑:银言
精:精煎	清:亲千	从:秦前	心:新仙	邪:餳涎
照:真毡	穿:瞋燀	床:藤潺	审:身羶	禅:辰禅
影:殷焉	晓:馨袄	匣:磏贤	喻:匀缘
来:邻连	日:人然

那末,在三十六字母以外还得记牢七十二字。要想把一个反切归纳到转图的哪一格里,那就更麻烦了。《韵镜序例》论《归字例》云:

> 归释音字——如检礼部韵。且如得"芳弓反",先就十阳韵求"芳"字知属唇音次清第三位,却归一东韵寻下"弓"字便就唇音次清第三位取之,乃知为"丰"字。盖芳字是同音之定位,弓字是同韵之对映,归字之诀,大概如此。

这虽然已经不见得省事,却还算是正则的方法。此外,像"慈陵反缯",慈缯都在第四位而陵在第三位;"先侯反涑",侯、涑都在第一位而先在第四位。又有"声虽去音,字归上韵"的例,如"莫蟹"、"奴罪"诸反,那是因为宋时浊上变去已然和《切韵》读音不符的原故。这两种情形比起"芳弓反丰"的例来已经麻烦多了,若是再碰见难

字,那就越发地费周折了。《归字例》说:

> 凡归难字,不知正音,即就所属音四声内任意取一易字横转,便得之矣。今如千竹反龊字也,若取嵩字横呼,则知平声次清是为枞字,又以枞字呼下入声则知龊为促音,但以二冬韵同音处观之可见也。

这是因为"龊"字不好认,于是在同转同位的平声里找到容易认的"嵩"字,按齿音的顺序横呼到次清位,再由次清位按四声相承纵调到入声,便可呼出"龊"字的读音来了。不过《韵镜》第一转齿音次清平声第四位是没有字的,于是又得借用二冬的"枞"字来纵调,它所经过的曲折,可以拿下面的图来表示(凡字外加规识皆借用第二转字):

纵㧶从 嵩㧶 这种调音法,姑无论《屋》韵三等应否和《烛》韵完
全同音,单就它本身来讲也就够绕弯儿的了!

↓
㧶
↓
趑
↓
促
‖
龊

后来李世泽的《切韵射标》又倡为射标法,他说:

> 经史切脚并以两字切一字,今以两字内上一字定标,下一字作箭,假如德红切,德字先标,红字作箭,得东字法,例先审德字在入声谱内与革字同韵,便在革字横列内寻见,看顶上是端字即定为标,既得端字为标,即舍却德字不用可也。次审红字在平声谱内,与公字同韵,便在公字横列内寻见,即用为箭,不须复看顶上何标也。然后将红字箭望本声内端字标下平衡射去,至标而止,止处恰是东字,即为所切之音。余并仿此。

这种方法仍然和《韵镜·归字例》的正则方法相同,可是在所有的反切里并不能完全适用,所以李氏又立了"隔标","隔列","浊声"三法。他说:

> 上条乃正法也,经史切音中者什得八九,如或箭到遇空,或虽有字而

觉欠谛当,于意不安者,则用三活法以通之:一曰隔标法,二曰隔列法,三曰浊声法,该括尽矣。

什么叫"隔标法"呢?

谓如箭遇端标,觉有乖张,看端标下小字乃是知字,便转却箭,更射知标即中,如徒减切湛字,芳怀切胚字,扶基切皮字,皆此例也。

什么叫"隔列法"呢?

谓如箭射某标,觉有乖张,邻标又无可借,虽有亦欠谛当,直须不出本标,不拘上列下列,隔一隔二,以至五六,谛审其音,一者文义通贯,二者文意安稳,即从其音读之。如白伽切皤字,渠寒切乾字,许戈切靴字,皆此例也。

什么叫"浊声法"呢?

上声内有十标,标下字尽似去声,盖浊音也。若作去声安箭即差。今除平上入三声箭少迟失外,但去声箭觉有乖张,即向上声内觅真正箭自中。如多动切董字,思兆切小字,奴罪切馁字之类是也。

他总括"正法"和"活法",又编成下面两首口诀:

先将上字定标竿,下字如同弩箭安,认取本标平放箭,箭来标下中无难。(正法)

箭到遇空或不中,隔标隔列堪借用;若遇去声有乖张,寻向上声却真正。(活法)

这种方法现在中国内地还有流传的,在调诵极熟的人固然也可以帮助读音,然而隔标隔列漫无定准,古今南北,方言不同,从反切的本身上始终达不到"缓读则为二字,急读即成一音"的境地。这时候如果有天资颖悟的人,或独得于胸臆,或受外来的影响,都会感觉旧反切的不好,而自己想法来改良它。《音韵阐微》就是一部改良反切的韵书,但在它以前,却还有吕坤的《交泰韵》和杨选杞的《声韵同然集》两部书。

吕坤的《交泰韵》作于明万历三十一年(1603),现在的传本只有序文、凡例、总目,并不是完帙,可是全书的纲要已经大体具备了。吕氏以为"反切旧法从等字来,得子声又寻母声,得子母又念

'经坚'","心力俱费,而字才仿佛。"乃作交泰韵,使平声以入子切(如空,酷翁切),入声以平子切(如酷,空屋切),上声必用两上(如宠,楚陇切),去声必用两去(如送,素瓮切)。① 并且所切的字若是阴平,下一字也不能用阳平。(如同字旧用徒红切,通字旧用他红切,吕氏以为他红仍切同字,不切通字,改通字为他翁切。②)他自己说:"此韵所切,即妇人孺子、田夫仆妇、南蛮北狄,才拈一字为题,彻头彻尾,一韵无不暗合。"③其实,反切的方法,上字论清浊而不论四声,下字论四声而不论清浊,纵然说"阴""阳"是调不是声,那么,上去又何必拿本调作上字呢?至于交泰韵的定名虽然由平入互为终始的意义而来,可是以平切入,以入切平,实在不能减除切字时的窒碍。并且他在"凡例,辨通用"条说:以入叶平,"但可借口调声,不能落笔作韵",尤属自乱其例,与人以口实。所以他改革的新法和旧反切比较起来,不过是五十步笑百步罢了。④

  杨选杞的《声韵同然集》作于清顺治十六年(1659)冬季,据卷首《同然集纪事》说:

    余成童时,见字之有切而疑之。询之季兄,兄为举一二隅以示,三四日恍然有得。间与季兄私论其拗者难者,爱揆度二字以易之。其所切之音仍与彼同,而反视彼原切较顺而易。辛卯(1651)餬口旧金吾吴期翁家,其犹子芸章一日出《西儒耳目资》以示予。予阅未终卷,顿悟切字有一定之理,因可为一定之法。为集胼肢外数章,以存其书之大指,并志予观书之有得。癸巳(1653)李子秩南授粲梅轩,笔墨六载。风雨篝灯之夜,亦未尝不详为辩论。戊戌(1658)从李子游都,李子下第归,强予成一韵谱。予多病,成而不克终卷。今己亥(1659)以特恩制开科目,李子则已迥隔云泥矣,寓书促成其事。时又以夏秋剧病之后,勉力应之。自己

---

① 《交泰韵》,凡例三,"辨子声"。
② 同上,凡例四,"辨母字"。
③ 同上,凡例一,"明本旨"。
④ 参看罗常培《汉语音韵学导论》(第五讲"改良反切运动"节),中华书局,1956年,页104—113。

> 亥仲冬初三日始厥事,至月之末旬平韵尚未成帙。乃置上与去,先求入声之别于南者而丽之南韵之下。且为之以南切北,以上去韵切入声。至于上去二韵,更俟续成。

这里已经把作书的缘起叙述得很详细了。他所拟定的改良反切方法,是把字音分成二十五个大韵,每韵各分"宏""中""细"三声;所谓"宏""中""细",实际就是"合""开""齐撮"的变名。又所定三十一"字祖"(就是声母)并知、彻、澄、娘于照、穿、床、泥,并非于敷,恰好和《洪武正韵》的声类相合。拿"宏""中""细"三声分配于三十一字祖及二十五大韵,于是"立为字父以该声,立为字母以该韵"。宏声常用的声十五个,常用的韵十三个;中声常用的声二十一个,常用的韵十九个半;细声最完备,一共有三十一声,二十四韵。杨氏照分析的结果,一一定出"字父"和"字母"的代表,"各求其不易之字,以定不易之切。并师《西儒耳目资·音韵活图》之法,列字祖、字类、字母为一同然总盘,更立宏、中、细三盘,盘各分天地","以便旋转"。总计字父和字母还不过一百二十四个,可是"父母递相摩荡,则靡音不备","声韵之理已和盘托出"。他定法的初意,本来想"字父"按宏、中、细的区别,分用孤、赀、基三韵收尾,"字母"都拿匣、影、喻三纽起头,便可以让所作的反切上字后面没有韵母作梗,下字的前面减少声母阻隔,顺切调音,自然不会有拗口的毛病了。可惜他设计虽工,汉字本身对于标音的缺陷却没法避免。所以遇到和他预拟的原则不符时,不是勉强假借,就得委曲譬况。全书里共用"假如"七次,用"勉借"五次,用"仿佛"和"不得已"各四次,用"勉求"三次,用"勉而又勉"和"无可举似"二次,用"强借","终觉勉然,于心不慊","宛转旁求","宛转设法","渺茫难辨","实不能出诸口,惟善悟者默会而得之"和"不能为之拈出,恨恨"各一次;这都可以见出他"自得于心终不能宣诸楮墨"的苦衷来!他自己也觉出此路不通,所以又打算"译以清字及西儒元音字,以俟海内及后世淹雅通敏之士,推而广之,考而正之",不过还没等到实现,他就遗憾而死了。①

这两个人虽然一个是独出心裁,一个是受外来的影响,结果却同归失败了。杨氏的方法比吕氏较合音理,只是受汉字不适于拼音的限制,终不能把反切的难拗完全减除。在他们以后没有多少年,又有受了满洲文影响的《音韵阐微》继之而起。

《音韵阐微》是清康熙五十四年(1715)李光地和王兰生奉敕纂修,到雍正四年(1726)才完成的。关于它的著者,李光地的名头虽然比王兰生的大,论起他们的功绩,王兰生却比李光地的多。书里所创的"合声"反切法,据"凡例一"说是"启自国书十二字头,括音韵之源流,握翻切之窍妙,简明易晓,前古所未有"。照这样说起来,旧反切的困难岂不都解决了么?可是究竟做到了没有呢?本文宗旨就在于,一方面表彰王兰生纂修《音韵阐微》的功绩,一方面探讨"合声"反切是否有彻底改良旧法的可能。

二 王兰生传(1680—1737)

关于王兰生的事迹,《清史稿》(列传七十七)和清国史馆的《大臣列传》(《耆献类征》卷七十四引)都有记载,但都不大详尽。此外可以找到的史料有下列几种:

一,《交河集》六卷,王兰生自著,道光十六年丙申(1836)其玄孙松刻于四川大足官署(以下简称《本集》);

二,王诚清《赐进士出身通奉大夫刑部右侍郎管礼部侍郎事显考坦斋府君行状》(《交河集》卷首,以下简称《行状》);

三,杭世骏《刑部右侍郎王公行状》(《道古堂集》卷三十八,页

---

① 参看本书《声韵同然集残稿跋》,页 196。

三至六,又见《耆献类征》卷七十四,以下简称《杭状》);

四,全祖望《清通奉大夫刑部右侍郎管礼部侍郎事坦斋王公神道碑铭》(《鲒埼亭集》卷十八,《交河集》卷首,以下简称《全碑》);

五,徐用锡《清赐进士出身通奉大夫刑部右侍郎管礼部侍郎事坦斋王公墓志铭》(《圭美堂集》卷□,《交河集》卷首,以下简称《徐志》);

六,刘天谊《坦斋王公传略》(《交河集》卷首,以下简称《刘传》);

七,李光地《榕村全集》卷二十,卷二十九,《榕村续集》卷一;

八,李垣《耆献类征》卷七十四引《陈康祺纪闻》。

底下这一篇传记,就是我参酌清史本传和以上几种材料重新写成的。

王兰生字振声,一字信芳,号坦斋。清直隶河间府交河县人(《行状》)。曾祖桂宫(字步蟾),由副榜贡士出身,历任浙江衢州府通判,山西汾州府同知。遭逢明末变乱,弃官归里。家贫节俭,不能延师赁仆,祖父某(字伯实)仅以县里的庠生训蒙乡里终其身。父席珍(字待聘)幼年也得帮着操劳家务,不能专心读书(《本集》卷六《先考待聘公行述》,《行状》、《刘传》、《杭状》)。后来家愈贫,事愈多,席珍笃守先训,艰苦支撑,读书余暇,只带着农夫耕耘,凡贸易经营和舌耕他乡一类的事都不肯去做。每逢荒年,虽然极力撙节衣食,也穷得不能支持(《待聘公行述》)。

兰生是康熙十九年(1680)正月初六日在原籍生的(《徐志》)。他处在这种"余生十室邑,幼乏师友助"(《本集》卷六《送安溪先生请假归里》诗)的环境之下,本来很难有所成就;可是,他生而颖异,端凝好学(《行状》、《刘传》、《杭状》)。刚就外傅读小学,就能粗通大义,进反必依于书。家贫,夜读每以香火代烛(《刘传》)。三十五年(1694)年方弱冠,应童子试,能背诵朱子的《易本义》和《小学》一字不漏。这时候正赶上安溪李光地(字晋卿、号厚庵、谥文贞)督学直隶,特别赏识他,把他拔列第一,入县学为诸生(《行状》、《徐志》)。光地勉以实学,并把自己的易学传授给他。他在《送安溪先生请假归里》诗中所说:"应试始童子,抠衣谒公署,拔之孺草中,诏以贤关处。手授揲蓍法,口传太极注";又在《寿安溪先生七秩》诗中所说:"三辅视人义,清风歌满路。蔼蔼师弟情,德音每倾吐。共知经学尊,一扫时文蠹"(本集卷六);就是指着这时候的事情。

康熙三十七年(1698)十二月李光地授直隶巡抚,奏开莲池书院于保定,檄调视学时所赏识的学生来肄业。得暇亲自督课,兰生就是其中的一个(《刘传》、《行状》、《全碑》、《徐志》)。那时的主讲者还有山东德州孙勷(字子未,号峨山,又号诚斋——《刘传》引孙绍芳原传)。光地的幕府里又有宣城梅文鼎(字定九,号勿庵)、长洲何焯(字屺瞻,晚号茶仙,学者称义门先生)一般学者名士,都很佩服兰生,时常和他往还(《徐志》、《刘传》)。他既得到名师益友的教导,更加刻苦自励。所学的自经书性理以外,旁及乐律、音韵、中西象数,无不殚思竭虑,深造其微(《行状》、《杭状》、《徐志》、《刘传》)。《送安溪先生给假归里》诗所说:"及擢镇封疆,九郡才英聚。得厕精舍旁,与闻名理趣,如宝盈市廛,取携恣所慕。愿奢力不充,驽马蹶长路"(本集卷六);颇可表现出当时的情况来。

康熙四十四年(1705)十一月,李光地升任文渊阁大学士,招他进京,助修《朱子全书》,校勘编纂的工作差不多都出自兰生之手。他从三十七年起追随光地,前后凡十三年。"无风雨晨晦,质难磋切,意契心授,泊然于声华荣禄之外"(《行状》、《杭状》、《徐志》)。本集《寿安溪先生七秩》诗:"生也驽骀资,奚堪良造驭。春风十二年,化雨润草庶。抚己惭劣薄,匪颜劳孔铸,亦尝冀一得,何敢辞千虑。有时觑微茫,惊喜彻宵曙。"《送安溪先生请假归里》诗:"朅来游帝都,校雠得参与,朱子八十篇,从头味章句。"这两诗颇能道出他们师生间的关系和参与编校《朱子全书》的事。五十一年(1712)

康熙帝拟在蒙养斋开局,修乐律历算书,光地因为阁务繁重不能复任编纂,于是才推荐了兰生和魏廷珍(字君璧,直隶景州人)、梅瑴成(文鼎孙,字玉汝,号循斋)三人(《全碑》、《徐志》、《行状》)。当年十月二十九日康熙帝召见兰生于武英殿,叫他讲《易经》乾坤两卦,抉疑释滞,精奥畅达。两天之间召见三次。(本集卷一《恩荣备载》、《刘传》)。五十二年(1713)四月二十日奉旨召入内廷行走,校勘《朱子全书》、《性理精义》《周易折中》等书。七月初五日奉旨"生员王兰生、监生梅瑴成做人正道,所学亦好,赐与举人一体会试"(《恩荣备载》)。又九月二十日上谕诚亲王允祉、十六阿哥允祹说:"尔等率领何国宗、梅瑴成、魏廷珍、王兰生、方苞等编纂朕御制历法律吕算法诸书,并制乐器,著在畅春园奏事东门内蒙养斋开局"(同上)。兰生自入蒙养斋后,分校《律吕正义》、《数理精蕴》、《卜筮精蕴》等书,并纂修《音韵阐微》(《恩荣备载》、《国史列传》、《清史稿》、《行状》、《全碑》)。其中以《律吕》和《音韵》两部书他尽力最多(《行状》、《杭状》、《全碑》、《徐志》)。五十三年(1714)冬,因父病请假归省,次年(1715)二月丁父忧。居丧才三个月,皇帝就把他叫到热河行宫来。后来因母病再请假,又叫他把韵书带回家去纂辑(《行状》、《杭状》)。当年九月,他到热河行在谢恩销假(《恩荣备载》)。服满以后,复回到书局,日侍讲殿,辰入酉归,不问寒暑(《行状》、《杭状》)。六十年(1721)应会试。事前,主试的很想预先认识他,他却故意地赁居僻舍,连业师孙峨山处都没去投刺。场后谒见,峨山当面责备他,他也不加申辩(《刘传》引孙绍芳原传)。发榜以后,没有他的名字。那天,康熙帝给大学士下了一道上谕说:

> 今日出榜,黄雾四塞,霾沙蔽日,如此大风,榜必损坏。或因学问优长声闻素著之人不得中式,怨气所致;或此番中式之人将来有大奸大恶,乱臣贼子,亦未可知。……(《康熙东华录》一百七)

三月初八日己巳遂命磨勘会试中式原卷(同上)。第二天又下了一

道上谕给大学士，里面有这些话：(据《交河集·恩荣备载》。《东华录》词句稍异)

>……王兰生……学问优长，屡试未中，或文章不好，或别有故？再举人留保，满洲蒙古汉军中未有如彼者，即翰林中谅亦如彼者少。今番满洲内巡抚苏克济之亲属二人俱中，张伯行之胡乱修书者数年来亦相继中式。王兰生、留保并在朕前行走之人，朕深知其学问；非属偏向。诸大臣如不信，可于天安门外传集举人进士同伊等一体出难题考试。将朕此旨，记于档案。王兰生、留保俱赐进士，令其今科殿试。钦此。

经过这一番破格的"圣眷"，殿试后他就中了辛丑科二甲第一名(《恩荣备载》、《国史列传》、《清史稿·列传》、《行状》、《刘传》)。同年四月十一日点翰林院庶吉士，校对钦若历书(《恩荣备载》)，作《万年宝历》诗(本集卷六)。次年(1722)六月十四日点充武英殿总裁，纂修《骈字类篇》、《子史精华》等书(《恩荣备载》、《行状》、《杭状》、《刘传》)。他以一介布衣，蒙受特达之知，难怪康熙帝死的时候，他会"哀恸迫切，过于恒情"了(《行状》)！

雍正元年(1723)十一月二十一日翰林院散馆，十二月初八日授职编修。三年(1725)四月二十七日署理国子监司业(《恩荣备载》)。他在监中每天为三舍肄业诸生讲解，都本着李光地的学说，一年之间讲了《中庸》一部，《孟子》数章，后来集成《太学讲义》二卷(《行状》、《列传》、《徐志》、《全碑》)。次年(1726)五月充广东乡试正考官(《国史列传》、《恩荣备载》)。入闱后，副考官编修曹腾蛟病死了，他独自检阅，三昼夜没睡觉。所取的都是些宿学之士，广东人非常佩服他(《刘传》引孙绍芳原传)。考试完了还没返京报命，九月二十五日即实授司业，十月初五日又因张廷玉荐(《刘传》)奉命提督浙江学政。他十一月底匆匆回京请训，返里省亲。转过年来(1727)正月初四日从本籍启程，二月初十日便到了浙江，就学政任。当年八月二十五日补授翰林院侍讲，次年(1728)五月二十九日升任翰林院侍读，七年(1729)六月二十一日又晋升翰林院侍读学士(《恩荣备载》)。

七年九月二十八日调安徽学政。次年(1730)正月二十九日从浙江启程,二月十二日到江宁府,接印受事,十六日到太平府驻扎衙门到任。旋因检举浙属临海学优生洪熙采漏粮案内,于雍正八年七月初一日奉旨降二级从宽留任(《恩荣备载》)。

九年(1731)二月二十三日补授内阁学士,兼礼部侍郎,仍留安徽学政任。十年(1732)闰五月十八日奉旨再留安徽学政任,届期不必更换。七月初二日命充江南考官(《恩荣备载》)。以学使典乡试的从前还没有过,兰生这一次实在是创举(《行状》)。他典试完毕,十月初七日从江宁回到太平复任。刚过了一个月,又奉到提督陕西学政的任命(《恩荣备载》)。

在陕西一年多,因为浙江选拔贡生吴懋育刊刻《求志编》一案的牵累,雍正十三年(1735)闰四月二十一日奉旨销去加一级抵降一级,仍降二级调用(《恩荣备载,七》、《刘传》)。后来史部题补学政名单没有合"上"意的(《刘传》、《全碑》),遂于五月二十七日奉旨仍留陕西学政任。八月二十七日左移詹事府少詹事兼翰林院侍讲学士,十月初二日复授内阁学士兼礼部侍郎原任,十二月二十日从三原起程进京(《恩荣备载》)。

他前后三任督学,两典乡试,没人敢拿私情来干求他(《徐志》)。在安庆考试时,诸幕友因为张廷玉的关系拟优待桐城张氏。他以为学使校士应该就文章定去留,奈何因贵胄而弃寒畯,榜发,遂无张氏名。后来主持江南乡试也一样。张氏族人大哗,向廷玉告他沽直钓誉,廷玉笑道:"这不过叫你们多读书罢了!还有什么话说呢?"(《刘传》)他每到一省,对于当地乡贤的文献是很注意的。初到浙江,屡次向全祖望询问黄黎洲的遗书;继到陕西,又征访李二曲的遗书。遇到人问他同里颜习斋的学术时,他也原原本本地辨析宗旨的离合(《全碑》)。

乾隆元年(1736)正月十二日他从陕西到京,十四到任。四月初二日充殿试读卷官(《恩荣备载》)。七月初七日钦点鄂尔泰、张廷玉、朱轼、甘汝来为三礼馆总裁,杨名时、徐元梦、方苞、王兰生为副总裁(本集卷四《奏谢恩简三礼馆副总裁折》)。名时、元梦和他同出于李光地的门下,方苞也是蒙养斋的旧侣。当时担任分纂的还有光地的孙子李清植(《行状》《全碑》《徐志》)和光地的门人徐用锡(《徐志》)。公余过从,商略疑端,仿佛光地生时(《徐志》)。兰生颇喜可以重振安溪先生的余绪(《全碑》),退食之暇,取《仪礼》和光地素所论著同清植切磋研究,摘疑论辩,孜孜不倦(《行状》)。十月十七日奉旨署理刑部侍郎事,十一月初四日补授刑部右侍郎,同月十五日以刑部右侍郎衔管礼部侍郎事(《恩荣备载》、《国史刘传》)。

二年(1737)二月八日奉命赴泰陵致祭正东峪"后土之神"(《恩荣备载》、《行状》)。二十二日跟着乾隆帝去送孝敬宪皇后的灵柩下葬(《恩荣备载》)。路过良乡,突然得急症去世,年五十八岁(《徐志》、《全碑》)。乾隆帝甚为悼惜,赐帑金五百两,命直隶督臣代办丧务,停柩涿州,以待家人奔赴,并予祭一坛(《行状》《杭状》《刘传》)。五年(1740)入祀乡贤祠(《国史列传》)。

兰生生平操守廉洁,自奉俭约,俸禄所入,大半周给亲友。薄田数亩,才给馇粥;所居数椽,不蔽风雨。从布衣直到位列卿贰,家产并没有尺寸的进益(《行状》《杭状》《徐志》)。可谓笃守家风,不改初服了。

他的学问不务博而务精(《行状》),不为泛滥(《杭状》)。性理之学原本程朱(《清史稿·列传》),而折衷于李光地之说(《行状》《徐志》《全碑》)。对于律吕音韵尤有独到的地方(《徐志》《全碑》《行状》《杭状》《刘传》)。关于音韵部分次章别有详说,这里只介绍一些他对乐律的贡献。

兰生的律吕之学也传自李光地,但领悟独多,若有神契。光地尝以朱子的《琴律图说》刻本流传多误，乃命兰生校正。他精心订正，抉发证明，遂可推据。光地把它进呈给康熙帝，深蒙嘉许。自入直后，得见康熙帝御制律管风琴诸器，更有启发。于是本程明道的说法，拿人的中声定黄钟之管，积黍来实验，展转生十二律，都和古法相应。又到郊坛亲验乐器，然后知道管音有长短巨细的差别，所以有黄钟积八倍的，也有四倍的。而匏笙的管反有黄钟积八分之一的。此外像埙篪之类也都拿黄钟积实而得其应声。至于弦音则只争长短，或用倍，或用半，它的声音就可以相应；这是因为体与体、线与线的比例不同。他的说法虽然和朱熹、蔡元定不尽相符，但是同《管子》、《吕氏春秋》、《淮南子》、《史记》却相合（《全碑》《行状》《杭状》《刘传》《国史本传》）。我们且录他所作《历律算法策》中论乐律的一段，以见一斑：

  以乐言之，有声焉，有律焉，有调焉；有高下疾徐之异名，弦音管音之异制焉：此作乐之大端也。由蔡氏之新书而论之，其以八十一之宫声为主，三分损益，而商角徵羽之音定焉，所谓声也。其以九寸之黄钟为主，三分损益，而十一律之制成焉，所谓律也。以律配声，共得八十有四，去变不用，取六十者以命名，所谓调也。声则有疾徐高下，调则有喜乐怒哀，琴瑟则谓之丝，笙箫则谓之管，此由新书而溯之虞书、周礼、礼记、国语、管子、吕氏、淮南以及班、马之说俱昭昭可见也。乃自西术既入，而其说与蔡氏合焉。其曰五线六名，即新书之所谓声也。其于十二音中取七音，即新书之所谓律也。其言喜怒军宾之异乐，即新书之所谓调也。其曰八形号，三迟速，即古乐之所谓疾徐；其论弦音管音之不同，即琴瑟笙箫之异制也。凡此者必以黄钟为主焉。夫黄钟之制长九寸，围九分，积八百一十分，容黍一千二百。虽自古已有明文，而至今终无定论者，则以其尺之无准也。我皇上命官测验，定古尺为今尺之八寸，黄钟得古尺之九寸，为今尺之七寸二分，以之容黍而数合，以之制律而声应，此诚破千古之疑，而为旷代所未有者也。①

---

① 《交河集》卷五，页 14—16。

他的文学天才并不高。《交河集》六卷:卷一"恩荣备载";卷二"颂";卷三、四"奏折";卷五"议、论、考、策、书启、序";卷六"赞、祭文、行述、条约、诗、算法"。大抵"笔"多于"文",质胜于华。至于卷二的"圣主躬耕耤田礼成颂"之类,卷六的"万年宝历诗"之类,都是应制阿谀的作品,丝毫见不出文学意味来。

综括兰生的生平,我们可分作八个段落:

(一)童年蒙养时代——康熙十九年至三十三年(1680—1694)——一岁至十五岁;

(二)受知安溪时代——康熙三十四年至三十七年(1695—1698)——十六岁至十九岁;

(三)保阳深造时代——康熙三十八年至四十四年(1699—1705)——二十岁至二十六岁;

(四)李幕潜修时代——康熙四十五年至五十年(1706—1711)——二十七岁至三十二岁;

(五)内廷纂书时代——康熙五十一年至六十一年(1712—1722)——三十三岁至四十三岁;

(六)翰林承旨时代——雍正元年至三年(1723—1725)四十四岁至四十六岁;

(七)三任督学时代——雍正四年至十三年(1726—1735)——四十七岁至五十六岁;

(八)翊赞刑礼时代——乾隆元年至二年(1736—1737)——五十七岁至五十八岁。

三 《音韵阐微》纂修经过

《音韵阐微》的凡例第一条说:

从来考文之典,不外形声二端;形象存乎点画,声音在于翻切。世传

> 切韵之书，其法繁而取音难，今依本朝字书合声切法，则用字简而取音易。如公字旧用古红切，今拟姑翁切；巾字旧用居银切，今拟基因切，牵字旧用苦坚切，今拟欺烟切；萧字旧用苏雕切，今拟西腰切。盖翻切上一字定母，下一字定韵，今于上一字择其能生本音者，下一字择其能生本韵者，缓读之为二字，急读之即成一音。此法启自国书十二字头，括音韵之源流，握翻切之窍妙，简明易晓，前古所未有也。

开宗明义，已然揭明合声反切是受满洲文十二字头的影响。但是，上一字怎样"能生本音"呢？凡例第二条说：

> 凡字之同母者，其韵部虽异，而呼法开合相同，则翻切但换下一字而上一字不换。例如姑翁切公字，姑威切归字，姑弯切关字，姑汪切光字：此四字皆见母合口呼，俱生声于姑字。又如基因切巾字，基烟切坚字，基腰切骄字，基优切鸠字：此四字者，皆见母齐齿呼，俱生声于基字。由此以推，凡翻切之上一字皆取支、微、鱼、虞、歌、麻数韵中字，辨其等母呼法，其音自合，以此数韵能生诸部之音，在国书十二字头与支、微、鱼、虞、歌、麻数韵对音者，原为第一部也。

下一字怎样"能生本韵"呢？凡例第三条说：

> 凡字之同韵者，其字母虽异，平仄清浊相同，则翻切但换上一字而下一字不换。如基烟切坚字，欺烟切牵字，梯烟切天字，卑烟切边字：此四字者皆先韵之清声，俱收声于烟字。又如奇延切虔字，池延切缠字，弥延切绵字，齐延切钱字：此四字者乃先韵之浊声，俱收声于延字。由此以推，凡各韵清声之字皆收声于本韵之影母，各韵浊声之字皆收声于本韵之喻母。盖影喻二母声有清浊，乃本韵之喉音天下之声皆出于喉而收于喉，故翻切之下一字用影喻二母中字收归喉音，其声自合也。

这三条凡例是《音韵阐微》改良反切的基本原则，如果能够完全贯彻，确实可以矫正旧反切窒碍难拗的毛病。这些原则是谁发明的呢？李光地还是王兰生？经过几次商订才得到这样结果？究竟能否行得通呢？本节先搜集李、王往返商讨的文件来解答前三个问题，下一节再统计《音韵阐微》的全部反切来解答末一个问题。

兰生的音韵学知识最初是受自李光地的（《全碑》："音韵则公得之文贞之教者，大略与崑山顾氏同而较密"），所以关于《音韵阐

微》的发凡起例,当然大部分是光地的意见。例如《榕村韵书略例》说:

> 古韵书不可见,而其散于经传者足征也。顾氏宁人之论备矣,后代益详于韵,而等切之学兴。虽其字音韵部间或与古差讹,而其条理可寻,其同异沿革可推。何则?音生于人心,今古不殊故也。夫色不过五,而五色之变不可胜观;味不过五,而五味之变不可胜尝;故音不过五,而五音之变不可胜用也。前世为韵者,未知五音生生之法,故虽区别有伦,而迷其本始。惟国朝十二字头之书但以篇首五字使喉舌齿唇展转相切,而万国声音备焉。盖于韵部以麻支微齐歌鱼虞为首,于字母以影喻为首,独得天地之元声,故可以齐万籁之不齐,而有伦有要也。从来为此学者,部多首"东",等多首"见",盖失其本矣。惟邵子于声类以歌韵首列,而词曲家每字收声皆归影母者,乃为得其遗意。然邵之诸部既不尽合,而度曲者只悟收声,不知其为生生之本,故亦不能举而措之而皆通也。然收声之法厘为六部,此则确为声乐本要,而国朝字头亦备焉。神瞽复生,不能易矣。今谱亦区为六部,别为十二行,以首五字宛转相生,为百二十声。于是父子君臣夫妇兄弟朋友各得其位,性术之变,穷于此焉。韵有有声无字,等亦有有声无字者。计韵之有声有字者三十六,就唐韵而增损改入之也;母之有声有字者亦三十六,依等韵而分别论说之也。然所据者皆今日同文之音也,考之唐宋间则已别,积之于古则又殊,盖是编之意存乎韵而已,非合时则不通,非谐俗则不悟。若夫究心小学者将以窥文字之初,辨点画声音之始,则有诸家及宁人之书在,此不能具也。①

文中五五相生的"数理逻辑"固然牵强附会,玄而不实,可是,他受满文十二字头的启示,悟出"韵部以麻支微齐歌鱼虞为首,字母以影喻为首",已然奠定了前述三条凡例的基础。不过《榕村韵书》意在"合时","谐俗","所据者皆今日同文之音,考之唐宋间则已别,稽之于古则又殊",和《音韵阐微》的主旨稍有不同罢了。此外他还有一段可以和上文互相发明的话:

---

① 《榕村全集》卷二十,页16—17。

国书阿、厄、衣、乌、于五字妙得声韵之元,毫无勉强。小儿坠地,头一声便是阿,稍转方有厄音,再转方有衣音,又转方有乌音,至会说话方有于音。自喉而舌,而齿,而撮口,而出口,次第一些不差。五字次第叠呼便有四万声,《音学五书》所少者此耳。将来把毛稚黄书及《度曲须知》择其精要语附刻于后,便成完书。至某所就国书推出者则载于某所编乐书之后。毛稚黄及《度曲须知》亦晓得支、微、齐、歌、麻、鱼、虞七部之字无头,它部之字皆有头。却不知七部乃声气之元,别字都是他生的,无有生他者。如西邀乌是箫字,西是字头,邀是字腹,乌是字尾。又支乃真之头,都乃东之头,于乃元之头。韵部自当用此七部居前,以生各部。他知其无头,却不晓其所以无头之故,故仍旧以东为韵部之首,非也。歌、麻、支、微、齐、鱼、虞收本字之喉音,佳灰收衣字,萧肴豪尤收乌字,东冬江阳庚青蒸收鼻音,真文元寒删先收舌抵腭,侵覃盐咸收唇音。①

这已经能把十二字头和毛先舒的《韵学通指》、沈宠绥的《度曲须知》融和起来讲了。又分析"西邀乌是箫字",并推究歌、麻、支、微、齐、鱼、虞"所以无头之故",也都露出改良反切的朕兆来。不过谈到合声反切的方法,还没有《榕村全集》里的《翻切法》讲得详细,那一篇文章说:

> 自东冬江阳庚青蒸,真文元寒山先,佳灰,萧肴豪尤,侵覃盐咸诸部,皆可以合声为切法。如都翁为东,希阳为香,几莺为惊,之因为真,孤弯为官,沙安为山,低烟为颠,呼隈为灰,西腰为箫,溪忧为邱,妻阴为侵,他谙为贪之类,皆两声合成一声,不用寻其等母韵部便可晓然。但上一字须检是首摄何字所生,必以其字切之;下一字则归其韵之影母字,乃得两声谐叶。或上一字有音无字,则借其字之上去入字;或下一字有音无字。则借晓母疑母字;则声气犹相近,若如古人切法则远矣。惟支、微、齐、鱼、虞、歌、麻七韵乃首摄之字,生天下之万音者,故可以切他部,而他部不能切七部。盖七部之字皆天然独音,非两声合成故也。中间惟麻韵鸦哇等字可以支虞部中字切,歌韵字可以虞部字切,则以鸦哇等元是支虞反切麻部所生,而歌与虞声韵开闭同类故也。此外凡七部中字皆应借本

---

① 《榕村语录》卷三十一,页25—26。

字之上去入为上一字,而下一字归本字影母切之,影母乏字仍借晓疑可也。①

综观以上所论,可见《音韵阐微》的规模已然大体建立了,兰生后来奉命协纂,只是就着原定的规模再来审核增订罢了。此外《榕村全集》里还有《等韵皇极经世韵同异》(卷二十,页14—16),《复填写经世声音图满文札子》(卷二十九,页11—12),《复驳谐声韵学札子》(卷二十九,页26—27),《南北方音及古今字音之异》(卷二十,页19—20),《韵笺序》(卷十一,页4—5)五篇;《榕村别集》有《等韵辨疑》一卷(卷一,页1—12),《榕村续集》有给何岘瞻的四封信(卷一,页10,12,13,15),都是有关音韵的文章。

据《音韵阐微·序》说,这部书是康熙五十四年(1715)奉敕纂修,到雍正四年(1726)才完成的。然而实际上却在前两年就动手了。在王兰生的《交河集》卷一"恩荣备载"里有几条涉及这件事的记载:

康熙五十二年癸巳(1713)九月"自入蒙养斋分较《律吕正义》《数理精蕴》《卜筮精蕴汇义》,纂辑韵书。"

康熙五十三年甲午(1714)正月二十一日"奉旨发下谐声韵学目录谱子一本,一卷至四卷四本,折子二个。"

二月二十八日"张常住等奉旨交来谐声韵学十四本,五卷至十八卷。七月初一日奉旨发下韵书序例一本,折子三个,字一,着按李大学士折子做。"

所谓谐声韵学,据李光地驳复的札子里指出三点毛病:(一)"等韵原有三十六字母,今此书删去其十五,只存二十一母,盖等韵备清、浊之声,而此书不分清、浊";(二)"每字母中所收平声多是入声,入声多是平声,盖此二声北人多不能辨,故有此误";(三)"字样多系生造"②,这显然是另外一部书,和《音韵阐微》没有关系。至于七

---

① 《榕村全集》卷二十,页18—19。
② 见《榕村全集》卷二十九,页26—27。

月初一日发下来的"韵书序例",若参证"著按李大学士折子做"一句话,显然就是纂辑《音韵阐微》的计划。可见这部书从五十三年乃至于五十二年就开始作起了。在《交河集》和《榕村全集》里我还找到许多李、王往返商讨的文件。康熙五十三年兰生奉旨纂辑韵书后,就写信给他老师李光地去请教说:

> 兰生等奉旨修音韵书,愚意窃谓唐韵今韵宜分二部。盖诗韵之最古者莫如《广韵》,而韵谱之最近古者莫如郑樵之《七音略》,其谱与《广韵》相合。按郑樵之谱,别《广韵》之字,其字之前后依等韵三十六字母次第。反切有不合者改用合声切法。至独用同用条例一仍《广韵》之旧,以为律诗之用。其全书分为六门:歌麻为第一,支齐微佳灰为第二,鱼虞萧肴豪尤为第三,东冬江阳庚青蒸为第四,真文元寒删先为第五,侵覃盐咸为第六,以为古诗词赋歌曲之用,此依唐韵而叙次之者也。外用南北现有之音,依六门四呼之法,一母分为若干呼,每呼贯以三十六母,一如发去式样,以为按音查字之用:此仿五音集韵而兼并之者也。大意如此,不知当否?老师详细开明,恭呈御览裁定。①

这封信里所说的规模,大体上还跟前面所引《榕村韵书略例》、《榕村语录》相去不远。但是兰生入直内廷后,受康熙帝的熏陶,除去满文以外,还涉猎了高丽、西藏、回回许多语言,比较参证,偶有心得,于是又给光地写了一封信说:

> 兰生近日得观内廷各种韵书,始见郑樵之《七音略》。其书在《通志》内,与《广韵》甚合,实《切韵指南》之所自出也。又蒙恩命考高丽、喇嘛、回回诸韵,其与等韵最近者惟喇嘛韵。可见字母之说原来自梵僧也。回回韵以埃衣乌三韵为首,亦得生字之本也。惟四呼之法向来总不得其根,皇上谓其根出自高丽韵,及观其字果以噶加歌皆锅觉各基姑居等字为首,与四呼之说极合,实四呼之所由来也。凡此皆近日所得,亦老师之所愿闻者,故并达之。②

光地接到他这两封信后,一方面修了一道札子复奏:

---

① 《启安溪相国》,见《交河集》卷五,页37。
② 《再启安溪相国》,见《交河集》卷五,页38。

> 臣李光地谨奏：本月二十四日接王兰生来札内开：六月二十日奉旨发阅韵谱式样。臣反复详看，其韵部次第，及等切法律，皆有条理。盖古今韵部惟本朝十二字头为得天地之元声，符三代之古法。今崑山乐工及士大夫识韵学者，颇能辨其部分，有条不紊。然一概沿唐人之旧，以东冬江等为弁首，终不如本朝字书冠之以ㄆㄇㄅ一类，其音与支、微、齐、鱼、虞、歌、麻七韵相对，实能生余韵，而不为余韵之所生。推之切字，则亦能切余韵，而不为余韵之所切。臣愚陋无知，常窃以为圣人复起，不能易也。今若修唐韵，自应且仍其旧，不必更张；至修今韵，似应以本朝字书为根柢，一如发下韵谱次第，匪独昭我文明，诚为与古符契。伏候圣裁。至三十六等母以见溪为先，本朝字书则以影喻为先。意作等韵者置喉音于后，以寓归根还原之意，然亦不如字书揭之于首之为当也，此一事或且仍等韵，先见溪群疑，或遂先之以影喻晓匣，似乎两可。伏候圣裁。王兰生又将所承旨谕高丽、回回、喇嘛诸国音韵与古法合者，详写来说，盖信元音天籁，薄海同归，非皇上天亶聪明，好问好察，孰能博采殊方异域之言语文字，以验此理之同哉？恭遇神圣之朝，睹稽古考文之盛，臣不胜欣幸。中间有应商量数字，臣另写字与王兰生，俟其察明转奏。臣谨具折奏复。①

一方面又答了王兰生一封信：

> 所示韵书规模皆稳当，其精微处更须细请裁定指示，恐吾辈井蛙之见不能及远也。行文间有应商酌者，如序中"合于古而传于今"一句须润色，盖马邵之书亦无悖于古，而未尝不传于今也。来字中"最古"两字亦然，诸书皆在唐韵之后，非最古者。又说中既以阴平阳平分清浊，则是见溪与群疑之类耳！若官关闲坚则虽南北音异，然皆阴平也。"此又是一样清浊，与阴声、阳声之清、浊似不可相混。"此一句愚未能晓，或有别说可寄来知。又守温似亦是唐人，序中谓宋人，有所据否？其与神珙或同时，或先后，更须细考。至其大端处，已具折奏明。②

兰生接到信后，适值光地疝气复发，在家调养，便给光地的儿子李钟侨写了一封信，请他转达。那封信说：

---

① 《复发阅韵谱式样扎子》，《榕村全集》卷二十九，页18—20。
② 《寄王振声书》，《榕村续集》卷一，页16—17。

> 字拜世兄台下,祈代请老师安。前者疝气复发,想已大愈,调养之节不可少忽,其责专在世兄也!二十九日见奏折并与兰生回字,初一日奉旨"韵书着依李大学士折子做"。目下遵旨,现查《广韵》。按《广韵》之字有数字即为一韵者,亦有一韵可分数韵者。惟按郑夹漈之谱别之,略有条理。然其声音重复难辨者颇多。若目下所传之等韵,乃元人刘鉴所编,即依郑氏谱而并之者也。愚意修《广韵》须先别以郑氏之谱,使字皆归母,再逐字定其反切,一切仍旧。此外依前发去式样另为一书,以为按音取字之用,然视旧韵变动处甚多,须费斟酌也。前叙字句不妥者,老师指示处极是。然作书条例尚须另开,前序恐不可用也。官关闲坚以韵分轻重,与见溪群疑以母分清、浊不者同,郑世子谓韵谱一等四等为重,二等三等为轻;郑夹漈谓东重而冬轻;皆以韵分者也。神珙唐人,守温宋人,亦郑世子书中之语,其言凿凿,似乎有据,他亦无考也。反切之法,以平切平,以仄切仄,固属甚当,然上一字但取其归母之清,平仄亦可参用;下一字但取其声音之叶,邻韵亦可借用,或借本韵他字母亦好。然旧法亦多有借邻韵用者,似亦不妨也。愚谓出切之上一字须用平入二声,若用上去,则北人全不能辨其清浊矣。又切上去二声宜用入声字出切,盖平声浊母下字人多错读,以之出切,恐不能得本字之音也。又浊声上字人皆读作去声,愚意反切之第二字皆用清上以矫之,使人能辨。至其清浊之分,原有出切之字以管之,似亦不紊。凡此曲折,并祈呈之师座。内有可用不可用者,仍祈便中开示。或即付大山先生家人,使其家信中封来亦可。此启。①

他们师生间返复切磋的情形可谓不厌求详了。康熙五十四年(1715)二月初三日兰生丁父忧,于二十九日到京报明,奉旨准许回籍治丧。五月二十七日再到热河行宫,因母病请假。奉旨:

> 许他回去,教他将韵书带家去收拾,有不明白处,问大学士李光地。钦此。②

他在家住了将近三个月,家事稍微就绪,遂于八月十六日进京,向光地请教,二十日才把研究的经过情形具折奏明:

---

① 《与李世兄书》,《交河集》卷五,页37—40。
② 见《交河集》卷一"恩荣备载"。

> 臣于五月二十七日乞假回家,奉旨"许他回去,教他将韵书带回家去收拾,有不明白处,问大学士李光地。钦此。"
>
> 臣自回家后,谨依李光地所说,将平声上声按字查对编次,虽略有草稿,以臣愚陋,实难自信。及八月内,臣家事粗安,随于十八日到京,再问大学士李光地,谨拟凡例数条,式样数页。然李光地亦未敢定其可用与否,惟求皇上裁示。又臣以下里庸材,幸得恭聆圣训,于翻切之法,不过微有一隙之明,至于笔画之本于六书,字义之出于经史者,臣素日全未讲究。伏望简用学问渊博之臣查对笔画字义,臣但与备检校音切之一役。庶几稍成篇帙,取次呈稿,以俟圣明裁定。臣不胜惶恐之至,谨奏。①

那年六月李光地上书乞休,奉旨给假二年,事完即来京办事。兰生独自在京编纂韵书。五十五年(1716)四月拟得凡例谱式,并东冬江支微五韵翻切用字,遂于二十日具折奏复说:

> 臣谨奏,臣于去年五月二十七日奉旨著修韵书。臣谨遵旨拟得凡例数条,谱式数页,并东冬江支微五韵。其中翻切用字,分母分韵仍仿唐宋旧法,谨依国书合声切择其声音之相近者。至于收字之多寡,谨依《佩文韵府》与宋《礼部韵略》增修之。其注释详略,参考《说文》、《广韵》、《集韵》、《正韵》诸书而节删之。谨缮写成帙,恭呈圣览,伏祈皇上指示!臣等浅陋,未知当否?不胜惶恐之至。谨奏。②

康熙五十六年(1717)四月李光地返京,转过年(1718)二月二十九日由诚亲王允祉、十六阿哥允祹传旨:

> 著王兰生将所纂的韵书送与大学士李光地仔细看过,具折启奏。钦此。③

光地奉旨复阅后,先给兰生写了一封信说:

> 韵书未能细看,大抵规模亦好,且依此修去,从头斟酌损益,亦不难也。重中重、轻中轻之类,亦不甚确知,古人有此说,姑存之以俟商定。看来东冬钟支脂之之类,虽唐人强为分别,只好仍其旧贯,必替他寻一着

---

① 《奏复编次韵书草稿折》,《交河集》卷三。
② 《奏复拟得韵书凡例谱式并东冬江支微五韵翻切用字请指示折》,《交河集》卷三。
③ 见《交河集》卷一"恩荣备载"。

落,终属影响耳。余面论,不多。①

然后又奏复了一道很长的折子说:

臣李光地谨奏:二月二十九日奉旨"著王兰生将纂的韵书送与大学士李光地仔细看阅过,具折启奏。钦此。"王兰生所修韵书,臣于前岁乞恩回籍之先,曾经奉旨与王兰生商量斟酌。今看得王兰生所修,其大体似颇洁净。但声音之道微眇,臣与兰生等俱浅陋末学,且拘于风土,不能周知古今语言文字之变,亦不能备悉九州方音谣俗之殊。但据古人成书数种,略为折中,而以本朝字书为之根本。恭维皇上亶聪天授,兼于方域内外以及四裔之音无不入耳立辨,通其异同之故,非臣等下愚之所能窥也。谨摘书之大凡数条,恭请皇上指示可否:

一,三十六母及四等四声之类,自江左隋唐以来已极详备。惟是字韵部分则至本朝字头书始为派别支分,各从其类。自来韵家及俗乐声谱亦有窥见一二者,然终未能睹其源流也。何则,声乐之家虽或知有部分,然所分部不免皆从东冬韵起。惟本朝字书第一头所对者乃歌、麻、支、微、齐、鱼、虞七韵之音。此七韵者实声气之元,万籁之所从出,能生诸部而不为诸部之所生,能切诸部而不为诸部之所切,是此七韵允宜列为韵部之首,以明为天地元音;更唱叠和,以尽无穷之变:如十一律之有黄钟,班固所谓能生他律而不为他律役者也。今应否仍依一东二冬之旧,以存不遽变古之意,独于凡例中特发明本朝韵部之精当,使后人知唐虞三代之绝学实嗣音于圣世。是否相合,乞圣裁!

一,历代反切之法,盖用上一字定母,下一字取音,两字相求而真声得矣。然此必知等母者乃能辨之,初学童孺则不能也。惟本朝连字之法,两字相合,即得真声,不待知等母者然后能辨也。盖其上一字乃第一头之母所对歌、麻、支、微、齐、鱼、虞七韵之音,以其能生诸部而为之根柢,是以能切诸部而无不谐协也。今应否兼存古人反切,其后则以合声正之,其有音无字不可合者,则借傍近之声代之?要其上一字必取于歌、麻、支、微、齐、鱼、虞七韵之中,不似古人杂用诸韵也。至歌、麻、支、微、齐、鱼、虞七部声音之本,非他部之所能切,今应否借本韵平仄字以自相切?乞圣裁!

---

① 《寄王振声书》,《榕村续集》卷一,页 17。

一，反切之法，其下一字古人亦杂用诸母字，甚至有不论平声之清、浊者。本朝字书第一头以阿厄衣窝乌五字喉声为主，盖凡声皆出于喉，然后传于鼻舌齿唇之间；及乎鼻舌唇齿之响既终，又未有不收声于喉者。今下一字取音，应用影喻喉声叶之，然后两音合成一音，浑然无迹。惟至喉声有音无字无从取用者，则间取傍近之声代之。是否相合，乞圣裁！

一，影喻虽为诸音母之本，然古法列之于后，而以见溪群疑当先。今反切取声虽以影喻为重，至于每韵中列母应否仍先以见溪群疑，存不轻变古之意？乞圣裁！

一，等韵书分列四等者，以声有开口、齐齿、合口、撮口四呼，凡同此四呼之中者其音皆可通用，此三代秦汉之古音也。唐人又细别之为东冬以下诸韵，此则律诗所用唐家一代之音也。今仍用唐人部分，则每韵之中四呼不能悉备。然亦有备二呼至三呼者，如东备合口撮口，支备齐齿合口，麻与阳备开口齐齿合口之类是也。是否相合，乞圣裁！

一，古今音不同，如韵部中江字古读与东冬为类，今读与阳为类，字母中知彻澄古读与端透定为类，今读与照穿床为类；敷字古音与非字异读，今亦读为一类：此等近代元明韵书多混而一之，似非存古之意。故音虽从时，而其部伍则犹仍旧。是否有当，乞圣裁！

一，韵书所收字样必须繁简得中，以便学者考究。凡经史子集中用过之字皆应收采。臣与王兰生等学皆狭陋，不能淹博。仰候皇上选择臣下中有博涉经史，兼晓六书本末者，公同采摭。使之备而不冗，约而不漏，庶几成书仰副皇上诏修之意。是否有当，乞圣裁！臣愚蒙，但据所见陈奏，恭候皇上指示！[①]

这道奏折所条陈的已然把全书的纲领都详悉地商订到了。过了不到三个月，光地就在五月二十八日病死了！五十八年（1719）四月初十日虽然由诚亲王允祉、十二贝子允禄、十六阿哥允裪传旨："着尚书徐元梦同王兰生修韵书"（《恩荣备载》），事实上还是由兰生独负纂辑的责任（《刘传》）。到雍正六年（1728）全书告成，由雍正帝

---

① 《复发阅王兰生所纂韵书扎子》，《榕村全集》卷二十九，页20—26。

定名为《音韵阐微》(《行状》《杭状》)。

由上面这许多文件看来,我们可以说,倡议用满文合声方法来改良反切,并且对于纂修始终在发踪指示的,是李光地;而实际负纂辑全书的责任的都是王兰生。不过,他们的意见前后也经过几度变迁。最初光地的意思只想参照满文和曲韵之类修一部当代审音的书以求"合时""谐俗",并没顾到历史上的唐韵。所以他"所据者皆今日同文之音,考之唐宋则已别,稽之于古则又殊"(《榕村韵书略例》);又嫌"以东为韵部之首"的不对(《榕村语录》卷三十,页26)。兰生入直内廷以后,看见了郑樵的《七音略》和许多韵书,又受康熙帝的指导,参证了高丽、西藏、回回几种殊语,于是乎主张"唐韵今韵宜分二部"(《启安溪相国》、《与李世兄书》)。光地却始终觉得"若修唐韵自应且仍其旧,不必更张;至修今韵,似应以本朝字书为根柢"(《复发阅韵谱式样扎子》)。最后的结果,这部《音韵阐微》还只是"按郑樵之谱,列广韵之字,其字之前后依等韵三十六字母次第。反切有不合者改用合声切法"(《王兰生启安溪相国》);"仍依一东二冬之旧,以存不遽变古之意,独于凡例中特发明本朝韵部之精当"(《李光地复阅王兰生所纂韵书扎子》)罢了。至于"以本朝字书为根柢","以为按音查字之用"的今韵却不再提起了。

合声反切的方法虽然由李光地倡议,可是要推本溯源,还得说是由康熙帝启发出来的。因为康熙帝除去满洲文以外,还兼通许多种语言文字,比较参证,因而悟出一种改良汉字反切的道理来。四十四年(1705)十一月壬申,他因为大学士等以俄罗斯贸易来使赍至原文及翻译之文进呈,于是下了一道上谕说:

> 此乃喇提诺托多乌祖克鄂罗斯三种文也。外国之文亦有三十六字母者,亦有三十字五十字母者。朕交喇嘛详考视之,其来源与中国同,但不分平声上声去声而尚有入声。其两字合音甚明。中国平上去入四韵极精,两字合音不甚紧要,是以学者少,渐至弃之。问翰林官四声无不知

者,问两字合音则不能知。中国所有之字外国亦有之,特不全耳。①

其中虽不免有似是而非的议论,但已提出"两字合音"的说法了。又四十七年(1708)六月丁卯《清文鉴》成,他在御制序文里也说:"十二字母,五声切音,具在集中,名曰《清文鉴》,用探音声之本源,究字画之详尽……诵是编者,尚其体朕历载之勤劬,因声音以求字画,因字画以求文章"。② 这部书颁行后,对于汉字反切借镜满洲文的地方更可得到准则了。四十九年(1710)二月乙亥,他在给陈廷敬的上谕里又说:

> 朕留意典籍,编定群书。比年以来,如《朱子全书》、《佩文韵府》、《渊鉴类函》、《群芳谱》,并其余各书,悉加修纂,次第告成。至于字学,并关切要,允宜酌定一书。《字汇》失之简略,《正字通》涉于泛滥。兼之四方风土不同,南北声音各异。司马光之《类篇》分部或有未明,沈约之《声韵》人不无訾议。《洪武正韵》虽多驳辨,迄不能行,仍依沈约之韵。朕尝参阅诸书,究心考证,凡蒙古西域外洋诸国多从字母而来,音由地殊,难以牵引。大抵天地之元音发于人声,物类之象形寄于点画。今欲详略得中,归于至当,增《字汇》之阙遗,删《正字通》之繁冗,勒为成书,垂示永久。尔等酌议式例具奏。③

这便是纂修《康熙字典》的起头儿。他既然知道"凡蒙古西域外洋诸国多从字母而来,音由地殊,难以牵引",这比过去认为俄罗斯文"其来源与中国同",观念已经清晰多了。料想他对于拼音文字可以影响汉字反切的地方,一定对李光地、王兰生时常谈起过。直到五十八年(1719)十月壬子,《音韵阐微》差不多就绪了,他给内阁学士长寿的上谕,还斤斤比较汉字和清字的异同说:

> 朕览邵子声音图于各国声音有不能该括处。朕于声音之学究心二十余年,虽未亲至乡里,而乡里人之声音无不悉知。有如清字之音有汉

---

① 《康熙东华录》,卷七十六。
② 同上,卷八十一。
③ 同上,卷八十四。

字所无者,汉字之音亦有清字所未备者。朕将此声音图讨论多日,欲该括各国声音断乎不能。朕以为性理精义内邵子声音图宜仍用汉字,其清字图可以不用。蒙养斋修书举人王兰生谙晓音字之学,尔与之商酌观其意见如何?并将此旨令汉大臣同阅。①

李光地王兰生既然常和这位"于声音之学究心二十余年"富有审音天才的皇帝在一起,朝夕熏习,日月浸润,自然不难悟出合声反切的方法来了。

然而兰生纂修的结果,何以只成了一部"分母分韵仍仿唐宋旧法"的韵书,而没做成另外一部"以本朝字书为根柢"的今韵呢?我想,光地最初听到康熙帝的理论,相信"国书十二字头之书,但以篇首五字使喉舌齿唇展转相切,而万国声音备焉"(《榕村韵书略例》),颇想就满洲文的音韵系统修成一部合时谐俗的韵书。后来兰生看书多了,眼光远了,既然觉得"唐韵今韵宜分二部",又知道今韵"视旧韵变动处甚多,须费斟酌"(《与李世兄书》),不免踌躇起来。但帝政时代比不得现在,在没摸着皇帝的准主意以前是不敢违旨的。幸而康熙帝自己研究的结果,认为"清字之音有汉字所无者,汉字之音亦有清字所未备者"(《谕内阁学士长寿》),于是兰生才毅然改变计划,这部《音韵阐微》仅仅"依国书合声切择其声音之相近者"附了进去,大部分已经不是光地本来所想像的了。

不过就是专从他所附入的合声反切而论,究竟能否行得通呢?这还是一个有待我们解决的问题。

四 从全书反切的统计估量《音韵阐微》的价值

合声反切为什么"缓读之为二字,急读之即成一音"呢?实际

---

① 《康熙东华录》,卷一百四。

上也没有什么奥妙,只是把上字后半的赘疣,下字前半的废物,设法排除罢了。所谓"上一字择其能生本音者",并不是因为支、微、鱼、虞、歌、麻数韵当真"能生诸部之音",只因为这几韵部都是没有韵尾辅音的"阴韵",也就是孔广森所谓"阴声",再让它跟下一字的等呼一致,那么,事实上就等于把后半的赘疣减掉了。所谓"下一字择其能生本韵者",也并不是因为"影、喻二母乃本韵之喉音,天下之声皆出于喉而收于喉,故翻切下一字用影、喻二母中字收归喉音,其声自合",只因为影母的喉塞声[ʔ]并不十分作梗,喻母本无辅音;那么,反切下字用影、喻两母,前半的废物自然就没有了。如果这个办法行得通,当然是很理想的。可是本母本呼的字在支、微、鱼、虞、歌、麻几韵里未必有,影、喻两母也未必都见于本韵,于是不得不在原则以外另想例外的救济办法。

这一层困难,李光地早想到了。他最初提出来的办法是"或上一字有音无字,则借其字之上去入字;或下一字有音无字,则借晓母疑母字"(翻切法)。后来又笼统地说:上一字"有音无字不可合者,则借旁近之声代之";下一字"至喉音有音无字无从取用者,则间取旁近之声代之"(《复发阅王兰生所纂韵书札子》)。王兰生也尝说:"上一字但取其归母之清,平仄亦可参用;下一字但取其声音之叶,邻韵亦可借用,或借本韵他母字亦好"(《与李世兄书》)。在《音韵阐微·凡例》里便斟酌以上的说法,定了一条"今用"的例:

> 其有系以"今用"二字者,因本母本呼于支、微、鱼、虞数韵中无字者,则借仄声或别部之字以代之,但开齐合撮之类不使相淆。遇本韵影喻二母无字者,则借本韵旁近之字以代之,其清母浊母之分不使或紊。

一条"协用"的例:

> 系以"协用"二字者,再借影、喻两母中字以协其声也。

还有一条"借用"的例:

> 或系以"借用"二字者,乃虽借邻韵并非影、喻两母中字,其声为近,而亦不甚协者也。

像这样例外层出不穷,已经显然露出捉襟见肘的现象了。假如例外少于原则,那么,拿多数来涵盖少数,似乎还有可说。可是,据我统计的结果,全部《音韵阐微》共有三千八百八十四个音纽,反切的分配情形大致如下:

合声	四百八十五	占全数百分之一二·五弱
今用	二千五百九十一	占全数百分之六六·七弱
协用	四十七	占全数百分之一·二强
借用	三十三	占全数百分之〇·八强
今用合声	二十八	占全数百分之〇·七强
合声借用	一	占全数百分之〇·二强
今用协用	四百〇四	占全数百分之一〇·四强
今用借用	四十二	占全数百分之一·一弱
借用协用	一	占全数百分之〇·二强

拿合乎原则的百分之一二·五和百分之六六·七以上的例外对峙,怎么能希望它行得通呢!假如我们不拿数字来核对,专从《音韵阐微·凡例》上所说的原则去衡量全书的价值,那就难免估计错误了。李光地和王兰生花在这部书上的心思功力并不算少,往返磋商也不能说不审慎周详,可是费了那么大事,临了儿不过得到这样结果。这并不是他们两人的聪明才智不够,归根结蒂只是汉字不适于做拼音工具罢了。

由此看来,王兰生对于改良反切的企图,结果和他以前的吕坤、杨选杞、潘耒,以后的刘熙载、郦珩同样归于失败了!

(1943 年 5 月 31 日写竟于昆明青园)

(原载《学术季刊》一卷三期,1943 年。编入本选集时,前数页据作者改写手稿,原载全文经编者删节,主要是删节王兰生传部分)

汉语拼音方案的历史渊源

各族人民期待已久的汉语拼音方案草案公布了。这个草案是经过长期的研究讨论，发挥了集体的智慧，逐渐修改而成的。关于汉语拼音方案在全国人士中多次讨论的详细经过，因为已经另有说明，这里不再赘述。本文只想简单说明汉语拼音方案演进的略史，以见"汉语拼音方案草案"的历史渊源。

一

从19世纪末叶以来，许多抱有爱国思想的人士认为国势屡弱，由于教育不普及；教育不普及，由于汉字繁难。于是群起提倡汉字改革。有的主张仿照西洋传教士所创的拉丁拼音字制造字母，来代替汉字，或辅助汉字读音；有的主张仿照日本假名制造拼音简字，以改良反切，辅助读音。由后一种主张演进，成功了过去40年曾经对于辅助汉字读音起过相当作用的注音字母。由前一种主张演进，就成功了现在公布的汉语拼音方案草案。如果推溯这个拼音方案的历史渊源，我们可以肯定地说，它胚胎于352年以前（1605），到近60年以来才逐渐发育滋长；其间不知经过多少次挫折，耗费了多少人的心血，一直到现在才能完成。这完全是历史推演的结果，绝不是少数人一朝一夕所能突然促成的。

用拉丁字母标注汉文，最初还是由到中国来的外国传教士为学习汉语汉文而引起的。明万历十一年（1583），利玛窦（Matteo

Ricci)偕罗明坚入端州。"初时言语文字未达,苦心学习,按图画人物,倩人指点,渐晓语言,旁通文字"。他对于汉语汉文所以能学习得很快,除了看图识字以外,主要是靠拉丁字母注音来帮助。根据现存的文献,《程氏墨苑》收有明万历三十三年(1605)利玛窦用拉丁字母标注的汉文四篇:1."信而步海疑而即沉",2."二徒闻实即舍空虚",3."媱色秽气自速天火",4."述文赠幼博程子"。这四篇都是徽墨的拓本,汉文和拉丁文对照,陈垣先生曾据通县王氏鸣晦庐藏本影印行世,题名《明季之欧化美术与罗马字注音》(现有文字改革出版社重印本,改名《明末罗马字注音文章》)。这四篇注音文件一共有 387 个不同音的汉字。归纳它们拼音的系统,分析出 26 个"字父"(即声母),44 个"字母"(即韵母),5 个声调符号。在他以后,还有清朝康熙十年(1671)耶稣会教士何大化(R. P. Antonius de Gouvea)用汉文和拉丁文对照在广州刊布的《昭雪汤若望文件》,拉丁原名叫做"Innocentia Victrix"。汉字旁边都附着拉丁字对音,各文件的字体也都照原来的式样摹印。原件现藏伦敦不列颠博物馆。这份文件计有 12 种,共存 2666 字,另外还有夹在拉丁文里的 26 字;两项共计有 2692 个对音材料。若除去重复的汉字不算,还有 666 个对音。比起《程氏墨苑》里所收利玛窦的拉丁字对音几乎多了一倍。两种拼音系统虽然有个"大致不离"的规模,却不限制"大同小异"的出入。这也是初期拉丁字拼音应有的现象。

在利玛窦开始用拉丁字标注汉音(1605)后 20 年,在何大化《昭雪汤若望文件》刊布前 46 年,耶稣会教士金尼阁(Nicolas Trigault)又应用拉丁字标注汉音的原理作了一部为外国人学习汉语汉文的书,叫做《西儒耳目资》(1625)。这部书是经过中国学者的指示,根据中国音韵的原理,加过一番整齐划一的功夫的,自然比利玛窦和何大化顺手拼写的注音更为系统化了。《西儒耳目资》里共有5个"自鸣字母"(即元音),20个"同鸣字父"(即辅音),4个"不鸣"的音(即他国用中国不用的辅音),5个声调符号:——"清(-)、浊(^)、上(ˋ)、去(ˊ)、入(~)"。应用这个拼音系统的方法,就可以"不期反而反,不期切而切。第举25字,才一因重摩荡,而中国文字之源,毕尽于此"。比起中国用汉字所作的"反切"和缴绕纠缠的等韵"门"法自然进步得多了。300年以前的外国传教士学习汉语汉文的动机固然别有用心,我们应该另作别论;但是他们应用拉丁字拼音学习汉语汉文的进度和成就,是不可磨灭的显著事实。我们现在用汉语拼音方案帮助学习汉字,扫除文盲,推广普通话,并且便利国际友人和兄弟民族学习汉语汉文;方案的系统和教学的方法既然都比从前好多了,难道将来学习的成绩还会不比300年前的外国传教士更好更快么?

二

清朝自雍正元年(1723)因为耶稣会教士党允礽,于是下令:除去在钦天监供职的西洋人外,其余都驱逐到澳门看管,不许滥入内地。此后百余年间,闭关自守,汉语译音的需要反及从前。到了鸦片战争(1842)以后,海禁大开,帝国主义的先遣部队到中国来通商传教的一天比一天多,凡是税关、邮局、公文、报纸上所用的人名、地名必须经过西译。到中国来的外国人为学习汉语,传播宗教,也都研究拼音方式。于是用外国字母拼写的汉音字典、土白圣经,盛极一时;而拼法互异,系统不一。大致可以归纳成英、法、德、俄各式。19世纪以来,我国许多先进人士受了爱国主义的激发和拉丁字拼音运动的启示,也都闻风而起,有所著作。就现有资料约略分析,可以有以下各种:

1) 卢戆章《中国第一快切音新字》(1892)

2) 朱文熊《江苏新字母》(1906)
3) 刘孟扬《中国音标字书》(1908)
4) 黄虚白《拉丁文臆解》(1909)
5) 邢岛《拼音字母》(1913)
6) 刘继善《新华字》(1914)
7) 钟雄《新字母发明书》(1918)

其中有纯用26字母的,如:刘孟扬的《中国音标字书》;有把拉丁字母倒用或横用的,如:朱文熊的《江苏新字母》;也有创造大批拉丁字母的变体的,如:卢戆章的《切音新字》;有以拼切北京音为主的,如:刘孟扬的《中国音标字书》;有以拼切方音为主的,如:卢戆章的《切音新字》(拼切厦门音),朱文熊的《江苏新字母》(拼切吴音,后来也想增加业、彳、尸、日四音和凵、ㄣ、ㄡ、ㄞ四韵代替注音字母),钟雄的《新字母》(拼切广东音);有用字母标写声调的,如:朱文熊的《江苏新字母》,黄虚白的《拉丁文臆解》,刘继善的《新华字》;有另加义符的,如刘继善的《新华字》。他们各人所订的字母数目和预期的功用虽然不一致,但是想用拉丁字母帮助汉字读音或作为通俗文字,则是共同的努力方向。他们的拼音方法和另加义符的幻想,虽然还有很多可以批评的地方;但是在拼音字母的启蒙运动时期,我们现在对于他们"筚路蓝缕"的功劳还是不可埋没的。

在拼音字母启蒙运动时期,已经有人提出"联字成辞"和用字母标调两种意见。到了1922年8月《国语月刊汉字改革号》出版以后,创制拉丁字拼音方案的风气更达到高潮,对于"联字成辞"和用字母标调两种意见也比以前更加明确。就文献所载,有:钱玄同式两种,赵元任式一种(1922),周辨明"中华国语音声字制"一种(1923)。虽然对于选母、审音、标调各法,互有不同,而拼字时必用"语词联写",则已趋于一致。赵元任式经过钱玄同、刘复、黎锦熙等人组织"数人会"参加意见和本人修改,计从1925年9月26日到1926年9月6日,历时一年,开会22次,才拟定了国语罗马字拼音方案一种。这种方案的特点主要在于纯用拉丁字母,避免附加符号,语词联写和"字各有调,以字母注"各点。当时因为国民党对于提高大众文化的事业不愿推行,一再迁延,直到1928年9月26日,才由当时的"大学院"公布。

另外一方面,瞿秋白同志在苏联时也曾积极地为创立汉语拉丁化新文字方案而工作。他的方案,当时在莫斯科和列宁格勒的中国革命同志和苏联汉学家中不止一次地讨论过。帮助这一方案最后定型的有吴玉章、萧三等同志和龙果夫、郭路特等苏联科学家。这个拉丁化新文字方案的字母表只有28个符号,并且没有采用专门标记声调的符号。1931年在伯力召开的一次汉学专门会议上进行过讨论,后来在旅苏华侨的学校里和出版物上,也曾经有效地使用了若干年。在国内它也受到很多进步的知识分子(包括鲁迅、陶行知、张一麟、许地山等人)的热烈欢迎,并经许多语文工作者孜孜不倦地热心推行,在群众中打下了基础。

总括上文所叙述关于用拉丁字母拼写汉语的历史,我们可以说,从1605年到现在,352年间虽然经过一段低潮(1723—1892),其余的时间是都在逐步演进着的。其间的推动者虽有外国教士、爱国人士、语文学者的不同,他们所抱的目的也很分歧;但是都想创造一种拉丁字母的拼音方案,来帮助学习汉字或改革汉字,这却是一个共同点。现在公布的"汉语拼音方案草案",正是近300多年来拉丁字母拼音运动的结晶。

三

这个草案同国语罗马字和拉丁化新文字的基本形式都是大同小异的。其中如用b、d、g代表ㄅ、ㄉ、ㄍ,用p、t、k代表ㄆ、ㄊ、ㄎ一点，是这三个方案的共同特色。从前德国人雷兴（F. Lessing）所作的拼音方案已经采取了这种形式，因为南德方言对于 b、d、g 的读音，本来是介乎清浊之间的半浊音(b̥、d̥、g̊)，和我们北方话ㄅ、ㄉ、ㄍ的发音相近。现在用 b、d、g 代表ㄅ、ㄉ、ㄍ，用 p、t、k 代表ㄆ、ㄊ、ㄎ，是我们对于原有拉丁字母的一种新用法，和清浊音的分别并没有关系。草案和其他两种方案出入较大的地方首先是国语罗马字用字母标调，拉丁化新文字基本上不标调，而现在的草案增加了ˉˊˇˋ4 个调号。此外还有国语罗马字用 j、ch、sh 的变读作ㄐ、ㄑ、ㄒ，拉丁化新文字用 g、k、x 的变读作ㄐ、ㄑ、ㄒ；现在完全取消了变读的方法，另用 j、q、x 代表ㄐ、ㄑ、ㄒ。这也是一种借用拉丁字母形式改变读音的例子。韵母中用 ü 代表ㄩ，和国语罗马字的 iu、拉丁化新文字的 y 都不同。但是因为ㄐ、ㄑ、ㄒ不跟ㄨ相拼，所以ㄐㄩ、ㄑㄩ、ㄒㄩ可以写作 ju、qu、xu。只有 lü、nü 仍旧要写两点，而这些音节是极少用的。用 ü 表ㄩ，在国际习惯上和汉语拼音方案的历史上都有充分的根据。过去西洋人艾约瑟（J. Edkins）、威妥玛（T. F. Wade）、马提尔（C. W. Mateer）、阿伦德（C. Arendt）、雷兴（F. Lessing）和中国人刘孟扬等的方案，都曾经用 ü 代表过汉语中的ㄩ。于此可见，现在公布的方案是经过许多人的集体智慧提炼加工，而不是从任何方案硬搬过来的。

（原载《人民日报》，1957 年 12 月 18 日）

论龙果夫的《八思巴字和古官话》*

关于八思巴文音韵的研究，从前资本主义国家的学者们，像朴节(M. G. Pauthier)①柯劳孙(G. L. M. Clauson)②，寺本婉雅③，鸳渊一④等，也曾有所讨论，不过大部分是考证字母的读音或钻研一些枝枝节节的小问题。自从苏联龙果夫教授(A. A. Драгунов)发表了一篇《八思巴字和古官话》(The hPhags-pa Script and Ancient Mandarin)，应用八思巴文的汉字对音来研究元代汉语的音韵系统，才算把八思巴文跟汉语音韵史的研究联系起来。在龙果夫的文章发表了十年后，包培教授(H. H. Поппе)对于八思巴文又作了更进一步的研究⑤，但是在《八思巴字和古官话》发表的时候，龙氏对于元代汉语音韵的构拟确乎起了很大的作用。

龙氏这篇论文是 1930 年在《苏联科学院（人文科学部）报告》

---

* 按本文是在作者逝世后由《中国语文》杂志发表的(见 1959 年 12 月号)，《中国语文》编辑部在本文发表时加注说"本刊为纪念罗常培先生逝世一周年，发表他这篇遗著。本刊编委陆志韦先生仔细校订了本文全稿，陆先生校订后又写了一段"编者校语"附在篇后，请读者参看。龙果夫教授的《八思巴字和古官话》译本(唐虞译，罗常培校)最近已由科学出版社印行(改名为《八思巴字与古汉语》)。"——编者

① 《De l'alphabet de Pa-sse-pa》, *Journal Asiatique*, 1862, 10, p. 24—37.
② G. L. M. Clauson 和 Yoshitake:《On the Phonetic Value of the Tibetan Characters ཎ and ར and the Equivalent Character in the hPhags-pa Alphabet》, *The Journal of the Royal Asiatic Society*, 1929, 10.
③ 《帕克巴喇嘛之新蒙古字》，见《佛教文学》第二号。
④ 《中原音韵中八思巴字ニテ写サシタル汉字音》，《小川博士还历纪念史学地理学论丛》。
⑤ H. H. Поппе:《Квадратная письменность (История монгольской письменности I)》, Институт востоковедение, AH CCCP, 1941.

中发表的,他所用的材料,包括汉语的八思巴字文件和蒙语八思巴字文件里的汉字,共计 703 字,一共发现 1820 次。他所采取的材料得要合乎两个条件:第一,无须翻检汉字对音或其他八思巴碑文就能读的;第二,对于其他碑文可以作重要参证的。因此,他对于《事林广记》里的《蒙古字百家姓》,采用的很有限。

据龙氏自己说:这篇文章所发现的要点,就是"在舌根声母后头[ei][i]两音的区别和声母ᠺᠧᠳ的不同"。[①] 至于从八思巴对音所构拟出来的"古官话"音系究竟怎样,他却没有总括的叙述。我们为读者容易了解下文起见,先把他所构拟的"古官话"音系提纲挈领地说明一下。

龙氏所构拟的"古官话"声母共有 35 类,它们和古汉语声类的关系如下表:

古官话声类	八思巴对音	古汉语声类	备注
p	b	帮	
p'	p(b)	滂	八思巴对音据百家姓,蒙古字韵当是 b。
b'	p	並	
m	m	明	
f	hu	非敷奉	古汉语的戛透和清浊均混。
v	w	微	失却鼻音成分。
t	d	端	
t'	t'	透	
d'	t	定	
n	n	泥	
l	l	来	
ts	dz(ts)	精	八思巴字实以 ts 对精,以 dz 对从,龙氏因端定、照床等纽类推致误。今于括弧内校正。

---

① 龙果夫文中多用藏文字母代表八思巴字,今仍其旧,下并同。

ts'	ts'	清	
dz'	ts(dz)	从	
s	s	心	
z	z	邪	
tṣ		照庄	照组二三等八思巴用同一字母对音,但龙氏拟为二类。
	ǯ		
č		照章知	舌上音知组与正齿音章组合并。
tṣ'	č'	穿初	
č'		穿昌彻	舌上音知组与正齿音章组合并。
dẓ'		床崇	
	č		
ǯ		床船澄	舌上音知组与正齿音章组合并。
ṣ		审生	
	š		
š		审书禅	书禅清浊不分。
ž	ž	日	
k	g	见	高本汉所称见组纯的与 j 化的区别只在古官话 i, im, iŋ 前存在。
k'	k'	溪	
g'	k	群	
ŋ	ŋ	疑	在由古歌豪尤阳支微严元业诸韵变来的 o, ɑ, au, iu, iaŋ, i, em, en, e 韵母前。
		云	在古尤韵变来的 iw 韵母前。
x	h	晓匣	匣纽只限于齐齿撮口两呼的字。
ɣ	ɣ	匣	匣纽的开合口字和从古侯韵变来的 iu 韵母字仍保持浊音,不与晓纽相混。

	ꡋ	影	在由古覃寒侯尤变来的 am,an, iw,iu 等韵母和古官话 u,ü 前；但在古支微脂缉质昔侵蒸庚仙先宵药变来的 i,im,in,iŋ,en,eu 等韵母前喉塞声保存与否不定。
	ꡖ	云	在 ji+ w（或 u）前。
		疑	在古虞韵变来的 ĕu 韵前。
j	j	以	
		影	在由古麻山诸韵变来的 a,an 韵母前。
		疑	在由古山觉祭齐幽变来的 an, aw,i,iw 韵母前。
○	○	疑	在古模韵"午吾五伍"诸字前。

这 35 类"古官话"的声母，照八思巴对音实际只有 31 类，照组二等庄、初、崇、生的分立，是龙氏根据古汉语声类所构拟的。关于古汉语和"古官话"声类最显著的不同，共有五点：(1) 轻唇音非敷奉并为一类；(2) 舌上音知、彻、澄和照组三等章、昌、船不分；(3) 书、禅两纽清浊相混；(4) 匣纽的齐齿撮口两呼并入晓纽；(5) 影、以、云、疑的分化较为复杂（参阅上表）。至于八思巴字以清对浊，以浊对清和滂並共对 p 音的现象（实是帮滂共对 b 音的现象，参前表附注），龙氏已经解释过了。

关于元代汉语声类的考证，我从前写过一篇《中原音韵声类考》。① 所用的方法是从周德清的《中原音韵·正语作词起例》里提出的两个条例：

> 案德清之言曰："音韵内每空是一音，以易识字为头，止依头一字呼吸，更不别立切脚。"是每音所属之字当与建首者声韵悉同，凡一音之中而括有等韵三十六母二纽以上者，即可据以证其合并，偶有单见，不害其

---

① 前中央研究院历史语言研究所《集刊》第二本，第四分，1932 年。

同;此一例也。德清又曰:"阴阳字平声有之,上去俱无;上去各止一声。"盖元以后之北音,全浊声母平声变同次清,而声调之高低微殊;去声变同全清,而声调之高低亦混。于是声母之清浊乃一变为声调之阴阳。其变迁之由固与清浊有关,而声母音值实已清浊不辨。故凡全浊声母去声混入全清者,则平声虽与阴阳分纽,声值实与次清无别,此二例也。

依据这两个条例,以本书韵字为证,断定《中原音韵》只有帮、滂、明、非、微、端、透、泥、来、见、溪、晓、影、照、穿、审、日、精、清、心20声类,而没有古汉语的敷、知、彻、并、定、群、从、床、澄、奉、匣、邪、禅、娘、疑、喻16纽。这个结论和后来兰茂《韵略易通》、毕拱宸《韵略汇通》、金尼阁《西儒耳目资》、方以智《切韵声原》、马自援《等音》、林本裕《声位》和樊腾凤《五方元音》等书里所定的声类都相合,并且同波斯对音和现代北京音声母的声类也相近。拿它们和八思巴对音比较,像非、敷、奉不分,知、章两组不分之类,两个系统是一样的,所差异的只是全浊声母的有无和庄、初、崇、生是否独立两个问题。

从八思巴对音考证出来的元代汉语声类,也和汉语音韵史上许多地方相合。我曾在《中国音韵沿革》[①]上说:

> 案《清通志·七音略》曰:"知、彻、澄古音与端、透、定相近,今音与照、穿、床相近。泥、娘、非、敷,古音异读,今音同读。"《性理精义》按曰:"知、彻、澄、娘等韵本为舌音,不知何时变入齿音。等韵次于舌音之后,《经世》次于齿音之后,则疑邵子之时此音已变也。"又曰:"以等韵之例求之,敷字当自为一音与滂字对。如此则等韵有二十五母,而《经世》只于二十四,盖此字绝少,因失此音也。"果如所言,则知、彻、澄、娘、敷之混变自北宋已见其端。故旧传朱熹之三十二母有照、穿、床、泥而无知、彻、澄、娘,陈晋翁《切韵指掌图节要》之三十二母有知、彻、澄、泥,而无照、穿、床、娘,吴澄之三十六字母删知、彻、床、娘,黄公绍《韵会》之三十六母并照于知,并穿于彻,并床于澄。……此四家者,虽亦略有出入,要不外

① 1929年度清华大学讲义。

于知、彻、澄、娘与照、穿、床、泥之混并。又亡友刘君文锦尝系联《洪武正韵》之反切上字以求其声类,亦只知、彻、澄、娘、敷并于照、穿、床、泥、非,其余三十一类仍与旧谱无异。此后李登《书文音义便考私编》及杨选杞《声韵同然集》均宗之。

这几家所得的结果,除去正齿音二等没有分立以外,几乎和八思巴的对音完全相合。又日人石山福治依据《洪武正韵》和朝鲜《四声通解》的谚文,也考定《中原音韵》为 31 声类[①],和上面这一个系统相同。

至于龙氏忽视八思巴对音,仍然把庄、初、崇、生拟作 ts ts', dz', s,这在上面两个系统里全无根据。《中原音韵声类考》里说:

照组二等庄、初、生三类与三等章、昌、书三类,《广韵》分用划然,《中原音韵》则照组二三等混用,或与知组合并者,凡十一纽二十八字:

江阳:(阴)○庄妆装庄桩知

支思:(阴)○眵彻瞠昌差初 施尸屍鸤蓍书师狮蛳生

  (上)○史驶使生弛豸矢始屎菡书

皆来:(入作上)○责簀帻窄迮侧仄昃庄摘谪知

萧豪:(入作上)○捉庄琢卓知○戳彻槊初

家麻:(阴)○挝知䥽抓庄

  (入作上)○扎知札庄

庚青:(阴)○铛铮狰琤初撑瞠彻

廉纤:(阴)○襜初觇彻

而与齿头精清心合用者只有七纽十三字:

支思:(阴)○髭赀觜兹孳孜滋资咨谘姿粢精淄庄

齐微:(阴)○崔催清衰榱初

  (上)○洗玺徙枲心屣生

鱼模:(阴)○粗清刍初

  (入作上)○蔌速心缩谡生

寒山:(去)○渲心䎡生

[①]《考定中原音韵》第十四节,页 113—120。

尤侯：(阴)○邹陬缁驺庄鲰诹精○溲锼心馊生

其分化现象与现代北音相近，盖以二三等不分为原则而以转入齿头为例外也。

可见《中原音韵》的声系正齿音的二三等是不分的。再说后一个系统，不单八思巴对音明明二三等共用一个字母，就是《洪武正韵》一系的声类也从来没有把庄、初、崇、生分立的；因此我对于龙氏这个说法不敢苟同。

但是上面这两个显然不同的声母系统，究竟哪一个和当时的实际语音相合呢？关于这个问题，龙果夫以为："八思巴字碑文所代表的'古官话'的声母系统绝不是靠古韵书的帮助来臆造的，而是由实际的读音反映出来的。"他认为上面所举的那两种纷歧的事实，并不难解释。他说："我们没有充足的理由说古官话的语音组织是统一的。在另一方面，我们的这些材料使我们可以说有两个大方言。从声母系统来看，它们是极端彼此纷歧的：一个我们叫做甲类，包括八思巴碑文、《洪武正韵》、《切韵指南》；那一个我们叫做乙类——就是在各种外国名字的对音和波斯对音里的。并且甲类方言（就是八思巴碑文所代表的）大概因为政治上的缘故，在有些地方拿它当标准官话，可是在这些地方的口语是属于乙类的。结果这些地方有些字有两种并行的读音——一种是官派的，像八思巴文所记载的；另一种是近代的土话，像波斯的对音所记载的。"我对于他这种解释相当地赞成，这两个系统一个是代表官话的，一个是代表方言的；也可以说一个是读书音，一个是说话音。前一个系统虽然不见得是完全靠古韵书构拟出来的，可是多少带一点儿因袭的和人为的色彩，它所记载的音固然不是臆造的，却不免凑合南北方言想作成"最小公倍数"的统一官话。我们从明朝李登的《书文音义便考私编》里所定的声类，便可反映出一些痕迹来。李氏虽定声母为三十一类，可是他一则说"平则三十一母，仄则二十一母",再则说"仄声纯用清母较为直截",可见那个时候全浊声母的分立,只是因为平声分作阴阳两调,所以没有合并,实际上并不是真有带音的声母存在了。那末,我们若从元代北音演进成现代北京音的观点看,就可以说,元代"官话"的音类尽管不是臆造的,不过北方一系的土话特别发展,两者抗衡起来,前一种"虽时时争持于纸上,实则节节失败于口中"罢了。

从八思巴字对音所构拟出的"古官话"韵类,和《中原音韵》的十九部并没有很大的出入。不过首先得要声明的,就是所谓"部"是只管主要元音以后的部分而不问等呼,它和"真韵母"的性质并不相同。所以"古官话"的韵母尽管多到四十二类,实际上和《中原音韵》所差的只有下列的七点:

(1) [u][ü]两韵的字《中原音韵》同属鱼模部,古官话分成两个独立的韵母,和兰茂《韵略易通》、毕拱宸《韵略汇通》分"鱼模""居鱼"两部相同。

(2)《中原音韵》齐微部的合口,八思巴对音除"惟"字作[üi]外,都拿[e]作主要元音,好像和车遮部的开口[ie]相配而不和齐微部的开口[i]相配,因此车遮部的合口"厥阙月"等字也就和这些字混成一部了。

(3) 德韵开口"德得"两字《中原音韵》属齐微部,"克则"等字属皆来部,"古官话"另立[əi]韵,不和那两部相混。

(4) 凡韵的[f]声类字《中原音韵》入寒山部,"古官话"仍作闭口[-m]。

(5)《中原音韵》以桓韵属桓欢部,山删两韵合口属寒山部。"古官话"把它们都并作[uɑn]韵。

(6) 庚青合口字收在《中原音韵》的,大部分在东钟部和庚青部重出,个别的只收在东钟部或庚青部。"古官话"把东钟部和庚青部的合口都归入[uŋ][üŋ]两韵。

（7）在《中原音韵》里，入声铎觉字在萧豪和歌戈两部重出，烛和屋三等字在鱼模和尤侯两部重出，"古官话"以铎觉全附[au]韵，烛屋全附[u][ü]韵。综合起这几点来看，我们可以说"古官话"的韵类比《中原音韵》增两部（[ü][əi]），又减一部（桓欢）。实际上仍然是《中原音韵》的规模。至于[üe]或写作[i̯ue][üi]；[eu]或写作[u̯u][ou]；[üen]或写作[üan]；[i̯aŋ]或写作[e̯aŋ]；那都是受声母影响所生的细微差异，因为不至于变成不同"音位"（phoneme），我因此不把它们当作不同的韵母。

下面我把龙氏所构拟的"古官话"韵类、八思巴对音，和古汉语韵类、《中原音韵》韵部列成一个对照表，以便参考：

古官话韵类	八思巴对音	古汉语韵类	《中原音韵》韵部	备注
（1）ï	hi	脂之支的精庄组	支思	
（2）i	i	脂之支微祭齐开口 微合口非组 缉质昔锡职开口，（药开口"却"字？）	齐微	
（3）u	u	模，虞非组，鱼，庄组 屋一沃，物屋三，非组	鱼模	屋三和烛韵字《中原音韵》互见鱼模，尤侯两部
（4）ü	ėu	鱼虞 术物，屋三，烛	鱼模	分立 ü 韵和《韵略易通》分出居鱼部同
（5）o	o	歌（戈韵"过"字） 合曷见系 （尤韵"牟"字）	歌戈	
（6）uo	u̯o	戈 末，（铎韵"莫"字）	歌戈	
（7）ɑ	ɑ	麻开二	家麻	

		合乏曷		
		黠月帮系		
(8) ia	i̯a	麻开二见系	家麻	
		洽韵"郏"字		
(9) ua	u̯a	麻合二	家麻	
		黠韵"滑"字		
(10) i̯e	e(ê)	麻开三	车遮	
		业,薛屑开口		
(11) ue	ue	脂支微祭齐合口,灰	齐微	
		泰合口"外"字	皆来	
		德合口,职韵"域"字(?)		
(12) ⎧ iue	i̯ue	齐合口"惠"字	齐微	
⎨ üi	u̯i	脂合口"惟"字		
		昔合口"役"字		
⎩ üe	ê̯ue	支合口"规"字	齐微	
	ue(uê)	月合口	车遮	
(13) ai̯	aj	哈泰皆佳开口	皆来	
		陌开二照系和帮组		
(14) i̯ai	i̯aj	皆佳见系	齐微	
		陌开二见系		
(15) u̯ai	u̯aj	皆合口	皆来	
(16) əi̯	hij	德开口	齐微	
(17) au̯	aw	豪,肴	萧豪	
		铎开口,觉帮组		铎觉等韵《中原音韵》
(18) i̯au̯	i̯aw	肴见系	萧豪	互见萧豪和歌戈两部
		觉韵"学"字		
(19) u̯au̯	u̯aw	铎合口,觉韵"朔"字	萧豪	

(20) ieu̯ (ie̯u̯)	ew(ĕw)	宵萧	萧豪	
		药开口		
(21) {əu̯ / uu̯ / ou̯}	hiw / uw / uuw / uow	侯,尤庄组 / 侯帮组 / 尤韵"富"字 / 尤韵"阜"字	尤侯 / 尤侯 / 尤侯 / 尤侯	
(22) iu̯	iw	尤	尤侯	
		侯见系及"头"字	尤侯	
(23) am	am	覃谈	监咸	
	u̯am	凡		《中原音韵》入寒山部
(24) i̯am	i̯am	咸见系	监咸	
(25) iem	em	严盐添	廉纤	
(26) im	im	侵	侵寻	
	ĕim	侵韵"歆"字	侵寻	
(27) an	an	寒,山删开口	寒山	
		元合口"万"字,	寒山	
		删合口"颁"字	寒山	
(28) i̯an	i̯an	山删开口见系	寒山	
(29) uan	uan	删合口	寒山	
	on	桓	桓欢	
(30) ien	en(ĕn)	元仙先开口	先天	
(31) {üen / üan}	u̯ĕn / ĕon	元仙先合口 / 仙合口"眷"字	先天 / 先天	
(32) ən	hin	痕	真文	
(33) in	in	真	真文	
(34) un	un	魂,文韵非组	真文	
(35) ün	ĕun	谆文	真文	
(36) aŋ	aŋ	唐开口	江阳	
		阳开口知照组,合口非组	江阳	

421

(37)	iaŋ ɛaŋ	iaŋ haŋ	江,阳开口 阳开口庄组	江阳 江阳	阳韵开口庄组字北京音变合口,八思巴对音已见其兆
(38)	uaŋ	uaŋ oŋ	唐合口,阳合口云纽 唐合口,"皇"字	江阳 江阳	
(39)	əŋ	hiŋ ẽiŋ	登开口,庚开二庄系 庚开二"庚"字,耕开二"耿"字	庚青 庚青	
(40)	iŋ	iŋ jiŋ	清青蒸开口,庚开三,耕开口"幸"字 庚开二"行"字	庚青 庚青	
(41)	uŋ	uŋ	庚开二"衡""孟"字, 耕合口"宏"字 东冬一等,钟和东三知照系,非组	庚青 庚青 东钟	《中原音韵》庚青合口互 见东钟、庚青两部,八思巴对音只作 uŋ、ẽuŋ 类。
(42)	üŋ	ẽuŋ	庚合三云纽 清合口"琼"字 东三,钟	庚青 东钟	

就八思巴对音去归纳,我们可以简括地说,"古官话"的韵系一共有:

(a) 三个介音: i[j]　　　　　　u[u]　　　　　ü [u或ẽu]
(b) 五个元音: a(包含在辅音里)　e[e 或 ẽ]　i[i]
　　　　　　 o[o]　　　　　　u[u]
(c) 五个韵尾: -m[m]　　　　　-n[n]　　　　-ŋ[ŋ]
　　　　　　 i[j]　　　　　　u[w]

《中国语文》编者校语:中国科学院语言研究所罗故所长常培本想根据已故龙果夫教授所采集的八思巴字资料和其他同类资料,参酌《韵会举要》,比照《中原音韵》,试拟十四世纪的"古官话"音系。那时,罗所长身体已经很不好,不能集中精力做这样繁重的工作,因而想起把讨论龙果夫教授的论文的那一段先写成专章;这就是现在发表的这篇未定稿。就因为这篇论文,按原计划只是一部大著作的一个片段,所以有些地方反映出作者原来的心愿。文中原有一些附注,指出某些处应从长讨论;编者把这些附注删去了。有些地方,很明显地显出一时笔误的,也代为修改了。

有两点需要特别指出,以明责任:1)文中暗示出龙果夫教授把寒韵字和桓韵字都作[-an]类是不正确的,所以说"《中原音韵》以桓韵属桓欢部,山删两韵合口属寒山部,'古官话'把它们都并作[uan]韵"。其实龙果夫教授所见的桓韵八思巴字,全都是只能对译成[on]的,不知为什么拟成"古官话"的[uan]。编者以为罗所长本是想在全书里,参照《蒙古字韵》《韵会举要》《中原音韵》等来讨论这个问题的。2)也是为了这个缘故,罗故所长原文的总表上有一些细节显出他时常举棋不定。像龙果夫教授那样,想从几百个八思巴字的对音重拟"古官话"的音系,本是有点危险的。那末,我们要是专为讨论龙果夫教授的论文,只可就事论事,有什么说什么,不必把整个切韵音系和"古官话"联系起来。反过来说,假若要对比"古汉语"和"古官话"的整个音韵系统,就得总括所有的有关14世纪北方话的音韵的资料;龙果夫教授所论列的只是一部分。罗所所长原文的总表"盘桓乎山水之间",编者擅自把它校改过了,只总结龙果夫教授所收罗的几百个字。有好些处,《广韵》的某韵某类只有一个代表字;这些地方表现有时不特别指出,有时注某韵某类的某字,也许有失当之处,这应由编者负责。这样改编之后,实在更能符合罗故所长一贯治学的精神。

罗所长去世一年了,现在发表这篇文章,不只是为了纪念他,也希望研究音韵学的同人们能更多地留意普通话的基础方言和北京音系的历史,更直接地为我国社会主义文化建设服务。借此也可以完成罗故所长未了的志愿。

(原载《中国语文》1959年12月号)

京剧中的几个音韵问题

——1935年9月7日为北京青年会剧团讲演

无论歌剧或话剧,总不会离开语言,而语言的表现尤其离不开声音;所以凡是做演员的人们,要想歌唱悦耳,或是说白动人,都得在语音的训练上下一番基本工夫。音韵学就是分析汉字或汉语里所含的"声""韵""调"三种元素,而讲明它们的发音和类别,并推究它们的相互关系和古今流变的。所以这种学问和戏剧的关系非常密切。现在先把中国旧有的歌剧一部分拿来讲一讲。

学唱歌剧的秘诀最要紧的是"字正腔圆"。无论唱昆曲或皮黄,都得拿这四个字作基础。"腔圆"固然是乐律学的职能,"字正"却是音韵学的功用;而且要想收"腔圆"的效果,非得先作"字正"的工夫不可。元朝的周德清说:

欲作乐府,必正言语;欲正言语,必宗中原之音。[①]

因此我们对于近来几位戏剧家所讨论的戏剧音韵问题,要趁机会在这儿商酌一下。

一　中州韵和十三辙

关于近代皮黄剧的押韵问题,现在有人主张根据范昆白的《中州全韵》,有人主张根据"鼓棒词"的"十三辙"。前一派可以曹心泉

---

① 《中原音韵》自序。

的《剧韵新编》作代表。据陈墨香给这部书所作的"小引"说：

> 曹心泉先生精熟周德清、范昆白中州音韵之学，素不乐鼓棒词所谓"十三辙"者；谓其姑苏之类举阴遗阳，遥条之类从阳遗阴，则部首二字其一为赘。若索拨一辙，以入统平，尤失古意。而皮黄袭其陋说，未免贻笑，因根据周、范及清代官修之《音韵阐微》，参以梨园老宿之所口传心授，部以二十一韵而厘正之。凡庚清、真文、寒删、廉纤诸部音本相近，仍可相通，其不为古人所拘缚，犹之夫十三辙也。①

他所分的二十一部是：

东同　江阳　支时　机微　归回　居鱼　苏模　皆来　真文
干寒　欢桓　天田　萧豪　歌罗　家麻　车蛇　庚亭　鸠由
侵寻　监咸　纤廉

后一派以张伯驹和余叔岩合编的《近代剧韵》作代表。这部书的叙例里虽然没有明白说出根据十三辙，可是他所定的韵目是和通俗所传的十三辙一样的：

钟东　江阳　医欺　姑苏　灰堆　怀来　爷茄　发花　梭波
么条　尤求　人辰　言前

听说余叔岩后来怕人攻击，把已经印成的书都焚毁了，没敢发行。近来张氏把它改名为《乱弹音韵集要》，才用自己的名义在《国剧月刊》里另行发表。由此可见梨园名宿对于这个问题的意见是很不同的。最近齐如山折衷两者之间写了《论皮黄十三道辙》和《论皮黄用中州韵》两篇。② 他以为：

> "中州韵十三道辙"完全由范昆白《中州全韵》而来。按古今的韵书用中州二字命名的，只有《中州全韵》一书，如今既名为"中州韵"，则当然来源于此。并且有一个小小的证据：古今的韵书没有说过庚青韵与侵文等韵相通的，惟有《中州全韵》于庚青韵后附有小注云："元明时代用庚青韵者往往通真文侵寻"云云，而皮黄之规矩也是如此。这可算是皮黄之

---

① 见《剧学》第一卷第五期。
② 见《大公报·小公园·剧坛》。

"中州韵"与《中州全韵》有相当的关系。再说《中州全韵》虽分为二十二韵,若用口念来,也不过只有十三韵,比方干寒、欢桓、天田、监咸、廉纤等韵的分别,不过只有高低、清浊、开口、合口之分。各字虽分列各部,但是念着听着也没什么两样。梆子皮黄向来没有文字的记载,几百年来,全凭口授,嘴里说着,耳朵听着,则二十二韵之音也不过十三种,所以念来念去,久而久之,把二十二韵就变成十三道辙,这也是自然的道理。照这样说法是慢慢的由《中州全韵》自然而然的产生出来的。

这种调和依违的理论更使我们纠缠不清了。那么,我们现在应当何所适从呢?这还得从《中原音韵》以后的曲韵演变的情形来推求他的究竟。

专为戏曲而作的韵书,当然要首推元高安周德清的《中原音韵》。这部书成于元朝泰定甲子(1324),是音韵学史上一部革命的创作。它把平声分作阴阳两类,入声配列在平上去三声,分韵类为十九部,就是:

东钟　江阳　支思　齐微　鱼模　皆来　真文　寒山　桓欢
先天　萧豪　歌戈　家麻　车遮　庚青　尤侯　侵寻　监咸
廉纤

在《中原音韵》成书后二十七年——元至正辛卯(1351)——燕山卓从之又作了一部《中州乐府音韵类编》,他所分的十九部只把周书的歌戈改作哥戈,侵寻改作寻侵;又把平声的"阴""阳"分作"阴字""阳字""阴阳字"三类;大体上看起来,总算是周规卓随,没有显著的差异。到了明朝洪武七年(1374),宋濂、乐韶凤等所修的《洪武正韵》,"以三衢毛居正、昭武黄公绍之说为据,不及者补之,及之而未精者以中原雅音正之。"(《正韵》凡例)平上去各二十二韵,加上入声十韵,一共是七十六韵。拿它的平上去二十二部和《中原音韵》的十九部比较起来,除去它把《中原音韵》的支思、鱼模、萧豪三部分作支、齐、鱼、模、萧、爻六部外,大体都很相近;最不同的就是在《中原音韵》里分配到平上去的入声,它又独立成十韵了。因为这一度杂糅南北的结果,于是使中原音韵的演化也分歧成"南从洪武"和"北问中原"的两条大路。现在为提纲絜领起见,先把这两大系的演化情形列成次页的表:

由次页所列的系统表,很显然地可以看出来,从《琼林雅韵》到《增订中州全韵》一系韵书,是随着北曲和南曲的消长而一步一步南化的。《琼林雅韵》、《词林要韵》和《增订中州全韵》三部书,从表面看起来,只有"不分阴阳"一点和周、卓两人的书不同。不过,从王文璧所增的反切"清浊分纽"一点来看,我很疑心他们不单知道平分阴阳,而且知道仄分阴阳。因为在吴语区域里清浊声和阴阳调是同时存在的,所以我们尽可以说王文璧以前对于清浊声和阴阳调两个观念还不能分析清楚,也可以说那一个时候只有阴、阳之实,而没有阴、阳之名;但是我们却不能说他们只知道声母的不同而不知道声调的区别,尤其不能说他们看见周德清把平声分出阴、阳,才因为类推的结果把仄声也构拟出个阴、阳的分别来。这恰好像我们不能因为梁武帝不知道"平、上、去、入"的名称,就说齐梁的时候没有"四声"一样——语音演变的因果关系是不容我们随便颠倒的。所以《中州全韵》和《中州音韵辑要》分出平去两声的阴阳,《增订中州全韵》分出平上去三声的阴阳,完全是根据他们的方音,并不是向壁虚造(参阅下节)。至于《中州音韵辑要》和《曲韵骊珠》把周德清的鱼模部分作居鱼、苏模(《骊珠》作姑模)两部,把齐微部分作机微、归回(《骊珠》作灰回)两部,以及《曲韵骊珠》分出入声八韵,那都是受《洪武正韵》的影响。还有周昂的《增订中州全韵》从王、沈的齐微部里分出"知、痴、池"等字,从居鱼部分出"如、诸、书、枢、除"等字,另外合立一个知如部,并且注云:"官韵缩舌缩唇",在这个系统里是很特别的。所以周氏虽然也分二十二部,却和《洪武正韵》的二十二部不同;齐如山误认周氏的二十二部就是范昆白的韵部,恐怕是没见过范氏原书的原故。曲韵演变到了周昂的《增订中州

全韵》,可谓南化到了极点,拿它和以北曲为主的《中原音韵》来比较,真是相去不可以道里计了。赵荫棠说:

> 它们的地域都是在江苏(莘田案:王文璧系吴兴人,现属浙江,但仍不出吴语区域);
>
> 产生的时代都在《洪武正韵》之后;
>
> 它们的背景是南曲。①

这是值得我们注意的一个很有趣味的统计。如果看清楚这段曲韵南化的历史,我们就可以知道曹心泉的《剧韵新编》,从分部上看和王骏、沈乘麟的书很相近,大体上是沿袭曲韵南化的余波,不过上去不分阴阳罢了。现在为参考便利起见,把各种韵书的韵目列成下面的对照表:

至于从《韵略易通》到《十三辙》一系韵书,大部分是为一般"据音识字"的人而作,也颇能适合民间口头文学的天籁。它们大胆打破了文人的因袭思想,极力求着切合于当时当地的活语言。在这个时候,新兴的民间戏剧——皮黄——已然代替了渐趋僵化的南曲的地位,它所用的辙韵,自然而然也要根据当时当地的活语言,而不再去因袭南化的曲韵;这和北曲崛兴的时候,大家都依据《中原音韵》而不去理会《广韵》和《礼部韵略》的情形是一样的——《十三辙》就是应着这种需要而产生的一部民间剧韵。综起这一系韵书来看,我们应该注意下面几件重要的演变:

第一,闭口韵的消变——在《中原音韵》的"正语作词起例"里已然列举"针有真""金有斤""贪有滩""南有难""詹有毡""兼有坚"等-m-n互混的现象,可见闭口韵的消变由来已久。在《韵略易通》里还遵守着《中原》和《洪武》的规模,没敢公然取消侵寻、缄咸、廉纤三部,到了《韵略汇通》,就毫不客气地把侵寻并入真寻,缄咸并

---

① 《中原音韵研究》,页 52。

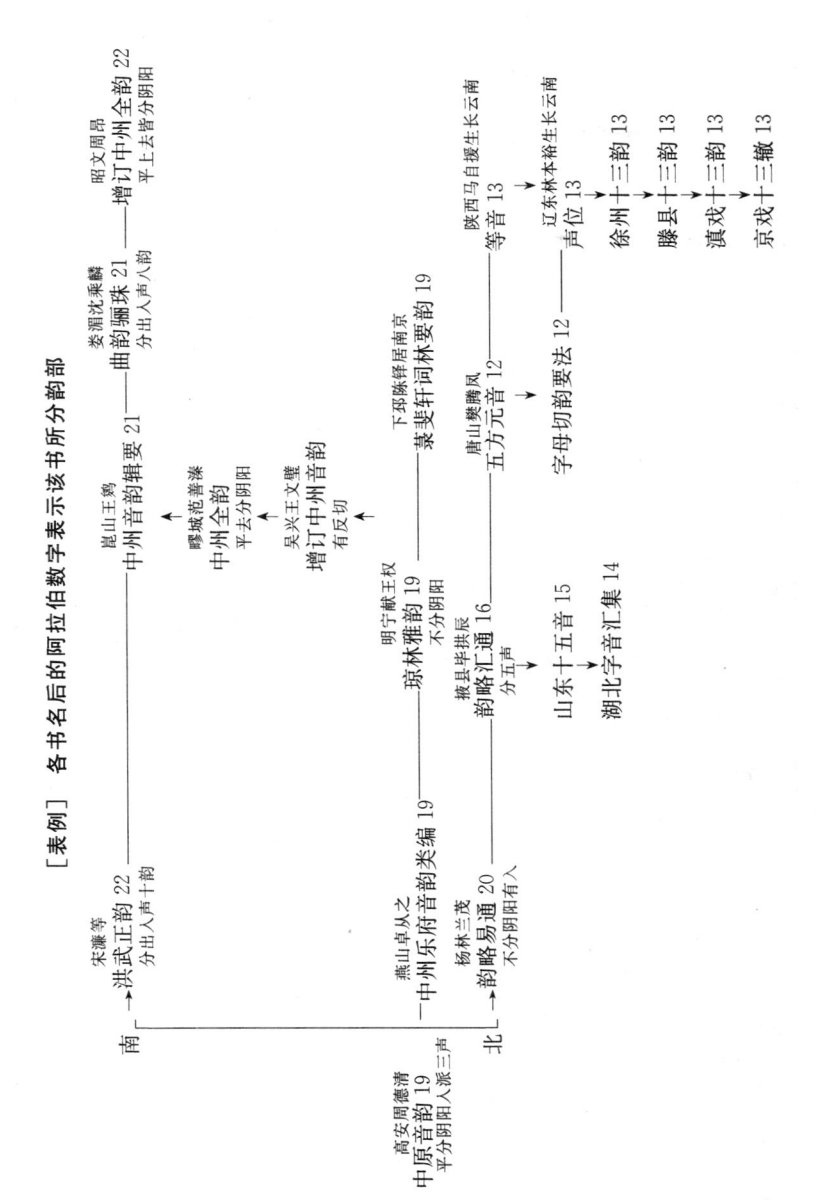

[表例] 各书名后的阿拉伯数字表示该书所分韵部

```
南
     宋濂等
  ──→洪武正韵 22
     分出入声十韵

            崑山王鵕                     娄湄沈乘麟              昭文周昂
         ──中州音韵辑要 21──→曲韵骊珠 21 ──→增订中州全韵 22
            嘐城范善溱                    分出入声八韵          平上去皆分阴阳
            中州全韵
            平去分阴阳
            ↑
            吴兴王文璧
            增订中州音韵
            有反切
                              下邳陈铿居南京
                           ──裴斐轩词林要韵 19
                              唐山樊腾凤              陕西马自援长云南
                           ──五方元音 12 ──→字母切韵要法 12 ──→等音 13
                                                              声位 13
                                                              辽东林本裕长云南
                                                           ──→徐州十三韵 13
                                                           ──→滕县十三韵 13
                                                           ──→滇戏十三韵 13
                                                           ──→京戏十三辙 13

       明宁献王权
     ──琼林雅韵 19
       不分阴辰
       披县毕拱辰
     ──韵略汇通 16
       分五声
                      山东十五音 15
                      湖北字音汇集 14

北
       燕山卓从之
     ──中州乐府音韵类编 19
       杨林兰茂
     ──韵略易通 20
       不分阴阳有入

高安周德清
中原音韵 19
平分阴阳入派三声
```

中原音韵	卓中州	洪武正韵	琼林雅韵	菉斐轩	王中州	范中州	王辑要	曲韵骊珠	周中州
东钟	东钟	东	穹窿	东红	东钟	东同	东同	东同	东钟
江阳	江阳	阳	邦昌	邦阳	江阳	江阳	江阳	江阳	江阳
支思	支思	支	诗词	支时	支思	支思	支时	支时	支时
齐微	齐微	齐○微	丕基	齐微	齐微	机微	机微○归回	机微○灰回	齐微○归回
鱼模	鱼模	鱼○模	车书	车夫	鱼模	居鱼	居鱼○苏模	居鱼○姑模	居鱼○知如○苏徒
皆来	皆来	皆	泰阶	皆来	皆来	皆来	皆来	皆来	皆来
真文	真文	真	仁恩	真文	真文	真文	真文	真文	真文
寒山	寒山	寒○删	安闲	寒山	寒山	干寒	干寒	干寒	寒山
桓欢	桓欢		端鸾	鸾端	桓欢	欢桓	欢桓	欢桓	桓欢
先天	先天	先	乾元	先天	先天	天田	天田	天田	先天
萧豪	萧豪	萧○爻	萧韶	萧韶	萧豪	萧豪	萧豪	萧豪	萧豪
歌戈	哥戈	歌	珂和	和何	歌戈	歌罗	歌罗	歌罗	歌罗
家麻	家麻	麻	嘉华	嘉华	家麻	家麻	家麻	家麻	家麻
车遮	车遮	遮	砗硪	车邪	车遮	车遮	车蛇	车蛇	车遮
庚青	庚青	庚	清宁	清明	庚青	庚亭	庚亭	庚亭	庚青
尤侯	尤侯	尤	周流	幽游	尤侯	鸠尤	鸠由	鸠侯	鸠由
侵寻	寻侵	侵	金琛	金音	侵寻	侵寻	侵寻	侵寻	侵寻
监咸	监咸	覃	潭岩	南山	监咸	监咸	监咸	监咸	监咸
廉纤	廉纤	盐	恬谦	占炎	廉纤	纤廉	纤廉	纤廉	廉纤
1324	1351	1374—又多出入声十韵	1398	1483	1508前	?	1781	1792—又多出入声八韵	1791?

入山寒,廉纤并入先全。从此以后,在这一系韵书里就找不着闭口韵的踪影了。

第二,取消以等呼分韵的办法——《中原音韵》里的寒山、桓欢、先天只因为介音的不同而分为开口、合口、齐齿三个韵部,它们的元音和韵尾相去并不十分悬殊,照"欲广文路"的押韵原则来讲,本没有分成三部的必要。所以《韵略汇通》首先取消了桓欢部；《五方元音》更进一步地把寒山、桓欢、先天三部合成一个天韵：专为押韵设想，这是很合理的。

第三，东钟和庚青两部的混并——东钟部就是等韵家所谓"通摄"，庚青部就是由等韵家所谓"梗摄"和"曾摄"合成；从它们的来源上讲是不能混而为一的。不过从《中原音韵》起，一部分庚青部的合口字已然互见于东钟部，可见-uèng 和-ong 两韵早就有混乱的趋势了。后来的韵书有的保存东钟一类的韵目，有的保存庚青一类的韵目，实际上并没有什么差异，只是表现这两韵的不分罢了。至于皮黄戏把原来属于庚青部的开口齐齿两呼字押入人辰辙，那是受它发祥地的方音的影响。

第四，支思、齐微、鱼模三部的合并或分化——《韵略汇通》以后的韵书，除山东的《十五音》和湖北的《字音汇集》外，都不保存《中原音韵》的支思部；除《十五音》外都不分立《韵略易通》的居鱼部。但是把《中原音韵》的齐微分成-i-ei两音，除《五方元音》外，却成了普遍的现象。照前一系的曲韵来讲，支思的独立，从周德清到周昂是始终一贯的；齐微分化成机微和归回，鱼模分化成苏模和居鱼，也是遵照《洪武正韵》的系统。这一系既然撤销了支思的独立，又不敢毅然分出居鱼。(《韵略汇通》把原来齐微部读-ei 的字改作灰微，又把读-i 的字并入居鱼，这是很不彻底的。)我想除去一小部分是所谓"上口字"的关系(参看本文第三节)，大多数还是受韵部数目的限制(详下文)。

第五，阴阳平的分立和入声的保存——《韵略易通》承袭《洪武正韵》的办法，平声不分阴阳，入声配列有收鼻音的韵。从《韵略汇通》以下平声多半分别阴阳，入声也改成没有收鼻音的韵：这也是这一系韵书的特点。

为参考上的便利，这里也把这一系韵书的韵目列成对照表：

中原音韵	易通	汇通	十五音	汇集	五方元音	切韵要法	等音	声位	徐州十三韵	滕县韵	滇韵	戏十三辙	注音字母
东钟	东洪	东洪	东	风	龙						空同	中东	ㄨ、ㄥ
江阳	江阳	江阳	江	央	羊	冈	冈	冈	秧养样阳	江	堂郎	江阳	ㄤ
支思	支辞	支辞	支	诗									帀
齐微	西微	灰微	齐微	依威	地(地)	祴(齐)傀	基规	基圭	吉纪记极灰惑会回	吉饥	提携灰堆	一七灰堆	ㄧ、ㄦ、ㄟ
鱼模	呼模居鱼	呼模居鱼	姑虞	夫	虎(地)	(祴)(合)(祴)(撮)	孤	沽	屋武误吴	居	土伏	姑苏	ㄨ、ㄩ
皆来	皆来	皆来	皆	哀	豺	该	该	该	郐咍泰台	皆	开怀	怀来	ㄞ
真文	真文	真寻	真	深	人	根	根	根	温稳问文	金	青沉	人辰	ㄣ
寒山	山寒	山寒	元	焉	天	干	干	干	焉衍彦言	坚	天仙	言前	ㄢ
桓欢	端桓												
先天	先全	先全											
萧豪	萧豪	萧肴	萧	薅	獒	高	高	高	腰咬要尧	交	暴躁	遥条	ㄠ
歌戈	戈何	戈何	歌	呵	驼	哥○(祴)(开)	哥	哥	豁火货和	角	梭波	梭波	ㄛ、ㄜ
家麻	家麻	家麻	家	巴	马	迦	他	迦	鸭雅亚牙	加	抓麻	发花	ㄚ
车遮	遮蛇	遮蛇	遮	赊	蛇	结	迦	结	叶耶夜爷	结	跌雪	乜斜	ㄝ
庚青	庚晴	庚晴					庚	庚	庚	青请倩情	经		ㄥ
尤侯	幽楼	幽楼	幽	优	牛	钩	勾	勾	幽有又尤	鸠	喉头	油求	ㄡ
侵寻	侵寻												
监咸	缄咸												
廉纤	廉纤												
1324	1442	1642			1654—1673?	1699—1702?							1918

我们比较这两系韵书来看,可以说:前一系是从北向南变的,是由简单日趋繁复的,是越来越接近文人的,是拘守定型而没有创造力的;后一系是从南向北变的,是由繁复日趋简单的,是越来越接近平民的,是不泥成规而富有革新性的。从文学演进史上看,一种新兴的民间文艺总是活泼新鲜的,及至发达到了极点,经过文人

的矫揉造作,于是拘格律,尚词藻,渐渐地就把这种文学活活地弄僵化了！元曲代宋词而兴,的确是一种活泼新鲜的平民文学,渐渐从重本色的北曲变成尚细腻的南曲,便成了文人学士的玩艺儿了。皮黄的文学地位究竟怎样,虽然尚待研究,然而它确是昆曲衰落后的新兴文艺,在民间具有很大的势力。尤其是近十几年来,皮黄的发达可以说到了鼎盛的时代,于是一般成了名的艺人也在那儿约集了些个文人来附庸风雅,润色宏业。但是我却在旁边儿替皮黄担忧,深恐怕这种兴自平民的东西会丧在文人的手里。从这个观点来看,我对于皮黄押韵的问题总以为《曲韵骊珠》式的《剧韵新编》实在不如所谓《鼓棒词十三辙》反倒合乎皮黄的本色。然而我却不是说今后皮黄的押韵非拘守住十三辙不可。从前有的人拿"十二"当作神秘的数儿,有的人拿"十三"当作神秘的数儿。主张十二韵的说：

> 十二括应十二律,乃声气之自然,而阴阳迭运,有循环无端之情焉。①

> 一元有十二会,一运有十二世,一岁有十二月,一日有十二时,日月一年有十二会,黄钟一年有十二律,韵亦十二,出于自然,增之不可,减之不可,谓非天地之元音亦不可。②

主张十三韵的人说：

> 前人分韵,多寡不一,今援仅以天下之音按五音共并成一十三韵使归于正,以合十二律及闰月之数。③

> 前人分韵,多寡互异,……惟马槊什《等音》分属五音,每声各十三韵,合律闰之数,其入声止有五韵,内八韵系借声。诚独得之妙,增之不可,减之不可,前无古人,后无来者矣。④

---

① 乔中和:《元韵谱·应律圆图》下注。
② 樊腾凤:《五方元音·十二韵释》。
③ 马自援:《等音提纲》。
④ 林本裕:《声位十三韵论》。

声有十三,减之不可,增之不能。①

人口中的天籁只有这十三个音,此外也不能再有别的音!②

这是他们分韵的玄学根据。因为拘守住十二韵,所以《五方元音》的地韵糅合了国音的ㄧ、ㄟ、ㄩ、ㄭ、ㄦ五韵;《字母切韵要法》的诚摄消纳着ㄛ、ㄧ、ㄨ、ㄩ四音。甚至于明末的俗妓也知道十二辙是本诸十二地支,十二律吕(见杜颖陶〔笔名五微〕《论十三辙》引《鸳鸯珠传奇》)。因为拘守住十三韵,所以《等音》和《声位》上不能保持《韵略易通》里支辞和居鱼两部的独立,下不能安置国音ㄭ、ㄦ、ㄛ、ㄩ几韵。近人因为旧庚青部的字可叶中东和人辰两辙,本来想着把它们另列一辙,终于怕十三道辙变成十四道辙而没敢实行。(见齐如山《论"庚青"韵可通"中东""人臣"两辙》)这都未免"胶柱鼓瑟"了!

照我的看法,这个问题的解决只有两条路好走:一条是考古;一条是从今。考古的办法最好找几十出皮黄的旧本子(能够确定时代的更好),按辙来归纳它们的韵脚,看它们到底是依照十二辙还是十三辙。如果看出变化,要追究它从什么时候变起;如果看见特别的押韵法,得要注意原来的戏本子是从昆曲翻过来的,还是从梆子翻过来的。这种工夫,杜颖陶已然作了一点儿(见他所作《十三辙》)不过还得扩大地去作,当然归纳的材料越多,时地分析得越细,所得的结果也越精密。我们希望专门弄戏剧音韵的人来试一下子。至于从今的办法那更容易了。皮黄的押韵最初当然保持些它的发祥地的方音,但是现在已然被人公认为京剧,就无妨改从京音——就是现代的"国音"。照通例说,只有"国音"可以有"舞台标准音"的地位。所以现在要提议改良剧韵,我以为不如直截了当地采用所谓"佩文新韵"的十八韵,就是:

---

① 牟应震:《韵谱》。
② 齐如山:《论皮黄十三道辙》。

一狮帀,二鲨丫,三驼ㄛ,四蛇ㄜ,五蝶㐄,六豹ㄞ,七龟ㄟ,八猫ㄠ,九猴又,十蝉ㄢ,十一人ㄣ,十二狼尢,十三僧ㄥ,十四龙ㄨㄥ,十五儿ㄦ,十六鸡丨,十七乌ㄨ,十八鱼ㄩ。

(本段所用的材料,采自赵荫棠先生的《中原音韵研究》和魏建功先生的《说辙儿》两篇里的很多,文中来不及一一称引,特在这里凑在一块儿声谢一下!)

二 清浊和阴阳

音韵学上所谓"清"、"浊"是指着声母的"不带音"或"带音"来说。发不带音的声母时,声带不发生颤动,这就是等韵家所谓"清声";清声又因"不送气"和"送气"的区别分为"全清"(像帮[p]、端[t]、精[ts]、见[k]之类)和"次清"(像滂[p·]、透[t·]、清[ts·]、溪[k·]之类)两种。发带音的声母时,声带发生颤动,这就是等韵家所谓"浊声";浊声又因发音"久""暂"的不同分为"次浊"(像明[m]、泥[n]、疑[ŋ]、来[l]、邪[z]之类)和"全浊"(像并[b·]、定[d·]、从[dz·]、群[gj·]之类)两种。稍有近代语音学常识的人,对于这些个分别,大概都可以了解的。不过,清、浊的分界,虽然从李登、吕静的时候就能判别;①可是在后代的大多数方言里却都混淆不辨。因此从前一班"考古功多,审音功浅"的音韵学家,对于这个问题始终模糊影响,莫名其妙。例如:方以智说:

将以用力轻为清,用力重为浊乎?将以初发声为清,送气声为浊乎?将以腔、喉之阴声为清,喤、喉之阳声为浊乎?②

江永说:

清、浊本于阴、阳:一说清为阳,浊为阴,天清而地浊也;一说清为阴,

---

① 《隋书·潘徽传》云:"李登《声类》、吕静《韵集》,始判清、浊,才分宫羽。"
② 见《通雅》卷五十,《切韵声原》页19。

而浊为阳,阴字影母为清,阳字喻母为浊也。"[①]

他们为什么这样纠缠不清呢?就是因为"清"、"浊"和"阴"、"阳"的概念牵混所致。我们要想解除这个纠纷必得先来判别"清""浊"和"阴""阳"的同异。

什么叫做"阴"、"阳"?假如我们在这里不牵涉孔广森所指的"阴声"(无鼻声随的)和"阳声"(有鼻声随的),那就可以简捷地说:阴、阳就是字调的高低升降。从物理的意义来讲;凡是一种声音在一定时间内颤动数多的叫做高,颤动数少的叫做低,先少后多的叫做升,先多后少的叫做降。在各地方言里阴调固然有时较高,阳调固然有时较低,但阴调不一定全高,阳调也不一定全低;所以不能笼统地说阴是高调,阳是低调。

本来,照孙愐《唐韵序论》所说:"切韵者,本乎四声……引字调音,各自有清、浊。"我们可以设想在隋唐的时候,汉字只有平上去入四个声调,所谓清、浊只是声母的不同,和声调毫无关系。例如有:

```
        平    上    去    入
  清:  端    短    锻    掇
  浊:  团    断    段    夺
```

两套字,假定在隋唐时候的平声是 55 调 ˥ ,上声是 35 调 ˧˥ ,去声是 33 调 ˧ ,入声是 5 调 ˥ ,那么这八个字的读音应该是:

```
         平           上           去           入
  清: tuan ˥      tuan ˧˥      tuan ˧       tuat ˥
  浊: d'uan ˥    d'uan ˧˥    d'uan ˧     d'uat ˥
```

同列的字除去声母不同外,其余都一样。后来因为浊声的影响,声调渐渐分化,于是就发生下列的现象:

[①] 《音学辨微》页 12。

	平	上	去	入
清：	tuan ˥	tuan ˧˥	tuan ˦	tuat ˥
浊：	dʻuan ˩	dʻuan ˧˥	dʻuan ˨	dʻuat ˩

这种声母和声调的区别并存的状况算是第一种演变。在这种状况之下，要是忽略声调的差别，仍旧把这两套字认作清浊的不同，还不算绝对的错误。可是在别的方言里，全浊声母有变成次清的，于是就发生第二种演变：

	平	上	去	入
清（阴）：	tuan ˥	tuan ˧˥	tuan ˦	tuat ˥
浊（阳）：	tʻuan ˩	tʻuan ˧˥	tʻuan ˨	tʻuat ˩

这种演变，全浊和次清的差异只在声调高低之间，可是在耳朵不好的人听起来，就分辨不出这种细微的声调差异，只觉得清、浊是不送气和送气的区别，难怪方以智会发生"将以初发声为清，送气声为浊"的疑问了。

还有许多方言，全浊声母在平声分化成另一个声调，而本身又变成次清；在仄声却因为声调的影响先把送气的成素消失，慢慢地再和全清混并起来，于是浊声的遗迹一点儿都看不出来了。这是第三种变化：

	平	上	去	入
清（阴）：	tuan ˥	tuan ˧˥	tuan ˦	tuat ˥
浊（阳）：	tʻuan ˩			

这三种类型可以作为汉字声调从四声蜕变成八声或五声的假定程序。在现代方言里吴语属于第一种；闽、粤属于第二种；官话属于第三种。[①] 操第一种方言的人对于清、浊的观念认识较深；操第二

---

① 注意：这里所用的声调符号完全是为说明的方便而假定的，读者不可误认为《切韵》的调值，也不可呆认为哪一种方言的调值。再者，这个例只为说明三大类型的区别，此外有分作六声、七声、九声的，可以归并到第一类或第二类；有因入声派入其他三声而减作四声的，可以归并到第三种。

种方言的人对于阴、阳的观念认识较深;操第三种方言的人只知道平声有阴、阳的区别,既不承认仄声也有阴、阳,更不了解清、浊是声母的差异。我们现在要确认:清、浊是声母的不带音或带音;阴、阳是声调的高低升降。阴、阳调是由清、浊声演变成的,但既经变成阴、阳调以后,就和清、浊声完全是两回事了。认清这个根本观点,就可以判定近来几位戏剧专家讨论这个问题的是非了。

我在第一节曾经说:自从周德清的《中原音韵》把平声分成阴、阳以后,曲韵慢慢地南化,于是范善溱的《中州全韵》和王骏的《中州音韵辑要》分出平、去两声的阴、阳,周昂的《增订中州全韵》分出平、上、去三声的阴、阳;这都是根据他们的方音,并不是向壁虚造的。可是到了现在,谈到戏剧中清、浊和阴、阳的人,往往为方音所囿,还有不同的见解。例如:吴瞿安(梅)先生说:

> 音有清、浊,韵有阴、阳,……天下之字不出五音,五音为宫、商、角、徵、羽,分属人口为喉腭舌齿唇;凡喉音皆属宫,腭音皆属商,舌音皆属角,齿音皆属徵,唇音皆属羽,此其大较也。宫音最浊,羽音最清(!),苟一分析,异同立见。

> 惟韵之阴、阳在平声、入声至易辨别,所难者上去二声耳。上声之阳类乎去声,而去声之阴又类乎上声,此周挺斋《中原音韵》但分平声阴、阳不及上去者,盖亦畏难也。迨后明范善溱撰《中州全韵》,清初王骏撰《音韵辑要》始将上、去二声分别阴、阳,①而度曲家乃有所准绳矣。②

吴先生生长姑苏,所以能够分辨"音有清、浊,韵有阴、阳",没有把"清、浊",和"阴、阳",两个观念牵混在一块儿。不过他所说的"宫音最浊,羽音最清"两句话,未免有点儿语病。因为照他说起来"凡喉音皆属宫,唇音皆属羽",那么,喉音就应该都是浊音,唇音就应该都是清音,可是喉音的影母和唇音并、奉、明、微四母应该属于哪

---

① 按范、王两书,上声都不分阴阳。
② 《顾曲麈谈》卷上,页23—24。

类呢?至于他说:"上声之阳类乎去声,而去声之阴又类乎上声",也是受苏州方音的影响(苏州的阳上、阳去都是42调˧˩,阴去为512调˥˩,阴上为51调˥˩。)然而他却相信"上、去二声分别阴、阳,而度曲家乃有所准绳",始终是占在南方戏剧家的立场来讲话,这是北方人所不大了解的。所以杜颖陶(璟)说:

> 自来谈韵者,以为阴、阳是由于母的清、浊,……属于清母的字为阴,属于浊母的字为阳。基于这种道理,说平上去都有阴、阳之分,当然无可非议了。不过一个字的音分头尾腹三部分,所谓清、浊是头的清、浊,而阴、阳却是尾的扬抑。同是一个清母的平声字可以扬其尾读作阳平,也可以抑其尾读作阴平(!);而一个阳平字或阴平字也可以把字头的母更换(!)。所以母的清、浊,实不足以左右字的阴、阳。这道理在稍明音韵学的人都能体会,何以许多音韵学家反昧而不明,且斤斤以清、浊定上去的阴、阳呢?
>
> 虽然周氏《中原音韵》中的阴平字率属清母,阳平字率属浊母,然而仅是偶然的巧合,而非相因的结果(!)。周韵入作阳平,竟有十三个属于清母,更见当时分阴阳并不是以母定论了。
>
> 有人说:在昆曲的唱谱中,上去确有阴、阳之分。不错,然而这也是狃于清、浊定阴、阳的理论家所造的孽。这事的发生,大概在明末。因为在明中叶以前的人虽有论及四声的唱法的,并未涉及上去的阴、阳;至沈宠绥《度曲须知》才说:"去声当高唱,……若去声阳字,初出不嫌稍平,转腔乃始高唱,则平出去收。……"然止及去声,至于上声唱法分阴、阳,约起于清初,论者以为是独发前人之秘,但这仍是在字头上着工夫,于字的阴、阳并不发生关系。总之,上、去的阴、阳,纵可强辩于纸上,断难胜利于口中也。①

杜氏的意思,以为清、浊是属于字头的,阴、阳是属于字尾的;"母的清、浊实不足以左右字的阴、阳";明末清初的度曲家所分阴、阳,"仍是在字头上着功夫,于字的阴、阳并不发生关系"。他对于这个意见非常坚持,所以不惜反复地申明:

---

① 见《剧学》,创刊号,页59—61。

> 阴、阳之分,仅于平声有之,上去之分阴、阳实不成立。四声之别,由于抑扬之不同,昔时字音之抑扬共分四类,因为之名曰平上去入。厥后平声之字又变成抑扬不同者二种,而此二种抑扬之情状又绝无与上去入相类者,后人不便于四声之外再创名目,因其均系由平声变化而来,遂冠以阴、阳二字,以资识别。
>
> 平声因有抑扬不同之二种,故分为二;上去虽各有清、浊二类,然其声调之抑扬则一,若强以所无之音使之必有,直庸人自扰耳。①

他又说:

> 清、浊是清、浊,阴、阳是阴、阳。四声各有清、浊,共有八声,这是不容否认的,因为有些地方的方言确是如此,不为无据。至于四声各分阴、阳,却是平空造出来的,和四声各分清、浊情形也不同,性质也不同,完全是另外一回事。虽然有人也曾称清、浊为阴、阳,岂能因此便混为一谈?②

照我看起来,杜氏的说法有两点应当加以矫正:第一,他认为"母的清、浊实不足以左右字的阴、阳",这在稍有中国语音演变史常识的人就会指出他不对的。因为字的阴、阳虽然不是清、浊,可是从音韵沿革上看,除去很少的僻字以外,阴调都由古清声字变来,阳调都由古浊声字变来;这正是"相因的结果",而不是"偶然的巧合"。至于入作阳平却另有它的演变条理,不能拿这一点就认为"当时分阴、阳并不是以母定论"。③ 照他所说:"同是一个清母的平声字可以扬其尾读作阳平,也可以抑其尾读作阴平;而一个阳平字或阴平字也可以把字头的母清、浊更换"。那未免昧于音变沿革,把清、浊和阴、阳之间的关系看得太随便了! 第二,南方的上去的阴、阳也是调的不同,并不仅是清、浊的不同;不能因为北方的上去不分阴、阳,就认为明末曲韵"上去之分阴、阳实不成立",是"凭空出来的"。

据我所知,现代方言里,吴语是浊声和阳调并存的,(例如,苏州

---

① 《论务头》,见《剧学》,第一卷第二期,页 4—6。
② 《新国剧中的音韵》,见《剧学》,第二卷第五期,页 7。
③ 关于入声演变的条理,请参看白涤洲《北音入声演变考》,女师大《学术季刊》第二卷第二期。

除保持古浊母外平、去、入俱分阴、阳；上海除保持古浊母外平、上、去、入俱分阴、阳）；粤、闽、客家、赣徽等处方言是由浊声蜕变为阳调的（例如：广州平、上、去、入俱分阴、阳，且有中入；厦门、福州、临川除上声外俱分阴、阳；客家平、入分阴、阳，上、去不分；歙县绩溪平、去分阴、阳，上、入不分；都是调的区别。而不是声的区别。因为在这几种方言里全浊声母都消灭了。）中国地方这样大，方言这样复杂，我们哪里可以根据一地的方音就概量其他各处呢？我以为：谈北剧音韵的人，尽可主张在北剧里上、去不分阴、阳，却不能说南曲里所分的阳上、阳去是向壁虚造的。张伯驹的态度比较好，他说：

> 王骏《音韵辑要》平、上、去、入各分阴、阳，……李松石《音鉴》则极言仄无阴、阳，与王著各执一说。然仄分阴、阳于歌剧之道无所用之，姑备一说可也。①

这种说法虽然案而不断，却没有陷于错误，这倒是谈北剧音韵的人所应守的分际。末了儿，我再重新申明一回：清、浊是声母的不带音或带音；阴、阳是声调的高低升降。阴、阳调是由清、浊声演变成的，但既经变成阴、阳调以后，就和清、浊声是两回事。南曲里上去各分阴、阳，也是声调的不同而不是声母的不同；谈北剧音韵的人尽可不分上去的阴、阳，却不能说南曲里的阳上阳去是凭空造出来的。

关于昆曲和皮黄的四声，杜颖陶却有一个有趣的假定。他说：

> 京音大鼓八角鼓各种调子采用北平的四声，至于昆曲皮黄则不然。其阴平仿佛北平的阳平，阳平却仿佛北平的去声（有时尾音一挑，好像北平的上声）上声却仿佛北平的阴平，去声则绝类北平上声。②

照他所说的，画起声调符号来，应该是：

---

① 见所著《近代剧韵》，页4。
② 《北剧音韵考》，见《剧学》，创刊号。

　　　　　阴平　　˧˥　　35：

　　　　　阳平　　˥˩　　51：

　　　　　上声　　˥˥　　55：

　　　　　去声　　˨˩˦　　214：

不过，这种对照还得经过精密的审核，我们才能接受，所以在这里只能存而不论，留待以后研究。

三　尖团字和上口字

昆曲和皮黄里所谓"尖团字"和"上口字"，如果按照音韵的条理来讲，本来是很简单的一回事；可是有些人却把他们看做神秘莫测的东西，因此解释起来也就纷纭无定了。先拿"尖团字"来说，据杜颖陶所引就有四种解释：

第一，以凡属齐撮两呼的字皆为尖，而凡属开合两呼的字皆为团。

第二，以凡属支时、机微、真文、庚亭、侵寻、居鱼等六韵中的字皆为尖，而其余十五韵中的字皆为团。

第三，以凡属ㄗㄘㄙ三母的字皆为尖；但对于团却有好几种说法：

　　（甲）以属ㄓㄔㄕ三母的字为团；

　　（乙）以属ㄐㄑㄒ三母的字为团；

　　（丙）以属ㄓㄔㄕㄐㄑㄒ六母的字为团；

　　（丁）以凡不属ㄗㄘㄙ三母的字为团。

第四，凡在戏剧音韵中应读ㄗㄘㄙ三母的字而北平方言不读ㄗㄘㄙ的字皆谓之尖；其余的字，甚至方言和戏剧音韵中都读ㄗㄘㄙ的，都谓之团。[①]

这四种说法都不免有囿于一隅，未见全体的毛病。照我的讲法，凡是属于古精清从心邪五母齐齿撮口两呼的字，换言之，就是用注音声符ㄗ、ㄘ、ㄙ和元音ㄧ、ㄩ或介音ㄧ、ㄩ所拼成的字叫做"尖音"；凡

---

① 《尖团字及上口字》，见《剧学》第二卷第四期。

是属于古见溪群晓匣五母齐齿撮口两呼的字,换言之,就是用注音声符ㄐ、ㄑ、ㄒ和元音ㄧ、ㄩ或介音ㄧ、ㄩ所拼成的字,叫做"团音"。凡是不合于上列两个条件的都和尖团没有关系,可以不必混在一起来讲。如果这个讲法可以成立,那么我们对于上面所举的四种解释,就可以下一番检讨了。

第一种解释只看见尖字是属于齐撮呼的,而没看见团字也一样是属于齐撮呼的;(例如同是齐齿呼的字而"唧""妻""西"为尖,"基""欺""希"为团;同是撮口呼的字而"绝""雪"为尖,"决""穴"为团。)他们不知道尖团的分别不在齐撮呼和开合呼的不同,而在同是齐撮呼的字,声母有舌尖音(dental)和舌面音(palatal)的差异。

第二种解释只看见尖字是属于机微,真文,庚亭,侵寻,居鱼几韵的,却没看见团字也是属于这几韵的;(例如,同属机微韵而"赍""妻""西"为尖音,"机""骑""奚"为团音";同属真文韵而"津""亲""新"为尖音,"斤""勤""欣"为团音;同属庚亭韵而"精""清""星"为尖音,"荆""卿""兴"为团音;同属侵寻韵而"浸""侵""心"为尖音,"金""钦""歆"为团音;同属居鱼韵而"疽""趋""须"为尖音,"车""驱""墟"为团音。)他们既不知道支时韵应当和其他十五韵里属于开合呼的字一律无所谓尖团;更不知道其他十五韵里属于齐撮呼的舌尖音和舌面音字也得同这五韵一样看待。这同第一种都犯了重视韵母条件忽略声母条件的错误!

第三和第四两种解释却和前两种犯了相反的错误:就是太重视声母条件而忽略韵母条件了。因为ㄗ、ㄘ、ㄙ和元音ㄧ、ㄩ或介音ㄧ、ㄩ相拼的,我们固然认为尖;可是ㄗ、ㄘ、ㄙ不和ㄧ、ㄩ相拼的,我们却认为与尖团无关。至于在戏剧音韵中应读ㄗ、ㄘ、ㄙ三母而在北平方言不读ㄗ、ㄘ、ㄙ的字,固然只有和元音ㄧ、ㄩ或介音ㄧ、ㄩ相拼的尖字,可是其余的字,除去用ㄐ、ㄑ、ㄒ所拼的以外,也都不能算是团字。所以这两种解释也不能成立。

从前讲尖团字的书,我觉得存之堂的《圆音正考》算是最合我的意思。关于尖团的解释,这部书的序里说得很明白:

> 自西域肇为字母,释神珙因之作等韵,从而为四声,衡而为七音,韵学于是备矣。第尖团之辨,操觚家阙焉弗讲。往往有博雅自诩之士,一矢口肆笔,而纰缪立形,视书璋为獐,呼杕作杖者,其直钧也。试取三十六母字审之:隶见溪郡晓匣五母者属团;隶精清从心邪五母者属尖:判若泾渭,与开口闭口,轻唇重唇之分,有厘然不容紊者。

他在这里虽然没有说明等呼的条件,可是本书里所举的字却只有齐撮呼而没有开合呼;间或有些古二等字(如"家""贾""价""夏""暇""夏""辖""揩""皆""解""交""间""柬""监""缄"之类),也都是近代已然变成齐齿呼的。所以照我的看法,《圆音正考》实在是讲尖团字的标准字典,有了这一部书便不至为曹心泉《剧韵新编》里所点的尖团字(尤其是所谓"入声尖团两念")和张伯驹《近代剧韵》里的《尖团辑要》所误了。

什么叫"上口字"呢?曹心泉的《剧韵新编》里只把这些字用特别记号标出来,却没有加以解释。而且他在《剧学》上所发表的只有七韵,这七韵里的上口字拢共才有52个字:

东同韵:隆窿浓秾容庸荣

机微韵:非飞痴知微肥池迟耻匪尾尺赤吃费世誓未滞日

归回韵:雷櫑泪类

居鱼韵:诸朱枢书舒如儒殊除主暑楮汝乳恕庶注处辱祚助

从这52个字里归纳不出什么条理,那是不待言的。

张伯驹说:

> 上口字亦本于切音,如书,束于切,上口音也;疏,朔乌切,不上口音也;主,朱羽切,上口音也;阻,捉楚切,不上口音也。歌者不知所本,往往误念。[1]

---

[1] 见所著《近代剧韵》,页5。

从他的说明里实在看不出什么"所本"来。他在这节说明的后面又摘举了109个例字,并且按照《音韵阐微》注明反切,就是:

知陟漓切 驰池埤迟 踟篪 除移切 职之亿切 质之乙切 值辙弋切 吃乞益切 日仁逸切 世式艺切 猪潴 竹于切 诸烛 竹于切 株邾 诛蛛跦 纡切 朱珠侏跦烛 纡切 殊铢洙荼 蜀于切 除储滁篨躇 虫余切 蜍 虫余切 厨蹰橱 虫于切 书舒纾鴽 束于切 枢 出纡切 输 束纡切 如茹驾 缛余切 儒濡襦嚅蠕缡 缛余切 楮褚 黜语切 杵处 出语切 煮渚 朱语切 拄黜 猪羽切 主麈 朱羽切 贮 猪语切 宁伫苎 纻杼 逐语切 住 逐豫切 驻 竹裕切 注炷 炷异澍铸 朱裕切 柱 逐羽切 驻 逐裕切 汝 如语切 乳 如羽切 暑鼠黍 书语切 墅 蜀语切 处 穿豫切 著 竹豫切 箸 逐豫切 助 乍豫切 恕庶 暑豫切 竖树 蜀羽切 署曙 蜀豫切 戍 暑豫切 黜 褚聿切 术 出律切 竹竺筑筑 猪郁切 祝 朱郁切 出 处聿切 畜 虚郁切 蓄 褚郁切 术述 舌律切 入 日立切

照他所举的例字来说:所谓上口字不过是《中原音韵》齐微部里的"ㄓㄧ","ㄔㄧ","ㄕㄧ","ㄖㄧ"一类字和鱼模部里的"ㄓㄩ","ㄔㄩ","ㄕㄩ","ㄖㄩ"一类字罢了。事实上恐怕不会这么简单罢?

近人中只有杜颖陶对于这个问题下了一个概括的定义,他说:

> 凡在戏剧音韵中之读法和北平方言之读法不同的字,皆谓之上口字。①

这比零碎举例提不出通则来的总算好一点儿了,然而也不免有太空泛的毛病。照他的说法,尖字也是北平方言和戏剧音韵读法不同的,该不该算是上口字呢?所以这条定义还有修订的必要。

谈到戏剧音韵中和北平方言不同的读法,齐如山在《论皮黄之念字》②里所举的五条念法中,有三条是合乎这个条件的:

(一)采用"山陕土音"读兀母的字:

昂艾敖鳌嗷廒獒遨璈傲我哦蛾娥鹅峨哦讹讹额萼鄂鳄噩腭腭谔愕藕耦偶藕爱隘案安袄奥澳隩恶阿讴欧瓯鸥殴之类;③

(二)由北方"耶邪辙"改叶南方"怀来辙"的字:

---

① 《论尖团字及上口字》,见《剧学》第二卷第四期。
② 见《大公报·小公园·剧坛》。
③ 案齐氏原举有古泥母字,恐系羼入高阳乡音,今剔除之。

皆街鞋解蟹戒介之类；

（三）由北方"姑苏辙"改叶南方"一七辙"的字：

诸朱枢书如儒殊除赎逐汝烛恕处孺辱入注沮蓐褥之类。

不过，戏剧音韵中和北平方言读法不同的，实际上并不止这三类。据我所得到的材料，参酌最近和杜颖陶、佟晶心的一次谈话，我觉得所谓上口字的音韵条理，大致不外下列的十一项：

（一）《中原音韵》齐微部（即《中州全韵》机微部）里的舌尖后音ㄓ、ㄔ、ㄕ、ㄖ四母字，北平读ㄓㄭ、ㄔㄭ、ㄕㄭ、ㄖㄭ，在戏剧中应读ㄓㄧ、ㄔㄧ、ㄕㄧ、ㄖㄧ，皮黄入一七辙。例如：

知、蜘、制、製、置、雉、稚、治、智、直、值、侄、织、职、质之类，不读ㄓㄭ而读ㄓㄧ；

痴、鸱、缔、池、驰、迟、墀、篪、持、耻、侈、尺、赤、吃、叱之类，不读ㄔㄭ而读ㄔㄧ；

世、势、逝、誓之类，不读ㄕㄭ而读ㄕㄧ；

日不读ㄖㄭ而读ㄖㄧ。

但是皮黄一七辙里本来属于《中原音韵》支思部（即《曲韵骊珠》支时部）的字却仍和北平的读法相同。例如：

支、枝、之、芝、脂、纸、旨、止、志、至仍读ㄓㄭ，

眵仍读ㄔㄭ；

施、诗、师、狮、尸、时、使、史、屎、是、氏、市、侍、示、事、试、弑仍读ㄕㄭ；

儿、耳、二仍读ㄦ。

（二）《中原音韵》鱼模部里的舌尖后音ㄓ、ㄔ、ㄕ、ㄖ四母字，北平读ㄓㄨ、ㄔㄨ、ㄕㄨ、ㄖㄨ，在戏剧中应读ㄓㄩ、ㄔㄩ、ㄕㄩ、ㄖㄩ，音转为ㄓㄩ̀、ㄔㄩ̀、ㄕㄩ̀、ㄖㄩ̀[tsʮ, tsʻʮ, sʮ, zʮ]。例如：

猪、潴、诸、株、邾、诛、蛛、朱、珠、煮、主、贮、宁、伫、住、驻、注、苎、铸、著、箸、助、术、竹、竺、筑、祝之类，不读ㄓㄨ而读ㄓㄩ̀；

除、储、厨、褚、杵、处、出、畜之类,不读彳ㄨ而读彳ㄩ;

书、舒、输、暑、鼠、黍、墅、恕、庶、竖、树、署、戍、术、述之类,不读ㄕㄨ而读ㄕㄩ;

如、儒、孺、襦、汝、乳、入之类,不读ㄖㄨ而读ㄖㄩ。

这类字皮黄本来应该入姑苏辙,但是从王骏的《中州音韵辑要》和沈乘麟的《曲韵骊珠》起,已然把《广韵》的鱼虞两韵字特别分立居鱼一部来和苏模对峙,所以这些字也可以和一七合辙的。

(三)《中原音韵》齐微部里的轻唇音ㄈ、万两母的字,北平读ㄈㄟ、万ㄟ(ㄨㄟ),戏剧中读ㄈㄧ、万ㄧ,皮黄入一七辙。例如:

非、扉、妃、飞、肥、匪、吠、沸、肺、废之类,不读ㄈㄟ而读ㄈㄧ;

微、薇、尾、未、味之类,不读万ㄟ而读万ㄧ。

(四)《中原音韵》齐微部里的ㄌ母字,北平读ㄌㄟ,属开口呼,戏剧中读ㄌㄨㄟ,属合口呼,皮黄入灰堆辙。例如:

雷、擂、罍、垒、磊、儡、泪、累、擂、类、耒、诔之类,不读ㄌㄟ而读ㄌㄨㄟ。

(五)《中原音韵》皆来部里的ㄐ、ㄑ、ㄒ三母字,北平读ㄐㄧㄝ、ㄑㄧㄝ、ㄒㄧㄝ,戏剧中读ㄐㄧㄞ、ㄑㄧㄞ、ㄒㄧㄞ,皮黄入怀来辙,不入乜斜辙。例如:

皆、阶、阽、街、解、戒、界、介、芥、疥之类,不读ㄐㄧㄝ而读ㄐㄧㄞ;楷不读ㄑㄧㄝ而读ㄑㄧㄞ(或ㄎㄞ);

鞋、谐、骸、蟹、懈、械、解、獬之类,不读ㄒㄧㄝ而读ㄒㄧㄞ。

(六)《中原音韵》歌戈部(即《中州全韵》歌罗部)ㄍ、ㄎ、ㄏ、兀和ㄅ、ㄆ、冂、ㄈ几母的字,北平读さ韵[ɤ],戏剧中读乙韵[o],皮黄入梭波辙。例如:

歌、哥、舸之类,不读ㄍさ而读ㄍこ;

科、蝌、可、轲、坷、课之类,不读ㄎさ而读ㄎこ;

何、河、荷、贺之类,不读ㄏさ而读ㄏこ;

蛾、娥、俄、峨、我、饿之类，不读ㄦㄜ而读ㄦㄛ；

波、玻、簸、播之类，不读ㄅㄜ而读ㄅㄛ；

坡、颇、叵之类，不读ㄆㄜ而读ㄆㄛ；

摩、磨、魔、么、末、沫、莫、寞之类，不读ㄇㄜ而读ㄇㄛ；

缚、佛之类，不读ㄈㄜ而读ㄈㄛ。

还有这一部的入声字，北平音有转入ㄩㄝ或|ㄠ的，在戏剧里仍然读|ㄛ音。例如：

学不读ㄒㄩㄝ或ㄒ|ㄠ而读ㄒ|ㄛ；

岳、乐、药、约、跃、钥、瀹之类，不读ㄩㄝ或|ㄠ而读|ㄛ；

虐、疟之类，不读ㄋㄩㄝ或ㄋ|ㄠ而读ㄋ|ㄛ；

略、掠之类，不读ㄌㄩㄝ或ㄌ|ㄠ而读ㄌ|ㄛ。

（七）《中原音韵》庚青部（即《中州全韵》庚亭部）里的开口、齐齿两呼的字，北平读ㄥ或|ㄥ，在戏剧中读作ㄣ或|ㄣ，所以皮黄归入人辰辙。例如：

登灯镫之类不读ㄉㄥ而读ㄉㄣ；

生、甥、声、升、陞、圣、胜、盛之类不读ㄕㄥ而读ㄕㄣ；

庚、更、羹之类不读ㄍㄥ而读ㄐ|ㄣ（或ㄍㄣ）；

京、惊、荆、经、泾之类不读ㄐ|ㄥ而读ㄐ|ㄣ；

丁、钉、鼎、顶、定、锭之类不读ㄉ|ㄥ而读ㄉ|ㄣ；等等。

但是这一部里的合口和撮口两呼的字，在戏剧中却往往和中东辙相叶。例如：

崩、绷、烹、彭、棚、鹏、盲、萌、觥、肱、轰、横、弘、猛、艋、孟、迸之类的韵母是ㄨㄥ而不是ㄥ或ㄨㄣ；

荣、永、咏、莹之类的韵母是ㄩㄥ而不是ㄩㄣ。

看清这个现象就可以知道庚青部不是随便分叶人辰和中东两辙，而是按照一定的音韵条理来分叶的。

（八）《中原音韵》东钟部（即《中州全韵》东同部，皮黄的中东

辙)里的唇音ㄅㄆㄇㄈ四母字,北平读ㄅㄥ、ㄆㄥ、ㄇㄥ、ㄈㄥ,戏剧中读作ㄅㄨㄥ、ㄆㄨㄥ、ㄇㄨㄥ、ㄈㄨㄥ。例如:

崩绷之类,不读ㄅㄥ而读ㄅㄨㄥ;

烹、蓬、篷、芃、髯、彭、棚、鹏、捧之类,不读ㄆㄥ而读ㄆㄨㄥ;

蒙、濛、朦、盲、瞢、萌、蠓、猛、艋、蜢、梦、孟之类,不读ㄇㄥ而读ㄇㄨㄥ;

风、丰、封、峰、蜂、冯、逢、缝之类,不读ㄈㄥ而读ㄈㄨㄥ。

(九)《中原音韵》东钟部里古喻娘来三母的撮口呼字,北平读ㄨㄥ韵,而在戏剧中读ㄩㄥ韵。例如:

容、庸、荣、嵘、榕、溶之类不读ㄖㄨㄥ而读ㄩㄥ;

浓、秾之类不读ㄋㄨㄥ而读ㄋㄩㄥ;

隆、窿之类不读ㄌㄨㄥ而读ㄌㄩㄥ。

不过后两类字现在渐渐变的和北平音相同了。

(十)古疑影两母的开口呼字,北平都读成没有声母,在戏剧里却读成兀母。例如:

属于古疑母的:昂、艾、敖、鳌、嗷、廒、熬、遨、傲、我、哦、蛾、娥、鹅、峨、譺、讹、吪、额、萼、鄂、腭、腭、谔、愕、噩、鳄、藕、耦、偶、藕之类;

属于古影母的:爱、隘、安、案、奥、袄、澳、隩、恶、讴、欧、瓯、鸥、殴之类,在戏剧中他们的前面都有兀母。

(十一)《中原音韵》车遮部(即皮黄的乜斜辙)里的ㄓ、ㄔ、ㄕ、ㄖ四母字,北平读ㄓㄜ、ㄔㄜ、ㄕㄜ、ㄖㄜ,戏剧中读ㄓㄝ、ㄔㄝ、ㄕㄝ、ㄖㄝ。例如:

遮、者、赭、柘、鹧、哲、折、浙之类,不读ㄓㄜ而读ㄓㄝ;

车、扯、撤、澈、掣之类,不读ㄔㄜ而读ㄔㄝ;

蛇、佘、捨、舍、射、赦之类,不读ㄕㄜ而读ㄕㄝ;

说,不读ㄕㄨㄜ而读ㄕㄨㄝ;

惹、热之类不读ㄖㄜ而读ㄖㄝ。

不过这类字在昆曲里还按规矩读,到了现代流行的皮黄里已经不大能和北平方音分别了。

此外,像"脸"字不读ㄉㄧㄢ而读ㄐㄧㄢ之类,也算是不成条理的特殊上口字。还有《中原音韵》尤侯部(即《中州全韵》鸠尤部,皮黄油求辙)里的几个字,像"州""叩""走"之类,说白或歌唱时,因为重读或腔调拖长的原故,往往使[əu]韵里的主要元音[ə]变成特别偏后的[ɤ],梨园行的人管这类字叫做"半上口字"。我因为这些没有一定的条理,所以暂时不去管它。

总括上面所说,我们可以给上口字下一个定义:

凡戏剧音韵中和上述十一个条理相合的读法,还有尖字以外其他和北平方言不同的读法,都叫做上口字。

我对于戏剧虽然也算是一个"爱美的"欣赏者,然而毕竟是一个没经过老伶工口传心授的"外行"。上面所谈的三个问题,不过综合各家所说抽绎出他们的音韵条理罢了。我希望由这篇"外行"话引起"内行"和"专家"的注意,拿他们的经验参酌我的条理,使旧剧中的音韵问题揭去了神秘的遮幕,清清晰晰地和一般人相见!

(原载《东方杂志》第三十二卷第一号,1935年)

台词和语音学的关系
——看了话剧《非这样生活不可》以后

最近北京人民艺术剧院的领导同志们邀我看了一次苏联剧作家安·索佛洛诺夫的《非这样生活不可》。这个剧本在艺术上的贡献和演员们表演技巧的成功是完全可以肯定的。其中格鲁培工程师和炼钢工人萧尔茨思想转变的经过,玛尔塔和卡尔因为亲子关系对于佛兰兹的警惕性不够,以致给人民事业造成灾害等等,尤其对于有保守思想、自己以为是"超政治"的专家,斤斤于个人利益和不能划清敌我界限的人们,有很深刻的教育意义。我对于戏剧本来是门外汉,不敢班门弄斧地多说话,现在只想对台词的语音方面提几点意见。

话剧是用语言和动作来塑造人物形象的。因此话剧的台词跟表演技巧在舞台上同样重要。史坦尼斯拉夫斯基掌握了丰富的舞台经验之后,透彻地阐明了一个好像还简单的真理:就是演员应当善于在舞台上说话。我国戏剧界最近也有些同志提出迫切学习台词的要求。中央戏剧学院从今年起添设台词一课,欧阳予倩院长亲自领导教研组,并且写了一篇比较全面的、有系统的论文《演员必须念好台词》,还邀请了两位语言学家参加教学,商量语音学上的技术问题。这种发展对于加强台词的准确性和艺术性,有很重要的意义。

要想把台词念好,掌握语言的准确性,首先就得适当地经过语音学的训练。演员在练习台词的时候,不单要正确地分析每个字的声、韵、调,而且要知道全句话的语调和每个词在一句话里的高低轻重、抑扬顿挫。这当然不是在短时间内可以讲清楚的。我现在只就看了《非这样生活不可》以后的印象拿首都语的语音标准来衡量,提出下面五点意见:

一　ろ为不分的现象——ろ是鼻音,为是口音。发ろ音的时候要拿舌尖顶住上牙床,把软颚垂下来,让呼出来的气流从鼻腔泄出,捏着鼻子就发不出音来(参看图甲)。发为音的时候也拿舌尖顶住上牙床,但是要把软颚抬高,堵住口腔和鼻腔的通路,让气流从舌头两边儿泄出来,捏着鼻子还可以发出音来(参看图乙)。这两个音在北京话里分得很清楚,但是长江流域的上游和西南官话区域有好些地方分不清楚。就我在这次演出所听见的,有以下这些例子。(在这一节凡是字旁加。的起头儿的音都念为,加・的起头儿的音都念ろ):

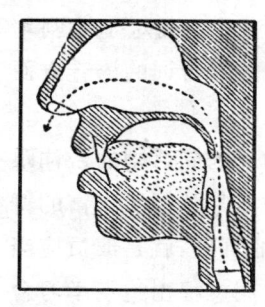

佛兰兹:也像我一样,是个炼钢工人("炼"读成"念")。

不要这样责难我吧。("难"读成"烂")看来是我的错误。("来"读成"乃"的阳平)

要矫正这个错误,头一步先试着联念英语 d n 两个音,细细体验念 d 的时候,软颚是抬起来,挡住口腔和鼻腔之间的通路的;念 n 的时候,软颚是垂下来,让气流可以从鼻腔出来的。等到把软颚升降运用自如以后,再练习把鼻腔堵住,让气流从舌头两边出来,就是为音;把软颚垂下来,让气流从鼻腔出来,就是ろ音。为帮助大家念准这两个声音,这里举出下面三个练习:

（一）牛郎年年恋刘娘　刘娘连连念牛郎

（二）帘拢兰露落　邻里柳林凉

图甲　ろ〔n〕

(三) 莲漏难留恋　南楼辇路凉

(辇本来是"力展切"应念ㄌㄧㄢˇ,可是现在北京话念ㄋㄧㄢˇ。)

年年来念汝　两泪落牛郎

(刘厚坤:"七夕诗")

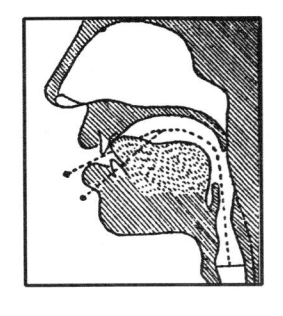

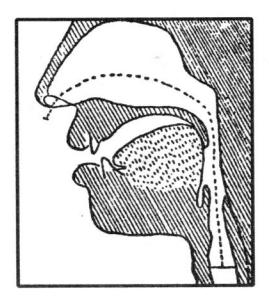

图乙　ㄌ〔l〕　　　图丙　ㄫ〔g〕

二　ㄋㄫ不分的现象——ㄋ是舌尖鼻音,ㄫ是舌根鼻音:发ㄋ音时舌头的部位跟ㄋ一样,只是ㄋ用在字头,ㄋ用在字尾,所以注音字母分作两个符号。在汉语方言里,苏州话的"你们"(ㄋㄧㄉㄛ)、徽州话的"这里"(ㄋㄧㄋㄚ)的前一个音,都可以代表这个音的音值。中国旧来的词曲家,管它叫做"抵颚韵"。发ㄫ音时,舌根抵住软颚,让气流从鼻腔出来;舌头在口腔里成阻的部位,跟ㄋ完全不同(参看图丙)。在汉语方言里苏州话的"鱼"(ㄫㄧ),广州话的"五"(ㄫㄧ)都可以代表它的音值。中国旧来的词曲家管它叫做"穿鼻韵"。北京话和大部分方言差不多都能分辨这两个音,只在吴语区域,上江官话和西南官话区域的有些地方把它们混起来。在这次演出中有的把ㄋ念成ㄫ的。(在这一节里字旁加·的都念ㄋ尾,加 ｡ 的都念ㄫ尾):

佛兰兹:休特尔你进来吧!("进"读成"敬")你们这儿又盖了很多新房子。("新"读成"星")

我在您面前是有罪的。("您"读成"宁")

　　　　我没有什么心事。("心"读成"星")
爱丽莎：可以进来吗？("进"读成"敬")
高富曼：把你的身体弄垮了。("身"读成"生")
　　　　我允许你坐着。("允"读成"永")
艾尔弗莉达：全是新的。("新"读成"星")
玛尔塔：人家大地主，口气大！("人"读成"仍")
　　　　放不下心。("心"读成"星")
　　　　大夫，您的意见怎么样？("您"读成"宁")
　　　　卡尔，我看你进去躺会儿去吧！("进"读成"敬")

还有些人把ㄣ读成ㄥ：

高富曼：更多的欢愉。("更"读成"艮")
　　　　青年。("青"读成"亲")
　　　　警察。("警"读成"谨")
　　　　请注意。("请"读成"寝")
克拉勒：你什么时候可以把我那位可敬的大哥管的紧点儿？
　　　　("敬"读成"近")

　　要想矫正这两个字音的错误，首先就得照图甲和图丙所表示的发音部位细细体验舌尖鼻音和舌根鼻音到底儿有什么不同。然后请能说地道北京话的人告诉你哪些个字应该怎么念；同时多查用北京音注音的字典，对你也有很大的帮助。

　　为了帮助大家练习这两个音，这里再举几个练习：

（一）天上七个星，树上七只鹰，梁上七只钉，台上七盏灯，地上七块冰。一脚踏了冰，拿扇熄了灯，用力拔了钉，举枪打了鹰，乌云盖了星。

（二）东洞庭，西洞庭，洞庭山上一根藤，藤上挂铜铃。风吹藤动铜铃响，风息藤定铜铃静。

（三）真冷，真正冷，人人都说冷，猛的一阵风，更冷。

（四）东庄儿住着个殷英敏，西村儿住着个应尹铭。

应尹铭挖蚯蚓；殷英敏捕苍蝇。

不管天阴或天晴，二人工作不消停。

为比辛勤通了信，要看谁行谁不行。

不知殷英敏的苍蝇，多过应尹铭的蚯蚓；

还是应尹铭的蚯蚓，多过殷英敏的苍蝇。

三　轻重音不适当的现象——轻重音在汉语里虽然不像在印欧语里那样重要，但是有时候也可以影响到意义。就北京话来说，例如（。表示重音）：

大姑娘 第一个女儿。

　大姑娘 已成年的女孩子。

小人儿 议婚中的男对象。

　小人儿 泥捏的小人儿、画的小人儿、广州话的"公仔"。

大爷 老伯、伯父。

　大爷 资产阶级的大儿子、纨袴子弟。

老子 著道德经的哲学家。

　老子 傲慢地称呼自己的或别人的父亲。

人家 住人的家。

　人家 别人、旁人。

池塘 有水的池塘。

　池塘 集体洗澡的大池子。

大意 大概的意思。

　大意 粗心。

造化 自然造化（文言）。

　造化 福气。

火烧 着火，是两个词。

　火烧 用面烙的小饼。

画眉 用笔画眉毛，是两个词。

　　画眉 鸟名。

　　包头 用布包起头来，是两个词。

　　包头 包头的那块布。

这都是比较常见的。此外还有些词，轻重音念得不适当虽然不至于影响到意义，但是在语调上总觉得有点儿不顺耳。在这次演出中所碰见的例子属于后一个类型的比较多。有些是应轻读而重读的(在这一节里。表示重音)：

　　司台格尔：我跟你说过了。("过"应轻读)

　　佛兰兹：要是你知道我吃了多少苦。("道"应轻读)

　　　　　三年以前我离开了你们。("开"应轻读)

　　艾尔弗莉达：今天上午给我们送来了新家具。("具"应轻读)

　　　　　　　妈妈，别想这些个啦！("个"应轻读)

　　玛尔塔：也该洗洗脸。(第二"洗"字应轻读)

　　萧尔茨：这我全知道。("道"应轻读)

　　爱丽莎：问起口供来了。("供"应轻读)

　　鲍阿尔：我听你说过了，佛兰兹！("过"应轻读)

　　克拉勒：你知道吗？妈妈？("道"应轻读)

也有些是应重读而轻读的：

　　司台格尔：经过了战争。("战争"二字应并重)

　　萧尔茨：我跟孩子们躲过了所有的空袭。("空袭"二字应并重)

　　　　　卡尔，您可不能粗心大意。("大意"当不小心，不仔细讲，单用的时候本来应该前重后轻；可是在这儿跟"粗心"连用，也应念成二字并重)

　　　　　一头把我顶到池塘里去了。("池塘"二字应并重)

要是有人问：什么时候要读轻音呢？这倒是一个很要紧的问题，可也是一个很难答的问题。一般说起来,一半儿是有规律的,一半儿是还没找出规律来的。先把有规律的说一说,以下这些词都读轻音(在这一节里・表示轻音):

(一)助词:"阿""吧""的""得""着""了""吗"……之类。

(二)词尾"个"(这个)、"么"(什么)、"头"(前头)、"里"(那里)、"们"(你们)……之类。

(三)动词后头的"来"(回来)、"去"(拿去)、"上"(放上去)、"下"(拿下来),或名词后头的"上"(嘴上)、"里"(心里)……之类。

(四)做宾语的代词,在不特指的时候:"我要打他"。

(五)重叠词的第二个字:太太、妈妈、姐姐、妹妹、听听、看看、洗洗……之类。

这些有规律的轻音字,在这次演出的台词中很少念错了的。前面所举的那些例子几乎都出在没规律的轻音字上边。有好些双音节或三音节的词,它们的第二个音节或第二、第三两个音节必得要念轻音,否则就不像北京话。这个也不是全没有道理的,大致说起来,资格老一点儿的词常常含有轻声字,资格浅一点儿的新名词就差不多总是照单字匀着念的。例如:"衣服""制服","忽略""战略","道理""真理","照应""响应","算计""统计","笑话""电话"……这是同一个字在个别词里轻重不同的。此外还有些词的第二音节习惯念轻音的:

地方	明白	事情	东西	打算	生活	先生	朋友	学生
丈夫	姑娘	规矩	正经	把戏	新鲜	行李	眼睛	愿意
菱角	莲蓬							

也有些词是两个音节并重的:

| 理想 | 事实 | 劳动 | 模范 | 发生 | 转变 | 外套 | 交际 | 赞成 |
| 反对 | 战争 | 空袭 | 火车 | 电灯 | 生产 | 建设 | 国际 | 外交 |

　　　　社会　　主义
　　　　　・　　　・
此外还有一些复合词像"茶叶""茶壶""酒杯""饭碗"……之类，也是两个音节并重的。不过以上这些个原则也有很多例外，所以实际的办法还得靠大家留心听，或是多查注有轻重音的词典。必须勤学苦练才能够克服实际的困难。

　　四　联词变调还有不合规律的地方——一般说起来，在这次演出中声调的错误并不太多。咱们只能挑几个例子谈一谈：

　　玛尔塔：我已经有整整的五天没有看到他啦！（两"整"字都念
　　　　　　　　　　　　・・
　　　　成上声）

　　卡尔：你得好好地工作、劳动。（两"好"字都念成上声）
　　　　　　　・・
　　　　　哪怕就是今天一天。（"一"念"夷"）
　　　　　　　　　　　・
　　　　　为什么炉子会炸？（"为"念成"围"）
　　　　　・
此外，还有某演员把"跟前儿"的"前"仍念成阳平，没变上声（读若
　　　　　　　　　　　　・
浅）也不合乎北京话的习惯。

　　把"为什么"的"为"不念"谓"而念"围"，这是因为没弄准这个字在这一句话里应有的语义地位，毛病不算大，而且是一般人所常犯的；只要认清"为"字本来有阳平和去声两种念法，各自代表不同的意义，慢慢儿地也就改过来了。"跟前儿"念成"跟浅儿"这是北京话的特殊读音；它的变音条件跟"榆钱儿"念成"榆浅儿"，"一回儿"念成"一火儿"完全相同。此外，"隔壁儿"念成"借笔儿"（ㄐㄧㄝˊㄅㄧˇ儿）是由去声变成上声的，也和以上这几个例子有点儿类似。咱们现在只把"整整的"、"好好的"，和"一天"三个例子特别提出来分析一下。

　　"整整的"、"好好的"，要是不加"儿"尾，把两个重叠字同样重读，本来也不算错，可是听起来，有点儿不像北京话。要是念成"整整儿的"，"好好儿的"，那就得知道重叠词在"儿"音前的变音规律。咱们先看下边儿这四个例子：

  高高儿　黄黄(荒)儿　好好(蒿)儿　整整(征)儿

在这四个联词里,除了阴平的"高高儿"没变音以外,阳平相连的"黄黄儿",上上相连的"好好儿",去声相连的"整整儿",第二个字都变阴平。演员同志们掌握了这个规律,以后遇到这一类重叠词的时候,念起来才可以叫人听着像北京话。

  "一"、"七"、"八"三个数目字,在北京话里也有一定的变音规律。"一"字单用或在词尾的时候都念"衣"(阴平);在阴平、阳平、上声的前边儿都念"意"去声;只有在去声的前边儿,才念"夷"(阳平)。"七"、"八"两个字单念、在字尾或在阴平、阳平、上声的前边儿都念"妻""巴"(阴平),只有在去声前边儿才念"齐""拔"(阳平)。"不"字的变音也类似:在阴平、阳平、上声前都念"布"(去声),在去声前念阳平(ㄅㄨˊ)。咱们只要把下面举的这句话念熟了,就可以掌握这些字的变读规律了:

    从七(齐)月十七(妻)到八(拔)月十八(巴),这一(夷)个多月的工夫(儿),一(意)天连一(意)回儿都不(布)得闲,真不(布)能不(ㄅㄨˊ)算是一(意)年里顶累的一(夷)个时期了。

这样说起来,卡尔把一天念成"夷天"那是不合规律的。

  五　间歇的时间不够——在舞台上能够准确地运用台词的间歇,很能够增加效果,但是要掌握分寸相当困难,长短轻重差一点儿就会显得不真实。在这次演出的台词中大部分间歇的分寸还算是有节律的。这里只举出两个没把间歇分寸掌握好的例子:

  佛兰兹:不,妈妈——"不"跟"妈妈"中间的间歇分寸不够,听起来像"不妈妈"。

  卢狄:可是,妈妈——"可是"跟"妈妈"中间的间歇分寸不够,听起来像"可是妈妈"。

  以上所说的几点,只靠场记赵玉昌先生帮我临时记录下的一点儿直觉的听感材料来分析的,当然有许多听得遗漏或不准确的地方。此外,还觉得有一两位个别演员,或者因为演戏经历较久,不知不觉地还残余一些所谓"舞台腔";或者因为自己不能掌握统一谐和的调门,以致有忽高忽低的毛病。这些细微的地方我当场没法儿记录,也就无从详细讨论了。至于每个角色的台词跟动作表情的结合,以及节奏、韵律、口气、语调等等,那非得把全剧录音,反复研究,再多看几次表演,才能得到结果;在短期内我还提不出什么具体的意见来。

(原载《戏剧报》1954年4月号)

从"四声"说到"九声"

　　治中国音韵学者,每苦"四声"不易辨识,甚且有人谓通音韵者未必能调平仄,此蔽于所习而未审"四声"所以难辨之故也。因穷源竟委,草为兹篇,以示来学。

　　〔声调之定义〕声音之构成由于弹性物体之颤动(Vibration)。在一定时间内,颤动次数(Frequency)多者,则其音"高";反之,则其音"低"。此种"高""低"之差别,在物理学及乐律学中谓之"音高"(Pitch),在语言学及音韵学中则谓之"声调"(tone or intonation)。汉字之分"四声",即由"声调"有高低抑扬之异也。[1]

　　〔平上去入之起源〕以"平、上、去、入"为四声,自齐梁之际始。《南史陆厥传》云:"永明末,盛为文章。吴兴沈约、陈郡谢朓、琅琊王融,以气类相推毂。汝南周颙善识音韵。约等文皆用宫商,以平、上、去、入为四声。以此制韵,平头上尾、蜂、腰、鹤、膝,五字之中音韵悉异,两句之内角徵不同,不可增减,世呼为永明体。……时有王斌者,不知何许人,著《四声论》行于时。斌初为道人,博涉经籍,雅有才辩,善属文,能唱导。"[2]《梁书·沈约传》云:"约撰《四声谱》,以为在昔词人累千载而不悟,而独得胸衿,穷其妙旨,自谓入神之作。高祖雅不好焉,尝问周舍曰:'何谓四声?'舍曰:'天子圣哲',是也。然帝竟不遵用。"[3] 又《庾肩吾传》云:"齐永明中,王

---

[1] 刘复《四声实验录》,中文本,页 4—61;9—20。
[2] 《南史》四十八,《南齐书》五十二同。
[3] 《梁书》十三,《南史》五十七同。

融、谢朓、沈约文章始用四声,以为新变。至是转拘声韵,复逾于往时。"① 究其功用,惟在错综字调之低昂,以和谐文辞之节律而已。陈寅恪先生近作《四声三问》,其一谓四声之数与转读佛经之声调有关。盖以天竺围陀之声明论,依声之高低,分"声"savara 为三,一曰 udātta,二曰 svarita,三曰 anudātta。其所谓声者,适与中国四声之所谓声者相类似。佛经输入中国,其教徒转读经典时,此三声之分别当亦随之输入。当时中国文士依据及摹拟当日转读佛经之声,分别定为平、上、去之三声。合入声共计之,适成四声。于是创为四声之说,并撰作声谱,借转读佛经之声调以应用于中国之美化文。其二谓四声说所以成于南齐永明之世,创自周颙、沈约之徒者,盖由南齐武帝永明七年二月二十日竟陵王子良大集善声沙门于京邸,造经呗新声;而萧衍、沈约、谢朓、王融、萧琛、范云、任昉、陆倕等又同在"竟陵八友"之列。于是善声沙门与审音文士交互影响,遂创为声调新说。其三谓宫商角徵羽五声关于声之本体,平、上、去、入四声关于声之实用。论理则指本体以立说,举五声而为言;属文则依实用以遣词,分四声而撰谱:盖犹同、光朝士所谓"中学为体,西学为用"之意也。② 其持论之精辟,实足以发千余年来未睹之秘,释文化史上久蓄之疑。然以声调判别义类,乃汉语之一特质,平、上、去、入之名虽定于周、沈,而声调之实则非肇自齐、梁。当魏、晋之际,李登《声类》既以"五声命字",吕静《韵集》复分"宫商角徵羽各为一篇"。③ 他如陆机明"声音之迭代",④ 范晔别宫商之重轻,⑤ 并与四声之论,异名同实。日释空海《文镜秘府论调声》节

---

① 《梁书》四十九,《南史》五十同。
② 《清华学报》第九卷第二期,页 275—287。
③ 见封演《闻见记》及《魏书江式传》。
④ 陆机《文赋》云:"暨音声之迭代若五色之相宣"。
⑤ 范晔《狱中与诸甥侄书》以自序云:"性别宫商,识清浊,持能适轻重,济艰难。古今文人多不相了此处,纵有会此者,不必从根本中来"。

下引元民(兢)曰:"声有五声,角徵宫商羽也。分于文字四声,平、上、去、入也。宫商为平声,徵为上声,羽为去声,角为入声。"又引刘善经《四声论》(《隋书经籍志》及《文学传作四声指归》)云:"齐太子舍人李季(原脱)节知音之士,撰《音韵》(原作谱)《决疑》其序云:'案《周礼》,凡乐圜钟为宫,黄钟为角,太簇为徵姑洗为羽,商不合律,盖与宫同声也。五行则火土同位,五音则宫商同律,暗与理合,不其然乎?吕静之撰《韵集》分取元方,王微(原作征)之制《鸿宝》,咏歌少验。平、上、去、入,出行闾里,沈约取以和声,〔之〕(衍文)律吕相合窃谓宫商徵羽角即四声也,羽读括羽之羽。以(原作亦)之和同,以推(原作拉)群音,无所不尽。岂其藏理万古而未启(原作改)于先悟者乎?'往每见当此文人论四声者众矣,然其以五音配偶,多不能谐李氏忽以《周礼》证明商不合律,与四声相配,便〔合〕(衍文)恰然悬同:愚谓钟、蔡以还,斯人而已。"①然则,以"平、上、去、入"与"宫商徵羽角"相配者,固不自段安节《琵琶录》,徐景安《乐书》始也。② 故齐、梁以前虽未必适有"四"声,声调之用亦不必专谐文律,而字音之早有高低抑扬,则固无容否认。且至四声之风气既成,文人编制韵书遂依其体系分类,较诸"声""韵"尤为重要,盖已成为汉语声音之原素矣。陈氏所以斤斤于"体""用"之分,但申"四声之说专主属文"一义者,亦恐引起读者之误会耳。

〔古今声调之异〕上古有无四声,说者尚无定论。陈第《毛诗

---

① 原文多讹,从储皖峰、魏建功两君说校改,增"季"删"合",易"改"为"启"则个人臆见也。魏君于所作《论切韵系的韵书》中亦引此文,但所见不同,读者可参阅之魏文载《国学季刊》第五卷第三号及《十韵汇编》卷首。
② 陈澧《切韵考·内篇·通论》页五云:"若段安节《琵琶录》以平声为羽,上声为角,去声为宫,入声为商,上平声为徵《玉海》载徐景安《乐书》以上平声为宫,下平声为商,上声为徵,去声为羽,入声为角。凌次仲《燕乐考》原谓其任意分配,不可为典要。是也"。

古音考》倡古无四声之说。① 顾炎武《音论》更演其旨曰:"古人之诗,……上或转为平,去或转为平、上,入或转为平、上、去,……故四声可以并用。"又谓"入为闰声"。② 江永附和顾说,称为"善之尤者"。③ 特两君于古今声调之异,犹未能明确言之耳。厥后段玉裁谓:"周、秦、汉初之文,有平、上、入而无去。洎乎晋、魏,上、入声多转而为去声,平声多转为仄声,于是乎四声大备,而与古不侔"。④ 孔广森谓:"入声创自江左,非中原旧读。……自缉合等闭口音外,悉当分隶自支至之七部,而转为去声"。⑤ 立说虽殊,而明古四声与今不同则一也。江有诰初亦从古无四声之说,⑥后作《唐韵四声》正乃谓:"古人实有四声,特古人所读之声与后人不同。"⑦当时王念孙亦赞同其说。⑧ 近人陈汉章复作《古声无去、入辨》以驳段、孔。⑨ 是古四声真相何若,犹聚讼未决也。蕲春黄季刚先生承诸家之后,撷众说之华,由所考古韵部居,断定"古无上、去,惟有平、入。"⑩钱玄同先生初亦遵用之,继又采取段氏《古四声说》分出上声五部。⑪ 余近读牟应震《毛诗古韵考》亦信古有上声之说,余别有文论之。⑫ 至德人孔好古(Conrady)谓汉语及台语(thai)之声调乃由音组递减或消失而变成非原始

---

① 参阅《毛诗古音考》卷一,页27,《谷风》怒字注;及卷二,页33,《绸缪》"隅"字注。
② 《音论》卷中,页10—14。
③ 《古音标准》例言,页6。
④ 《六书音韵表》卷一,《古四声说》。
⑤ 《诗声类》卷一,页2。
⑥ 初刻《音学十书凡例》。
⑦ 见《再警王石臞先生书》。
⑧ 见《王石臞先生遗文》卷四,页18。与《江晋三书》。
⑨ 《缀学斋初稿》卷三,页16。
⑩ 《音略》略例。
⑪ 见所印古韵三十三部表。
⑫ 参阅拙著《读牟应震毛诗古韵考》天津,《益世报·读书周刊》,第四十二期。

所有,^①则须印支语比较研究进展后始克证明,今可存而不论也。

〔四声之性质〕关于四声之性质,旧来说者每以"长短,轻重缓急,疾徐"为言,笼统模糊,迄无的解!如唐释处忠《元和韵谱》曰:"平声哀而安,上声厉而举,去声清而远,入声直而促。"明释真空《玉钥匙歌诀》曰:"平声平道莫低昂,上声高呼猛烈强,去声分明哀远道,入声短促急收藏。"顾炎武《音论》曰:"平声轻迟,上去入之声重疾。"清江永《音学辨微》曰:"平声音长,仄声音短;平声音空,仄声音实;平声如击钟鼓,仄声如击土木石。"张成孙《说文谐声谱》曰:"平声长言,上声短言,去声重言,入声急言。"段玉裁《与江有诰书》曰:"平稍扬之则为上,入稍重之则为去;"或则望文生训,或则取譬玄虚,从兹探求,转滋迷惘!近人能确指四声之性质者,当首推刘半农、赵元任两先生。刘氏以为:声音之断定,不外"高低","强弱","长短","音质"四端。四声与强弱绝不相干;与长短,音质间有关系,亦不重要。其重要原素惟高低一项而已。然此种高低是复合的而非简单的;且复合音中两音彼此之移动,是滑的,而非跳的:此即构成四声之基本条件也。^②赵氏以为:一字声调之构成,可以此字之音高与时间之函数关系为完全适度之准确定义;如画成曲线,即为此字调之准确代表。^③自此两说出,而后千余年来之积疑,乃得一旦豁然,诚审音之大快事也!

〔声调难辨之原因(一)〕然声调所以不易辨识者,犹有二因:一曰调值纷错,自古已然;二曰清、浊演变为阴、阳,每因方言而

---

① 见(Conrady. Eine Indochinesische Causativ-Denominativ Bildung und ihre Zusammensetznng mit den Ton-Accenten. Leipzig, 1896).

② 《四声实验录》,中文本,页 19—20;48—53。

③ 《中国语言字调的实验研究法》,《科学》七卷九期。

异类。案陆法言《切韵序》曰："古今声调既自有别,诸家取舍亦复不同。吴、楚则时伤轻浅燕、赵则多涉重浊。秦、陇则去声为入,梁、益则平声似去。"所谓"吴、楚轻浅,燕、赵重浊"者,如《颜氏家训音辞篇》云："南方水土和柔,其音清举而切诣,失在浮浅;北方山川深厚其音沉浊而钝钝,得其质直。"又《经典释文·叙录》云："方言差别固自不同,河北江南最为巨异:或失在浮清,或滞于沉浊"。两家之言,并可与法言所论相互发明。所谓"秦、陇去声为入,梁益平声似去"者,劳乃言《等韵一得·外篇》云："此盖以异方之人听之耳,使其本方人听之,必不尔也。彼方之去似此方之入,则彼必别有其人,且谓此方之入似其去;彼方之平似此方之去,则彼必别有其去,且谓此方之去似其平。以一方之音言之,必自成其一方之平上去入,无稍缪戾者,故四声之辨。可各以方音求之。其音不必强同,其理自无不同也。"此说精切,深得法言微旨。试以现代方音证之:例如,北平读阴平"衣"字为高平调,关中人闻之必谓与其去声"意"字相近,其实平音读"意"字为高降调适与秦音上声"椅"字相近,且可谓秦音之去声似其平,上声似其去也。又北平读阴平"天"字为高平调,天津人闻之必谓与其阳平"田"字相近,其实平音读"田"字为中升调,适与津音上声"忝"字相近,且可谓津音之阳平似其阴平,上声似其阳平也诸如此类,不胜备举。然则各方言之调类虽自成系统,而方言间之调值则参差不齐,若以一地之调值强律他方之四声,徒见其龃龉难谐而已!此声调不易辨识之因一也。

〔声调难辨之原因(二)〕又孙愐《唐韵序·后论》云:"切韵者,本乎四声,引字调音,各自有清、浊"。是清、浊各有四声,由来已久。然清、浊声何时演变为阴、阳调,则文献无征,未可臆断。惟周德清《中原音韵·自序》云:"字别阴、阳者,阴、阳字平声有之,上、去俱无。上、去各止一声,平声独有二声。有上平声,有下平声:上平声非指一东至二十八山而言,下平声非指一先至二十七咸而言。前辈为《广韵》平声多,分为上下卷,非分其音也。殊不知平声字字俱有上平、下平之分,但有有音无字之别,非一东至山皆上平,一先至咸皆下平声也。如东红二字之类,东字下平声属阴,红字上平声属阳,阴者即下平声,阳者即上平声。试以东字调平、仄,又以红字调平、仄,便可知平声阴、阳字音,又可知上、去二声各止一声俱无阴、阳之别矣"。又日本沙门了尊撰《悉昙轮略图抄》卷一论八声事云:"右先明四声轻重者,《私颂》云:平声重、初后俱低,平声轻、初昂后低;上声重、初低后昂,上声轻、初后俱昂;去声重、初低后偃,去声轻、初昂后偃,入声重、初后俱低,入声轻、初后俱昂。……四声各轻重八声。……四声一音低昂名平上,低昂互前后成八:是故八音各相通"。《周韵》成于元泰定元年甲子(公元1324),图抄写于日本贞和二年,与元顺帝至正六年丙戌(公元1345)相当,则平声之分阴、阳与夫四声之演化为八声,至晚亦当实现于元朝末叶也。降至明世,范善溱《中州全韵》及王鵕《中州音韵辑要》平、去两声遂各分阴、阳,而周昂《增订中州全韵》更于阳平、阳去之外分立阳上,于是八声系统乃渐臻完备。然四声之分化在方言中约有三途:其一,清、浊声与阴、阳调并存,吴语是也;其二,平仄皆分阴、阳而声母之清、浊不辨,闽、粤、客家是也;其三,全浊声母平声变同次清而声之阴、阳尚分,仄声变同全清而声调之阳、阴亦混,"官话"是也。以故方言调类至为参差,今就所知方言二十四种列为下表,以明古今调类分合之迹:

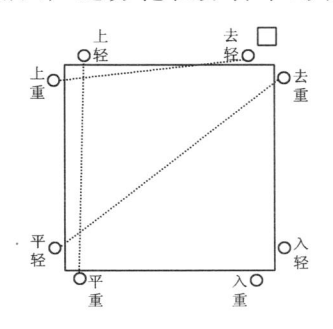

悉昙轮略图抄八声图

古今调类分合异同表

今调类\古声母 方言\古调类	清 平	浊 平	清 上	次浊 上	全浊 上	浊 去	清 去	清 入	浊 入
广　　州	阴平	阳平	阴上	阳上	阳去	阳去	阴去	上阴入　中阴入	阳入
上海——温州	阴平	阳平	阴上	阳上	阳上	阳去	阴去	阴入	阳入
汕　　头	阴平	阳平	上	上	阳去	去	去	阴入	阳入
厦门——福州	阴平	阳平	上	上	阳去	阳去	阴去	阴入	阳入
临　　川	阴平	阳平	上	上	阳去	阳去	阴去	阴入	阳入
苏　　州	阴平	阳平	上	上	阳去	阳去	阴去	阴入	阳入
休宁城内	阴平	阳平	阴上	阳上	阳去	阳去（变阳平）	阴	阴入	阳入
休宁蓝田	阴平	阳平	上	上	（变阳平）	阳去	阴去	阴入	阳入
客　　家	阴平	阳平	上	上	¹去	阴	去	阴	²阳入
歙　　县	阴平	阳平	上	上	阳	阳去	阴去	阴入	阳入（变阳去）
绩　　溪	阴平	阳平	上	上	上	阳去	阴去	入	入
婺　　源	阴平	阳平	阴上	阳上	阳上	阳去	阴去	（变阳去）	（变阳去）
祁　　门	阴平	阳平	上	上	上	阳去	阴去	入（变阳去）	入（变阳去）
黟　　县	阴平	阳平	上	上	（变阴入）	去	去	入（变阴平）	入（变阴平）
南京——扬州	阴平	阳平	上	上	上	去	去	入	入
获　　鹿	阴平	阳平	上	上	上	去	去	入	入
汉口——四川	阴平	阳平	上	上	上	去	去	（变阳平）	（变阳平）
分　　宜	阴平	阳平	上	上	上	去	（变阳平）	（变阴平）	（变阴平）
咸　　阳	阴平	阳平	上	上	上	去	去	清声及次浊变阴平 全浊变阳平	
北　　平	阴平	阳平	上	上	上	去	去	全清全浊变阳平次 清次浊变去声	

1. 客家话古全浊上声文言变去声，白话变阴平；古次浊上声亦有一部分变阴平。
2. 客家话古次浊入声一部分变阴入。

观上表所列，平、去二声尚较整齐，上、入二声殊为纷错。绎其演变所由，要皆系于声母。盖古四声既因清、浊而分阴、阳，浊上复以

"全浊"、"次浊"之异而分入阳去、阴上两类；至于入声演变，尤须于声母类别寻其条理也。全浊上声之演变，自唐时即已发生。李涪《刊误》尝诋《切韵》曰："吴音乖舛，不亦甚乎？上声为去，去声为上：……恨怨之恨则在去声，很戾之很则在上声，冠弁之弁则在去声；又舅甥之舅则在上声，故旧之旧则在去声；又皓白之皓则在上声，号令之号则在去声；又以恐字恨字俱去声；今士君子于上声呼恨，去声呼恐，得不为有识之所笑乎？……凡中华音切莫过东都，盖居天下之中，禀气特正，予尝以其音证之，必大哂而异焉。……予今别白上去，各归本音；详较轻重，以符古义；理尽于此，岂无知音"！今按《广韵》"很"胡恳切，匣母很韵，"辩"符蹇切，并母狝韵，"舅"其九切，群母有韵，"皓"胡老切，匣母皓韵，皆属全浊上声；而"恨"胡艮切，匣母恨韵，"弁"皮变切，并母线韵，"旧"其救切，群母宥韵，"号"胡到切，匣母号韵，皆属全浊去声；李涪既以《切韵》所分为非，则在其方音中必已不分全浊上去也。据陆游《渭南集·刊误跋》云："王行瑜作乱，宗正卿李涪盛陈其忠，谓必悔过。及行瑜传首京师，涪亦放死岭南"。① 案王行瑜传首京师，事在唐昭宗乾宁二年（公元895）11月，《刊误》之成必当早于是年，则陆法言《切韵》成书隋仁寿元年，（公元601年）后未满三百年即已有人不辨全浊上去，复何怪张麟之《韵镜·序例》谓："逐韵上声浊位并当呼为去声"耶？迨及清季，周赟能辨六声，遽自矜为独得胸臆，穷妙入神，欲与其家彦伦之分四声，挺斋之分五声，先后媲美，② 亦足觇举世茫昧，难觅解人矣！夫调类演变既如是悠久，其分合复如是纷歧，若囿于一地方音，不审异同之故，乌能心知其意，口拟其声？此声调不易辨识二也。

---

① 《大正新修藏》第二七〇九，高野山遍照光院藏贞和二年写本。
② 参阅《山门新语》卷一，《周氏琴律切音序》及《六声图说》。

然则辨识声调之法将若何？曰：宜分辨类与辨值两端言之：

〔辨识调类之方法〕韵书之根据在反切，韵书之规模在四声，自陆法言《切韵》以迄佩文斋《诗韵》无不以平、上、去、入为分类之标准。故调值及阴、阳虽因方言互殊，而四声之系统悉与韵书相应。倘能时常披览韵书，佐以《四声韵谱》，《广韵通检》，《初学检韵》及《四声易知录》诸索引，则于辨识调类当不至过感困难。且江永《音学辨》微曰："前人以宫商角徵羽五字状五音之大小高下，后人以平上去入四字状四声之阴、阳流转皆随类偶举一字。知其意者，易以他字，各依四声之次，未尝不可。梁武帝问周舍曰："何谓平、上、去、入"？对曰："天子圣哲是也"。可谓敏捷而切当矣。"天子圣哲"又可曰"王道正直"，学者从此隅反"。其后王鉴作《四声纂句》即仿"天子圣哲"之例，纂辑四声成语以便初学。例如：

风洒露沐	民喜岁熟	为善最乐	乡里叹伏	欹满器覆
诒子燕翼	文武是式	先本后末	河海静谧	泾以渭浊
情好甚笃	杯酒自适	兄弟既翕	情感意浃	兰桨桂楫
轻艇坐盍①				

又赵元任先生于北平之阴、阳上去四声，亦拟有成语三十六句，其文为：

中华语调	高扬起降	开门请坐	分别长幼	三民主义
深谋远虑	灾情很重	要求免税	修桥补路	生财有道
诸承指教	非常感谢	说完好话	偏来打岔	张王李赵
专门捣乱	荤油炒肉	偷尝两块	酸甜苦辣	稀奇古怪
鸡鸣狗盗	飞檐走壁	七侠五义	青龙宝剑	三国演义
英雄好汉	爹拿椅坐	缺乏笔墨	偏旁写错	斯文扫地
登楼远望	天晴雨过	山明水秀	非常好看	阴阳上去

---

① 参阅朝邑刘振清所刊之《青照堂丛书》第三编。

诸如此类①

学者熟诵而涵咏之，均有助于辨识调类也。

〔辨阴阳〕阴、阳之辨较四声为难。吴瞿安先生曰："韵之阴、阳，在平声、入声至易辨别，所难者上、去二声耳。上声之阳类乎去声，而去声之阴又类乎上声，此周挺斋《中原音韵》但分平声阴、阳，不及上去者，盖亦畏其难也。迨后明范善溱撰《中州全韵》，清初王鵕撰《音韵辑要》，始将上去二声分别阴、阳，而度曲家乃有所准绳矣"。② 此犹就操吴音者言也，若生为北人，则除平声外皆不辨阴、阳，度曲倚声，鲜不偭规越矩。且四声悉分阴、阳，实自清周昂之《重订中州全韵》始，③范善溱、王鵕二家只能分辨平、去、入之阴、阳而已。就上表所列之二十四方言论，倘使广州、上海、温州以外之人而欲辨识仄声之阴、阳，则除依据周昂之书，惟有借镜于古声母之清、浊，舍是以求，殆无捷诀也。

〔辨平仄与舒促〕以平声对上、去、入言则谓之"平""仄"，以平、上、去对入声言则谓之"舒""促"。平、仄易辨而舒促常混，盖入声之尾音在官话区域已多数消失，且依声母之类别而分化于其他三声。据亡友白涤洲《北音入声演变考》云：六百年来北音入声之演变，第一期为全浊读阳平，次浊读去声，清纽读上声；第二期全浊次浊仍旧，清纽依送气不送气或擦声关系，改读阳平与去声，间有仍读上声者乃历史之遗迹；第三期仍与第二期同，惟此后之变化恐渐演成完全不规则。④

故北人欲调平仄，宜先认清入声，始可避免"失黏"之弊也。

〔五声之异名〕自《中原音韵》始分五声，作者相沿。每异标目：

---

① 《新国语留声机片课本》页7,8。
② 《顾曲麈谈》卷上，页24。
③ 有《此宜阁》刻本，二十二卷。
④ 《女师大学术季刊》第二卷。

桑绍良《文韵考衷六声会编》分"浮平、沉平、上仄、去仄、浅入、深入"六声，林本裕《声位》分"开、承、转、纵、合"五声；至于"阴平"、"阳平"两类，则金尼阁《西儒耳目资》谓之"清、浊"，方以智《切韵声原》谓之"喀、嗔"，马自援之《等音》谓之"平、全"，樊腾凤之《五方元音》谓之"上平、下平"，其名虽异，其实则同。今对照列表，以免眩惑：

五声异名表

调名＼分类	周德清之四声	桑绍良之六声	金尼阁之五声	方以智之五声	马自援之五声	林本裕之五声	樊腾凤之五声
阴平	阴平	浮平	清	喀	平	开	上平
阳平	阳平	沉平	浊	嗔	全	承	下平
上	上	上仄	上	上	上	转	上
去	去	去仄	去	去	去	纵	去
入	全浊读阳平次浊读去声清纽读上声	浅入 / 深入	入	入	入	入	入

综上所论，可知辨四声应以《广韵》为准，辨八声应以《重订中州全韵》为准，若更纂句以资娴习，分纽以免混淆，尤有裨于审辨调类也。然审辨调值之难，固有倍蓰于此者。

〔审辨调值之方法〕审辨调值有实验与耳听两法：用浪纹计（Kymograph）记录声调浪纹于烟薰纸，然后以刘半农先生创制之"乙一声调推断尺"（Liugraph）或"乙二声调推断尺"（A pocket tone-graph）测定其音高曲线（pitch curve）者，是为实验法；[①]经过相当之听音训练后，但借渐变音高管（Sliding pitch-pipe）之辅助，即可由耳听以估定声调之高低抵扬者，是为耳听法。[②] 刘半农先生之《四声实验录》应用前法作成，赵元任先生之《现代吴语的研

[①] 参阅《四声实验录》及"声调之推断及声调推断尺之制造"（《史语集刊》一本二分）与《乙二声调推断尺》（《史语集刊》四本四分。）
[②] 《现代吴语的研究》页 3,4;73—75。

究》中关于声调部分则用后法作成,持术虽殊,而有贡献于中国音韵学则一也。赵氏为初学辨调之便利,又拟有"字母式声调符号"(tone letters)一种。其法以竖标代表高低,以横标代表长短及曲直抑扬。每一竖标分为五度,以自5—1之数码称之。平直而长者示以相同之两数,短者示以单数;上扬者两数先小而后大,下抑者两数先大而后小,均以两数下有无横线相连为短长之分别;至于曲折之声调则以三数表之,其数码大小当以起落之高低及抑扬之先后为断。兹录其基本调符三十种以资隅反:①

11: ˩ 13: ˧ 15: ˦ 22: ˨ 24: ˧ 31: ˧˩ 33: ˧ 35: ˧ 42: ˦˨ 44: ˧
51: ˥˩ 53: ˥˧ 55: ˥ 131: ˧ 153: ˩ 242: ˦ 313: ˧ 315: ˧ 351: ˦ 353: ˧ 424: ˦ 513: ˥ 535: ˥

1: ˩ 2: ˧ 23: ˧ 3: ˧ 43: ˦ 4: ˦ 5: ˥

关系调值之精密研究,属于语音学范围。治音韵学者如欲明了声调之性质,则宜自省察己身所操方言之调类与调值始。但取各类之例字反复诵读,体味其高低抑扬,即可略辨调值之型式(pattern)而识以调符。如其调类分合尚待判定,则须先就下列辨调例字表依次诵读确定其大类,然后审辨其调值,识以调符;欲求精密,更须参用实验法以勘究其同异。例如,北平语读次浊上声"五女惹老暖买武有"等字与清母上声"古展口丑好手"等字调值相同,读全浊上声"近柱市坐蟹社似妇"等字与清母去声"盖帐正醉怕唱放送"及浊母去声"共助备饭大谢望用"声调均同,则知北平阳上分化为阴上及去声,且去声亦不能分别阴阳也。又读入声"急竹得职即识福责局宅食杂读白合舌俗服"等字与阳平无别,读"敕黑各百却彻额聂入六纳麦物药"等与去声无别,而"一出七兀惜接搭约切拍歇说削"与"笔扎曲匹尺铁法"等又分别变入阴平及上声两类,

---

① Le Maître Phonétique, troisième série, No. 30, p. 24—27.

是北平声调已无舒促之分,入声又因声母之差异而演变为平上去三声也。倘使广州人读此表,则非特八类均能辨别,且可自阴入中分出"各扎责接搭百约却彻尺切铁拍歇说削法"等别立"中入"一类。繁简悬殊,从可概见。学者苟能确认自己所操方言之调值,然后推己及人,由近而远,以衡量一切方言之调值,庶不致十分讹误矣。今举中国方言内最简单之平语四声及最复杂之粤语九声示例以为本篇之殿:

平粤调值异同表[①]

调类	阴平	阳平	阴上	阳上	阴去	阳去	上阴入	中阴入	阳入
调类符号	˰□	˰□	ˊ□	ˎ□	□ˉ	□ˏ	□˦	□˧	□˨
例字	衣	移	椅	矣	意	异	一	谒	亦
粤语九声	ㄚ	ㄥ	ㄧ	ㄑ	ㄐ	ㄒ	ㄈ	ㄉ	ㄌ
平语四声	ㄱ	ㄥ	ㄥ		ㄐ		全清全浊ㄈ次清次浊ㄈ例外ㄉ或ㄌ		

(原载《东方杂志》第36卷第8号,1939,署名罗莘田)

辨调例字表[②]

调类	例	字	
阴平	刚知专尊丁边安	开超初粗天偏	蒿商三飞(拉妈)
阳平	穷陈床才唐平	寒时详扶	鹅娘人龙难麻文云
阴上	古展纸走短比袄	口丑楚草体普	好手死粉
阳上	五女惹老暖买武有	近柱市坐断倍	蟹社似妇
阴去	盖帐正醉对变爱	亢趁喝菜怕	汉世送放
阳去	共阵助暂大备	害树谢饭	岸酿闰漏怒帽望用
阴入	急竹职即得笔一 各札责接搭百约	曲敕出七秃匹 却彻尺切铁拍	黑识惜福 歇说削法
阳入	局宅食杂读白	合舌俗服	额袭入六纳麦物药

---

① 节录赵元任先生《方言调值异同表》。
② 中央研究院历史语言研究所《方言调查表格》252,页2。

误读字的分析

从朋友或后辈们的嘴里,时常听到一些念错了音的字。追述错误的原因,也颇不简单。有的是从小受了教书先生的影响,一直改不过来;有的是懒得查字典,自己想念什么就念什么;有的是听见有人这么念,自己拿不定主意,就以讹传讹跟着错下去。本来从学问的大体上讲,偶尔念错了几个字算不了什么了不得的毛病,值不得吹毛求疵地去指摘。况且犯这种错误的如果是个略懂小学的人,还可以从音转条理,文字通假上去找解释来替自己辩护。可是从教育的眼光看,特别是现在作国文教员的人,对于这个问题似乎不可过分的大意,免得展转传讹,将错就错,闹得字无正音,信口乱念!

这种错误的来源,虽说不很简单,可是仔细分析起来也出不了几种形式。我常就平时所听到的一些实例,略加归纳,总括成下面的六项。凡所举例,都是亲耳听到过的,绝无杜撰。这里边有大学或中学的学生,有中等学校的教员,也有成了名的作家、学者、或教授,并不以"引车卖浆"者为限。信手拈来,聊以凑趣,无非含一点儿"言之者无罪,闻之者足以戒"的微意,毫没有讽刺或针砭的存心。闲话少说,举例如下:

(一)类推致误例——也可以叫做念半边字的错误 照谐声字的原则来讲,凡是同从一声的字,就是有同一音符的字,本来应该同音或音近。可是因为古今音变的结果,假如我们不是有意地模拟古读,废弃了流行的念法,那就不能完全根据这个原则去类推。例如:

"愎,弼力切,很也,戾也"。有人把它念作"复",因而"刚愎自用"就变成了"刚复自用"。

茜,仓甸切,音倩,染绛茜草也。常听见有人摇头晃脑,酸气冲天地背《红楼梦》的贾宝玉祭晴雯文:"西(原作茜)纱窗下,我本无缘;黄土垅中,卿何薄命"!又常见电影广告上有"凯弗兰茜斯"(Kay Francis)的译名,那无疑也是把"茜"字念成"西"的,因为芳草和美人相连,所以就在这个美艳明星的译名上多加个草字头儿。

哂,式忍切,音矧,笑也。有人把"敬祈哂纳"念作"敬祈西纳"。

俑,尹竦切,音勇,从葬木偶也。有人把"始作俑者"念作"始作诵者"。

竣,七伦切,音逡,止也,事毕也。大多数人都念成"俊",但也有人把"完竣"念成"完梭"。

吼,呼后切,兽鸣也。有一位怕太太的人把"狮子吼"念成"狮子孔"。

晔,筠辄切,光也。

恬,徒兼切,安也,静也。有一位历史教员把作《后汉书》的"范晔"念成"华",把秦时的大将"蒙恬"念成"蒙括",于是学生大哗,丢掉了位置。

鹬,余律切,音聿,知天将雨鸟也。有人把"鹬蚌相争"念成"橘蚌相争"。

栉,阻瑟切,梳枇之总名,又理发也。有人把"栉风沐雨"念成"节风沐雨"。

躐,良涉切,音猎,逾越也。有人把"躐等而进"念成"腊等而进"。

忏,楚鉴切,自陈悔也。"忏悔"不应读作"签悔","忏情"不可读作"签情",尤不可读作"歼情"。

筠,于伦切,音云,竹之青皮也。常有人把它念作"均",因演

《原野》里的老太婆出名的"樊筥"女士,并不叫"樊均"。

桯,丑贞切,音赪,河柳也。中央大学的外语系讲师"叶桯"先生,并不叫"叶圣",因为师长同学们都交口地希望他作"圣人",他自己也不敢否认了。

郴,丑林切,音琛,今湖南县名,在衡阳县南三十百三十里,有人把秦少游的"郴江幸自绕郴山,为谁流下潇湘去"的"郴"字误抄作"彬"。

崞,古博切,音郭,今山西县名,在代县西南六十里。常有人把它念作"淳",又有一位现在在北平伪北京大学国文系作副教授的音韵学家,把它念作"享"。阎锡山在太原公园的一个亭子里,把山西人必识的字列出几百个来,这个字便是其中之一。

此外像"饿莩"(殍)念成"饿孚","别墅"念成"别野","擅长"念成"坛长","经幢"念成"经童","杜撰"念成"杜选","向隅"念成"向偶","觌面"念成"读面","魑魅"念成"离妹","铡刀"念成"则刀","残酷"念成"残告"之类,尤其时常听见。姑举一斑,他可隅反。

(二)形近而讹例——也可以叫做鲁鱼亥豕式的错误 这种错误往往由于观察不精确而起。《吕氏春秋·察传篇》:"有读史记者曰:'晋师三豕涉河。',子夏曰:'非也,是己亥也。夫己与三相近,豕与亥相似。',至于晋而问之,则曰:'晋师己亥涉河也。',又《抱朴子·遐览篇》:书三写,鱼成鲁,帝成虎。这是校勘学上很流行的故事。其实在校勘古籍的时候,我们固然常常可以遇见类似的例子,就是平常同人谈话或听人念书的当儿,也往往发现这种粗心的毛病。例如:

枵,虚骄切,音嚣,虚也。"枵腹从公"竟会有人念做"楞腹从公",或"枴腹从公"。

祟,虽遂切,音邃,神祸也。有不少的把"鬼鬼祟祟"念成"鬼鬼崇崇"。

枘,而锐切,音芮。《类篇》说:"刻木耑,所以入凿谓之枘。宋玉《九辩》圆凿而方枘兮,吾固知其鉏铻而难入"。常常听见许多喜欢掉文的人把"圆枘方凿"念成"圆柄方凿"。

斡,乌括切,音椀,转也。很多人把"斡旋"念成"干旋"。

笫,阻史切,音姊,床版也。有人把"床笫"念成"床第"。

匕,笔倚切,音比,匕首,短剑也。有人把"图穷而匕首现"念成"图穷而叱首现"。

棘,基亿切,音亟。"棘手"谓荆棘多刺,拔之伤手,以喻事之难处理者。有好多人把"棘手"念成"辣手"。

刺,七赐切,读如次,以尖锐物直入他物为刺;剌、罗达切,音辣,戾也。前一个从束,后一个从束,一般人总不大分得清楚。所以"乖剌",和"剌谬"往往念成"乖次和"次谬"。

囚,似由切,音遒,拘系也,又罪人也。有人把"囚犯"念成"困犯"。

厄,字亦作戹,于革切,音搤,灾也,隘也。有人把"困厄"念成"困危"。

疫,营只切,音役,民皆疾也。有人把"瘟疫"念成"瘟没"。此外还有人把"觊觎"念成"凯觎","苦衷"念成"苦哀","不共戴天"念成"不共载天","不遗余力"念成"不遣余力",诸如此类,历数难终。小的时候,听见过一个笑话,据说有一个识字不多的人,看了《水浒》之后,告诉别人说:"我看了一部小说叫木(水)许(浒),那上面有一个叫季(李)达(逵)的,手使两把大爹(斧),有万夫不当之男(勇)!"这一个笑话里面,除去读"浒"作"许"应归入第一类以外,其余的都算是鲁鱼亥豕式的错误。

(三)忽略圈声例——也可以叫做读破四声的错误　因词性或文法作用不同而声调变异的,在中国语言史上并不能算是晚近的现象。《春秋·庄公二十八年·公羊传》:"春秋伐者为客,伐者为主。"何休解诂云:"伐人者为客,读伐长言之,齐人语也。……见伐者为主,读伐短言之,齐人语也。"所谓长言短言,或即调类舒促的不同。《颜氏家训·音辞篇》说:"夫物体自有精粗,精粗谓之好恶;人心自有去取,去取谓之好恶(原注:上呼号、下乌故反)。此音见于葛洪、徐邈。而河北学士读《尚书》云:'好(呼号反)生恶(于各反)杀',是为一论物体,一就人情,殊不通矣。"又陆德明《经典释文·序录》也说:"夫质有精粗,谓之好恶(并如字),心有爱憎,称为好恶(上呼报反,下乌路反);当体即云名誉(音预),论情则曰毁誉(音余);及夫自败(蒲迈反)、败他(补败反)之殊,自坏(乎怪反)、坏撤(音怪)之异:此等或近代始分,或古已为别,相仍积习,有自来矣。余承师说,皆辨析之。比人言者,多为一例:如而靡异,邪(不定之词)也(助句之词)弗殊,莫辩复(扶又反,重也)复(音服,反也),宁论过(古禾反,经过)过(古卧反,超过)。……如此之俦,恐非为得。"就这几段话看来,我们应该承认圈声的办法由来已久。不过顾亭林和钱竹汀两人却觉得一字两读起于葛洪,而江左学士转相增益,汉魏以前无此分别。姑无论我对于这个因文法作用而变读声调的问题另外还有见解,即使照顾、钱之说认为起于葛洪,那从现在推上去也算够古了。本文的目的既在矫正通行的读音,所以还应该承认这个分别。然而一般人犯这种毛病比前两项更多,我们似乎要宽恕一点,不可过分地苛责。现在就眼前常见的,除去颜、陆已经举过的"好""恶""誉""复""过"以外,再提出几个例子来。罣漏的毛病,恐怕不能避免,希望读者能够随时留意,触类旁通,以补本文的不足。

风,方戎切,音枫,平声,名词;方凤切,音讽,去声,动词。例如"春风风人","风,风也",上"风"字应念平声,下"风"字应念去声。

雨,王矩切,音羽,上声,名词;王遇切,音芋,去声,动词。《韵会》云:"风雨之雨上声,雨下之雨去声。"例如"夏雨雨人","雨雪其雩","雨我公曰",第一句上字念上声,下字念去声;二、三两句里的"雨"字都应念去声。

衣,于希切,音依,平声,名词;于既切,去声,动词。如"解衣衣我","衣十升之布","身衣弋绨",第一句上念平声,下念去声,二、三两句里的"衣"字都念去声。

食,乘力切,音蚀,入声;祥吏切,音寺,去声,因意义和文法作用而异其声调。如"推食食我",上入声,下去声;"君子以饮食晏乐","君子与其使食浮于人也,宁使人浮于食","此与以耳食无异","我食吾言背天地也","日有食之",这些例子里的"食"字都应念去声。

饮,于锦切,上声,咽水也,亦歜也;于禁切,音荫,去声,以饮食之也,在文法上属"予格"。如"饮酒食肉处于内","饮此则有后于鲁国",这两句中的"饮"字应念上声;"饮之酒而使告司马","饮乡人酒",这两句里的"饮"字应念去声。

妻,七稽切,音妻,平声,名词;七计切,音砌,去声,动词。如"士如归妻,迨冰未泮"这两句里的"妻"应念平声;"以其子妻之"一句里的"妻"应念去声。

将,即良切,音浆,平声,训"有渐之词",或"抑然之词",又且也,助也,送也,行也,进也;即谅切,音酱,去声,将帅也,又将之也。如"是以君子将有为也","将有行也","将安将乐","补过将美","百两将之","今予以尔有众,奉将天罚","日就月将",各句中的"将"字都应念平声;"才足以将物而胜之谓之将",上"将"字念平声,下"将"字念去声;"将卑师众曰师","将帅之士,使为诸侯","将在外君命有所不受",各句里的"将"字都应念去声。

相,息良切,音襄,平声,省视也,交相也;息亮切,去声,视也,助也。如"二气感应以相与","相怨一方","相观而善之谓摩","相率而为伪者也",各句里的"相"字都应念平声;"相与辅相之",上

"相"字念平声,下"相"字念去声;"相时而动","相鼠有皮","相在尔室","相其宜而为之种","辅相天地之宜","相成王为左右","相秦而显其君于天下",各句里的"相"字都应念去声。

度,徒故切,音渡,去声,名词;徒落切,音铎,入声,动词。如"同律度量衡","百度得数而有常","节以制度","豁达大度","皇览揆予于初度",各句里的"度"字都应念去声;"周爰咨度","咨亲而询,咨礼为度","心能制义为度","他人有怀,予忖度之","度支掌天下租赋物产之宜,水陆道途之利,岁计所出而支调之",各句里的"度"字都应念入声。

量,力让切,音亮,去声,度量,器量也,名词;吕张切,音良,平声,丈量,商量也,动词。如"颁度量而天下大服","魏文帝察其有局量","月以为量","惟酒无量不及乱",各句里的"量"字都应念去声;"弃衡石而意量","车载斗量","度德量力","蚍蜉撼大树,可笑不自量",各句里的"量"字都应念平声。

乘,食陵切,音塍,平声,动词;实证切,音剩,去声,名词或数词。如"时乘六龙以御天","服牛乘马","不如乘势","亟其乘屋","乘人不义陵也",各句里的"乘"字应念平声;"元戎十乘,以先启行","千乘之国","弦高以乘韦先牛十二犒师","乘壶酒","发乘矢",各句里的"乘"字都念去声。

此外像"行为"和"因为","中间"和"中听","应该"和"答应","调和"和"调查","要求"和"需要","君王"和"先入关者王之","收藏"和"西藏"各有平去的不同;"多少"和"老少","数一数"和"数目",各有上去的不同,而"频数"的"数"又读入声;"治大国若烹小鲜"的"鲜"读平声,而"巧言令色鲜矣仁"的"鲜"读去声;若把这项材料充分搜集起来,加以整理,可以作成一篇很有用的论文,这里不过略发其凡罢了。

(四)异义混读例 有些字因为意义不同而分作两读的,应该

各照它的意义来念,不可混为一读。例如:

乐,五角切,音岳,五声八音之总名;卢各切,音洛,喜乐也;又鱼教切,《论语》云:"知者乐水,仁者乐山"。常有人把"音乐"念成"音洛"。

率,所律切,音蟀,领也,将也,遵也,循也;所类切,音帅,与"帅"义同;又劣成切,音律,约数也。常有人把"速率"念成"速帅"。

乾,渠焉切,音虔,《易经·乾卦》;又古寒切,音干,燥也。"干侯",地名,言其水常竭也,不念"虔侯"。

贾,公户切,音古,《说文》:"贾市也,曰坐卖售也。"行曰商处曰贾;又古讶切,与"价"同;又举下切,音假,姓也。"屠岸贾"不念"屠岸假","商贾"不念"商假"。

景,居影切,音警,光也,境也;又于丙切,音影,物之阴影也。"摄景"不念"摄警"。

丁,当经切,音玎,十干名;中茎切,音朾,伐木声相应也。所以"伐木丁丁"的"丁"和"甲乙丙丁"的"丁"不同音。

会,黄外切,音绘,合也;又古外切,音侩,大计也。"会计"和"会稽"的"会"都不应该念"绘"。

行,户庚切,人之步趋也;又寒岗切,音杭,列也。"出色当行","二十五人为行","行家","行辈",都应该念作"杭"。

这虽然是很普通的例子,却往往听到不少刺耳的读音,所以我们也不可以不随时地注意。

(五)专名音讹例 专名的读音有时根据相沿的念法,有时依照译名的对音,稍微不小心,便有念错了的危险。例如:

郦食其 颜师古汉书注曰:"食音异,其音基。"

金日䃅 颜师古汉书注曰:"䃅音丁奚反。"

冒顿 宋祁曰:"冒音墨,顿音毒";姚令威云:"仆阅《董仲舒传》冒音莫克反,又如字。《司马迁传》亦音莫克反。"

阏氏　颜师古曰："阏音于连反,氏音支。"
大月氏　颜师古曰："氏音支。"
龟兹　颜师古曰："龟音丘,兹音慈。"
可汗　读如客寒。
万俟　本鲜卑部落名,后以为姓,音墨其,又音木其。

这些相沿的念法都不是"如字"读的。常常听见有人把"金日䃅"念成"金日蝉"或"金日殚",把"万俟卨"念成"万似卨",那就错得太离奇了! 从前听见过一个笑话:有一个秀才去逛庙听见和尚把"南无"念成"曩谟",便质问他道:"明明写的是'南无',你为什么念作'曩谟'?"和尚答道:"这就像你们儒家的书里把'于戏'念成'呜乎'一样!"两人争持不决,各不相下。后来和尚说:"好了! 好了! 你念'于戏'的时候,我就念'南无',等你'呜呼'的时候,我再念'曩谟'罢!"这也可以作因如字而误读的一个例子。

(六)方音转变例　在一个方言里的系统音变,严格说起来本不能和误读字一律看待,然而为求国语统一的实现,有时候也有相当矫正的必要。例如,在昆明市上往往看见有人把"冰糖莲子"写作"冰檀莲子"或"冰坛莲子";把"五香花生"写作"五香花松",把"鬼门关"写作"鬼门光"。又常听见"吃鱼"像是"吃胰","落雨"像是"落蚁"。这也如同北方把"膽量"写成"胆量",广州把"馄饨"叫做"云吞"一样,在方言本身上并不能算是错误,在统一国语或矫正读音上却有相当的窒碍。所以在本文里我也附带的提一下。

又听见说,一个大学生不认得"拙"字和"绿"字,那我倒感觉有点儿困难,不知把它们归入上面哪一项里好。若是凑个趣儿的话,我们可以管前一个例叫"藏拙",后一个例叫做"色盲"!

总结上面的实例,我们最后应该谈到怎样矫正读音错误的问题。这自然不是三言两语可以解决了的,无论如何总得经过相当的训练和学养才能减少这种毛病。为一时权宜之计,我且试着提出几条原则来：

(1) 不可照偏旁读音；

(2) 观察字形宜精确；

(3) 别懒得查字典；

(4) 注意每个字在句中的地位和作用；

(5) 应知道简便的反切方法；

(6) 应认清自己方言中的几个特点。

这些话说时容易做时难，在这里姑且给有心人提一提醒儿，等有空儿的时候，咱们再慢慢儿地商量。

(1940年4月24日初稿，7月15日重订，昆明)

(原载《东方杂志》第37卷第18号，1940年)

四声五声六声八声皆为周氏所发现

在音韵学史上有一件巧合的事,就是"四声"、"五声"、"六声"、"八声"皆为姓周的发现的。

《南史·陆厥传》说:"汝南周颙善识声韵,沈约等人皆用宫商,以平上去入声为四声。"他作了一部《四声切韵》,和沈约的《四声谱》并称于时。又《梁书·沈约传》说:"约撰《四声谱》,以为在昔词人累千载而不悟,而独得胸衿,穷其妙旨,自谓入神之作。高祖雅不好焉。尝问周舍曰:"何谓四声? 舍曰:天子圣哲是也。然帝竟不遵用。"因此我们可以说周氏父子是把平上去入当作四声的创始人。

周德清《中原音韵》自序说:"字别阴、阳者,阴、阳字平声有之。上、去俱无。上、去各止一声,平声独有二声,有上平声,有下平声。……如东红二字之类,东字下平声属阴,红字下平声属阳,阴者即下平声,阳者即上平声。试以东字调平仄,又以红字调平仄,便知平声有阴、阳字音,又可知上、去二声各止一声,俱无阴阳之别矣。"这是把平声分成阴、阳两类的第一个人。他虽然为唱曲时呼吸的便利把入声分派在平、上、去三声里,可是要推溯五声的来源,我们不能说始于方以智的"哐、喤、上、去、入",马自援的"平、全、上、去、入",或林本裕的"开、承、转、纵、入",究根寻底自然还得推崇这位挺斋周老先生。

谈到六声的发现,当然得要想起那位"始分六声山人"周赟来了。他在《山门新语》卷一《周氏琴律切音序》和《六声图说》里,对于能分六声颇自矜为"独得胸臆,穷妙入神",要和他家彦伦之分四声,挺斋之分五声,先后媲美。他是拿一品荫生的资格到徽州去做教官的,自从分辨出六声后,便自己撰了一副很自豪的对联说:"一品教官天下少,六声韵学古今稀。"同时又刻了那一方"始分六声山人"的图章。我们固然知道,桑绍良在《文韵考衷六声会编》里也是分"浮平、沉平、上仄、去仄、浅入、深入"六声的,可是周赟既然以"始分六声山人"自居,我只好看在他家彦伦挺斋的面上,把这件功劳算给他了。

自从周德清把平声分成阴、阳两类后,明朝范善溱的《中州全韵》和王鵕的《中州音韵辑要》又把去声也分作阴、阳两类,于是便成了"七声"。可是在阳平、阳去以外,又分立阳上一类,配成整整齐齐平、上、去、入各有阴、阳的八声系统,还是从周昂《增订中州全韵》创始的。这比周赟的分六声,似乎更可贵了。

从上面的事实,我们可以说,汉语的声调从四声分化到八声,以周姓始,也以周姓终。

(原载《国文月刊》第1卷第6期,1941年,署名莘田,原标题为《恬庵说音》,本文为第一篇)

音韵学不是绝学

学英文的先得念二十六字母,学日文的先得念五十音图,学满蒙文必须熟诵十二字头,学梵文自应认清四十九根本字:这些语言的难易虽然不一样,可是开始学字母拼音时,并没听见好多人感觉太困难。音韵学简括地说起来,就是讲字母拼音的。为什么学外国的字母拼音,小孩子都可以豁然贯通,学本国的字母拼音,甚至于老师宿儒还觉着神秘莫测?这个缘故可以从几方面去探索它:

四种困难

(一)国字不适于表音 中国的文字以形义为主,不以声音为主。从整个的方块字可以看出它所表的形象,所含的意义,但是找不着它该念什么声音。谐声字的偏旁虽然算是声音,一追溯到声符的本身仍旧不知道应当怎样念,这因为声符还是一个整个的字,和拼音字母不同,从它上面分析不出声音元素来。每个字既然有不同的形体就须有各别的声音,字各有音,音不由形而显,散漫无章,不能执简取繁,即使归纳出一个音韵系统来也还找不出代表纯粹音素的基本字。这是学习中国音韵学碰到的顶大的困难。比如说:"牛(㞢)羊(羊)犬(犬)马(馬)"一望可知所像的物形,㣇㣇舁臼由结构上就看得出会意的旨趣,可是从这八个字上哪里找得出丝毫声音的影儿?就连江河松柏的声符"工"、"可"、"公"、"白"还不一样表现不出该念什么音吗?国字的特质既然这样不适于发音,那么,根据它来讲字母拼音难怪越来越玄虚了。

(二)名实的混淆　旧韵书里所用的术语往往有同名异实或异名同实的情形,闹得人头昏眼花,越看越糊涂,甚至于有些学问很好的人也会上了名实不清的当。举例来说吧:同是所谓"声",而有的指着"声母"(initial consonant)说,有的指着"声调"(tone)说;同是所谓"阴声""阳声",而近人拿它分辨声调的高低升降(如"通"为阴平,"同"为阳平;"冻"为阴去,"洞"为阳去之类),孔广森拿它分辨韵尾鼻声的有无(如"歌""模"为阴声,"寒""唐""覃"为阳声):这便是同名异实的现象。至于讲到声母发音方法的,江永、江有诰、陈澧分"发声""送气""收声"三类,钱大昕分"出声""送气""收声"三类,洪榜分"发声""送气""内收声""外收声"四类,劳乃宣分"戛""透""轹""捺"四类,邵作舟分"戛""透""拂""轹""揉"五类。乍一看起来,很难知道他们有什么相互的关系。其实,他们命名虽然不同,所指的都是不送气的塞声和塞擦声,送气的塞声和塞擦声,擦声,边声,鼻声几类,只是分类上略有参差罢了。又如《中原音韵》以后关于声调的分类,桑绍良的《文韵考衷六声会编》分"浮平""沉平""上平""上仄""去仄""浅入""深入"六声;金尼阁的《西儒耳目资》分"清""浊""上""去""入"五声;方以智的《切韵声源》分"哤""喤""上""去""入"五声;马自援的《等音》分"平""全""上""去""入"五声;林本裕的《声位》分"开""承""转""纵""入"五声;樊腾凤的《五方元音》分"上平""下平""上""去""入"五声。其中只要把桑绍良的"浅入""深入"合并为一类,实际上都是指着"阴平""阳平""上""去""入"五种声调来说的。这便是异名同实的现象。因为有这两种现象纠缠不清,所以把初学搅得如入五里雾中,简直有点儿莫名其妙了!

(三)古今音异　念过《诗经》的人读"关关雎鸠,在河之州。窈窕淑女,君子好逑"一章时觉得"鸠""州""逑"很谐和,但读"求之不得，寤寐思服，优哉游哉，辗转反侧”一章时，便觉得“服”和“得”“侧”有些不顺口。即使再翻到《兔罝》的“肃肃兔罝，施于中逵。赳赳武夫，公侯好仇”。和《绿衣》的“绿兮丝兮，女所治兮。我思古人，俾无訧兮”时，更会发生“逵”和“仇”，“治”和“訧”是否押韵的疑问了。这究竟是古诗押韵太宽，还是古今字音的不同呢？稍有文字学常识的人又该知道谐声字的声符最初是跟着所谐字同音的。可是，“多”国音念ㄉㄛ，而从它得声的“黟”国音念“移”，“誃”国音都念“ㄧ”；“为”国音念ㄨㄟ，而从它得声的“讹”国音念ㄨㄛ或ㄛ；“西”国音念ㄒㄧ，而从它得音的“茜”国音念ㄑㄧㄢ；“先”国音念ㄒㄧㄢ，而从它得音的“洗”国音念ㄒㄧ；“斤”国音念ㄐㄧㄣ，而从它得音的“祈”、“颀”、“圻”国音念ㄑㄧ。这些是说国语的人念别字，还是表现什么音变的道理呢？还有，“庖羲”为什么又作“伏羲”？“扶服”何以就是“匍匐”？“附娄”和“部娄”为什么同训土山？“负尾”和“陪尾”为什么同指一地？“陈完”为什么就是“田完”？“申梅”何以也叫“申棠”？因为有这些疑难夹杂在里边，若非贯通上下古今，便会摸不着头脑了。

（四）方言分歧　五方之人，言语不同。音韵随地域而分歧，也正像它随时代而变迁一样。例如“通”和“同”，“披”和“皮”，“亲”和“秦”，“欢”和“桓”几对字，在北平、重庆、桂林、贵阳、昆明许多地方念起来，每个字除声调不同外，并不感到声母有什么差异，可是换一个吴语区域的人来念，不管是上海、苏州、无锡、常熟也好，嘉兴、吴兴、温州、宁波也好，如果你的耳朵还聪敏，你一定能审辨出每一对字除声调不同外，声母还有清浊的分别。又如“谈”和“檀”，“金”和“斤”，“心”和“新”，“监”和“艰”几对字，在官话区域的人念起来全没有区别，可是若叫广州、厦门、梅县、临川各地方的人一念便显然听得出闭口和抵腭的不同。至于北平人把“一”和“揖”，“七”和“葺”，“实”和“十”，“吉”和“急”各认为同音，而广州人口中的 t 尾和 p 尾却绝不相混,这也和上面一样道理。再说,作诗能调平仄就够了,但作曲不单要分四声,而且要细辨阴阳。比如说,"动"、"冻"、"洞"和"部"、"布"和"步",北方各认为同音,而广州却各分为阳上、阴去、阳去三类;闽、赣、江、浙虽或不分阴阳,去声却还判然不混;生来是个黄河流域或西南一隅的人,连入声都没有,怎能分辨上去的阴阳呢? 在"声"、"韵"、"调"三方面,方言既然都这样参差,倘使拘墟自是,不管音变的条理,难怪要"各以土音,递相非笑"了。

国字既不适于表音,韵书的名词又名实混淆,再加上古今方俗的音变如此复杂,于是就把本来平易近人的字母拼音之学,弄成黑漆一团、乌烟瘴气的"绝学"了。

克服上述困难的四种方法

怎样才能恢复音韵学上平易近人的本来面目,不让它成为故弄玄虚的绝学呢? 那得采取下面所说的四种方法:

(一)审音　第一得要精于审音,就是说,听见一个字音后能够分析它包含几个音素。因为这种学问既然偏重"口耳相传",若是听到一个声音耳朵不能辨别,嘴里不能模仿,而且不能把它所包含的音素分析出来,那么,无论在纸上讲得怎样天花乱坠,也是根本不中用的。从前的人因为缺乏工具,或者蔽于成见,或者囿于方音,往往有"考古功多,审音功浅"的毛病;就是有几个心知其意的人,也难把自己所了解的清清楚楚地传授给别人。国字既然不适于表音,要仔细剖析它的音素自然不是一件容易的事。从前只有会曼声度曲的人才可以体验得出来。明朝沈宠绥在《度曲须知》上说:

"今人尽攻举子业,而字学一脉几乎息矣。彼其间关唇舌齿喉,理寓

> 阴阳清浊,儒绅土苴弗讲,犹赖度曲者仅留一绪于歌声之中。则以儒者工章句,讴者推音声,而呫哔则忙不细讨,啸歌则音堪徐度耳。予尝考字于头腹尾音,乃恍然知与切字之理相通也。盖切法即唱法也。曷言之?切者以两字贴切一字之音,而此两字中上边一字即可以字头为之,下边一字可以字腹字尾为之。如"东"字之头为"多"音,腹为"翁"音,而"多翁"两字非即"东"字之切呼?"萧"字之头为"西"音,腹为"鏖"音,而"西鏖"非即"萧"字之切呼?"翁"本收鼻,"鏖"本收鸣,则举一腹音,尾音自寓。然恐浅者犹有未察,不若以头腹尾三字共切一字更为圆稳简捷。试以"西鏖鸣"三字连诵口中,则听者但闻徐吟一"萧"字;又以"几哀噫"三字连诵口中,则听者但闻徐吟一"皆"字,初不闻其三音之连诵也。………………至若家麻诸韵之无字腹者,只须首尾两字为切。然又有首尾无异音者,但可以本字入声当字首。如"齐"字之头上有"疾"音,"疾"即"齐"之入声也。故齐字可以"疾臆"两音唱之,亦可以"疾"、"臆"两音切之。他如支思、鱼模、歌戈其理总不外是。(卷上,字母堪删条)

唱曲要想"腔圆",必须先求"字正",必得先会审音。沈氏由度曲悟出字音应分头腹尾三部分,已经懂得怎样分析音素了。咱们现在耳朵听到或嘴里念着一个字音的时候,假使先按照沈氏的方法把它的头腹尾分析出来,然后再靠一个音标符号的帮助——无论粗疏的像注音符号或精密的像国际音标——把每个音素逐一记录下来,那么,拿着这一把科学的"秘钥",自然可以打通音韵学的第一道"玄关"了。

(二)正名 审音犹有根据以后,还得要作一番正名的功夫。因为既然明了音理,又会分析音素,对于上面所说的那些同名异实或异名同实的现象,就可以比较参究而得出清楚明晰的概念;有了清楚明晰的概念,自然可以重订确切的无疑的名称。比如管"见望辟疑"叫做"声",那么,"平上去入"就该叫做"调";管"通""同"的分别叫做"阴调""阳调",那么"歌""寒"就该叫做"阴韵""阳韵",或简直的叫做"开尾韵""鼻尾韵"。至于声母的发声方法固然无须定出几套玄虚的名称,声韵的五种分类更不必争立新奇的标目了。对于正名这件事自然需要专家们先尽一番力,把旧来所有同名异实和异名同实的例都陈列出来,用语言学术语将他们分别定出明晰的一致的名称,务必让讲者可以质言,听者容易了解,以后初学的人就不至于枉费许多心血了。

(三)明变　前段第三节所举的一些例,都是表现古今音异的。人类语音随时变迁,但分古今尚嫌笼统。段玉裁说:

"今人概曰古韵不同今韵而已。唐、虞而下,隋、唐而上,其中变更正多,概曰古不同今,尚皮傅之说也。音韵之不同,必论其世。约而言之,唐、虞、夏、商、周、秦、汉初为一时,汉武帝后洎汉末为一时,魏、晋、宋、齐、梁、陈为一时。古人之文具在,凡音转,音变,四声,其迁徙之时代皆可寻究。"(《六书音均表一·音韵随时代迁移说》)

现在参酌段氏的说法,重分中国语音为六期,藉以明辨:

第壹期　周秦至汉初(纪元前十一世纪至前二世纪)

第贰期　汉武帝至汉末(纪元前二世纪末至纪元后二世纪)

第叁期　魏晋南北朝(三世纪至六世纪)

第肆期　隋唐宋(七世纪至十三世纪)

第伍期　元明清(十四世纪至十九世纪)

第陆期　现代(二十世纪)

这几期各有它的特点,应该平等看待,不可妄加轩轾。咱们不单要客观的认清每一时期的现象,而且要根据音理来解释各种现象。比如说,受梵文影响的守温字母对于研究中古声类帮助很大,而戴震、陈澧认为它来自西域,偏偏不肯应用。《中原音韵》的系统明明可以代表元明以来的北音,而一般墨守《广韵》,乃至于《平水韵》的人,总以为它不是正统的韵书,他们虽然"节节失败于口中",却仍要"时时争执于纸上":这便是抹煞历史事实不达通变的态度。至于推测古音的读法和通转,尤其要顾到后代演变的情形,要让它在整个的演进历程上可以讲得通。例如钱大昕说"古无轻唇音",咱们就得问后来为什么会有轻唇音?如果能指出轻唇音所以分化由于三等合口的影响,就是在唇音上加上ĭ、u两个介音,那咱们就可以认为满意,而承认这条通则了。若是有人说:古无全浊和次清,因为帮滂并可以算一纽,端透定也可以算一纽……那就要问后来的全浊和次清是在什么条件下演变出来的?假如不能举出充分的理由和可靠的证据,但引古书上几处通用的例就随随便便用"古人音简,后代音繁"一类的话来塞责,那咱们就要根本否认它!处处还它一个历史的地位,时时要求一个合理的解释,这就是研究音韵学史的正当态度。能够保持这种态度,认清各时代的音韵特点,对于上文所举许多古今音韵的疑难自然可以迎刃而解了。

(四)旁征　　一切学问的进步,仗着比较参证的力量很大,印欧语言学所以发展,就可以说是采用比较方法的结果。为帮助中国音韵学分析音素,构拟古读,并了解各地的方言,尤其有旁征博考多采用比较参证的材料之必要。就历史上的往事而论,因为参证梵文的悉昙,才产生了守温字母;因为比照罗马字母的拼音,才得到分析音素的工具;因为模仿满洲文的十二字头,才创造了合声反切:这都是由于比较而促成进步的成绩,并不是什么"用夏变夷"的耻辱。无如一般传统思想很深的人总以为"古已有之"是正统,来自外国的是异端。所以有的只承认双声而不承认字母;有的说李光地和王兰生的《音韵阐微》不如明朝吕坤的《交泰韵》道地;至于参照蟹行文字的更叫人骂为"怪旧艺而善野言"了。我们要知道:方块字的不适于标音是无可讳言的,因为得到比较参证的材料而把中国音韵学讲得更明白一点,这当然应该提倡而不该反对。照我的想法,要克服研究中国音韵学的困难,至少下面的三种材料都得旁征到:

(甲)现代方言　　研究音韵所以比研究文字困难,因为古文字有形可稽,而古音韵则无声可考。假使有考古家能够从地下发掘出周代的留声机片,像殷墟甲骨文那样确实可靠,那就可以不费多少争论便决定古音怎样读了。无如收音的设备直到科学进步的二十世纪才发明,以上的梦想绝不会实现。所以要想考证古音就不得不另辟蹊径了。现代的活方言虽然去古已远,然而在方言的错综中往往流露出一些古音的遗迹来。例如吴语保存全浊声母,闽粤语保存闭口韵的 m 尾和入声 p、t、k 尾,徽州话有"阴阳对转"的实例,临川话有舌上音和正齿音的古读:这都是值得咱们注意的。但是这不是说某种方言可以直接代表古音,因为方言和方言之间只有兄弟的关系而没有父子的关系:这只是说参证多数方言材料可以拟测他们的共同母语的读法。根据这个母语往上可以明了古音的真相,往下可以寻绎出方言参差的条理,那么,前段第四节方言纷歧的现象,自然不成问题了。

（乙）域外的借字和译音　中国邻近的国家,像越南、朝鲜、日本之类,还保留着一部分较古的中国借字的读音,这在比较参证上也是很可珍贵的材料。还有佛经的译名保存很多很早的华梵对音,唐朝吐蕃占据沙州时代,为他们学习中国字的方便,也有许多用吐蕃字母标注中国字音的读物:这些材料对于拟测古音都有很大的帮助。咱们应该同样重视不可随便抹煞。

（丙）西洋人关于中国音韵学的著作　自从耶稣会的教士利玛窦（Matteo Ricci）和金尼阁（Nicolas Trigault）到中国来以后,他们为学习中国文字的便利,开始创造了一套罗马字拼音。金尼阁并且作了一部研究中国语言文字的专书叫《西儒耳目资》。这可以算是西洋人关于中国音韵学的第一部有系统的著作。到了清朝末叶像威妥玛（T. F. Wade）、艾约瑟（Joseph Edkins）、武尔披齐利（Z. Volpicelli）、商克（S. H. Schaank）、瞿乃德（Kühnert）等先后都有这方面的小书。这些著作的本身虽然不怎么高明,总算是现代比较音韵学研究的开路先锋。可是,最近法国马伯乐（Henri Maspero）所作的《唐代长安的方言》（*Le Dialecte de*

Tch'ang-an sous les T'ang），瑞典高本汉（Bernhard Karlgren）所作的《中国音韵学研究》（Études sur la Phonologie chinoise）都不愧是博大精深的著作，已经值得咱们作"他山攻错"的借鉴了。我们并不是"怪旧艺而善野言"，因为要想学术上进步，非得有这种知己知彼、絜长补短的精神不可。

以上四项，都是为初学说法的。假如对这方面有兴趣的同志照着我所说的步骤循序渐进，我想不难把中国音韵学弄成平易近人的字母拼音之学。至于从前有人拿五行五脏来牵合五音，拿河图洛书来配列字母，用天地阴阳来说明清浊，用钟鼓木石来比喻平仄……，诸如此类的怪论，我告诉你们一个极简捷了当的对付方法，就是根本不要理它！

(原载《读书通讯》第 83 期，1944 年，署名罗莘田)

校印莫友芝《韵学源流》跋

　　独山莫友芝《韵学源流》一卷,仪徵刘先生(师培)入蜀时得此书校抄本于遵义赵幼愚,而城固康率寰以之排印行世者也。考黎庶昌《莫徵君别传》及张裕钊《莫子偲墓志铭》,均载《声韵考略》四卷,而不及此书,意此书或即《考略》之初稿,而展转传抄者耳。自李登首创《声类》,吕静踵作《韵集》,韵学之兴,垂一千六百余年。流别所衍,支叶繁滋,源委不明,何以深察条贯,辨章然否?清人推迹韵学沿革之作,前乎莫氏者,有万斯同《声韵源流考》及潘咸《音韵源流》二书:万书匡廓粗具,挂漏宏多;潘书凭臆杜撰,难资典要。莫氏此书,理明事简,弗尚烦纡。博赡或弗逮万,而纠缠瞀乱之讥,庶几可免。且书中论《切韵》以来之部居云:"法言书既不传,而《广韵》犹题陆法言撰本,岂《广韵》二百六韵之目,即法言旧部欤?法言序既举支脂先仙等为说,则分部又必不自法言,岂自《声类》即已有此等部,而四声既兴,又以四声界之耶?法言又云:诸家有乖互,岂合诸家之部分,而去取整齐之耶?"又魏鹤山所见《唐韵》于二十八删二十九山之后,继以三十先,三十一仙。顾炎武不知鹤山所见何处添多一韵。而莫氏云:"今考夏竦《古文四声韵》,齐部之后增多栘部,鹤山所见,岂即增多栘部之本耶?且竦书仙第二之后继以宣第三,上声狝部后分出选部,入声术部后分出聿部,凡二百十部。且覃谈二部在阳唐之前,蒸登二部居添咸之际,其部序亦异《广韵》,而与颜元孙之《干禄字书》同;颜祖之推实同法言决定,竦序又自称本唐切韵,岂英公所据乃法言以来唐人相传之祖本,而后递有移并欤?"其所致疑,并皆精辟,曩使子偲得见唐写本《切韵》、《唐韵》残卷,及《王仁煦刊缪补缺切韵》,则隋唐韵书部次先后,或不待王静安先生考订,已秩然可观。惟全书取材,多本《四库提要》,故论"古韵"只断至顾、江,而不及戴、段、孔、王诸家;论"今韵"则以《洪武正韵》与《韵府群玉》并诋,而不重视《中原音韵》以后之音变;论"反切"则但详《指掌图》、《指南》、《四声等子》三书,而于前此之《韵镜》、《七音略》,后此之《韵法横直图》、《字母切韵要法》,及明清等韵别派,亦并略而弗陈。凡兹罅漏,均待补苴,犹未可视为完备之声韵学史也。然古今声韵,疑滞孔多;倘欲考镜源流,究其通变,举凡周汉古韵之音读,隋唐韵书之反切,元明语音之蜕化,旁及华梵译语,东西音标,下至殊域方言、民间谣谚,毕须博采旁求,探赜索隐;斯固非一人暂时之力所能及,岂可责全莫氏耶?康氏印本,亥豕累牍,流传亦希,兹于讲贯余暇,为之厘定章句,移付手民,聊供从学者参考云尔。

(1929年2月6日,广州)

《声韵同然集》残稿跋

《声韵同然集》残稿四卷,首载顺治己亥(1659)梦白斋主人自序,序末有"杨印选杞"及"士季"二章,梦白斋主人当即杨选杞之别署也。选杞事迹,无可考见。惟本书《同然集纪事》云:"余成童时,见字之有切而疑之,询之季兄,兄为举一二隅以示,三四日恍然有得。间与季兄私论其拗其难者,爰揆度二字以易之。其所切之音,仍与彼同,而反视彼原切较顺而易。辛卯(1651),糊口旧金吾吴期翁家。其犹子吴芸章一日出《西儒耳目资》以示予,予阅未终卷,顿悟切字有一定之理,因可为一定之法。为集胼胝外数章,以存其书之大指,并志予观书之有得。癸巳(1653),李子秩南授粲梅轩,笔墨六载。风雨篝灯之夜,亦未尝不详为辩论。戊戌(1658),从李子游都。李子下第归,强余成一韵谱。予多病,成而不克终卷。今己亥(1659),以特恩制开科目,李子则已迥隔云泥矣,寓书促成其事。时又以夏秋剧病之后,勉力应之。"其所交游及著书缘起,具详于此。期翁、芸章里居亦未详。考《翰林院馆选录》顺治十六年己亥(1659)恩科榜,第九名为浙江山阴人李平。"平"与"秩南"名字相应。雍正《山阴县志·儒林传》云:"李平字秩南,号孜园,顺治甲午(1654)孝廉。己亥(1659)捷南宫,任翰林院庶吉士,散馆授内秘书院编修。康熙丁未(1667),分校礼闱,得士八人,皆一时名硕。时开馆纂修世祖《实录》,平以才望简充其任。凡七阅月,病剧不起,卒于官舍,年三十有七。"[1]纂

---

[1] 《山阴县志》,卷三十一,页21。

修《顺治实录》始于丁未（1667）九月，若平以次年四月卒，则当生于明崇祯五年壬申（1632）。选杞历馆吴李两家，年事差长。假定长平廿岁，剧病后勉力成此，未及刊定，不久旋殁，或当生于明万历四十年以前，而卒于清顺治十六年以后（约在1610至1660之间）；盖亦明末遗民入清未仕者。又选杞久馆平家，相交莫逆。其时交通梗阻，不易远道舌耕，则彼此或有乡谊。其生长殆亦不出吴越之郊欤？

此书"自己亥（1659）仲冬初三日始厥事，至月之末旬，平韵尚未能成帙。乃置上与去，先求入声北韵之别于南者，而丽之南韵之下。且为之以南切北，以上去韵切入声。至于上去二韵，更俟续成。"①今本平声完整，入声泰半残缺。韵目用字前后多参差不洽。殆非杨氏刊定之稿。所分"大韵"二十有五，每韵各别"宏"、"中"、"细"三声，都为七十五韵。除有音无字者八，无音无字与拗不成声者各三，"中声"东、敦、堆、都、端、丹、担七韵，"宏声"包、吓二韵，特别分出之桩、江、追、瘸、啰五韵及土音⑪、⑪、⑪、⑪、⑪五韵外，其余公、弓、光、冈、姜、裩、君、根、巾、肱、庚、京、赀、基、规、该、皆、乖、孤、居、歌、戈、靴、瓜、拿、加、迦、官、涓、干、坚、关、间、甘、兼、监、簪、金、高、交、钩、鸠等四十二韵，较《字汇》所附《韵法直图》之四十四韵仅删并骄肩两韵。而其所定见、溪、群、疑、端、透、定、泥、邦、滂、並、明、精、清、从、心、邪、照、穿、床、审、禅、晓、匣、影、喻、敷、奉、微、来、日等三十一"字祖"，除并非于敷外，尤与《韵法直图》之三十二母相合；是杨氏虽因《西儒耳目资》顿悟反切之理，而其分声别韵则与金尼阁之二十"字父"、五十"字母"迥殊，惟据明人等韵，参校方音，且以迁就其"宏"、"中"、"细"三声之空位而已。

"宏""中""细"三声之分，杨氏自矜为独得胸臆，"至精至切，不

---

① 《声韵同然集》原文。下交凡加引号而未注明出处者，同此。

499

可或删"。其言曰:"宏声皆从第十三孤韵起音,其声当满口读";"中声皆从第八韵无音处(案即赀韵)起音,其音皆开口平读";"细声皆从第八基韵起音,其声当平牙或撮口,皆在口尖内,较中韵更细而更在外"。今详审其音,"宏声"除邦敷二系外,多属合口一二等;"中声"除端精来三系外,多属开口一二等;"细声"惟江皆诸韵旧隶二等,其余皆分属开合三四等;盖即"呼""等"之说,无足矜异!而其所以并四为三,或与方以智因《西儒耳目资》有"甚""次""中"三等,而定"发""送""收"三声①者,同一比附耶?

杨氏以"宏""中""细"三声,分配于三十一"字祖"及二十五"大韵",于是"立为字父以该声";"立为字母以别韵"。"宏声"常用之声十有五,常用之韵十有三;因立孤、枯、狂、吾、逋、铺、蒲、模、呼、胡、乌、王、敷、扶、无等十五字为"宏声之父";红、黄、魂、横、回、怀、胡、禾、华、桓、还、毛、浮等十三字为"宏声之母"。"中声"常用之声二十有一,常用之韵十九有半;因立庚、坑、皑、登、鼟、滕、能、兹、雌、慈、斯、词、菑、差、橙、师、亨、衡、哀、楞,而等二十一字为"中声之父";隆、航、论、痕、衡、而、雷、孩、卢、何、瓮、爷、鸾、寒、斓、含、蓝、森、豪、侯等二十字为"中声之母"。"细声"音较完备,三十一"字祖"既皆有音,二十五韵亦惟一韵无字;因立基、欺、奇、宜、低、梯、题、尼、卑、披、皮、迷、赍、妻、齐、西、饧、知、痴、迟、诗、时、希、奚、衣、移、非、肥、微、离,而等三十一字为"细声之父";容、王、降、羊、云、寅、盈、移、谁、㸒、挨、俞、⿰讠羽、牙、肥、耶、袁、延、闲、盐、咸、淫、遥、尤等二十四字为"细声之母";欲各求其不易之字,以定不易之切。并师《西儒耳目资·音韵活图》之法,"列字祖字类字母为一同然总盘,更立宏中细三盘,盘各分天地","以便旋转"。故"字父""字母"统计不过一百二十四,"而父母递相摩荡,则靡音不备","声

---

① 参阅《通雅·切韵声原》,页7。

韵之理,已和盘托出"。较诸治《广韵》反切,须熟记上字四百五十二,下字一千一百九十五,尤不免有难有拗者,其繁简难易,诚不可同日语!然杨氏虽力求"字父""字母"有定,以矫旧韵反切之失,而终不免例外纷出,展转假借者,则汉字实为之梗。故"宏声"各韵既定孤韵为"正父",孤韵本身则不得不以公韵为"代父";孤韵群、喻两位,有音无字,又不得不以"狂""王"为"借父"。而公韵缺疑、微两位复须借"顽""文"二字代之。"中声"各韵既定赀韵为"正父",而赀韵"兹""雌""斯"九字以前无音,无音难以立切,则不得不借庚韵"以代父作正父";而庚韵本身及用庚韵不切者,又须另求该韵及歌韵代之。"细声"各韵既定基韵为"正父",基韵本身及撮口数韵则不得不以京韵及居韵为"代父"。似此"借""代"频仍,为例已繁,而"字母"用字,益为纷纭无定。"宏"、"中"二韵字母以用匣声为本,而切本母字则借影声,影声无字,则用晓声;影晓皆无字,"不得已"而来次之,审禅又次之。甚至用并明,用敷奉,则又"不得已中之不得已也"。"细韵"字母以用喻声为本,喻声无字,间用匣声作喻声读;切本母字则用影声,影声无字,"不得已"而借审晓二声作"假如"。至于通韵无字者,更不得不借字邻韵,以"存其仿佛";是杨氏虽悟切字有一定之理,实未能确立一定之法也。夫反切之理,本至简单,声韵契合,其音自显。倘依上声下韵,注以音标,则急读成音,童蒙可喻。其所以有难有拗,非尽人可解者,则以单音汉字,音素不清,韵既包声,声亦含韵,以之作切,则非心知其意者,殊觉扞格。即金尼阁所定"四品切法",亦惟"本父本母切"自然音和,其他各品,则须参酌"西号","减首减末"(《西儒耳目资》),始免难拗。杨氏籀读金书,会心不远。初欲"字父"分收于孤赀基三韵,"字母"尽起于匣影喻三声,俾所作各切,声后减除韵障,韵前无复声隔,上下调融,怡然理顺。徒以囿于汉字,动辄拘牵,复无"西号"对照,以效金氏"减首减末"之法。于汉字所不能状者,非勉强假借,乖戾初旨；即譬况拟象，使人默会其意。故全书凡言"假如"者七；言"勉借"者五；言"仿佛"及"不得已"者四；言"勉求"者三，言"勉而又勉"及"无可举似"者二；言"强借"，言"终觉勉然，于心不惬"，言"宛转旁求"，"宛转设法"，言"渺茫难辨"，言"实不能出诸口，惟善悟者默会而得之"，及"不能为之拈出，恨恨"者各一。按其所论，于声音之道，未尝不略有所窥；惜为工具所限，自得于心者，终不能宣诸楮墨。尝自恐其苦心湮没，欲"更译以清字及西儒元音字，以俟海内及后世淹雅通敏之士，推而广之，考而正之"；而迄未克完成，三百年来未随其人以没，亦不幸之幸已。

自来病旧切之难拗，而思革易之者：前乎杨氏，则有明宁陵吕坤；后乎杨氏，则有清安溪李光地。吕氏以为"反切旧法从等字来，得子声又寻母声，得子母又念'经坚'，心力俱费，而字才仿佛"。乃作《交泰韵》，使"平声以入子切，入声以平子切"，上声必用两上，去声必用两去。（《交泰韵·凡例》三，《辨子声》。）且上下兼订"阴"、"阳"，不使"子"、"母"交错。（《交泰韵·凡例》四，《辨母字》。）自谓："此韵所切，即妇人孺子，田夫仆妇，南蛮北狄，才拈一字为题，彻头彻尾，无不暗合。"（《交泰韵·凡例》一，《明本旨》）。实则阴、阳虽涉下韵，平、仄何与上声？况《凡例·辨通用》一则，谓以入叶平，"但可借口调声，不能落笔作韵"，尤为自乱其例。方诸旧切，固未多胜。李氏修《音韵阐微》，反切参用满文"合声"之法，"上一字择支、微、鱼、虞、歌、麻诸韵中与所切等呼相同者，取其能生本音；下一字择各韵影、喻两母与所切字清浊相同者，取其能生本韵"。（《音韵阐微·凡例》二，三。）使上下相切，"缓读之为二字，急读之即成一音"。（《音韵阐微·凡例》一。）自谓："此法括音韵之源流，握翻切之窍妙，简明易晓，前古未有。"（同上。）然"汉文有音无字者多，又支、微、鱼、虞、歌、麻数韵并各韵影、喻二母，皆单音之字，不能合声，欲得正音，必婉转以求其相近"（《音韵阐微·凡例》四）。

乃不得不立"今用"、"协用"、"借用"三例（同上），以济其穷；固未能严守本例，了无窒碍。杨氏际乎吕、李之间，读金尼阁书而有所悟入，亦以汉字不适标音，终不免"宛转旁求"，"勉而又勉"，"存其仿佛"，不慊于心；方诸二子，未能独轶。厥后李汝珍《音鉴》、刘熙载《四音定切》、张行孚《切字要例》、郦珩《切音捷诀》等，亦欲变易旧法，有所更定，而与前哲相较，其失惟均。是以知：苟欲廓清旧切之弊，易以新法，使百年万里之人，视而可识，闻而共喻，舍废弃汉字，易以音标外，其道无由！

本年春，余方董理明季耶稣会士利玛窦、金尼阁等所用罗马字标音，粗得条贯。适吾家膺中得此沪渎，持以相赠。既采其剖析声韵及与金书相关各点，以入《耶稣会士在音韵学上之贡献》一文，因复志其梗概，并略论反切之流变，著之篇末，以质世之音韵学人。

（1929年4月24日记于广州东山柏园）
（原载《前中央研究院历史语言研究所集刊》
第一本第三分，1930年）

敦煌写本守温韵学残卷跋

巴黎国家图书馆藏伯希和所得敦煌石室写本 2011 号有残卷三截,其一首署"南梁汉比丘守温述"八字而无标题;刘半农先生收入《敦煌掇琐》下辑,题为"守温撰论字音之书"。尝承半农先生以其手抄本见示,培研览既竟,窃有启发,谨抒四事,共知音者商榷之。

等韵家沿用之见、溪、群、疑等三十六字母,相传造自唐末沙门守温。守温事迹,漫无可考。《通志·艺文略》及《玉海》均著录守温《三十六字母图》一卷,《宋史·艺文志》载有《守温清浊韵钤》一卷,今并散佚,内容亦无可覆按。惟此卷首所署八字,若以沙门翻经题名例求之,则"汉比丘"所以别于"天竺沙门";"南梁"非表朝代,即示郡邑。今案卷中《四等重轻例》所举观古桓反关删勸宣涓先"及"满莫伴反鬘济免选缅狝"二例,"勸"字《广韵》属仙韵合口,而此注为宣韵,"免"字属狝韵合口,而此注为选韵;其宣、选二目与夏竦《古文四声韵》所据唐《切韵》同。而徐锴《说文解字篆韵谱》所据《切韵》,徐铉改定《篆韵谱》所据李舟《切韵》,尚皆有宣无选;陆词、孙愐、王仁煦等书则并无之。据王国维《书古文四声韵后》谓:"其狝韵中甂字注人衮切,而部目中选字上注思衮切,二韵俱以衮字为切,盖浅人见平声仙、宣为二,故增选韵以配宣,而其反切则未及改。其本当在《唐韵》与小徐本所据《切韵》之后矣。"[1]又《古文四

---

[1] 遗书本《观堂集林》,卷八,页 13。

声韵》引用书目有《祝尚丘韵》、义云《切韵》、王存义《切韵》及《唐韵》四种,则其所据韵目当不外乎祝尚丘、义云、王存义所为。若就增选韵以配宣一点言,其成书尚在李舟《切韵》后。王国维《李舟切韵考》既据杜甫送《李校书二十六韵》断定李舟在唐代宗乾元之初年二十许,《切韵》之作当在代、德二宗之世。① 则守温、夏竦所据之《切韵》必不能在德宗以前。且半农先生亦尝据其纸色及字迹,断为唐李写本。故旧传守温为唐末沙门,殆可征信。唐代以后惟朱温国号曰梁,而其始都开封,继迁洛阳,均不得冠以南名;则"南梁"必非朝代明矣。至唐代郡邑以"南梁"称者:武德四年分潭州置南梁州,地在今湖南宝庆县北。然贞观中即更名邵州,天宝初复改为邵陵郡,则唐末不得复沿其称。又梁县隋属豫州襄城郡,唐贞观元年省入承休,又更承休曰梁,地在今河南临汝县西四十里。案,《史记·田完世家》:"秦孝公二年魏伐赵,赵与韩亲,共击魏。赵不利战于南梁。"《索隐》云:"《晋太康地记》曰:战国谓梁为南梁者,别之于大梁、少梁也。"《正义》云:"《括地志》云:故梁在汝州西南二百步。《晋太康地记》云:战国时谓南梁者,别之于大梁、少梁也。"自唐武德四年复置汴州,职方图籍已无大梁之名。而唐文宗《授裴休汴州节度制》云:"乃眷梁苑,实为重藩。"岑参《至大梁却寄匡城主人》云:"平明辞铁邱,薄暮游大梁。"祖咏《酬汴州李别驾》云:"自洛非才子,游梁得主人。"唐尧客《大梁行》云:"客有成都来,为我弹鸣琴。前弹别鹤操,后奏大梁吟。"是唐代习俗相沿,仍称汴州为大梁者,不可胜数。然则此所谓"南梁"或如《晋太康地记》所云,即指临汝西之故梁县欤?此一事也。②

此卷所载字母,数只三十:

---

① 遗书本《亲堂集林》,卷八,页15。
② 明释真空《篇韵贯珠集》称守温为"梁山温首座",其所谓"梁山"究指守温住锡之山?抑指唐山南道万州属县?或即由"南梁"展转传讹?一时疑莫能决,容俟续考。

唇音	不、芳、並、明
舌音	端、透、定、泥是舌头音
	知彻澄日是舌上音
牙音	见、〔君〕溪、群、来、疑等字是也
齿音	精、清、从是齿头音
	审、穿、禅、照是正齿音
喉音	心、邪、晓是喉中音清
	匣、喻、影亦是喉中音浊①

其总数及标目与伦敦博物馆所藏之敦煌唐写本《归三十字母例》并同：②

端	透	定	泥	审	穿	禅	日	心	邪	照
丁	汀	亭	宁	升	称	乘	仍	修	囚	周
当	汤	唐	囊	伤	昌	常	穰	相	祥	章
颠	天	田	年	申	嗔	神	忈	星	饧	征
戡	添	甜	拈	深	觇	谌	任	宣	旋	专

精	清	从	喻	见	磎	群	疑	晓	匣	影
煎	千	前	延	今	钦	琴	吟	馨	形	缨
将	枪	墙	羊	京	卿	擎	迎	呼	胡	乌
尖	金	晋	盐	犍	搴	寋	言	欢	桓	剜
津	亲	秦	寅	居	祛	渠	鮍	袄	贤	烟

---

① 参阅刘复《敦煌掇琐》，下辑；又北京大学《国学季刊》第一卷第三号《守温三十六字母排列法之研究》附录中举例微有删节。

② 参阅日人滨田耕作《东亚考古学研究》页 315《スタイン（Stein）氏发掘品过眼录》，或《东洋学报》第八卷第一第四两号。原物敦煌发见，厚褐色纸书，文字颇精美。惟原文"故"作"故"，"衷"作"象"，"贞"作"负"，"天"作"光"，"缜"作"缜"，"晋"作"替"，"呈"作"皇"，"延"作"巡"，"言"作"善"，"相"作"根"，"囚"作"因"，均误。今据字形及声经韵纬之例校改如上。

知	彻	澄	来	不	芳	並	明
张	伥	长	良	边	偏	便	绵
衷	仲	虫	隆	逋	铺	蒲	模
贞	柽	呈	冷	宾	缤	频	民
珍	縝	陈	邻	夫	敷	苻	无

较宋代韵图少帮、滂、奉、微、床、娘六母，而不芳标目及以心邪属喉，以日属舌上，以来属牙，以影为浊之类，亦与后此配列颇相参差。是其所定字母实只三十而非三十六。《通志》、《玉海》所箸录者，盖宋人为求韵图整齐，并分别唇音轻重，故增益帮、滂、奉、微、床、娘六母；其仍托诸守温者，亦犹《广韵》增《切韵》之一百九十三韵为二百有六，而仍相传为陆词旧目耳。然明吕维祺《同文铎》据释真空《篇韵贯珠集·总述来源谱》，谓大唐舍利创字母三十，后温首座益以娘、床、帮、滂、奉、微六母，是为三十六母。清陈澧等俱从其说。惟真空以等子造自观音，五音辨自轩辕[①]，推迹韵学来源，每多荒渺难稽，其以三十字母归诸舍利，或与《同文韵统》归诸神珙同一误谬[②]；至清李元《音切谱》复以藏文三十字母译音认为舍利所作，李汝珍《音鉴》亦袭其说，尤不知何所根据[③]；似均不如唐人写本较为可信也。惟邵雍《皇极经世声音图》上官万里注云："自胡僧了义以三十六字为翻切母，夺造化之巧。司马公《指掌图》为四声等字，《蒙古韵》以一声该四声，皆不出了义区域。"今若据此残卷

[①] 真空《篇韵贯珠集》卷八《类聚杂法歌诀总述来源谱》云："法言造韵野王篇，字母温公舍利传。等子观音斯置造，五音呼喻是轩辕。"又云："大唐舍利置斯纲，外有根源定不妨。后有梁山温首座，添成六母合宫商！轻中添出微于奉，重内增加帮追滂，正齿音中床字是，舌音舌上却添娘。"

[②] 参阅《同文韵统》卷六，页8—9。周春《小学余论》亦谓"相传神珙字母止三十，缺娘、奉、微、帮、滂、床六母"，与《韵统》之说合。案宋魏了翁《鹤山文抄》后附《师友雅言》云："李肩吾曰：贾逵只有音，自元魏胡僧神珙入中国，方有四声反切。"其后清戴震作《书玉篇卷末声论反纽图后》已据珙自序证其为唐元和以后人，然均未言其曾造字母，《韵统》所说，盖展转传讹耳。

[③] 参阅《音切谱》卷一，页9；《李氏音鉴》卷五，页2。

以三十字母属诸守温,则三十六母或即了义所增益欤?此二事也。

此三十字母中帮、滂、奉、微、床、娘六母既未分化,则正齿音二三等益当无别。然残卷第二截"两字同一韵凭切定端的例"所举十二字:

| 诸章鱼反 | 辰常邻反 | 禅市连反 | 朱章俱反 | 承署陵反 | 赏书两反 |
| 萡侧鱼反 | 神食邻反 | 潺士连反 | 䚟庄俱反 | 绳食陵反 | 爽疏两反 |

则正齿音二三等及床禅有别,当时并不混含。且残卷第三截"辨声韵相似归处不同例"所举四十九组一百五十三字,皆属非敷两母;若更旁证"归三十字母例"中不、芳、並、明末列之"夫、敷、苻、无"四字,则当时唇音轻重,亦似有别。其所以不另分立者,盖守温初作字母,仅类聚《切韵》反切上字而参对梵、藏体文,于梵、藏有而华音无者固皆删汰,于华音有而梵、藏无者亦付阙如。尝据梵、藏字母音读,参证《大般涅槃经》中之根本字译音,推溯三十字母之渊源如附表一。① 《同文韵统》因藏文以 ཙཚཛ 对译梵文颚音,亦遂以精清从对译之;且以知彻澄对译梵文 चछज,以照穿床对译梵文 ཅཆཇ;又因藏文 ཞཤ 两母近代拉萨音俱变清声,而昧于邪、禅之所从出;因微、喻、匣、日方音略有讹变,而藏文 ཝཡཧའ 之对音乃致阙误;今并正之。倘此推证不误,则守温之三十字母固皆不出梵、藏字母之范围,即宋人之三十六字母亦只轻唇四纽为华音所特有;惟正齿二等除审母外终以梵藏无可对之音而沦为三等之附庸耳。故守温三十字母虽定于唐末,而不能据此以证正齿音二等及轻唇音四母尚未分化;此三事也。

以等分韵,不知始自何时。然日本藤原佐世之《日本现在书目》箸录《切韵图》一卷,大矢透谓即《韵镜》之原型②;是宋代之等

---

① 参阅本书《知彻澄娘音值考》及《梵文颚音五母的藏汉对音研究》两文。
② 参阅大矢透《韵镜考》,第四章。

韵图,唐初已存其迹。今此残卷第一截所载"四等重轻例":

平声

高古豪反	交肴	娇宵	浇萧
观古桓反	关删	勬宣	涓先
楼落侯反	○	流尤	镠幽
哀薄侯反	○	浮尤	滮幽
担都甘反	鵮咸	沾盐	敁添
丹多寒反	亶山	邅仙	颠先
䏩亡侯反	○	谋尤	缪幽
齁呼侯反	○	休尤	烋幽

上声

䩵歌旱反	简产	謇狝	茧铣
埯乌敢反	黬槛	掩琰	魘忝
满莫伴反	矕潸	免狝	缅狝
杲古老反	姣巧	矫小	皎筱

去声

旰古案反	谏〔谏〕	建愿	见霰
岸五旰反	雁〔谏〕	彦线	研霰
但徒旦反	绽裥	缠线	殿霰
半布判反	扮〔裥〕	变线	遍〔线〕

入声

勒郎德反	礐麦	力职	历锡
刻苦德反	缂麦	隙陌	吃锡
螚奴德反	搦陌	匿职	溺锡
特徒德反	宅陌	直职	狄锡
〔黑〕呼德反	〔赫〕陌	艳职	欹锡
北布德反	蘗麦	逼职	壁锡

　　　　祴古德反　革麦　棘职　击锡
　　　　忒他德反　坼陌　敕职　惕锡
　　　　餩乌德反　馜陌　忆职　益锡
　　　　墨莫德反　麦麦　睯职　觅锡①

其各等分界与《韵镜》悉合，可证等韵起源必尚在守温以前，与大矢透说可相参验。又《定四等重轻兼辨声韵不和无字可切门》云：

　　高　此是喉中音浊，于四等中是第一等字，与归审穿禅照等字不和。若将审穿禅照中字为切，将"高"字为韵，定为字可切；但是四等喉音第一字总如"高"字例也。
　　交　此字是四等中第二字，与归精清从心邪中字不和。若将精清从心邪中字为切，将"交"字为韵，定无字可切。但是四等第二字，总如"交"字例也。"审高反"，"精交反"，是例韵字也。

又《声韵不和切字不得例》云：

　　切生　圣僧　床高　书堂　树木　草鞋　仙客
　　夫类隔切字有数般，须细辨轻重，方乃明之。引例于后：
　　如都教切罩　他孟切掌　徒幸切圽　此是舌头舌上类隔
　　如方美切鄙　芳逼切堛　苻巾切贫　武悲切眉　此是切轻韵重隔
　　如匹问切忿　锄里切士　此是切重韵轻隔
　　恐人只以端知透彻定澄等字为类隔，迷于此理，故举例如上（？），

　　更须子细了了（？）。

盖欲"齿音"各等之"出切""行韵"皆须上下相称，不爽锱铢。故"切生"以四等清母出切，以二等庚韵行韵，"床高"以二等床母出切，以

---

① 凡加囗号者皆经校改。

一等豪韵行韵，于例均为不和。然按诸实际，则《广韵》"小，私兆切"，以四等心母出切，以三等宵韵行韵；"似，详里切"以四等邪母出切，以三等止韵行韵；"初，楚居切"，以二等穿母出切，以三等鱼韵行韵；"邹，侧鸠切"，以二等照母出切，以三等尤韵行韵；"鲰，士垢切"，以二等床母出切，以一等侯韵行韵；"斩，则减切"，以一等精母出切，以二等豏韵行韵；"痦，昌来切"，以三等穿母出切，以一等咍韵行韵；"茝，昌给切"，以三等穿母出切，以一等海韵行韵；于是宋元等韵学家乃别立"振救"（小、似之例），"正音凭切"（初、邹之例），"精照互用"（鲰、斩之例），"寄韵凭切"（痦、茝之例）四门；门法滋繁，殆由于此。当其创例之始，原欲以"音和""类隔"二门括尽所有反切，故谓"类隔切字有数般，须细辨轻重方乃明之"；"恐人只以端知透彻定澄等字为类隔，迷于此理"。复因齿头正齿二头，非如舌头舌上之同时不见于一韵，故揭二例以明之。徒以未能详检韵书，致与实际切语不合，此虽作始者之疏，亦实等韵拘牵定型之弊也。门法之作，不知创自何人；惟《四声等子序》云："切韵之作始乎陆氏；关键之设肇自智公。"所谓"关键"或即门法，以其时代考之，或指智广《悉昙字记》言。然迄守温此卷，除"类隔"外，尚无他门。及《切韵指掌图·序略》云："递用则名音和，傍求则名类隔，同归一母则为双声，同出一韵则为叠韵；同韵而分两切者，谓之凭切；同音而分两韵者，谓之凭韵，无字则点窠以足之，谓之寄声；韵阙则引邻以寓之，谓之寄韵"；其言门法始详。至元刘鉴乃定为十三门，明释真空又增为二十门；立法弥繁，览者弥惑！返观守温此卷，则等韵虽创自唐时，而门法恐繁于宋代；此四事也。

综上所论，可知守温对于韵学之贡献，固不只创造字母一端。今据断片三截，已可推见四事，倘使《字母图》及《清浊韵钤》等尚在人间，则其昭示吾人者，岂只如斯而已哉？

抑有进者，守温三十字母以拘牵梵、藏交之故，本不足尽赅

《切韵》声类。后宋人增益六母,并以等位剂之,于是三十六母乃可兼括《切韵》四十七声,等韵家遂认为不可增减,不可移易;韩道昭《五音集韵》甚且以三十六字母各分四等以排比诸字之先后,合等韵韵书而一之。然《切韵》音系兼赅古今南北之音,三十六字母既由《切韵》反切上字归纳而成,则其音理亦不外是。故劳乃宣曰:"古母三十六,原包括中国同文之音,非一处方音所能备也。"①后世或分擘细微,或囿于方言,而拟议增删者,过与不及,其失维均。兹因论述守温韵学残卷,附陈诸家增删字母之异同,并略评其得失于次。

增益字母者,始于北宋邵雍(其先范阳人,从父徙共城,晚迁河南)。雍作《皇极经世声音图》列正音四十八类,每类各分开发收闭,共得一百九十二音,以赅一切有字无字之声。其与三十六字母异者:全浊群、床、澄、定、並、从各分夏透,次浊疑、日、泥、明、来、微另配清声,日母别出清浊二类以作齿头捺音,娘、敷合于泥、非,启后此删并之渐。增益十四,减并二母,故得四十八类。清初潘耒(江苏吴江人)及近人劳乃宣(浙江桐乡人)皆祖述康节之说而略有损益者也。

耒之言曰:"自字母之秘启,反切之法传,而后众音众字一以贯之,如钱之有绳,如卒之有伍,且使天下无字之音可以有字者引之而出,字母之功伟矣!然而等韵之书立法未善,使人不能无议焉。夫立母以贯天下之音,则其所列为三十六母者必无复无漏而后可也。乃知、彻、澄、娘同于照、穿、床、泥,非之与敷异呼而同母;皆复出也。影、喻、晓、匣既分阴阳,而群、疑、並、明等不分阴阳,可添之母尚有十余,非无漏乎?既同为母自当并列一班,乃以知、彻、澄、娘列于端、透、定、泥之下,非、敷、奉、微列于邦、滂、並、明之下,照、

---

① 劳乃宣:《简字丛录》,页 16《简字分配古母列表说》。

穿、床、审、禅列于精、清、从、心、邪之下,爰有类隔交互振救诸门法,纷然淆乱,而困人以披寻!所贵乎字音者以切字也,类隔交互则出切不得其真,误人实甚!是不可以不正也。正之如何?亦审其天然之音而已。天然之音可立为母者五十:喉音十,曰影、喻、晓、匣、见、溪、舅、群、语、疑;舌音十,曰老、来、耳、而、端、透、杜、定、乃、泥;腭音十,曰审、禅、绕、日、照、穿、朕、床、○、○;齿音十,曰心、些、已、邪、精、清、在、从、○、○;唇音十,曰非、奉、武、微、邦、滂、莑、並、美、明。旧谱之复者芟之,缺者补之,未安者改之,务使阴、阳、清、浊各具其音,相耦相从而不违其序:故宁密勿疏,宁更勿袭也。"①潘氏以所定五十字母"略如邵子之四十八而加详细"②;其实潘详于邵者惟些、已两母及腭音齿音四虚位,而邵详于潘者亦有卓、拆、宅、茶四类。且次耕以为:"人知清、浊之为阴、阳,而不知清声、浊声又各自有阴、阳。影、喻、晓、匣清也,群、疑浊也,见、溪半清半浊也。影、晓为清之阴,喻、匣为清之阳,等韵既分四母矣。见、溪半清半浊,再剖之不成声,不可分也。群、疑则确有阴、阳,何可不分?故增舅、语为阴,以群、疑为阳,而浊音四母具焉。舌牙齿唇清浊之序与喉音同,而旧母尤少,故所增尤多。"③是故其所增各母以老、耳、绕、已、武为清之阴,而、些为清之阳;以舅、语、杜、乃、朔、在、莑、美为浊之阴;囿于吴江方音,致使声类与声调缴绕!较诸康节分全浊为戛透二类,而以戛浊承全清,以透浊承次清者,固未能胜也。

乃宣之言曰:"三十六字母专以有字之音为主,故清浊皆有字者则清、浊并列:见与群,端与定,知与澄,帮与並,非与奉,精与从,心与邪,照与床,审与禅,影与喻,晓与匣二十二母是也。清有字而

---

① 潘耒:《类音·声音元本论上》。
② 见《类音·五十字母图说》。
③ 潘耒:《类音·声音元本论下》。

浊无字者,则专列清声:溪、透、彻、滂、敷、清、穿七母是也。浊有字而清无字者则专列浊声:疑、泥、娘、明、微、来、日七母是也。然以声音求之,溪、透、彻、滂、敷、清、穿皆有浊声,疑、泥、娘、明、微、来、日皆有清声,特无其字耳。如皆并列,则当清浊各二十五母。邵康节《皇极经世声音图》以二十四音分别四十八行,即此意也。惟邵氏并娘于泥,删敷,而于轻齿增比类重齿日字之一音,与古稍异。详考之,其并与删则非,其增则是。顾应增之音犹不止此。按三十六母之有戛、透、轹、捺四类,如韵之有四等,支分派别,秩然不可紊。牙音见、群为戛,溪为透,疑为捺,而无轹,当依《经世》以晓、匣相从为其轹。舌头端、定为戛,透为透,泥为捺,而无轹,当依《经世》以来相从为其轹。舌上知、澄为戛,彻为透,娘为捺,而无轹,当援《经世》增比类日字轻齿音之例,增比类来字之轻音为其轹。重唇帮、並为戛,滂为透,明为捺,而无轹,当增比类非字之重音为其轹。轻唇敷为透,非、奉为轹,微为捺,而无戛,当增比类帮之轻音为其戛。齿头精、从为戛,清为透,心、邪为轹,而无捺,当以《经世》所增比类日字之轻音为其捺。正齿照、床为戛,穿为透,审、禅为轹,而无捺,当依《经世》以日相从为其捺。惟喉音影、喻无戛、透、轹、捺之可分,独为一类,以天下之声皆出于喉而收于喉,为诸母之本也。如此则喉音一清一浊,余七音各四清四浊,于三十六母之外加原专有清之七浊,原专有浊之七清,及邵氏所增之一清一浊,比类新增之三清三浊,共为五十八母,清浊各二十九;部居整饬,脉络分明,按类求声,若网在网矣。"① 案劳氏于邵氏四十八类外复增加娘、敷二母及来、帮之轻,清浊各二,非之重,清浊各一,故为五十八母。较潘耒所增删者,实为近理。玉初尝自诩云:"依此为谱,于古母三十六仍无出入,而有条不紊,纯乎天籁,较之古法有渐近自然

---

① 劳乃宣:《等韵一得·外篇》,页1—3。

之妙。窃谓与诸家之妄加删并者有间。"① 今以语音学之观点衡之,使劳氏从邵班卿说,纵分字母为戞、透、拂、轹、揉五类,更依发音部位,横分字母为十组,则于音理益为赅备。然就前此审音诸家论,劳氏所分确有渐近自然之妙矣。

宋元以来之删并字母者,约可别为三派:

案《清通志·七音略》曰:"知、彻、澄古音与端、透、定相近,今音与照、穿、床相近。泥、娘、非、敷,古音异读,今音同读。"《性理精义》案曰:"知、彻、澄、娘等韵本为舌音,不知何时变入齿音。等韵次于舌音之后,《经世》次于齿音之后,则疑邵子之时此音已变也。"又曰:"以等韵之例求之,敷字当自为一音与滂字对。如此则等韵有二十五母,而《经世》止于二十四,盖此字绝少,因失此音也。"果如所言,则知、彻、澄、娘、敷之混变,自北宋已见其端。陈晋翁(元江西乐安人)《切韵指掌图节要》之三十二母有知、彻、澄、泥而无照、穿、床、娘。② 梅膺祚(明南京宣城人)《韵法直图》沿用之三十二母有照、穿、床、泥而无知、彻、澄、娘。③ 吴澄(元江西崇仁人)之三十六字母易群以芹,易非为威,删知、彻、状、娘而别增牙声细音之圭、缺、群、危。④ 黄公绍(元江浙邵武人)《韵会》之三十六母并照于知,并穿于彻,并床于澄,而以疑母之鱼、虞、危、元等字与喻母之为、帏、韦、筠、云、员、王等字别为鱼母,分影母之伊、鹥、因、烟、渊、娟、坳、鸦、婴、萦、幽、恢等字别为幺母,分匣母之洪、怀、回、寒、桓、还、和、黄、侯、含、酣、痕、华、恒等字别为合母。此四家者,虽亦略有出入,要不外于知、彻、澄、娘与照、穿、床、泥之混并。惟吴澄易非为威,公绍并疑、喻之一部分为鱼母,并匣母之一部分为

---

① 劳乃宣:《等韵一得·外篇》,页1—3。
② 见吴澄《文正集·切韵指掌图节要序》。
③ 案梅膺祚《韵法直图》所用三十二母谓得自新安,相传为朱熹所作,恐不足据。
④ 见吴澄《文正集·切韵指掌图节要序》。

合母,已为后此删并之先声矣。此第一派也。

《洪武正韵》分韵七十有六,合之得二十二部,除入声仍旧保留外,已与《中原音韵》之系统为近。惟刘文锦尝系联其反切上字以求其声类,则只知、彻、澄、娘、敷并于照、穿、床、泥、非,其余三十一类仍与旧谱无异。此后李登(明南京上元人,曾官新野)《书文音义便考私编》及杨选杞《声韵同然集》均宗之。盖仍兼采邵雍及黄公绍等说而未能改用《中原音韵》之声类。特李登以"仄声纯用清母,似为直截",因谓"平则三十一母,仄则二十一母";足证其时全浊声母已混,惟以平分阴阳故未并合之耳。此第二派也。

以上两派所删并者惟在知、彻、澄、娘、敷五母,尚未公然混同清浊也。及叶秉敬(明浙江西安人)《韵表》删去知、彻、澄、娘、敷、疑六母,已较黄公绍并喻、疑之一部为鱼母者益为变古。其后王应电(明南直隶昆山人)《声韵会通》以"乾坤清宁,日月昌明,天子圣哲,丞弼乂英,兵法是恤,礼教丕兴,同文等字",为二十八声,删并知、彻、澄、娘、床、邪、敷、奉、喻、匣十母,而以疑母重出之乂当喻,禅母重出之丞当床,《并音连声字学集要》①之二十七母删去群、疑、透、床、禅、知、彻、娘、非、微、匣十二母,又增入勤、逸、叹三母;盖以勤当群,以叹当透,以逸当疑而实混于喻;其所混并者皆不免受《中原音韵》以后之影响。此第三派也。

综观增删字母诸家而衡其得失,窃谓探讨中古韵书之声系者,应以《广韵》四十七声类为准,而参证三十六字母之音序。辨析人类语言之辅音者,旧说中以劳乃宣之五十八母为渐近自然,其墨守三十六字母而以守温功臣自居者,实犹未明守温字母之真相耳。至若囿于风土,习于方言,而妄事增删,既未能赅括人类自然之音,

---

① 此书不著撰人名氏,明万历二年会稽陶承学得于吴中,属其同邑毛会删除繁冗以成是编。

复未敢毅然遵用《中原音韵》之北音系统,尤见其"童牛角马,不古不今"而已矣!

(原载《中央研究院历史语言研究所集刊》
第三本第二分,1931年)

《唐五代西北方音》自序

自从1923年钢和泰（A. von Staël-Holstein）发表了那篇《音译梵书和中国古音》之后，国内学者第一个应用汉、梵对音来考订中国古音的，要算是汪荣宝的《歌戈鱼虞模古读考》。因为这篇文章虽然引起了古音学上空前的大辩论，可是对于拟测汉字的古音确实开辟了一条新途径。我在《知彻澄娘音读考》那篇论文里也曾经应用这种方法考订过中古声母的读音问题，我相信如果有人肯向这块广袤的荒田去耕植，一定还会有更满意的收获！然而汉、梵对音的材料只限于一些零碎的译名，并且新旧译的纠纷，底本来源的异同，口译者跟笔受者的方音差别，在在都得经过一番审慎的考查。比较起来看，自然还是敦煌石室所发现的那一批汉、藏对音的写本更可贵一点。因为这些写本原来是为吐蕃人学汉语用的，它们所有的对音并不专限于零碎的名词，而且从发现的地域看，大致可以断定它们所代表的是唐五代时候流行于西北的一部分方音：所以很值得我们重视的。

我这本书里所用的汉、藏对音材料一共有五种：

(1) 汉、藏对音《千字文》残卷；

(2) 汉、藏对音《大乘中宗见解》（*Mahāyāna-Mādhya-mika-Darśana*）残卷；

(3) 藏文译音《阿弥陀经》（*Smaller Sukhāvatī-vyūha*）残卷；

(4) 藏文译音《金刚经》（*Vajracchedikā*）残卷；

(5)《唐蕃会盟碑》拓本。

前四种是敦煌石室中的写本后一种是唐穆宗长庆二年（公元822）的刻石；这五种都算是直接的材料。其中的第一种曾经伯希和（P. Pelliot），马伯乐（H. Maspero），羽田亨等引用过；第一种，第三种跟第四种曾经财津桃溪引用过；第五种里关于汉译藏音的部分劳佛（B. Laufer）跟伯希和也曾经用它来讨论第九世纪的藏语音韵；至于第二种却从陶慕士（T. W. Thomas）等把材料发表以后始终还没有人利用过呢。我所以要重新整理这一批材料的观点是和前面几个人不同的。因为他们不是零零碎碎的引用，就是缺乏历史的起点跟切近的参证；好像还没有一个人能够穷源竟委的利用这一批可靠的材料把它所代表的方音系统给拟测出来。我这一本小书是打算朝着这个方向努力的。

我所用的方法是先拿这几种汉、藏对音的材料同《切韵》比较去推溯它们的渊源，然后再同六种现代西北方音比较来探讨它们的流变。由这番比较研究的结果，我发现唐、五代西北方音很有些前人所没说过的特点。在这几种材料里，《唐蕃会盟碑》的对音虽然很有限，可是它的年代是确凿不移的，这对于我们考证几种材料的时代先后上有很大的帮助。其余的四种一共有 152 个对音它们不单可以代表《切韵》所有的声类，就是对于韵部也只有幽、废、夬、臻、耕、栉、盍、洽、错、迄十韵找不到例字。所以我们根据这些对音就可以把《切韵》音同唐、五代西北方音的关系推想出十之七八来。如果专从藏文的写法来讲，在声母一方面我们可以看见：

(1) "轻唇音"非、敷、奉大多数写作送气的 p' 已然露出"重唇音"分化的痕迹 (看 17,18 页)。

(2) 明在收声 $-n$ 或 $-\dot{n}$ 的前面读 m 其余的变 'b；泥在收声 $-m$ 或 $\dot{n}$ 的前面读 n，其余的变 'd (看 17—19,22 页)。

(3) "舌上音"混入"正齿音" (看 20—22 页)。

(4)"正齿音"的二三等不分（看 20—22 页）。

(5)床大部分由禅变审，但澄却变成照的全浊（看 20—21 页）。

(6)摩擦音的浊母禅、邪、匣变同清母审、心、晓（看 21—25 页）。

(7) y 化的声母并不专以三等为限（看 30 页）。

至于全浊声母的字在《大乘中宗见解》里大多数变成次清，那显然更近代化了。

在韵母一方面，我们可以看见：

(1)宕、梗两摄的鼻收声〔ŋ〕一部分开始消变（看 36—42 页）。

(2)鱼、韵字大部分变入止摄（看 43,45 页）。

(3)通摄的一三等元音不同（看 57,58 页）。

(4)同韵字往往受声母的影响变成不同韵（看 66 页）。

(5)一等〔ɑ〕元音同二等〔a〕元音在藏文写法上没有分别（看 67 页）。

(6)合口洪音同合口细音在藏文写法上没有分别（看 68 页）。

(7)入声的收声〔p〕,〔t〕,〔k〕,藏文写作 b, r（或 d）, g（看 69 页）。

不过我们得要知道：藏文的写法大部分固然可以代表实际的语音，其中却也有写法同而语音未必全同的（看 160 页）；也有语音同而写法稍微不同的（看 161 页）：这从现代西北方音的演变上可以看得出来。所以我们虽然不承认从这几种材料只能得到"大部分想像的结论"，然而对于哪些是当时的实际语音，哪些是藏文的替代音，可得要很仔细的辨别清楚：这一点在全部工作的效率上关系很重要的。

此外，还有一种同汉、藏对音相辅而行的材料就是注音本开蒙要训。这个写本的末一行明白写着"天成四年（AD. 929）九十（?）八日敦煌郡学士郎张□□□"，所以的时代跟地域是可以确定的。但是这本书里所有的注音,除去同音互注,形讹难识,类推误读,音理难通的以外,可以供我们从注音的错综处考见当时方音状况的,不过才有241对,其中还有一部分是误读半边字所致,不能完全代表实际的音变:那么,所余的材料就很有限了。然而,我根据这一点儿材料却也发现几个有趣的现象,例如,梗摄同齐、祭两韵"对转",止摄同鱼韵旁通,都跟《千字文》的藏音相合:这绝不是偶然的。至于声母一方面可就变得很厉害了。照这些错综的注音来看,不单全浊声母有变成全清的趋势,甚至于连"齿头音"的四等也受颚化的影响开始混入"舌上音"跟"正齿音"。此外,像泥、来不分,娘、日不分之类,也是汉、藏对音所没有的现象。可见这种材料非但比那几种汉、藏对音的时代较晚,恐怕还有方音上的差异呢。

我写这本书的动机是从1932年12月间引起的。其中《唐五代西北方音》的前三章是由1933年1月2日到3月9日写成的,后来因为历史语言研究所南迁,中间稍有停顿,在四、五两月里又把前篇的第四章跟《唐蕃会盟碑中的汉、藏对音》继续完成,直到六月六日全书才能付印,算到现在,已然有十个多月了。不过我因为有几种期待中的材料还没完全采进去,总不免有点儿"半折心始"的感觉!这只好等将来有机会再作补编了。

我在这儿应当谢谢陈寅恪、赵元任、李方桂、林语堂、钱玄同、魏建功、罗膺中、丁声树诸位先生!他们有的供给我很多的材料,有的提示我很好的意见,有的替我校订讹误,有的帮我覆阅全稿:这对于本书的完成都有莫大的助力!至于排比材料,缮写全书,多亏唐虞、程霖两君勤恳的帮忙,我也应当在此声谢!

"最末了儿但是不最小"我还得郑重的谢谢刘半农先生!因为他不单费了一个星期的时间从头到尾的给我审查全稿,并且他听说我在研究《开蒙要训》的注音,就把自己关于这个题目"从事将半"的文章立刻搁笔了!本来刘先生在《敦煌掇琐》的序录里早就说过:"此篇可贵之处,不在本文而在所注之音",我所以能够展转地利用这种材料当然得谢谢刘先生的辑录跟启示!现在又承他本着"只求有所发现,不必成功自我"的宗旨,牺牲了自己"从事将半"的文章,那么,即使我所得的结果是完全独立的,我对于他这种态度也应当十二分的感谢!

(1933年11月8日,罗常培识于上海小万柳堂)

附 注:
本书中所用的《切韵》音值大部是根据高本汉的拟测,但是关于声母非[pf],敷[pf'],奉[bv'],微[m],知[t̪,ȶ],彻[t̪',ȶ'],澄[d̪',ȡ'],跟韵母模[o],鱼[io],东[oŋ]等,是照我自己的意见稍加修改的;修改的理由在我从前发表的几篇论文里大半都说过了。请参阅《史语所集刊》第二本第三分 378—385 页,第三本第一分 121—157 页跟《庆祝蔡元培先生六十五岁论文集》上卷 476 页注 1。

泰兴何石闾《韵史》稿本跋

1933年5月,泰兴郑权伯(肇经)先生以其乡前辈何石闾先生所著《韵史》稿八十卷及总目四卷见示。余因卷帙浩繁,且趁暇晷,迁延数月,始获卒读。综绎全书,虽间有可商,而体大功深,未尝不令人心折也。

案,石闾名萱,号羿庐,道光岁贡。其先自皖之休宁移居泰兴,六传至石闾,以家业中落,徙如皋石庄,蹴居汤氏废圃,老屋数椽,蓬蒿没人,而积书至数千卷,诵读不辍。晚乃归泰兴,益屏弃举业,杜门撰述。尝与同邑陈东之(潮)往复商榷。东之潜心勾股四元之学,拟撰《算鉴》,未竟而殁。石闾乃发愤以成是书,其毕生精力萃于此,亦瘁于此矣!以清道光二十一年辛丑卒,年六十八(1774—1841)。其所著书,于《韵史》而外,有《红露馆文集》十卷、《诗集》一卷、《琴法指掌》二卷,均未刊行。当时硕学如武进李申耆、邵阳魏默深、江都汪孟慈、仁和龚定盦等皆与之友善,申耆于《韵史》尤多所商定;而大兴徐星伯、临榆吴百盉、寿阳祁醇甫亦并索观其书,议付梓而未果。迄今百年,迭更事变,而全稿幸存,亦足珍矣![1]

《韵史》纂述旨趣,具详石闾答吴百盉书。盖欲综文字之形音义三端而一以贯之。收字以《说文》为本,而佐以《玉篇》、《广韵》;以《说文》为正编,《玉篇》、《广韵》为副编。其论字形,则以篆隶同

---

[1] 节采江阴郑经拟《石闾何先生家传》及光绪《泰兴县志》卷二十二,页23。

体者为正,隶稍简易而不悖乎篆意者亦为正;其义同而字晚出者附见焉;义同而体俗陋者明辨焉。其论字义则以本义为先,引申之义次之,皆以《说文》为首而传注笺疏次第隶焉。且以假借为声音文字之大用,故尤致意于正借之辨,欲使学者真识字而无难。至其论字音也,则较形义为独详,而尤斤斤于"形有定部,部有定形"之义。盖据段懋堂古韵十七部以矫《广韵》以下同部者荡析离居之失,因形定音,援音求义,明古今之变,通音义之邮,亦足尚矣!然其改定字母,拘守五声,误解等呼之说,臆改反切旧法,则皆不可不辨也。

石闾以为:今所传见、溪、郡、疑等三十六母有复有漏,未为精善,"非、敷、泥、娘皆一误为二,复矣;见、端等母有阴无阳,明、微等母有阳无阴,漏矣;知、彻、澄三母之字,古音同于端、透、定,今音同于照、穿、床,不必另出,另出亦复矣"。其说盖本于潘次耕《类音》。然观其所定:"见起影晓,短透乃赍,照助耳审,井净我信,谤并命匪未"二十一字母,则又本方密之说而别出影母,复虽已删,漏乃未益;实元明以来北音之声系也。至于字母标目避免平声,而谓"平声有会有易,应以二十一为四十二",则与明李登《书文音义便考私编》"平则三十一母,仄则二十一母"之说立旨相近;误认"清、浊"为"阴、阳",乃使声母与声调莫辨矣!惟清代治古音者,率多精于辨韵而疏于别声,石闾生乎顾、江、戴、段之后,古韵分部已具规模,古声系统仍无定论,既未甘于守温旧谱,遂致惑于元明北音,误虽须订,情实可恕;此应辨正者一也。

四声各有清、浊,孙愐所论是为明确。自"清、浊"之辨不显,而后"阴、阳"之说乃兴。周挺斋云:"阴、阳字平声有之,上、去俱无。"方密之承其说,更定为啌、喤、上、去、入五声;此皆元明以来之变音,治古音者固可存而不论也。而石闾谓:"音之有清浊也,为平声言之也。阴平为清,阳平为浊,不容渚也。上去二声各只一音,无阴、阳清、浊之可言也;强欲言之,亦姑曰上去相为阴、阳而已。……入声每字皆含阴、阳二声,视水土之轻重而判:轻则清矣,其出音也,送之不足而为阴;重则浊矣,其出音也,送之足而为阳;《韵史》内入声阴、阳并合者此也。"是于方音入声本有阴、阳之别者,亦宁过而合之,拘执方氏五声之说,于考古审音两无所当!窃谓治古音者非特无须分别阴、阳,抑且不必囿于四声。段懋堂云:"古四声不同今韵,犹古本音不同今韵也。考周秦汉初之文,有平、上、入而无去;洎乎魏晋,上、入声多转而为去,平声多转为仄声。于是乎四声大备而与古不侔:有古平而今仄者,有古上、入而今去者,细意搜寻,随在可得其条理。"江子兰亦云:"段氏论者,谓古无去,故谱诸书,平而上入。今次《说文》,得声以贯:来流为麦,特出于之,而为恶音,丕得不读,古今音异,轻重难分。即如谱中,来㱎在入,夕恶在平,若以区分,必成矛盾,不如合之,以省穿凿。"今石闲既据段氏十七部说以排比《说文》全部谐声,而《韵史》序次,则"每类之中由平而上,而去、入,而副编",以致同从一声散见数处。(例如,第一部从亥声者平声"该咳垓陔郂侅胲痎頦核荄"及"咳孩骸"既分为"艮哉""汉材"两切,而"亥駭"则列入上声,"餩劾"则列入去声;举此一例,他可隅反。)同部虽未荡析离居,异韵仍难同条共贯;此应辨正者二也。

宋元韵谱,"等"与"呼"别。自"等"义失传,而后《韵法直图》舍"等"增"呼",徒乱人意;潘耒《类音》减"呼"为四,始就定型;虽与前轨有殊,实亦自成流派。今石闲谓:"等韵之说,蒙向所不晓,私以为可无庸,故《韵史》只用四呼。开口合口两呼其音侈,侈则洪矣;齐齿撮口两呼其音敛,敛则纤矣。举、洪纤而等摄尖团在其中,不知后人何以必言等韵也!"是犹遵循明清人说,并未远于矩矱。然其分配等呼也,则以一等为开口呼,二等为合口呼,三等为齐齿呼,四等为撮口呼,昧于等呼交错为用之旨,遂致以肴为合,以幽为撮,于宋于清,皆未为是! 故其失不在屏弃等韵,而在误解四呼;此应辨正者三也。

反切之有类隔,固为旧法之弊,然古今音异,正可借以考明:此钱晓征古无轻唇舌上之论所以为卓识也。石臞力辟类隔之法,于《韵史》悉改音和,上字则"每母每呼各用两字出切,一母四呼,凡用八字,惟唇音不备";下字则每韵每呼亦用两字行韵,惟平声因阴、阳而分为四。其所操术虽与杨选杞、李光地辈前后略同,而彼在革新,此则稽古,旨趣既异,得失遂殊。盖以声准近代,韵拟周秦,"海"、"骇"共为一音(汉乃切),"意"、"异"竟成同切(隐记切);尚论《说文》旧读既嫌枘凿难合,推稽古声遗迹亦复面目全非;此应辨正者四也。

然此书虽以"韵史"名,而其所以嘉惠来学者,乃在训诂,不在音韵。段懋堂云:"谐声之字半主义半主声。凡字书以义为经而声纬之,许叔重之《说文解字》是也;凡韵书以声为经而义纬之,商周当有其书而亡佚久矣。"戴东原《答段氏论韵书》亦云:"谐声字半主义半主声,《说文》九千余字以义相统,今作谐声表,若尽取而列之,使以声相统,条贯而下如谱系,则亦必传之作也。"段氏频年欲为之而未果,至嘉庆十年乙丑(1805)乃属江子兰谱之,历四年而《说文解字音均表》成(1809)。其书但以《说文》为主,尚未旁及传注笺疏也。《韵史》成书年月虽无明文,然以何氏卒年(1841)考之,则在段氏《说文解字注》(1794)后四十七年,在阮氏《经籍籑诂》(1799)后四十二年,在江氏《说文解字音均表》(1809)后三十二年,故石臞晚年当已得见诸书。其能不墨守《说文》而旁罗传注笺疏以明字义正借之辨者,盖受阮氏之启迪至大;惜误于明清等韵家言未能尽沿江氏义例耳!并石臞同时而著书旨趣相近者,则有朱允倩(1788—1858)《说文通训定声》。朱书经始于道光丁亥庚寅间(1827—1830),乙未(1835)而前半脱稿,戊申(1848)而全书刻成;其于《韵史》当为闭户暗合,未尝丽泽相取也。以两书体例观之，朱则纯以谐声相统，何乃参用今音条贯，识见虽异，而功力实同。然百年以来，朱书则传诵士林，《韵史》则沉霾闾里，斯亦事之不平者已！倘有识者，授诸剞劂，俾后之学人藉知当时风尚所趋，前贤精力所萃，则其有功于清代汉学史者，岂浅鲜欤？是为跋。
（1933年12月6日识于上海小万柳堂）

附录　何石闾答吴百盉论《韵史》书

萱之撰《韵史》也，商榷条例，多与旧韵书违异，惟吾友陈东之能匡其不逮。自其远游，谈古义者益鲜，不知闭门造车，出门果能合辙否矣！

书之大要有三：形也，音也，义也。收字以《说文》为本，而《玉篇》、《广韵》佐之；《说文》为正编，《玉篇》、《广韵》为副编。一类中平上去入正副编皆竣，而后及于他类。因仿段懋堂先生十七部之说而扩之。

篆隶同体者正也；隶稍就简易而不悖乎篆意者亦正也。其义同而字晚出者附见焉；义同而体俗陋者明辨焉：不漏亦不溷矣。《说文》所无而见于《玉篇》、《广韵》者，概收于副编，亦一字不遗者，以其于字书韵书为近古，所收之字，较《集韵》等书差觉谨严也。间有不合六书，其体缪蓥，亦复过而存之，不径剟去，所以餍学者之心也。

形有定部，部亦有定形，本不相溷也。六朝人为韵书未必尽昧乎此，而识不坚定，转以后世流变之音定其部居，而形体与部分乃杂出而不相应矣。故《韵史》先定其形，形定而音乃可言矣。书契与声歌皆起于皇古，则韵部之分由来已久。父师子弟，沿袭率循；瞽史象胥，整齐画一；故不必特勒成书，而师儒墨守，自无越畔。春秋以降，象胥不行。原伯鲁之徒既多，五方又各为风气，音渐转迻。

降及六代，天光分耀，音益多歧，韵之古今自兹判，而辨音之详亦即自兹而盛。

许氏解字只云某声，郑君注经只云读若某，至孙叔然始作翻纽，犹未有字母也。舍利三十字母，西域音三十六字母，《金刚经》五十字母，《般若经》四十一字母，《华严经》四十二字母，蒙古音四十一字母，皆与今所行三十六字母——见溪群疑——不同。三十六母行之既久，似为近矣；然谛观之，则有复有漏，未为精善也。非敷泥娘皆一误为二，复矣。见端等母有阴无阳，明微等母有阳无阴，漏矣。知、彻、澄三母之字，古音同于端、透、定，今音同于照、穿、床，不必另出，另出亦复矣。故吴草卢三十六字母，李如真二十二字母，新安三十二字母，方密之二十字母，皆不用知、彻、澄。陈晋翁三十二字母存知、彻、澄而去照、穿、床，其意亦同耳。方氏并非、敷、奉为一是也，然去影喻二母则漏矣。戴先生东原亦用二十母，而与方大异，惟其微母字别为条，则非愚心所安也。故愚之《韵史》定为二十一母；平声有阴、阳，则以二十一为四十二也。旧时言字母者或云九音，或云七音，今细审之，只须言四音耳。见、溪、影、晓喉音也（见溪不必言牙音），端、透、泥、来舌音也（来不必言半舌），照、穿、日、审、精、清、疑、心正齿齿头音也（日不必言半齿疑乃鼻音非牙音也附齿头差近），邦、滂、明、非、微唇音也（重唇三轻唇二）。萱之所拟廿一字母曰"见起影晓，短透乃赍，照助耳审，井净我信，谤并命匪未"也。概不用平声字，避平声字有阴、阳也。以四音廿一母统括众字，则音声无不举矣，不审旧来何以纷纷立法之多也。《韵史》每部每呼即以廿一母次第为列字次第。同组之中，又以形近系联，不泥旧次矣。

音之有清、浊也，为平声言之也。阴平为清，阳平为浊，不容淆也。上去二声，各只一音，无阴、阳、清、浊之可言也。强欲言之，亦姑曰上去相为阴、阳而已。旧乃有上浊、最浊之说，非自扰欤？唐一行谓上去自为清浊,是也;自为清、浊即萱相为阴、阳之说也。入声每字皆含阴、阳二声,视水土之轻重而判。轻则清矣,其出音也送之不足而为阴;重则浊矣,其出音也送之足而为阳。《韵史》内入声阴、阳并合者此也。旧韵书乃一一划分,似未识此意。至上去二声内又判别某为阳,某为阴,则近于罔矣!音之有四声也,一以贯之者也。《韵史》每类之中,由平而上而去而入而副编,分别部居,不相杂厕。治六书者于一类四声之全观其会通,其于引申假借之情,思过半矣。旧韵书乃以四声划分,恐未谐于音理也。

至于反切之法,后世必不能无,而有绝不可解者,则类隔是也。反切以双声为用,故曰音和;类隔则不和矣,何反切之有!反切上一字既用一定之母,其下一字纵使本韵本呼无字可用,亦当无术焉以处此,而强立不甚通之法以惑后人乎?惟字母有定位,故反切有定法。若定位仍可游移,则定法岂为准则?故《韵史》专用音和也。且所谓字母者,姑借此数十字以定位,非谓此数十字外皆不可为母也。惟字字可为母,故其定位也虽一成而不变,而其出切也自循环而不穷矣。若兼用类隔,则是借此位之母切彼位之字,其于切本母本位者,何以别乎?故断不可用也。

又等韵之说,蒙向所不晓,私以为可无庸。故《韵史》只用四呼:开口合口两呼其音侈,侈则洪矣;齐齿撮口两呼其音歛,歛则纤矣。举洪纤而等摄尖团在其中,不知后人何以必言等韵也。吕介孺《韵铎》、江慎修《古韵标准》《四声切韵表》经之以四等,析之以开合,纬之以三十六母,逐纽排列,详且明矣;然萱终以其纸上所谈,不敢信,故不敢从,若以己所不信者饷后人,平生所尤戒也。

《韵史》之形与音既定,而后详其训释。本义为先,引申之义次之,皆以《说文》为首,传注笺疏次第隶焉。至假借为六书之一端,是声音文字之大用也。注家或不明言,学人宜知辨别。乃《释文》兼蓄并收,注疏望文生说,正借之分陆孔辈不尽憭也,无论邢叔明以下矣。韵书会粹古今，立为通法，自当专收正体，而假借各附于本字，其无字可归，终古假借者，方可特出。乃《广韵》以下，不辨正借，往往一字数音，乱人神智。《集韵》《类篇》泛滥益甚，甚至半简之中，非族屡收；一字之下，讹体丛出；其晚近无用之字不堪掇拾者，又不足辨也，识字岂不难哉？凡《韵史》之作，将使学者真识字而无难也；苟学者真识字而无难，则萱之精力尽于此书而不悔也。

（原载《中央研究院历史语言研究所集刊》
第四本第二分，1932年）

读牟应震《毛诗古韵考》

案：应震字寅同，别署芦坡氏，山东栖霞人。清乾隆四十八年癸卯（1783）举人，选禹城训导，推升青州教谕。晚年弃官归里，闭户著书，皓首穷经，寒暑无间。尝自述其治学之经过曰："余年五十，始能专力经书，著有《毛诗问》、《毛诗古韵考》、《毛诗奇句韵考》、《物名考》，不尽如吾意，盖得失相半也。读四子书于中庸得真解，浅近平实，为孔子写照，后儒病其通于禅机，讲家误之也。近又肆力于《易》矣。《易》自秦汉以来，善者不言，言者弗善，沉晦二千余年，一旦而鬼神告之，如日之升，如拨云雾复见青天，快心复何如哉？大业未竟，病魔迭至，一篑之亏，抱憾终古矣！"因自撰墓志铭以见志，其铭曰：

> 学统天人吾岂敢？蚍蜉何力泰山撼！
> 冥搜幽索鬼神通，黑暗雾中电一闪。
> 造物似恐泄其秘，病魔扰人岂无意？
> 夺我眼睛废我书，要以不解还天地！
> 大沽河北齐山阳，佳城新卜吾其藏；
> 人民怀葛时义皇，游魂何处不徜徉。

易箦之夕，犹呼笔砚，谓解《易》两爻未安，尚须改易；改毕撤砚，反席而殁。所著书除上述者外，尚有《夏小正考》、《四书贯》、《易序卦图》、《周易直解》、《胡卢山人诗稿》等。（参阅清光绪五年如皋黄丽中续修《栖霞县志》卷六"人物志下文学"，及卷九"艺文"所录应震自撰《牟公应震生前墓志铭》。）

《毛诗古韵考》五卷与《诗问》六卷、《名物考》七卷、《古韵杂论》

一卷、《奇句韵考》四卷,总称《毛诗质疑》。刊甫毕而应震遽归道山,版归刻工李毓庚所,后散佚者十之三四。道光二十九年己酉(1849)历城朱畹(敉人)为之集资补刊,未竟亦卒。其子廷相受父命拮据蒇事,而移其版于栖霞学宫。余所见为北平图书馆藏抄本,其《名物考》上半已残缺矣!

牟氏自序其《诗古韵考》曰:"是编以经文为主,合用者合之,不合用者分之,旁及者通转之。不借证于汉魏,不受欺于隋唐,较诸先辈为少进焉。"其所分部凡二十有六:

一、阳字部　一百四十字,合阳唐及庚之半为部;

二、东字部　八十四字,合东冬钟江为部;

三、谈字部　二十一字,合谈盐添严咸衔凡为部;

四、侵字部　四十二字,合侵覃为部;

五、洽字部　二十六字,合缉合盍叶怗洽狎业乏为部;

六、清字部　五十六字,合耕清青及庚之半为部;

七、蒸字部　三十三字,合蒸登为一部;

八、元字部　一百三十五字,合元寒桓删山仙及先之半为部;

九、真字部　一百二十九字,合真谆臻文殷魂痕及先之半为部;

十、月字部　八十一字,合月曷末薛及祭泰之半为部;

十一、质字部　四十七字,合质屑为部;

十二、宵字部　一百一十五字,合宵及萧肴豪沃药铎锡之半为部;

十三、幽字部　六十字,合尤萧豪之半为部;

十四、黝字部　八十三字,合尤有宥肴豪巧皓号各半为部;

十五、六字部　二十八字,凡从畜从坴从叔从逐从复从奥从云从匊之字皆归此部;

十六、侯字部　六十九字,合侯虞各半为部;

十七、鱼字部　一百八十九字,合鱼模及虞麻之半为部;

十八、铎字部　五十五字,合铎药陌昔之半为部;
十九、屋字部　三十五字,合屋烛及觉之半为部;
二十、歌字部　九十四字,合歌支佳之半为部;
二十一、锡字部　二十五字,合锡昔为部;
二十二、灰字部　一百四十五字,合脂微及齐佳灰之半为部;
二十三、未字部　六十六字,合未霁术队泰怪代物之半为部;
二十四、咍字部　四十七字,合之及咍灰尤之半为部;
二十五、海字部　七十六字,合止及海贿之半为部;
二十六、职字部　五十八字,合职德及屋之半为部。

每部分列"合部"(列举韵字),"正音"("切音本唐韵,反音本集传,赘古音二字者本顾氏《唐韵正》"),"摘证"(举《诗经》及群经传记之例证),"通转"(举各部通转之本证旁证),"附论"五项。据牟氏自序,此书成于嘉庆辛未(1811),而书中援引所及,惟有顾(炎武)、江(永)二氏,于段(玉裁)、戴(震)、孔(广森)、王(念孙)诸家,均未称述。然其结论则每闭户暗合,且有发前人所未发者。撷其要点,凡有二事:

一曰,入声各部之独立。自王念孙分立至、祭、缉、盍四部,谈古韵者,始知入声可以独立。戴震《声类表》更分垩、亿、屋、约、厄、乙、遏、邑、䰞九部,于是"阴""阳""入"乃鼎峙为三。今观牟氏书亦分立锡、未、质、月、职、铎、屋、六、洽九部,除分"乙"为"未""质",并"邑""䰞"为"洽"外,并与戴氏冥合。后此惟刘逢禄《诗声衍》所分二十六部及黄季刚先生《音略》所分廿八部能不违此旨,即章太炎之廿三部,亦多分之未尽,且章氏所分之队部,恰与牟氏之未部相当,则牟氏固已烛见于前矣。夫牟氏本鲁人,终身未尝远游,而能求证经文,分辨入声,以视孔巽轩"入声创自江左,非中原旧读"之说,夐乎远矣!

二曰,分出上声黝海两部。段玉裁曰:"古四声不同今韵,犹古本音不同今韵也。考周秦汉初之文,有平上入而无去;洎乎魏晋上入声多转而为去声,平声多转为仄声,于是乎四声大备而与古不侔。"又曰:"古平上为一类,去入为一类,上与平一也,去与入一也;上声备于三百篇,去声备于魏晋。"故《六书音均表》卷四诗经韵分十七部表中,于第一、第三、第四、第五、第十五五部,均以上声与平入分列。钱玄同先生尝据此以增订黄季刚先生之古韵二十八部为三十三部矣。今案此书所分黝、海两部,亦与段氏分列上声五部之意同。牟氏于黝部云:

> 古韵不分三声,此音幽部类音,而旁纽亦多参错,似不宜分。然诗用此部韵凡七十余见,"考、老、道、好、阜、寿、丑、酒"皆习用之字,无与"休、周、悠、求"等字韵者,自不得不分而为二。江氏分萧、肴、豪之字略与鄙说同,而合尤部为一,已失考核;更杂之侯、虞等部五十余字,而此部已先乱矣。奚不于诗文检较之?

又于海部云:

> 咍、之、海、止之分犹尤、幽、有、黝之分也。诗用咍、之韵凡四十余见,用海、止韵百二十余见,截然不乱;又人习而不察者,以"时、来"二字及尤韵之"谋"字淆之也。"时"与前部字合用,韵"期"、韵"丝",合用韵"思",则韵"有"、韵"右"、韵"旧""子",韵"祀"。"来"与前部字合用韵"思",合此部则韵"疚"、韵"箴"、韵"又",并韵职部之"牧服亟塞"等字。而字之偏旁亦时有出入,故言韵者往往因所通以及其通之所通,遂至于泛滥而莫可究诘!萧部之"敖",尤部之"犹",鱼部之"莫""度"及此部之"时""来",多两部通用。"天"多韵"人","凤"多韵"心","来"多韵"思",古人用韵或亦以熟习之久,故随意拈来耳。

其不以例外破原则之态度,颇足为治学者矜式。惜未分出厚、语、旨三部,尚不能与段氏之意悉符也。

至于牟氏以支从歌而不析其半别立支部,又东冬不分,先痕莫辨,则并分析未精,而宜加以订正者也。

(原载《天津益世报·读书周刊》第 42 期,1935 年)

《榕村韵书》正名

李光地《榕村全书》中有《榕村韵书》五卷,坊间亦有单行者。其书依《平水韵》分一百零七韵,与《佩文诗韵》据《韵府群玉》并上声拯韵入迥韵者异。每韵目下各注所并《广韵》韵目及古诗通用界域。韵字反切悉准《广韵》,笺释亦多相符:盖为士子临文检寻之用者也。书为光地玄孙维迪重校梓,前后并无序跋凡例。惟《榕村全集》卷二十别有《榕村韵书略例》一篇,其文云:

  古韵书不可见,而其散于经传者足征也。顾氏宁人之论备矣。后代益详于韵,而等切之学兴。虽其字音韵部间或与古差讹,而其条理可寻,其同异沿革可推。何则?音生于人心,今古不殊故也。夫色不过五,而五色之变不可胜观;味不过五,而五味之变不可胜尝;故音不过五,而五音之变不可胜用也。前世为韵书者,未知五音生生之法,故虽区别有伦,而迷其本始。惟国朝十二字头之书,但以篇首五字,使喉舌齿唇展转相切,而万国声音备焉。盖于韵部,以麻支微齐歌鱼虞为首;于字母,以影喻为首;独得天地之元声,故可以齐万籁之不齐,而有伦有要也。从来为此学者,部多首东,等多首见,盖失其本矣。惟邵子于声类以歌韵首列,而辞曲家每字收声皆归影母者,乃为得其遗意。然邵之诸部既不尽合,而度曲者只悟收声,不知其为生生之本,故亦不能举而措之而皆通也。然收声之法厘为六部,此则确为声乐本要,而国朝字头亦合焉。神瞽复生,不能易矣。今谱亦区为六部,别为十二行,以首五字宛转相生,为百二十声。于是父子君臣夫妇兄弟朋友各得其位,性术之变,穷于此焉。韵有有声无字者,等亦有有声无字者。计韵之有声有字者三十六,就唐韵而增损改入之也;母之有声有字者亦三十六,依等韵而分别论说之也。然所据者皆今日同文之音也,考之唐宋间则已别,稽之于古则又殊,盖是编之意存乎明韵而已,非□时则不通,非谐俗则不悟。若夫究心小学者，将以窥文字之初，辨点画声音之始，则有诸家及宁人之书在，此不能具也。①

绎其内容，与此渺不相涉。所谓：“今谱亦区为六部，别为十二行，以首五字宛转相生为百二十声”者，盖仿效满文十二字头“韵部以麻、支、微、齐、歌、鱼、虞为首，字母以影、喻为首”之意，一反从来"部多首东，等多首见"成例，以期合乎当时"同文之音"也。其书主旨在改良等韵以趋时谐俗，与此临文检寻所资者显然并非一书。今惟《榕村别集》卷一所载《字音图说》与其体例相近，或因王兰生所修《音韵阐微》既成，但发其凡，而未成书欤？故据《略例》所云，此书殆不得以《榕村韵书》名矣。然考《榕村全集》卷十一所载《韵笺序》云：

近日为诗文者，避繁重，就省约，率向坊贾市小本以取声韵，惟唐律专本韵者则已，至于古诗古赋铭赞歌篇，第据近代肤谬者之说，或曰"通"或曰"转"，错戾颠倒，至于齿舌唇喉不可复辨！夫古之诗辞，以今韵校之，固多通用，然自今视之通也，古人则各有部居门类，何通之有哉！今取古人未尝通者通之，上不合于古，中不准于唐，以水土之杂响，渐天地之真音，奚可以重所习而不变也。彼古韵之出入于《唐韵》者，其源有以，如"风"闭口字也，当属侵而在东；"令"抵齿字也，当属真而在庚；此唐人误也。今缘一二字之误，遂谓抵齿闭口二部与鼻音皆可通也。盖有中州士庶，偶而寄版荆蛮者，据之以为齐楚一家，岂不远哉！近日惟长洲顾炎武宁人氏能古韵，心通其意，而又援据极博，足以征之。故掇其韵谱，凡《唐韵》之可通不可通者，悉注于本目之下，其曰通者古法也，曰不通者时误也。又坊本收字大窄，落漏甚多，且平上去俱用者，只收一处，尤苟简而不便于稽考。今所收几及《广韵》之半，学者置之案隅笥中，亦可以检寻辨别，如昌黎所谓略识字之意云。②

则与此书体例契合无间。例如上平一东目下云：

韵有独用通用而无所谓转用者。后人以江与东冬不类故称转用，不

---

① 见《榕村全集》卷二十，页16—17。
② 见《榕村全集》卷十一，页4—5。

知古音江与东冬绝相类不烦转也。

三江目下云：

> 古韵所以与东冬通者，盖韵中字皆从工，从龙，从匆，从丰，从空，皆东冬韵中字，无阳韵内偏旁，可以知其音之所近矣。唐以前无与阳通用者，不知何时始读江如姜，元人作曲遂厘为江阳韵。今作古诗宜用古韵，决不可从俗也。

十一真目下云：

> 俗有通庚青蒸，又有通侵者，皆非也。按真乃舐腭音，与文元寒删先虽不类，而收音则同，故古人通用。庚青蒸则穿鼻音，侵则闭口音，三类判然不同。今南人读庚青蒸侵部中字皆如真部，故谓其可通也。

下平六麻目下云：

> 此韵古本与歌通，不与鱼、虞通，然因韵中字有古在鱼、虞部，而后世音讹误收于此者，但见古韵与鱼虞叶，遂以为可通用，而不知其为今音之讹于古也。

十五咸目下云：

> 古韵东冬江为一部，支微齐皆灰为一部，鱼虞为一部，真文元寒删先为一部，萧肴豪尤为一部，歌麻为一部，阳为一部，庚青为一部，蒸为一部，侵覃盐咸为一部，凡十类。其同类者，古音皆可通也。唐人作古诗亦通用，若如今世俗所谓通转者，则古人唐人俱无此法也。学者且遵唐人榘矱，作古作律，准此足矣。如进而语于上，则此十部者，古无条枝，唐人至别为五十余韵，并之尚三十韵，此韵之不当分而分者也。支韵之字当存其半，而其半入歌麻韵；麻韵之字当存其半，而半入鱼虞韵；庚韵之字当半入阳韵，半入青韵；尤韵之字当存其一，而以其一入支微齐韵；以其一入鱼虞韵：此又声之不当合而合者也。究极源本，其说甚长，好古者当别作一意求之。

入声十七洽目下云：

> 以上入声乃唐人之律令也，故凡平上去三声可通者入声亦可通，平上去三声不可通者入声亦不可通也。顾宁人以古韵质之，则《唐韵》之谬于古者，入声为甚。盖惟歌麻无入，侵覃盐咸有入，《唐韵》与古同耳。其迥不同者，在唐则真文元寒删先东冬江阳庚青蒸十三韵有入，而支、微、

鱼、虞、齐、佳、灰、萧、肴、豪、尤十一韵无之；在古则十一韵者有，而十三韵者无，为正相反也。不独韵部之系于平上去者所直不当，而字音之今古差殊，彼此互入，比之平上去三部，棼而难理，又不啻倍焉。宁人参之经传古书之音，证以偏旁之验，丝分缕析，具在成书，其有功于三代之文者，于是为大。此非览兹刻者之所遽及，然不可不粗知其意，以待暇日之讨论也。

并能准据顾宁人《唐韵正》所考，以正流俗所谓通转之错戾颠倒。故此书当即《韵笺》而非所谓"榕村韵书"，殆无疑义也。

《韵笺》初稿成于吴县陈汝楫季方手，而非光地所自纂。《榕村续集·与何纪瞻书》云：

> 比偶与泽州（案陈廷敬为山西泽州人）语及，小韵书坊无佳本可以持携。腊前烦季方就《广韵》摘出入用者，韵目下注明唐人律令及古诗谐协之正。盖尽用宁人意，约而少之，使幼学知大凡。然恐尚有差讹取笑处，渠带去校好，属龚君镌版，兄或取看，更一鉴定，又无余恨也。日月有时，制期遂阒，旁观者淹速之论棼如，不如内断于心之为善，或筮以决之，亦古人所谓行止听命于天者与？①

又云：

> 季方刻韵书，至今未寄到，前所示仄律极是，不审尚有谬论否？开口便多错误，此读书所以难。然时下朋友便分两种：一则执其误而聱争，一则虑其误而泯默，窃意二者皆非也。知错误之无足惭，而有所大惭者，庶几为古之益友乎？②

皆可与本书及《韵笺序》相印证。季方为苏州吴县人。乾隆《苏州府志》云：

> 陈汝楫字季方，世居常熟，国初迁吴县。为诸生，从何焯游，研究经史，工诗古文。后为国子监生。李光地抚直隶时，汝楫随焯往谒，一见器之，遂为入室弟子。屡试不遇，康熙壬辰九卿应诏以汝楫学行荐。后又以光地荐分修《周易折衷》，书成，以母老乞归，卒年六十二。（冯桂芬同

---

① 见《榕村续集》卷一，页10。
② 见《榕村续集》卷一，页10。

治重修《府志》卷八十二,《人物志》九,页 12,及曹允源等修民国《吴县志》卷六十六下,列传四,页 7,所引均同。)所著有《周易札记》、《禹贡札记》、《四书札记》、《史汉札记》、《三国志札记》、《赏诗阁文集》等。(民国《吴县志》卷五十六下,《艺文考》二,页 8。又同治《府志·艺文志》亦同)又清宣统元年平江吴氏所刊《义门先生集》末附《义门弟子姓氏录》云:"陈汝楫季方本籍长洲人。"集中亦录有《与少章季方昆玉书》(卷三,页 18)及《与陈季方书》(卷七,页 7),虽并与作《韵笺》事无涉,然由此可知季方固陈景云兄弟行也。更据光地《与何屺瞻书》中"日月有时,制期遂阕"二语推之,则季方初纂此书当在康熙三十五年丙子(1696),(按光地以三十三年甲戌四月丁母忧,奉旨在京守制,三十五年服阕,仍命任顺天学政。)距《佩文韵府》成书(康熙五十年辛卯,1711)前十五年,故韵部以刘渊为准,而不以阴时夫为准也。

此书原刻成于何时,本署何名,今既未睹传本,殊难臆断。但维迪之修补榕村各种遗书则在道光二年壬午(1822,——见《榕村续集书后》),倘使《韵笺》之名非光地自行废弃,而原书当时或未刊成,则此所谓《榕村韵书》者必系后人未见《略例》所指之原稿,而误以《韵笺》张冠李戴者也!安得陈季方属龚君所刻原本以证成或否定吾说耶?愿海内藏书家有以教之!

(原载《天津益世报·读书周刊》51 期,1936 年 6 月 4 日)

《十韵汇编》叙例

这部书是我们现在已经得到的《切韵》系韵书材料的总结集。

我们常说：凡是作一种学问，所研究的材料越扩张，学问的本身也越进步；有一分材料才有一分的结果，有十分材料才有十分的结果，根据很贫乏的材料去凭臆推断，所得的结果当然也靠不住；这是历试不爽的。就拿唐宋韵书的异同这个问题来说罢，从前的人因为《唐韵》行而《切韵》废，《广韵》行而《唐韵》又废，对于《切韵》和《唐韵》的本来面目始终是不大了然的；他们展转相传，总以为《唐韵》对于《切韵》也和《广韵》对于《唐韵》一样，只是文字增多，注解加详，其余都是因仍旧贯没有什么变动的。可是，在很早的时候，亲眼看见过《唐韵》原书的人已经证明这是不对的了。宋朝魏了翁(1178—1237)的《唐韵后序》说：

《韵略》之得名盖以音韵各有畛略也。韵字从音从员，略字从田从各，皆一形一声，兹其大端矣。是书号《唐韵》与今世所谓《韵略》皆后人不知而作者也。然其部叙于一东下注云："德红反，浊，满口声"，自此至三十四乏皆然；于二十八删、二十九山之后继之以三十先，三十一仙，上声去声亦然；则其声音之道，区分之方，隐然见于述作之表也。今之为韵者既不载声调之清浊，而平声辄分上下，自以一先二仙为下平之首，不知先字盖从真字而来，学者由之而随声雷同，古人造端立意之本失矣。此书别出"栘""欁"二字为一部，注云："陆与齐同，今别。"然则今韵从陆本，疑此本为是。今韵降覃谈于侵后，升蒸登于青后，以古语"三"字叶"今"，"男"字叶"音"，"征"字叶"桢"，"众"字叶"兵"，疑今书为是。今书又升药铎于麦陌昔之前，置职德于锡缉之间，方语"白"为"薄"，"宅"为"度"，"鸟"为"鹊"，"石"为"勺"，锡缉与职德声为最近：盖创者多阔疏，而

> 因仍者易精审。此皆为学者之所当知而举世不之问也。余得此书于巴州使君王清父,相传以为吴彩鸾所书,虽无明据,然结字茂美,编次用叶子样,此为唐人所书无疑。其音韵虽与《易》《书》《诗》《左氏传》及二汉以前不尽合,然世俗承用既久,姑就其间而详其是否焉。若夫孙愐叔文较之今本亦有增加书字处,要皆以此本为正。

由这段文章我们可以知道魏氏所见的唐人写本《唐韵》和《广韵》有四点不同:

第一,平声不分上下,于二十八删,二十九山之后即继之以三十先,三十一仙;

第二,韵目之下分别注明清、浊和呼法;

第三,自切韵平声齐韵分出"栘""巂"两字另立栘韵;

第四,覃谈,蒸登,药铎,职德的次序和《广韵》不同。

后来王应麟(1223—1296)在《困学纪闻》里只引了魏氏所说的"《唐韵》于二十八删、二十九山之后继以三十先、三十一仙,今平声分上下,以一先二仙为下平之首,不知先字盖自真字而来"[①]一段,把别的要点都忽略了。顾炎武(1613—1682)和戴震(1723—1777)因为只看见王氏所引的话,而没有看见魏氏的原序,所以不知道"鹤山所见《唐韵》于何处多添一韵"[②];并且一方面说:"自法言《切韵》下至《礼部韵略》、《集韵》,部分相承未改",一方面又说:"唐时诸家韵书大致多本法言,韵亦各有微异";这种犹豫两可的结论都是由于材料不充实的原故。不过,顾、戴两氏虽然没看见魏了翁的《唐韵后序》,可是顾氏却能应用颜元孙的《干禄字书》,知道唐时韵谱的次序"平声覃谈在阳之前,蒸登在盐之后,上去二声仿此"[③];戴氏也能应用徐铉改定《说文解字篆韵谱》所据李舟《切

---

① 见《困学纪闻》,卷八,页21。
② 见《音论》,卷上,页10;又《声韵考》,卷二,页13。
③ 见《音论》,卷上,页3。

韵》,吴棫《韵补》的上声韵目和曹楝亭所刻宋本《广韵》考定《广韵》上声末四韵应以豏槛俨范为次,去声末四韵应以陷鉴酽梵为次,现在传世的《广韵》俨酽在豏陷之前,是宋朝景祐以后根据《礼部韵略》所窜改。① 他们对于这个问题总算也有点儿新发现。

及至段玉裁(1735—1815)发现夏竦"《古文四声韵》齐第十二之后有移第十三,增多一部;下平先第一仙第二之后有宣第三,入声质第五之后有聿第六,亦皆增多一部。下平之次:麻覃谈阳唐庚耕清青尤侯幽侵盐添蒸登咸衔严凡,上去配是;入声之次质聿术物栉迄月没曷末黠辖屑薛锡昔麦陌合盍洽狎叶帖缉药铎职德叶乏,与《广韵》《集韵》次第殊异"。② 于是才知道:魏鹤山所见的《广韵》是在删山以前多了一个移韵;夏竦所据《唐韵》下平先仙后增多第三宣韵和徐铉所据的李舟《切韵》相同;并且拿颜元孙的《干禄字书》来比较,也发现它们的韵次是同系的。可惜他没注意到徐锴《说文解字篆韵谱》的原本,所以说:"惟入声增聿部则无考"③;又误认孙愐《唐韵》部次与《广韵》相同,所以说它是"约定俗成,莫之或变"。④ 假使段氏看见魏了翁的《唐韵后序》原文,他的结论当然就两样了。

在那个时候亲眼看见魏氏《唐韵后序》全文并且有所贡献的,实际上只有钱大昕(1728—1804)一人。⑤ 他在《十驾斋养新录》卷五"论韵书次第不同"一条里把魏氏《后序》的要点都举了出来,并且还参考了《干禄字书》、《古文四声韵》、《说文解字篆韵谱》和郑樵《七音略·内外转四十三图》等,除去前人所得的结果以外,他又发

---

① 见《声韵考》,卷二,页7—8。
② 见《经韵楼集》,卷六,《跋古文四声韵》。
③ 同上。
④ 同上。
⑤ 谢启昆:《小学考》,卷二十九,页26亦载魏序全文,但无所考定。

现"徐锴《说文篆韵谱》上平声痕部并入魂部"。应用间接材料来推求唐宋韵书异同的,到了钱氏可谓集大成了。这时候即使再有聪明的人,若是得不到新材料,恐怕也难得有进一步的贡献。譬如莫友芝(1811—1871)在《韵学源流》里说:

> 按法言书既不传,而《广韵》犹题陆法言撰本,岂《广韵》二百六韵之目,即法言旧部欤?法言序既举支脂先仙等为说,则分部又必不自法言,岂自《声类》即有此等部,而四声既兴,又以四声界之耶?法言又云:"诸家各有乖互",岂合诸家之部分而去取整齐之耶?皆不可考矣!①

他所怀疑的各点,何尝不精辟呢?然而因为没有材料来证实,终于诿之"皆不可考",这实在是很不幸的!

近三十年来,唐人所写《切韵》、《唐韵》和王仁煦《刊谬补缺切韵》的残卷,陆续重现于世间。王国维生逢其会,一方面承袭乾、嘉诸老考证略备的间接材料,再作精详的探讨;一方面利用这些前辈所没看见的直接材料,更作进一步的证实,于是他在前人所得的结果以外发现:

一,唐人韵书的部次可分为二系:陆法言《切韵》,孙愐《唐韵》和小徐《说文解字篆韵谱》,夏英公《古文四声韵》所据韵书为一系;大徐改定《篆韵谱》所据李舟《切韵》和《广韵》为一系。②

二,陆法言《切韵》比《广韵》平声少谆桓戈三韵,上声少准、缓、果、㿗四韵,去声少稕、换、过、酽四韵,入声少术、曷二韵:共为193韵。③

三,《切韵》和《唐韵》一系的韵书去声泰韵在霁韵之前。④

四,《唐韵》有开元、天宝二本:开元本部目和陆法言《切韵》全同,惟上声较陆多一韵;天宝本增平声四(移谆桓戈)上去声各三(准缓

---

① 见广州中山大学排印本,页12。
② 《观堂集林》,卷八,《李舟"切韵"考》和《唐时韵书部次先后表》。
③ 同上书,《书巴黎国民图书馆所藏唐写本切韵后》和《唐时韵书部次先后表》。
④ 同上书,《李舟"切韵"考》。

果移换过）入声二（术曷）"前者尚是陆韵支流，后者则孙氏自以己意分部者也。"①

五，徐锴《说文解字篆韵谱》原本所据《切韵》改陆韵冬韵"恭、蚣"二字入钟韵，"纵"字入用韵与孙愐《唐韵》合；但平声齐后无移韵，入声以聿为术，且无曷韵，与孙愐韵殊。② 徐铉改定《篆韵谱》所据李舟《切韵》除增三宣一部外，与《广韵》全同。③

六，《古文四声韵》所据《唐切韵》除平声齐韵后有移韵，仙韵后有宣韵外，上声狝后有选韵，去声梵后有醴韵，入声质后有聿术二韵。但狝韵中"瓮"字下注"人衮切"，而部目中选字上注"思衮切"，二韵俱以"衮"字为切；又目中"聿"字注"余律切"，术字注"食律切"，二韵俱以律字为切。盖浅人见平声仙宣为二，故增选韵以配宣；又见术韵或以术为部首，（如唐韵）或以聿为部首，（如小徐所据切韵）遂分术聿为二，而其反切未及改正。其本当在《唐韵》与小徐所据《切韵》之后。④

我们对于王氏这许多新发现，自然不能不佩服他眼光的明敏，功力的精密，可是假使他没看见过这些直接材料，恐怕就不会有这么许多贡献了。所以唐宋韵书的异同，是从魏了翁到王国维因为材料陆续增加，才逐渐认清楚的。这段经过恰好可以作为我开头所说"有一分材料才有一分的结果，有十分材料才有十分的结果"那两句话的一个例证。

现在我们再举一个反面的例。陈澧（1810—1882）的《切韵考》是想从《广韵》的切语里来推求陆氏《切韵》体例的一部书，他以为：

---

① 《观堂集林》，卷八，《书"式古堂书画汇考"所录"唐韵"后》。
② 同上书，《书小徐"说文解字篆韵谱"后》。
③ 同上书，《李舟"切韵"考》。
④ 同上书，《书〈古文四声韵〉后》。

> 切语旧法当求之陆氏《切韵》,《切韵》虽亡,而存于《广韵》。乃取《广韵》切语上字系联之为双声四十类;又取切语下字系联之,每韵或一类,或二类,或三类四类;是为陆氏旧法。隋以前音异于唐季以后,又钱戴二君所未及详也。①

他系联声类和韵类的原则是:

> 切语上字与所切之字为双声,则切语上字同用,互用,递用者,声必同类;切语下字与所切之字为叠韵,则切语下字同用,互用,递用者,韵必同类。②

他所用的方法是:

> 循其轨迹,顺其条理,惟以考据为准,不以口耳为凭,必使信而有征,故宁拙而勿巧。③

这是很合乎近代科学精神的。此外,他根据同音字不分两个切语的例来剔除《切韵》以后的新增字,又参照顾(炎武)、张(士俊)、曹(寅)所刻《广韵》和徐铉校定《说文》、徐锴《说文篆韵谱》所据的音切来校勘同异,择善而从,也有许多地方和《切韵》冥合。不过,他的方法虽然这样谨严,他的功力虽然这样精密,毕竟为材料所限,还不能尽合《切韵》的真相。比方说:我们现在已经知道《切韵》的韵部比《广韵》少了谆准稕、桓缓换、戈果过,和俨酽术曷 13 韵,实际只有 193 韵,而陈氏却说:"《广韵》平、上、去、入二百六韵,必陆氏之旧也。"④这是和《切韵》本来面目不合的第一点。又如:陈氏根据《广韵》切语上字考定《切韵》声类为 40 类 452 字,认为这就是隋以前双声的区域。可是,在我们现在所得到的几种本子里有许多切语上字是这 452 字所没有的。例如:

> 绷　　北萌(广)　　　　逋萌(王二)

---

① 见《切韵考,序》。
② 同上书,卷一,页 2。
③ 同上书,序。
④ 同上书,卷三,页 1。

搻	匹问(广)	纷问(王二)
獖	蒲本(广)	盆本(切一,王三,王一)
埲	蒲闷(广,王一)	盆闷(王二)
并	蒲迥(广)	萍迥(王一)
旦	得按(广,王一)	丹按(王二)
茶	猪几(广)	眂几(切三,王一,王二)
黹	楮几(广)	绨履(切三,王一)
雳	郎击(广,唐)	间激(王一,王二)
劑	遵为(广)	觜随(切二,切三,王一,王二)
接	即叶(广,唐)	紫叶(切三,王一,王二)
焌	仓聿(广)	翠恤(切三,王一)
笚	迁谢(广,唐)	浅谢(王一,王二)
全	疾缘(广)	聚缘(切三,王一,刊)
崒	慈卹(广)	聚卹(切三,王二)
暂	渐念(广,王一,唐)	潜念(王二)
酉	自秋(广)	字秋(切三,王二)
醮	庄陷(广,唐)	渿陷(王一,王二)
臭	尺救(广,王一,唐)	鸥救(王二)
称	昌孕(广,唐)	齿证(王一) 蛋证(王二)
俟	床史(广)	漦史(切三,王一,德)
恭	九容(广)	驹冬(王二,刊,切三冬误东)
媿	俱位(广)	轨位(王二)
貜	居缚(广,王二)	遽缚(唐)
岂	袪狶(广)	气狶(切三,王一)
区	岂俱(广)	气俱(切三)
㰦	丘倨(广)	却据(王二)
揆	求癸(广)	葵癸(王一,王二,切三葵误蔡)

馤	烏恨（广）	恩恨（王一）
邑	於汲（广，唐）	英及（切三，王二）
蟹	胡買（广）	鞵買（切三，鞵疑為鞵之訛）

这些有圈的字虽然还不至于影响到声类的分合，可是《切韵》以降的反切上字不以陈氏所举的四百五十二字为限，却显然易见；这是和《切韵》本来面目不合的第二点。再者，上平脂韵"尸"字《广韵》诸本均作"式之切"，混乱之脂两韵的界限，关系颇大，陈氏据二徐的反切改作"式脂切"①和"切二""切三""王二"诸本的切语恰好契合，这是他很精切的地方。但是凡韵的"凡"字，《广韵》作"符咸切"，也把凡咸两韵的界限混乱了，陈氏却以为"此韵字少故借用二十六咸之咸字也。徐锴符严反亦借用二十八严之严字。徐铉浮芝切，盖以借用他韵字不如用本韵字，故改之耳。然芝字隐僻未必陆韵所有也"。② 殊不知在"切三""王一""王二"三种唐写本里"凡"字都作"扶芝反"或"符芝反"，而没有一个作"符咸切"的；这是他和《切韵》本来面目不合的第三点。还有上声弥韵"雋"字，张本《广韵》"徂兖切"，但明本顾本误作"祖兖切"，和"子兖切"的"臇"字同音，把从精两母的声类给混乱了，陈氏能遵守张本的反切不为明本顾本所误，而与"王一"暗合，这是很有断制的。③ 可是上平真韵的"真"字《广韵》诸本都作"侧邻切"，拿照母二等字来切照母三等字，和全书的声类系统不符，陈氏却没有校勘出来。④ 我们现在只要翻开"切三"一看，立刻就可以知道"真"字本来作"职邻反"了⑤；这

---

① 见《切韵考》，卷四，页12。
② 同上书，卷五，页46。
③ 同上，页4。
④ 同上书，卷四，页33。
⑤ 案二仙"甄"字注又"章邻切"，二十一震"振"字注云又"之人切"，"甄""振"两字之又读均在真韵与真字同纽，"章""之"二字既属照母三等，亦可证侧邻切当作职邻切也。

是他和《切韵》本来面目不合的第四点。像陈氏那样的方法和那样的功力，假使不受材料的限制，当然就不至于有这四点遗憾了。

最后，我们再拿王国维来举一个例。王氏对于隋、唐韵书源流的贡献，我在上文已然表彰过了，可是他在《陆法言切韵断片考》里说：

> 断片"伊"字上有"市支反"三字未知为何字之音。以行款求之，此三字上当无他注，则非此字之第二音。脂韵中字以"支"字切之，殊失界限，或系转写之讹。①

乍一看起来，他的话似乎也还有道理，不过我们现在翻开"切二""切三"两本残卷来审核，就可以知道脂韵"伊"字上面原有"祁"字，本音"渠脂反"又音"市支反"，王氏的推想完全错误。这篇文章作于 1917 年 8 月，在他手写《切韵》残卷（1921 年 9 月）的前四年，拿他前后所得的结果来衡量，就可以知道材料多寡对于考据上的重要了。

以上这两个例可以告诉我们：在材料不充实的时候，就是胆大心细的聪明人也难免有推想的错误。真正的科学方法是归纳和演绎互用的。观察一些事实之后，先提出几种可能的假设，然后根据所提的假设来扩充观察的范围，增加事例的数量，最后才能得到所要证明的通则。所以尽量罗举有关系的事实，对于一个问题的解决上是极重要的。编辑这部书的旨趣就是要把关于《切韵》系韵书的材料结集起来，给从事这一方面研究的人准备下一些比较充分的事实，使他们不至于再有前人曾经有过的缺憾。

有人说：从这些材料陆续发现以来，大部分已经被人利用过了，现在把它们结集在一块儿还有什么用处呢？这种话实在是似是而非禁不住仔细考虑的。要知道，没有材料固然不能出好货，有

---

① 见《观堂别集后编》，页 2。

了材料不会运用也一样不能出好货。同是一样的砖瓦木石,会因匠人建筑的巧拙造出不同的房屋;同是一样的鸡鸭鱼肉,会因庖师烹调的好坏生出不同的滋味。植物学家和樵夫一同进森林,一个就着眼到每棵树木的形态和分类,一个却只看见几百几千捆的柴火。艺术家和水利工程家一同去看瀑布,一个只去欣赏景色的美丽,想着怎样描写下所得的印象,一个却惊叹势能的伟大,想着怎样利用它来推动机械;可见一种材料不会只有一种用法的。关于这部分韵书的材料,姑无论还有好些是前人没有见过的,即使他们完全看见过,也未必能够利用得一干二净,使我们连发生新问题的余地都没有。现在我且随便举几个例:

第一,《切韵》韵目和《声类》《韵集》以降的韵书有没有异同?

关于这个问题,从前莫友芝已经怀疑过,他以为:"法言序既举支脂先仙等为说,则分部又必不自法言,岂自《声类》即有此等部,而四声既兴,又以四声界之耶?法言又云:诸家各有乖互,岂合诸家之部分而去取整齐之耶?"(引见前)他的眼光总算够敏锐的了。后来王国维看见了故宫本的王仁煦《刊谬补缺切韵》(王二),就应用平声一所注阳(休之)吕(静)、李(季节)、杜(台卿)、夏侯(咏)五家韵目的异同作了一篇《六朝人韵书分部说》①,不过因为"平声二首缺数叶,而上、去、入三声又有目无注,故此五家与陆韵部目之异同遂无由全知"。及至本编所收的敦煌本王仁煦《刊谬补缺切韵》(王二)重见于国内,魏建功先生才参酌两种本子里的韵目下所引的五家异同,作了一篇《吕静夏侯咏阳休之李季节杜台卿五家韵目考》②各为考定韵部约数并加以解释,比起王氏的文章来实在详细多了。将来《切韵》以前的诸家反切整理就绪,更可以把这个问题反映得

---

① 见《观堂集林》,卷八,页4。
② 见北京大学《国学季刊》,三卷二号。

清楚一点,对于《切韵》论定"南北是非,古今通塞"的性质也就用不着再辩论了。

第二,《切韵》的反切用字是否和《广韵》的音类有出入?

我在上一段里曾经举出陈澧《声类考》452字以外的一些反切上字,不过那都是对于音类没有影响的。关于唇音和舌音两组我却发现《切韵》里的"类隔"反切比《广韵》里的多,例如:

崥	方兮(切三,王一)	边兮(广,刊作迷)
琫	方孔(切三,王二)	边孔(广)
绷	甫萌(切三)	北萌(广,王二作逋萌)
表	方小(切三,王一)	陂矫(广)
湓	纷问(王二)	匹问(广)
缤	敷宾(切三)	匹宾(广)
帊	芳霸(王一,王二)	普驾(广)
铍	普羁(切二)	敷羁(广,王二)
丕	普悲(切二)	敷悲(广,切三,王二)
怖	匹伐(切三,王二)	拂伐(广,唐)
邳	蒲悲(切二)	符悲(广,切三,王二)
淲	扶彪(王一,王二)	皮彪(广)
浮	薄谋(切三,王一)	缚谋(广,王二作父谋)
棚	扶萌(切三,王二)	薄萌(广)
蜱	无遥(切三)	弥遥(广)
缅	无衮(切三)	弥衮(广)
諻	武聘(王一,王二)	弥正(广,唐)
戆	丁降(王二)	陟降(广)
黕	都陷(王一,王二,唐)	陟陷(广)
斲	丁角(切三,王二)	竹角(广,唐)
羺	女沟(切三,王二)	奴钩(广,王一作奴沟)

女　乃据（王二）　　　　尼据（广,唐）

我们固然知道《广韵》里唇音反切只有纯粹的（一二四等）和附颚的（三等）区别,还没像《集韵》那样判然分成重唇轻唇两组,可是从唇音"类隔"逐渐减少这一点来看,似乎因袭《切韵》的反切已然敌不住实际流行的语音了。至于《切韵》里的舌音"类隔"多在二等字出现,以及泥娘两母界限不清的现象也都是值得我们注意的。此外,《切韵》里有四个以喻切影的例：

倭　与和（切三）　　乌和（王一）　　乌禾（广,王二）
婐　与果（切三）　　乌果（广,王一）
哑　与雅（切三）　　乌雅（王一）　　乌下（广）
䐶　与洽（切三）　　乌洽（广,刊,王一,王二,唐）

同在一种写本里而有这么几个内部一致的特别切法,我们就不能把它们仅仅当作偶然的例外,假如是由"乌"形讹为"与",再由"与"类推为"與",那么问题还比较简单;如其不然,就得很费一番解释了。还有：

兄　诗荣（切三）　　　许荣（广,王二）
嚣　诗〔娇〕（切三）　许娇（广,王一）

自然也可以说"诗"是"许"的形讹,可是《颜氏家训·音辞篇》说："《通俗文》曰,入室求曰搜,反为'兄侯',然则,兄当音'所荣反',今北俗通行此音,亦古语之不可用者。"敦煌写本《守温韵学残卷》也有"心邪晓是喉中音清"一句话：这样看起来,"诗荣"、"诗娇"两切是否单是形讹,就大有考虑的余地了。最后一个有趣味的例就是喻母三等在切三里和匣母不分的现象。1928年我作《切韵探赜》①的时候曾经提出一个"越"字,切三作"户伐反",而故宫本王仁煦《切韵》和《唐韵》《广韵》都作"王伐反",在当时我只以为是由匣变

---

① 见刘复《敦煌掇琐》,下辑,页421。

喻的例并没有去深究它。最近中央研究院历史语言研究所的同事葛毅卿君又发现上平虞韵"于"字切三作"明俱反"，文韵"云"字切三作"户分反"，他认为"明俱"是"胡俱"之讹，并且断定在《切韵》残卷第三种里喻母三等和匣母不分。"明"字究竟是"胡"字之讹，或是"羽"字之讹，虽然还在两可的情况之下；可是"户伐"和"户分"不会是"王伐"和"王分"的形讹，恐怕是没有疑义的。况且敦煌唐写本《经典释文·尚书音义》残卷"蛮夷滑夏"的"滑"字作"于八反"，而今本作"猾"音"户八反"，前后显然不同；这也是匣于递变的一个有力证据。所以葛君的推断似乎渐渐找到这个问题的核心了。

第三，在《广韵》的谆韵以外，应否再从真韵里分出合口一类？

凡是看见过《切韵》和王仁煦《刊谬补缺切韵》残卷的人，都可以知道从真、寒、歌里分出合口的谆、桓、戈三类，是孙愐《唐韵》以后的事。现在《广韵》的真、轸、震三韵里还残余着几个没有分净的合口字；从反切下字来看，这些字也是应该并入谆、准、稕三韵里去的。高本汉（B. Karlgren）因为上声轸韵的"敏"字用"渠殒切"，"殒"字用"于敏切"，"殒""敏"两两互用，又与准韵反切下字不相系联，所以在臻摄的甲（真）乙（欣）两韵以外，又分出一个丙韵来；他最初在《中国音韵学研究》里把这一类拟作 $j^w in$（页 662），后来在《分析字典》和《方音字典》里改写作 ĭwěn，最近在《汉语的词系》里又改作 ĭwen，照我看来，这实在是不明沿革，强作分别！因为"殒"字在《广韵》里虽然跟准韵不相系联，可是在王仁煦《切韵》里本来是可以系联的。案《广韵》准韵有"麇"字"丘尹切"，义为"束缚"，这个字不见于《玉篇》和《类篇》，疑即"麇"字，《玉篇》糸部"麇，丘陨切，束缚"；《集韵》"麇，渠陨切，《博雅》束也"；敦煌本和故宫本王仁煦《切韵》都有"麇，丘陨反，束缚，一"一条；因此我们知道"麇"和"麇"都是"麇"字的形讹，"丘尹切"本是由"丘陨反"所修改，照王仁煦的反切来讲，轸韵不应该在准韵以外另有合口。所以我们对于

《广韵》真韵的"麏、困、赟、筠",轸韵的"窘、陨",震韵的"韵"等,都算是谆部,并不另分一类。至于"敏"字借用"陨"字作切,那只是因为唇音声母的混乱,从它不变轻唇一点来看,我觉得它还应当属于开口。假使没有"王一"和"王二"两种残卷作参证,恐怕因为这个字的牵涉,我们就不敢下确定的断案了。

第四,《切韵》冬韵里的恭、蚣、枞、等字是否从孙愐《唐韵》起就改入钟韵?

《广韵》钟韵有"纵、毶、踪、鏦、枞、磫、豵、㚇、趡"九字"即容切","恭、龔、供、珙、邛、共、䲱、仪、髸、鶪"十字"九容切","蚣、淞、凇、鬆、忪、松"六字"息恭切","枞、钅从、从、𤌴、㚇、𢼥、摐、𦨦、樅、趡、松、迖"十二字"七恭切","銎、䉶"二字"曲恭切",且于恭字下注云,"陆以恭、蚣、纵(字当作枞)等入冬韵非也"。有人以为大徐本《说文》"恭"俱容切,"纵"即容切,"蚣"息恭切皆在钟韵,徐锴《说文篆韵谱》里恭、蚣二字也在钟韵,纵字在用韵,大徐《说文》既然用孙愐音,那么,把这些字从冬韵改入钟韵,当然也始于孙愐了。不过,在"切二""王二"和五代刊本里,"恭、蚣、枞"诸纽(都属于冬韵而不属于钟韵)"纵、踪、鏦、毶"诸字却本来就在钟韵里头。那么,从五代刊本来推断,可知这种修改当然不会很早;况且《说文篆韵谱》所据的《唐韵》平声齐韵后没有栘韵,入声没韵后没有曷韵,又拿聿韵当作术韵,也显然和孙愐的《唐韵》不同。所以,这种修改是否始于孙愐,恐怕很难确定。在孙愐《唐韵》的平声残卷没有发现以前,我们只能承认这是五代刊本以后的现象。

以上这几个例,不过是随便摭拾,聊举一隅罢了。我相信读书得间的人一定还会触类引申,发现许多前人所没有提出问题。所以这部书的功用不是给从前研究《切韵》的人作结束,而是给以后研究《切韵》的人作引端;希望善于运用材料的读者能够从这一批东西里对于隋唐音系更有进一步的新创获!

这部书的编辑计划完全是由刘半农先生拟定的。最初所收集的材料只有三种《切韵》残卷,两种王仁煦《刊谬补缺切韵》和唐人写本《唐韵》,五代刊本《切韵》,《古逸丛书》本《广韵》八种,定名为《八韵比》;凡是已有景印本或刻本的都拿原书来剪贴。从 1932 年 10 月到 12 月,由蒋经邦、郁泰然领导周殿福、吴永淇、郝埏依照这种计划把初稿贴抄竣事。后来因为行款参差,既不美观,又不便对照,所以 1933 年春季才改用现在的编法,除《广韵》用原书剪贴外,其余的都照拟定的格式另抄,不拘原来行款,书名也改作《八韵汇编》,秋季又由魏建功先生提议加入《西域考古图谱》和德国普鲁士学士院的《切韵》断片各一种,于是再由《八韵汇编》正名为《十韵汇编》。计自 1933 年秋季到次年夏季,前后参与校缮工作的有郁泰然、孙琳、晋茞、吴永淇诸君。同时又由吴世拱用宋巾箱本、泽存堂本、符山堂本、曹楝亭本和段玉裁手校本的《广韵》来对校《古逸丛书》本的缺误,作成《广韵校勘记》,附录在各韵的末尾。至于总目和目一、目二三种,是 1934 年由周殿福、吴永淇编录的。到我来北平的时候,除去目二和《广韵校勘记》还没清缮,叙例还需要补充外,全书的大部分都已经完成了。综计起来,这部书从开始到完成,一共经过两年有半,凡三易其稿,参与工作的前后共有八人,而始终其事的则为郁泰然、周殿福、吴永淇三君,尤以周君致力独多。至于我自己,除去补拟凡例以外,并没有什么贡献。

现在全书既然印成,我只把编辑这部书的旨趣、功用和经过,略述如上。关于韵书的体制和源流,材料的来源和系统,魏建功先生的序里已然说得很详细;各种写本和唐代诸家韵书的关系,时贤也有不少的揣测;我在这里恕不一一赘叙了。

(1935 年 10 月 12 日于北京大学文科研究所语音乐律实验室)

凡　　例

一、此书汇辑唐写《切韵》残本五种，《刊谬补缺切韵》残本二种，《唐韵》残本一种，五代刊《切韵》残本一种及大宋重修《广韵》一种，排比对照，以便研览，故名《十韵汇编》。

二、唐写本《切韵》有王国维手写法国巴黎国民图书馆所藏敦煌发现者三种，今简称"切一"，"切二"，"切三"；德国普鲁士学士院所藏吐鲁蕃发现者一种，今简称"德"；大谷光瑞《西域考古图谱》所收吐峪沟发现者一种，今简称"西"。

三、王仁昫《刊谬补缺切韵》有刘复《敦煌掇琐》抄刻法国巴黎国民图书馆所藏敦煌唐写本，今简称"王一"；延光室景印及唐兰手写清故宫所藏唐写本，今简称"王二"。

四、唐写本《唐韵》有国粹学报馆景印吴县蒋斧藏本，今简称"唐"。

五、五代刊本《切韵》亦为法国巴黎国民图书馆所藏敦煌遗物，其版刻款式略有异同，今概简称曰"刊"，不复细加识别。

六、编中所用《广韵》为《古逸丛书》覆宋本，今简称"广"。

七、唐写本及五代刊本均依原本字样迻录，全字残缺者识以□，半字残缺者识以○，字迹模糊者识以△，草率讹夺，悉仍其旧。

八、《广韵》即以《古逸丛书》本翦贴景印，每韵末并附校勘记，参照泽存堂重刻宋本、涵芬楼景印宋刊巾箱本、符山堂刊顾亭林藏元略注本、扬州局刻曹楝亭藏宋刊配元刊入声本及段玉裁手校本，以正此本之缺失。凡所校之字旁皆加圈，校勘记中先标明其在本编之行数，行数下旁书某字者为正文，旁书某注者为注文，旁书某及注者为正文兼注文。

九、每韵依"切一"、"切二"、"切三"、"刊"、"王一"、"王二"、"唐"、"广"之序，上下对列，栏数多寡，视材料有无而定。"德"、"西"

两种材料较少,故附列所见韵第一栏之末,不另分列专栏。

十、版框上方之数字示所录唐写本及五代刊本行数,版框下方之数字示《广韵》行数。唐写本及五代刊本原有残缺时,间以"……"号而仍续录下文,并不拘定原本行款。

十一、平声分列上、下,但因字多,无关音理,故五代刊本上下平序次犹相连贯。今于称引之处上平简写作"夲",下平简写作"苹",以免繁赘。

十二、各本韵次,先后不同,卷首所列总目,系依《广韵》目次编排,凡与《广韵》同韵者均直列一行,其原书目次另于"原次"格内标明,并附列本编页数及目一页数以便寻检。每韵原本残缺较多者谓之"残",残缺较少者谓之"损",起首略缺后部完整者谓之"缺首",前部完整末尾略缺者谓之"缺尾",目存文缺者谓之"存目",文存目缺者谓之"缺目":均于各本韵目下分别注明。

十三、卷末所附目一为分韵索引,系依《广韵》韵次逐字编排,于各本格内分别注明本编行数以便检查。(唐写本及五代刊本依版框上方之行数,《广韵》依版框下方之行数。)凡各本韵字与《广韵》形异义同者则于行数外识以括弧而另列此字于本韵之后,并于《广韵》格内注明其所同之字,亦以括弧识之;(例如上平声一东狪字,"王二"格内注作(四),同韵后狪字"王二"格内注作四,《广韵》格内注作狪即谓"王二"东韵第四行之狪字与《广韵》之狪字相同也。)凡各本韵字缺而注存者于行数外□识之:(例如上平声一东公字,刊本格内注作囗,即谓五五代刊本东韵第五行之公字已缺而注文尚存也。)凡各本韵字不见于《广韵》本韵而见于《广韵》他韵者,则附列本韵之后,而于《广韵》格内注明其所见之韵目,不加标识;(例如上平声二冬后有恭字,"切二"格内注作五,《广韵》格内注作钟,即谓"切二"冬韵第五行之恭字不见于《广韵》冬韵而见于《广韵》钟韵也。)凡各本所有之韵字不见于《广韵》者,亦附列本韵之后;(例如上平声一东后有儵字,"切二"格内注作三二,《广韵》格内无注,即谓此字见于"切二"东韵第三十二行而不见于广韵也。)编排时偶有遗漏,另于入声后列有"补遗"。

十四、卷末所附目二为部首索引,系依《康熙字典》之部首及笔画逐字编排,每字注明其在本编中属于《广韵》某韵第几行;依此行数,对检目一,即可知此字是否见于他本。(例如子集一部一字下注作"入质八",即谓此字在本编中见于《广韵》入声质韵第八行也,再检目一《广韵》入声质韵第八行,即知此字亦见于"切三"第五行,"王一"第八行,"王二"第六行,《唐韵》第九行。)凡于字下注"某韵后"者,谓此字见于目一某韵之后也,(例如一部二画亏字下注云"去暮后",检目一去声暮韵后,即知此字见于"王二"暮韵第十三行,乃《广韵》互字之别体也)。凡于字下注"某韵补遗"者,谓此字见于目一后之"补遗"也。(例如一部二十八画豐字下注作"平东补遗",检目一后"补遗"上平声一东即知此字见于"切二"东韵第二十六行乃《广韵》豐字之别体也。)

凡例十四条乃常培所补拟也。去夏,此书本文已写定待印而刘半农先生遽尔谢世叙例腹稿遂伴先生长此沉埋!及余来北平,师友猥以理董遗稿见属,爰绸绎原稿,窥其用心,为补凡例如上。聊增一簣,以竟全功;若云原旨在斯,则吾岂敢?

(1935年9月14日,即刘半农先生逝世后一年有二月,
识于国立北京大学文科研究所语音乐律实验室)

校补本《十韵汇编》序

　　1934年10月,我接到母校电召,承乏故教授刘复博士讲座。那时候刘故教授生前主编的《十韵汇编》已然大部分完成。原书汇辑的资料有:王国维摹写本法国巴黎国家图书馆所藏敦煌发现的《切韵》残卷三种(简称"切一"、"切二"、"切三");刊谬补缺《切韵》三种(刘复《敦煌掇琐》抄刻法国巴黎国家图书馆所藏敦煌唐写本,简称"王一",故宫博物院旧藏写本,简称"王二",五代刻本,简称"刊");国粹学报馆景印吴县蒋氏藏唐人写本《唐韵》一种(简称"唐");德国普鲁士学士院所藏高昌出土的韵书断片一种(简称"德");大谷光瑞《西域考古图谱》所收吐峪沟发现的韵书断片一种(简称"西");古逸丛书复宋本《广韵》一种(简称"广")。等到我参与整理刘教授遗稿时,编制体例业已规定,全部资料已经编成待印,我除了补拟凡例外,只在序文中略述编辑这部书的旨趣、功用和经过。魏建功教授也写了一篇长序,详述韵书的体制和源流,材料的来源和系统。现在还都刊在原印本卷首。

　　原书出版在抗日战争开始前一个月。不久北京为暴敌占据,印本散失,流传不广。中外学者已经得见原书的均交口称便,但苦于购求不易,每感失望。又在原书出版后,我们陆续看到的唐本韵书,包括完整的和残缺的,已将近三十种。除原书所收的十种外,其他私人搜集的还有姜亮夫教授《瀛涯敦煌韵辑》(已出版)和周祖谟教授所编《唐本韵书汇辑》。所得材料已较《十韵汇编》出版时增益许多。魏建功教授曾就姜、周两家所搜集的资料中取其与《十韵汇编》有关的,先后加以整理说明,为写《十韵汇编资料补并释》(见《北大五十周年校庆纪念论文集》),足以补原书之所未备;但其他有待于补充的地方还不少。

《十韵汇编》原稿在迻录唐本韵书的时候,曾由刘复故教授领导当时助理人员一再校勘,但脱误的地方仍所不免。其中显而易见的,有分韵错误的(例如校补凡例二之(1)指出:二二四页"王一"去声裥韵"袓""鰥"两字和注文误入霰韵);有讹字、衍文和脱漏的(例如校补凡例二之(2)指出:二八三页"唐韵"辖韵"刹"字原抄误作"剥";十九页"王一"微韵第五行"奜"字下注文"奜豹见左传",原书"左"字上衍"在"字;二七七页"唐"韵没韵"矻"字注文"硉矻不稳儿"原脱"不"字);有韵字和纽次错乱的(例如校补凡例二之(3)指出:七四页"切三"歌韵末"嶓"字下有"颇坡珂轲阿娿痾讹湤捼牠靴陊伽"等字及注文,王国维抄写时误将"牠靴"两字及注文写于"嶓"字下"轲"字上,又将"颇坡珂"三字及注文写于"捼"字下"陊"字上,但随即用笔钩转改正,见王写本切韵残卷第十五页考"切三"原卷并不误。《十韵汇编》原印本没有照王国维钩乙的次第改正,于是纽次就完全混乱了);有正文注文混乱的(例如凡例二之(4)指出:二二六页《唐韵》线韵"喭——□去战反二也责""喭"字下缺正文"遣"字,《十韵汇编》原印本写作"喭——去战反二",把"遣"字注文误属于"喭"字之下,反切与字音就完全不相合了)。有以上几个缺点,现在为了使这批材料精确一些,能够便于大家运用,进行汉语史研究工作,所以有必要重加校补,把它印出来,并且以此纪念北京大学六十周年校庆。①

校补本《十韵汇编》比原印本,除在卷首加入魏建功教授所作《十韵汇编资料补并释》和《切韵韵目次第考源》外,又增补了高昌

---

① 编者按:校补本《十韵汇编》迄未出版。

出土的韵书写本残片（列考克编号 JIVk 75）和五代刻本韵书残叶（伯希和编号 2014）。前者跟《十韵汇编》原书所收简称为"德"字的韵书为同一书；后者跟《十韵汇编》原书所收简称为"刊"字的韵书为同一书；所以一并增入，以资互补（参看校补凡例三）。这次重印之前，对于原印本迻录唐本韵书有缺漏的地方，北大科学工作处曾请刘钧仁先生对照已有的唐本韵书印本，大体校订一遍，又由魏建功、周祖谟两位教授加以复核。校补本所以能在北京大学六十周年校庆之际跟中外学术界见面，都是他们辛勤劳动的结果。我在此书原印本和校补本编订过程中虽然没有什么贡献，但都侥幸与闻其事。因此，现当付印的时候略述校补本编订之始末如上。不单借此为母校六十周年纪念称庆，并且再一次证明集体劳动是我们今后的正确研究方向。

校补本因为是用原书底本影印，所以在增补材料和编写索引时，不得不迁就原书的行款和空隙，"校补凡例"四、五、六三项已有说明。有人说：原书底本既然有脱误，为什么不直截了当地用原来照片或印本剪贴影印呢？当刘复故教授草创《十韵汇编》的前身"八韵比"的时候，本来打算凡是已有影印本或刻本的都拿原书来剪贴。等到依照这种计划把初稿贴抄竣事以后，又因为行款参差，既不美观，又不便对照，所以才改用《十韵汇编》的编法，除《广韵》用原书剪贴外，其余的都照原来拟定的格式另抄，不拘原来行款。初定的计划，从前编辑原书时既然没有走得通，所以现在仍照原书底本校补重印。并且这种编排的方法，对于研究中古韵书的系统和中古韵书中所表现的语音情况，以及各种韵书所搜罗的词汇的理解，都有很大的便利，所以也就不烦更张了。

（1958 年 5 月 4 日写于中国科学院语言研究所）
（原载《中国语文》，1958 年 6 月号）

《北京俗曲百种摘韵》再版自序

1937年冬天,我从北京逃到衡岳,不久又转徙昆明、蒙自;这部书的原稿和所根据的百种俗曲底本一直都跟着我搬家。那时生活不安定,别的事情又在打岔,简直没工夫把它整理出来。1941年秋天,老舍兄到昆明讲学,并且陪着我在龙泉镇的宝台山上养病。那时他正热心改写旧曲艺,看见这部书的稿子就怂恿我出版,并且给它作了一篇序。受了他的鼓励,我才费了一个多月的时间加紧修订。起初还想在每辙后附上曲词全文,后来受篇幅限制,只能编成现在的样子。百种俗曲底本是前中央研究院历史语言研究所收藏的,在昆明时候因为怕轰炸掉,已然还给史语所保存。现在要想补充那一部分附录,若不是等待台湾解放后再说,就得请求收藏俗曲最丰富的傅惜华先生帮忙了!

这部书的初版,是经杨今甫(振声)兄介绍给重庆国民图书出版社印行的。当时一共印了多少本,销行的情形怎样,我一概不知道。等到去重庆开语文学会,在黎劭西先生处看见这本书,才给该社写信要了二十本;分送朋友后,自己只保存了一本!后来再想多买几本,就买不到了。说不定,经过郑林曦先生在重庆《新华日报》(1943年4月22日副刊)上发表了《给诗人们介绍一本韵书》那篇书评后,原来的出版者还许有意地把它销毁了呢!

林曦先生对于这本书的批评是很公平的。几年来我们始终没能通信或当面商讨,现在借着再版的机会,我可以约略说一说我的意见。

林曦先生说:"在韵母对照表里,罗先生是把他得出的每一辙注上了注音符号了。我们也承认这大体上是对的。然而从罗先生全书看来,我们却找不到各辙音值必然如此的证明。"初版的韵目对照表里,注音符号一栏错得一塌糊涂!最须改正的是ㄥ错成ㄑ,ㄐ错成ㄆ,ㄢ错成ㄉ!再版付印前,我要亲自校过,或者不至再犯这类严重的错误了。至于原来附列这一栏,只想拿注音符号的韵类跟《中原音韵》以下各书的韵类对照一下,并没打算标注各类的"音值";一说到"音值",注音符号就不够精确了。在各辙的字汇里,从汉字本身固然不能证明每辙的读音,可是假如用北京话乃至于官话区的其他方言念一下,只要懂得注音符号或别种拼音,我敢保一定找得到各辙的"音类"来。要让我自己检讨,我觉得那一栏的毛病倒不在"从全书找不到各辙音值必然如此的证明",却在每辙里包括"开、齐、合、撮"四呼两类以上的,注音符号栏所注的韵类并不完全!例如发花辙包括ㄚ、ㄧㄚ、ㄨㄚ三类字,而注音符号只注出ㄚ;梭波辙包括ㄛ、ㄜ、ㄨㄛ三类字,而注音符号只注出ㄛ、ㄜ;乜斜辙包括ㄧㄝ、ㄩㄝ两类字,而注音符号只注出ㄝ;怀来辙包括ㄞ、ㄨㄞ两类字,而注音符号只注出ㄞ;灰堆辙包括ㄟ、ㄨㄟ两类字,而注音符号只注出ㄟ;遥条辙包括ㄠ、ㄧㄠ两类字,而注音符号只注出ㄠ;油求辙包括ㄡ、ㄧㄡ两类字,而注音符号只注出ㄡ;言前辙包括ㄢ、ㄧㄢ、ㄨㄢ、ㄩㄢ四类字,而注音符号只注出ㄢ;人辰辙包括ㄣ、ㄧㄣ、ㄨㄣ、ㄩㄣ四类字,而注音符号只注出ㄣ;江阳辙包括ㄤ、ㄧㄤ、ㄨㄤ三类字,而注音符号只注出ㄤ;中东辙包括ㄥ、ㄧㄥ、ㄨㄥ、ㄩㄥ四类字,而注音符号只注出ㄥ、ㄨㄥ。不过,这本书既然叫做"摘韵",原来是为诗人押韵用的,因此所注的音只代表"韵"而不代表"韵母"。韵是不管介音ㄧ、ㄨ、ㄩ的;韵母是从介音ㄧ、ㄨ、ㄩ算起的。所以从韵的观点看原表的注音,"大体上是对的",而且从现代北京口语可以得到证明。为弥补这种缺点,我想把每辙前的韵字表,再版时按照北京口语的实际读音另行编排。

林曦先生接着说:"要是想认真研究辙儿的话,我觉得与其用一百种唱本儿,倒不如找一百张京戏或者京韵大鼓、骨板书之类的唱片子来研究,所得的结果当会更可靠些。唱本归纳的结果只能得出一些死的字汇。活语研究的结果,却定可告诉我们每一辙包含那些元音和复合元音。"我对于林曦先生提倡用唱片研究活语音的建议,不单完全同意,而且已经开始用比较更进步的仪器自己记录活语言材料。这样一来,我们对于民间文艺的音乐、腔调、板拍、轻重、节奏……都可以得到更精确的记录,供给我们作进一步的研究;但是专为找出"每一辙包含那些元音和复合元音",我倒以为不必这样小题大作,由唱本归纳的结果,参照口语的读音,也可以解决这项问题的。

至于"咬肃"乃是"咬齿"的讹误,并不能改作"舌叶"。明代等韵学家管"资、雌、私"和"之、吃、尸"等类字叫做"咬齿呼",这类字的韵母就是注音符号的ㄭ,或瑞典方言字母的ŋ,照我所归纳的材料,一七辙所收的字的确有咬齿(知之枝吃,湿司尸……)、齐齿(西凄悽鸡依衣希嘻欺低饥机基批栖稀……)和撮口(居嘘须胥驹……)的分别;也就是林曦先生所承认的"一七辙仍包括支思、齐微、居鱼等韵类的字"。如果为押韵宽松,这种合并法当然可以的;至于说听起来很顺,很自然,那却不见得!否则从北宋邵雍的《皇极经世声音唱和图》起就不会把"资、雌、私"等另眼看待。我听见京韵大鼓里"时"、"期"、"去"等一七辙的押韵,往往觉得不顺耳;同时对于一位有名的评戏艺人把"时"、"吃"、"知"等字都念成"l"韵,也觉得不很自然!所以我们要创作新曲艺,除非必不得已,能避免混用,最好避免。咱们固然要迁就民间的习惯,也得照顾到语言的实际情况,这样才能使语音和文艺谐调地向前发展。

各辙所收的字汇都是根据百种曲本归纳来的。在我所归纳的材料里,除去尼姑下山第五落"地儿棍儿字儿意儿穗儿贝儿"和切跳槽后附跳槽回头的末一落"衣儿人儿心儿"两段外,绝对找不到小辙儿的痕迹。因为限于材料,所以"关于儿化韵的解释太少,并不列于字汇"。照全书体例,这是没法儿弥补的缺点!只好等待将来根据实际材料再续编《小辙编》一类的东西。至于入声变读一层,我是沿袭《中原音韵》的办法,这诚然不免"方块字本位"的错误!我愿意接受林曦先生的批评!其他各点我跟他虽然有些不同的意见,我却始终认为他是我的一位知己!

北京市文学艺术工作者联合会成立后,就拿文艺普及工作当作首要的任务,新曲艺的创作研究当然是其中的一个重点。这本小册子也许能在这项工作中发挥它的一个螺丝钉的功用。来薰阁有意把它再版,为是给有志创作新曲艺的同志们作参考,我想这不是全没意义的;在人民的新中国,大家都了解文艺为工农兵服务的重要性,这本小册子也许不至于像从前那样被漠视了!让我谢谢陈济川和吴晓铃两位先生!没有他们的鼓励、帮助,我自己不会有勇气把它重印的。

(1950年9月1日于北京大学文科研究所语音乐律实验室)

编　后　记

　　本书所收的论文是由周定一先生和王均先生经多次认真商讨,从罗常培先生已发表过的约二百多篇论文中挑选确定的。它们是罗常培先生于各个时期在语言学诸领域具有代表性的论文。周定一先生为论文集撰写了序言。

　　根据商务印书馆的要求,我们对原稿进行了一些必要的处理,如在叙述性部分将繁体字改成简体字;非叙述性部分繁体字不简化;修改部分标点符号及改正原稿中的排印错误等。在编辑过程中得到了周定一、王均二位先生的指导和帮助,特此致谢!

罗圣仪

2001 年 6 月